단숨에 끝
SERIES
단끝

최신개정판 박문각 자격증

KB183704

단끝
농산물 품질관리사

1차 | 한권으로 합격하기

농산물품질관리 관계 법령 | 원예작물학 | 수확 후 품질관리론 | 농산물유통론

김봉호 편저

단숨에 끝내는
핵심이론

한눈에 정리하기
부록편 첨부

제2판

▶ 동영상 강의
http://univ.pmg.co.kr

박문각

이 책의 **머리말**

농산물품질관리사 자격시험을 준비하고 계신 수험생 여러분.

FTA(세계자유무역협정)로 대변되는 대한민국의 농업경제는 그 생존의 갈림길에 서 있습니다.

국제 농업시장에서도 국가경쟁력을 기준으로 농업부문의 존속 가능 여부가 결정됨에 따라 우리나라의 농업 산업도 중대한 변화의 물결에 직면하고 있습니다. 이에 따라 정부의 입장도 국가 생존력과 직결된 현 상황을 타개하기 위해 그 해결책으로 농업전문가 양성의 중요성을 인식하고 이를 위해 노력하고 있습니다.

본 저자가 "단끝 농산물품질관리사 1차 한권으로 합격하기"를 펴내게 된 동기 역시 이러한 시대적 흐름에 따라 농산물품질관리 전문가 양성이라는 대의에 기반한 것임을 밝힙니다. 문제는 이 자격증을 추천받거나 취득하고자 하는 대다수의 수험생들이 공부시간 부족이라는 절대적 난제로 인해 도전조차 못하고 있다는 것입니다. 이에 지식측면의 공부보다는 기술적 측면에서 공부방법론이 효율적임을 인식하고 심사숙고하여 개발한 해결책으로 본서를 출간하게 되었습니다.

본서의 특징은 다음과 같습니다.

첫째, 공부량을 획기적으로 줄일 수 있는 서브노트의 도표식 해설

둘째, 출제 가능한 문제 중심의 핵심요약 정리

셋째, 역대 기출문제를 반영한 중요 암기 내용 서술

넷째, 최근 5개년 기출문제와 첨삭해설 수록

다섯째, 한 눈에 정리하기 부록편 첨부

부디 본서로 농산물품질관리사에 도전하는 수험생 여러분들 모두가 공부량 및 공부시간의 획기적 축소에 따른 최단기 합격이라는 행운을 잡을 수 있길 바랍니다.

편저자 김봉호

시험안내

1 농산물품질관리사 기본정보

농산물 원산지 표시 위반 행위가 매년 급증함에 따라 소비자와 생산자의 피해를 최소화하며 원산지 표시의 신뢰성을 확보함으로써 농산물의 생산자 및 소비자를 보호하고 농산물의 유통질서를 확립하기 위하여 도입되었습니다.

2 농산물품질관리사 수행직무

- 농산물의 등급판정
- 농산물의 출하시기 조절, 품질관리기술 등에 대한 자문
- 그 밖에 농산물의 품질향상 및 유통효율화에 관하여 필요한 업무로서 농림수산식품부령이 정하는 업무

3 시험일정

구분	원서접수 기간	시험일자	합격자발표
제1차 시험	2024년 2월	2024년 4월	2024년 5월
제2차 시험	2024년 5월~6월초	2024년 6월	2024년 8월

※ **시험장소** : 원서접수 시 수험자가 직접 선택

※ **시험 시행지역** : 서울, 부산, 대구, 광주, 대전, 제주

시험안내

4 시험과목 및 배점

구분	교시	시험과목	시험시간	시험방법

제1차 시험	1교시	1 **관계 법령**(법, 시행령, 시행규칙)
		  – 「농수산물 품질관리법」
		  – 「농수산물 유통 및 가격안정에 관한 법률」
		  – 「농수산물의 원산지 표시 등에 관한 법률」
		
		2 **원예작물학**
		  – 원예작물학 개요
		  – 과수·채소·화훼작물 재배법 등
		
		3 **수확 후 품질관리론**
		  – 수확 후의 품질관리 개요
		  – 수확 후의 품질관리 기술 등
		
		4 **농산물유통론**
		  – 농산물 유통구조
		  – 농산물 시장구조 등
			09:30~11:30
			(120분)
				객관식
				4지 택일형

제2차 시험	1교시	1 **농산물 품질관리 실무**
		  – 「농수산물 품질관리법」
		  – 「농수산물의 원산지 표시 등에 관한 법률」
		  – 수확 후 품질관리기술
		
		2 **농산물 등급판정 실무**
		  – 「농산물 표준규격」
		  – 등급, 고르기, 결점과 등
			09:30~10:50
			(80분)
				주관식
				(단답형 및
				서술형)

- 시험과 관련하여 법률·규정 등을 적용하여 정답을 구하여야 하는 문제는 <u>시험시행일을 기준으로 시행 중인 법률·기준 등을 적용하여 그 정답을 구하여야 함</u>
- 관련 법령의 경우 수산물 분야는 제외

5 합격기준

구분	합격결정기준
제1차 시험	각 과목 100점을 만점으로 하여 각 과목 40점 이상의 점수를 획득한 사람 중 평균점수가 60점 이상인 사람을 합격자로 결정
제2차 시험	제1차 시험에 합격한 사람(제1차 시험이 면제된 사람 포함)을 대상으로 100점을 만점으로 하여 60점 이상인 자를 합격자로 결정

· **응시자격 제한 없음**

※ 단, 농산물품질관리사의 자격이 취소된 자로 그 취소된 날부터 2년이 경과되지 아니한 자는 시험에 응시할 수 없음

6 소관부처 및 시행처

· **소관부처** : 농림축산식품부(식생활소비정책과)
· **시행처** : 한국산업인력공단

시험안내

참고   **농산물품질관리사 시험 통계자료**

연도 (회별)	1차시험						2차시험					
	대상 (명)	응시 (명)	결시 (명)	합격 (명)	응시율 (%)	합격률 (%)	대상 (명)	응시 (명)	결시 (명)	합격 (명)	응시율 (%)	합격률 (%)
2008년 (5회)	3,243	2,128	1,115	769	65.6%	36.1%	1,149	964	185	449	83.9%	46.6%
2009년 (6회)	5,078	3,625	1,453	248	71.4%	6.8%	578	487	91	297	84.3%	61.0%
2010년 (7회)	6,463	4,854	1,609	2,415	75.1%	49.8%	2,325	2,046	279	437	88.0%	21.4%
2011년 (8회)	5,497	3,729	1,768	1,578	67.8%	42.3%	2,663	2,230	433	455	83.7%	20.4%
2012년 (9회)	5,194	3,674	1,520	872	70.7%	23.7%	1,547	1,296	251	412	83.8%	31.8%
2013년 (10회)	5,354	3,801	1,553	1,499	71.0%	39.4%	1,803	1,495	308	268	82.9%	17.9%
2014년 (11회)	3,836	2,610	1,226	1,149	68.0%	44.0%	1,738	1,413	325	179	81.3%	12.7%
2015년 (12회)	3,172	2,159	1,013	778	68.1%	36.0%	1,217	1,025	192	269	84.2%	26.2%
2016년 (13회)	3,285	2,019	1,266	693	61.5%	34.3%	884	714	170	183	80.8%	25.6%
2017년 (14회)	2,757	1,788	969	617	64.9%	34.5%	796	657	139	39	82.5%	5.9%
2018년 (15회)	2,801	1,523	1,278	460	54.4%	30.2%	694	562	132	155	81.0%	27.6%
2019년 (16회)	3,377	1,813	1,564	936	53.7%	51.6%	966	797	169	171	82.5%	21.5%
2020년 (17회)	2,110	1,274	836	537	60.4%	42.2%	821	666	155	234	81.1%	35.1%
2021년 (18회)	2,833	2,100	733	648	74.1%	30.9%	760	646	114	166	85.0%	25.7%

Part 01 | 농산물품질관리 관계 법령

Part 02 | 원예작물학

Part 03 | 수확 후 품질관리론

Part 04 | 농산물유통론

Part 05 | 최근 5개년 기출문제

부록편 [한 눈에 정리하기]

농산물품질관리
관계 법령

농수산물 품질관리법

제1절 총칙

❶ 목적

이 법은 농수산물의 적절한 품질관리를 통하여 농수산물의 안전성을 확보하고 상품성을 향상하며 공정하고 투명한 거래를 유도함으로써 **농어업인의 소득 증대와 소비자 보호에 이바지하는 것을 목적으로 함**

❷ 정의

농산물	「농업·농촌 및 식품산업 기본법」 제3조 제6호 가목의 농산물 농작물재배업, 축산업, 임업 및 이들과 관련된 산업으로부터 생산된 농산물
생산자단체	「농업·농촌 및 식품산업 기본법」 시행령 제4조(생산자단체의 범위) ① 「농업협동조합법」에 따른 조합 및 그 중앙회(농협중앙회) ② 「산림조합법」에 따른 산림조합 및 그 중앙회(산림조합중앙회) ③ 「엽연초생산협동조합법」에 따른 엽연초생산협동조합 및 그 중앙회 ④ 농산물을 공동으로 생산하거나 농산물을 생산하여 공동으로 판매·가공 또는 수출하기 위하여 농업인 5명 이상이 모여 결성한 법인격이 있는 전문생산자 조직으로서 농림축산식품부장관이 정하는 요건을 갖춘 단체 「농수산물 품질 관리법」 시행규칙 제2조(생산자단체의 범위) ① 영농조합법인 또는 영어조합법인 ② 농업회사법인 또는 어업회사법인
물류표준화	농수산물의 **운송·보관·하역·포장** 등 물류의 각 단계에서 사용되는 **기기·용기·설비·정보** 등을 규격화하여 호환성과 연계성을 원활히 하는 것
농산물우수관리	① 농산물(축산물 제외)의 안전성을 확보하고 농업환경을 보전하기 위하여 ② 농산물의 생산, 수확 후 관리(농산물의 저장·세척·건조·선별·절단·조제·포장 등을 포함) 및 유통의 각 단계에서 ③ 작물이 재배되는 농경지 및 농업용수 등의 농업환경과 ④ 농산물에 잔류할 수 있는 농약, 중금속, 잔류성 유기오염물질 또는 유해생물 등의 위해 요소를 적절하게 관리하는 것
이력추적관리	① 농수산물(축산물 제외)의 안전성 등에 문제가 발생할 경우 ② 해당 농수산물을 추적하여 원인을 규명하고 ③ 필요한 조치를 할 수 있도록 ④ 농수산물의 생산단계부터 판매단계까지 ⑤ 각 단계별로 정보를 기록·관리하는 것

지리적표시	"지리적표시"란 농수산물 또는 제13호에 따른 농수산가공품의 명성·품질, 그 밖의 특징이 본질적으로 특정 지역의 지리적 특성에 기인하는 경우 해당 농수산물 또는 농수산가공품에 표시하는 다음 각 목의 것을 말한다. 가. 농수산물의 경우 해당 농수산물이 그 특정 지역에서 생산되었음을 나타내는 표시 나. 농수산가공품의 경우 다음의 구분에 따른 사실을 나타내는 표시 　　1) 생략 　　2) 그 외의 농수산가공품 : 그 특정 지역에서 생산된 농수산물로 제조 및 가공된 사실
동음이의어 지리적표시	동일한 품목에 대한 지리적표시에 있어서 타인의 지리적표시와 **발음은 같지만 해당 지역이 다른 지리적표시**
지리적표시권	이 법에 따라 등록된 지리적표시(동음이의어 지리적표시를 포함)를 배타적으로 사용할 수 있는 지식재산권
유전자변형 농산물	인공적으로 유전자를 분리하거나 재조합하여 의도한 특성을 갖도록 한 농수산물
유해물질	**농약, 중금속, 항생물질, 잔류성 유기오염물질, 병원성 미생물, 곰팡이 독소, 방사성물질, 유독성 물질 등** 식품에 잔류하거나 오염되어 사람의 건강에 해를 끼칠 수 있는 물질로서 총리령으로 정하는 것 〈더 알아보기〉 유해물질(총리령) 농약, 중금속, 항생물질, 잔류성 유기오염물질, 병원성 미생물, <u>생물독소, 방사능</u>
농산가공품	농산물을 원료 또는 재료로 하여 가공한 제품

❸ 농수산물 품질관리 심의회

농수산물 품질관리 심의회	설치 등	① 구성 : 위원장 및 부위원장 각 1명을 포함한 <u>60명 이내</u>의 위원 ② 위원 : 정부기관, 농협중앙회 등, 시민단체 추천(위촉), 전문가(위촉) ③ 임기 : 시민단체 추천자와 전문가로서 위촉된 자 3년 ④ 법적 필수 위원회 : 지리적표시 등록심의 분과위원회 ⑤ 대통령령에 의한 분과위원회 　– 안전성 분과위원회, 기획·제도 분과위원회 　– 각 분과위원 : <u>10명 이상 20명 이하</u>의 위원 　– 의결 : 위원 과반수 출석과 출석위원 과반수 찬성 ⑥ 심의간주 　지리적표시 등록심의 분과위원회 및 분야별 분과위원회에서 심의한 사항은 　심의회에서 심의된 것으로 봄 ⑦ 연구위원 : 농수산물 품질관리 등의 국제 동향을 조사·연구하게 하기 위하여 　심의회에 연구위원(15명 이내)을 둘 수 있음 ⑧ 대통령령 : 법에 규정한 사항 외 심의회 및 분과위원회의 구성과 운영 등에 　필요한 사항은 대통령령으로 정함
	심의회 직무 심의사항	① 표준규격 및 물류표준화에 관한 사항 ② 농산물우수관리·수산물품질인증 및 이력추적관리에 관한 사항 ③ 지리적표시에 관한 사항

	④ 유전자변형농수산물의 표시에 관한 사항
	⑤ 농수산물(축산물은 제외)의 안전성조사 및 그 결과에 대한 조치사항
	⑥ 농수산물(축산물은 제외) 및 수산가공품의 검사에 관한 사항
	⑦ 농수산물의 안전 및 품질관리에 관한 정보의 제공에 관하여 총리령, 농림축산식품부령 또는 해양수산부령으로 정하는 사항
	⑧, ⑨, ⑩ (생략) ∵ 수산물 관련 사항
	⑪ 다른 법령에서 심의회의 심의사항으로 정하고 있는 사항
	⑫ 그 밖에 농수산물 및 수산가공품의 품질관리 등에 관하여 위원장이 심의에 부치는 사항

제2절 농수산물의 표준규격 및 품질관리

❶ 농수산물의 표준규격

(1) 표준규격

표준규격의 제정과 고시	① 표준규격의 제정
	  – 제정권자 : 농림축산식품부장관
	  – 제정목적 : 농산물의 상품성과 유통 능률 향상 및 공정한 거래 실현
	  – 표준규격 : 포장규격과 등급규격
	② 표준규격품의 표시 : 표준규격에 맞는 농수산물(표준규격품)을 출하하는 자는 포장 겉면에 표준규격품의 표시를 할 수 있음
	③ 제정기준, 제정절차 및 표시방법의 제정 : 농림축산식품부령
	④ 시험의뢰 : 국립농산물품질관리원장 또는 산림청장은 표준규격의 제정 또는 개정을 위하여 필요하면 전문연구기관 또는 대학 등에 시험을 의뢰할 수 있음
	⑤ 표준규격의 고시 : 국립농산물품질관리원장 또는 산림청장은 표준규격을 제정, 개정 또는 폐지하는 경우에는 그 사실을 고시하여야 함

포장규격	① 포장규격은 「산업표준화법」 제12조에 따른 한국산업표준에 따름 ② 한국산업표준이 제정되어 있지 아니하거나 한국산업표준과 다르게 정할 필요가 있다고 인정되는 경우에는 보관·수송 등 유통 과정의 편리성, 폐기물 처리문제를 고려하여 다음 각 호의 항목에 대하여 그 규격을 따로 정할 수 있음 – 거래단위, 포장치수, 포장재료 및 포장재료의 시험방법, 포장방법, 포장설계, 표시사항, 기타 필요 사항
등급규격	등급규격은 품목 또는 품종별로 그 특성에 따라 **고르기, 크기, 형태, 색깔, 신선도, 건조도, 결점, 숙도(熟度) 및 선별 상태** 등에 따라 결정

표준규격품 출하 및 표시방법	① 표준규격품의 권장 : 농림축산식품부장관, 시·도지사
	② 표준규격품 권장대상자 : 농수산물을 생산, 출하, 유통 또는 판매하는 자
	③ 표준규격품의 표시("표준규격품"이라는 겉면표시와 함께)
	  – 품목
	  – 산지

- 품종. 다만, 품종을 표시하기 어려운 품목은 국립농산물품질관리원장 또는 산림청장이 정하여 고시하는 바에 따라 <u>품종의 표시를 생략할 수 있음</u>
- 생산 연도(곡류만 해당)
- 등급
- 무게(실중량). 다만, 품목 특성상 무게를 표시하기 어려운 품목은 국립농산물품질관리원장 또는 산림청장이 정하여 고시하는 바에 따라 개수(마릿수) 등의 표시를 단일하게 할 수 있음
- 생산자 또는 생산자단체의 명칭 및 전화번호

(2) 권장품질표시

권장 품질표시	① 권장품질표시의 기준 제정 : 농림축산식품부장관 ② 제정 목적 : 포장재 또는 용기로 포장된 농산물(축산물은 제외)의 상품성을 높이고 공정한 거래를 실현 ③ 표시대상 : 제5조에 따른 표준규격품의 표시를 하지 아니한 농산물의 포장 겉면에 등급·당도 등 품질을 표시(이하 "권장품질표시"라 함) ④ 표시권자 : 농산물을 유통·판매하는 자

❷ 농산물우수관리

(1) 농산물우수관리의 인증

인증	인증기준고시	① 우수관리기준 고시 : 농림축산식품부장관 ※ 우수관리인증의 기준·대상품목·절차 및 표시방법 등 우수관리인증에 필요한 세부사항은 농림축산식품부령으로 정함 ② 우수관리인증의 세부 기준 고시 : 국립농산물품질관리원장 ③ 농산물우수관리기준 고시 : 농촌진흥청장
	인증대상품목	농산물 중 식용(食用)을 목적으로 생산·관리한 농산물
	인증신청	① 신청적격 - 우수관리기준에 따라 농산물을 생산·관리하는 자 - 우수관리기준에 따라 생산·관리된 농산물을 포장하여 유통하는 자 ② 인증적격 심사·조사·점검기관 : 우수관리인증기관 ③ 신청 부적격자 - 법 제8조에 따라 <u>인증이 취소된 후 1년이 지나지 아니한 자</u> - 제119조(3년 이하 징역 or 3천만원 이하 벌금) 또는 제120조(1년 이하 징역 or 1천만원 이하 벌금)를 위반하여 <u>벌금 이상의 형이 확정된 후 1년이 지나지 아니한 자</u> ④ 인증신청서와 첨부서류 - 우수관리인증농산물의 <u>위해요소관리계획서</u> - <u>사업운영계획서</u>(생산자집단이 신청하는 경우만 해당)
	인증표시	우수관리인증을 받은 자는 우수관리인증농산물의 포장·용기·송장(送狀)·거래명세표·간판·차량 등에 우수관리인증의 표시를 할 수 있음

인증표시방법	① 포장·용기의 겉면 등에 우수관리인증의 표시를 하는 경우 : 표시항목을 인쇄하거나 스티커로 제작하여 부착할 것 ② 농산물에 우수관리인증의 표시를 하는 경우 : 표지가 인쇄된 스티커를 부착 ③ 우수관리인증농산물을 포장하지 않은 상태로 출하하거나 포장재에 우수관리인증의 표시를 하지 않고 출하하는 경우 : 송장(送狀)이나 거래명세표에 표시항목을 적을 것 ④ 간판이나 차량에 우수관리인증의 표시를 하는 경우 : 인쇄 등의 방법으로 표지를 표시할 것 ※ 우수관리인증의 표시를 한 농산물을 공급받아 소비자에게 직접 판매하는 자는 푯말 또는 표지판으로 우수관리인증의 표시를 할 수 있는데, 이 경우 표시 내용은 포장 및 거래명세표 등에 적혀 있는 내용과 같아야 함	

인증취소 등	① 일반기준
	 – 위반행위가 둘 이상인 경우 : 그중 무거운 처분기준을 적용
	  ※ 둘 이상의 처분기준이 같은 업무정지인 경우 : 무거운 처분기준의 2분의 1까지 가중(각 처분기준을 합산한 기간을 초과할 수 없음)
	 – 위반행위의 횟수에 따른 행정처분의 기준 : 최초 행정처분을 한 날로부터 1년
	 – 처분의 감경(고의성이 없거나 그 밖에 특별한 사유가 인정되는 경우)
	  • 표시정지의 경우 : 2분의 1 범위에서 경감 가능
	  • 인증취소인 경우 : 3개월의 표시정지 처분으로 경감 가능
	 – 양벌기준(생산자집단의 구성원의 위반행위) : 1차 처분(구성원), 2차 처분(생산자집단 : 구성원보다 한 단계 낮은 처분기준 적용)
	② 개별기준		

	인증취소 (1차 위반)	거짓·부정인증, 생산곤란(전업·폐업), 표시정지기간 중 표시	
	표시정지 후 인증취소	• 우수관리기준 미준수, 조사·점검·자료요청 등 불응, 승인 없이 중요사항 변경 • 1차(표시정지 1개월), 2차(표시정지 3개월), 3차(인증취소)	
	시정명령 후 표시정지	표시방법 위반 : 1차(시정명령), 2차(표시정지 1개월), 3차(표시정지 3개월)	

인증 심사	① 우수관리인증심사기관 : 우수관리인증기관의 장 ② 적합성 심사 : 서류심사, 현지심사, 전수심사, 표본심사 – 우수관리인증기관의 장은 필요한 경우에는 현지심사를 할 수 있음 – 우수관리인증기관의 장은 <u>생산자집단이 우수관리인증을 신청한 경우</u>에는 전체 구성원에 대하여 <u>각각 심사</u>를 하여야 함(전수조사) 다만, 국립농산물품질관리원장이 정하여 고시하는 바에 따라 <u>표본심사</u>를 할 수 있음 – 현지심사를 하는 경우에는 심사일정을 정하여 그 신청인에게 알려야 함 ※ 심사기간 : 법적으로 명시되어 있지 않음(인증기관 3月, 우수관리시설 42日) ③ 현지심사 심사반 구성 : 우수관리인증기관의 <u>그 소속 심사담당자</u>와 국립농산물품질관리원장, 시·도지사 또는 시장·군수·구청장이 추천하는 <u>공무원 또는 민간전문가</u>로 심사반을 구성하여 우수관리인증의 심사를 할 수 있음

④ 농산물우수관리 인증서 발급 : 적합판정 시
   ※ 우수관리인증을 하기에 적합하지 아니한 경우 : 그 사유를 신청인에게 알려야 함
⑤ 인증서의 재발급 : 인증서를 분실하거나 인증서가 손상된 경우
⑥ 인증심사 등에 필요한 세부 사항 고시 : 국립농산물품질관리원장

〈더 알아보기〉 인증신청시기 등
∘우수관리인증을 받으려는 자는 신청대상 농산물이 인증기준에 따라 생육 중인 농산물로서 <u>최초 수확</u>
 <u>예정일로부터 1개월 이전</u>에 신청하여야 하며, 동일한 재배포장에서 인증 기준에 따라 생산계획 중인
 농림산물도 신청할 수 있음
∘동일 작물을 연속하여 2회 이상 수확하는 경우에는 생육기간의 2/3가 경과되지 않은 경우에 신청할
 수 있음. 이때 생육기간이라 함은 파종일로부터 수확 완료일까지의 기간을 말함
∘버섯류 및 새싹채소 등 연중 생산이 가능한 작물인 경우는 제1항 및 제2항의 규정을 따르지 않을 수
 있음(단, 인증신청 시 재배포장(재배사)에 신청대상 농산물이 생육 중이어야 함)
∘인삼이 생육 중인 재배포장이 있으면 유효기간 이내에 인삼 식재를 위한 예정지도 신청할 수 있음

유효 기간 등	① 우수관리인증의 유효기간 고시 : 국립농산물품질관리원장(품목 특성상 달리 할 경우) <table><tr><td>• 인삼류 : 5년 이내 범위</td><td>• 약용작물류 : 6년 이내 범위</td></tr></table> 　－국립농산물품질관리원장 고시 제9조(우수관리인증의 유효기간) 　　• 인삼 : 3년 　　• 약용작물 : 3년(약용을 목적으로 생산·유통하는 경우에 한함) 　－부령 제7조 제1항 : 우수관리인증의 유효기간은 우수관리인증을 받은 날부터 **2년**으로 함. 　　다만, 품목의 특성에 따라 달리 적용할 필요가 있는 경우에는 <u>10년의 범위</u>에서 농림축산 　　식품부령으로 유효기간을 달리 정할 수 있음 ② 우수관리인증의 갱신 　－그 유효기간이 끝나기 **1개월 전까지** 우수관리인증기관의 장에게 제출 　－우수관리인증기관의 장은 유효기간이 끝나기 2개월 전까지 신청인에게 갱신절차와 갱신 　　신청 기간을 미리 알려야 함 ③ 우수관리인증의 유효기간 연장 　－그 유효기간이 끝나기 **1개월 전까지** 우수관리인증기관의 장에게 제출 　－유효기간 연장기간은 우수관리인증의 유효기간을 초과할 수 없음 ④ 우수관리인증의 변경(중요사항 : 변경 전 승인 필요) 　－위해요소관리계획 중 생산계획(품목, 재배면적, 생산계획량) 　－생산자집단의 대표자(생산자집단의 경우만 해당) 　－인증을 받은 자의 주소(생산자집단의 경우 대표자의 주소) 　－인증농산물의 재배필지(생산자집단의 경우 각 구성원이 소유한 재배필지를 포함) ⑤ 갱신 및 연장절차 등의 고시 : 농림축산식품부령

(2) 농산물우수관리인증기관의 지정 등

지정 등	① 우수관리인증기관(외국기관 포함)의 지정 : 농림축산식품부장관(국품원장 위임) ② 우수관리인증기관 지정에 필요한 세부 사항 고시 : 국립농산물품질관리원장

	조직	인력	시설

지정기준	① 법인
	② 재무구조 건실
	③ 겸업 시 인증업무 불공정 우려 없을 것
		① 인증심사원 5명(상근 2명) 이상
		② 심사원의 자격
		   – 학사, 전문학사 + 2년 경력
		   – 관련 국가자격 기사 이상
		     (단, 산업기사 + 2년 경력)
		   – 품질관리업무경력 3년
		   – 우수관리인증기관경력 2년
			① 분석시설 : 토양, 수질, 잔류농약, 중금속, 미생물 등 분석
			② 공인분석기관과 업무협약 체결 시 분석실 구비의무 없음

지정신청	① 우수관리인증기관의 지정신청 : 농림축산식품부장관에게(국품원장에게 위임)
	※ 지정부적격 : 법 제10조에 따라 우수관리인증기관 지정이 취소된 후 2년 미경과 시
	② 인증기관신청서 및 첨부서류
	   – 정관
	   – 농산물우수관리 인증계획 및 인증업무규정 등을 적은 <u>우수관리인증 사업계획서</u>
	   – 우수관리인증기관의 <u>지정기준을 갖추었음을 증명할 수 있는 서류</u>
	   – 농산물우수관리시설 지정계획 및 지정업무규정 등을 적은 <u>우수관리시설 지정 사업계획서</u>(우수관리시설 지정 업무를 수행하는 경우만 해당)		

적합심사	지정신청을 받은 경우에는 그날부터 3개월 이내(부적합 시 그 사유를 통지하여야 함)		
유효기간	5년		
지정갱신	① 유효기간이 끝나기 **3개월 전까지** 갱신신청서 제출 ② **첨부서류** : 지정서 원본, 변경사항이 있으면 제19조 제3항 각 호의 서류 ③ **갱신 사전 통지** : 유효기간이 끝나기 4개월 전까지(휴대전화, 문자메세지, 문서 등)		
지정변경 신고	인정기관의 중요사항 지정내용 변경신고(그 사유가 발생한 날부터 <u>1개월 이내</u>) ※ 신고수리여부 10일 내 통지 및 미통지 시 신고를 수리한 것으로 간주 ① 우수관리인증기관의 명칭·대표자·주소 및 전화번호 ② 우수관리인증기관의 업무 등 정관 ③ 우수관리인증기관의 조직, 인력, 시설 ④ 농산물우수관리 인증계획, 인증업무 처리규정 등을 적은 사업계획서 ⑤ 우수관리시설 지정계획, 지정업무규정 등을 적은 사업계획서(우수관리시설 지정 업무를 수행하는 경우만 해당)		

행정처분	① 우수관리인증기관의 지정 취소, 우수관리인증 업무의 정지 및 우수관리시설 지정 업무의 정지에 관한 처분기준(부령 제22조 제1항 관련/최근 1년간, 업무정지는 6개월 범위 내)
	   – 1차 위반 시 취소사유
	     1) 거짓, 부정한 방법의 기관 지정
	     2) 업무정지기간 중 인증업무 수행
	     3) 인증업무 수행불가(해산·부도 등)
	     4) 인증업무와 관련된 벌금형 이상 확정(기관 임·직원 포함)
	     5) 그 밖의 사유로 인증업무 수행 불가능한 경우
	   – 업무정지 등
	     1) 변경 미신고(조직·인력·시설 중) : 3中1(경 / 1 / 3), 3中2(1 / 3 / 6)
	     2) 지정기준 미달(조직·인력·시설 중) : 3中1(1 / 3 / 6), 3中2(3 / 6 / 취)		

3) 우수관리인증 또는 우수관리시설 지정의 기준을 잘못 적용하는 등 우수관리인증 또는 우수관리시설의 지정 업무를 잘못한 경우

위반행위	위반횟수별 처분기준		
	1회	2회	3회 이상
가. 거짓이나 그 밖의 부정한 방법으로 지정을 받은 경우	지정 취소		
나. 업무정지 기간 중에 우수관리인증 또는 우수관리시설의 지정 업무를 한 경우	지정 취소		
다. 우수관리인증기관의 해산·부도로 인하여 우수관리인증 또는 우수관리시설의 지정 업무를 할 수 없는 경우	지정 취소		
라. 법 제9조 제2항 본문에 따른 중요 사항에 대한 변경신고를 하지 않고 우수관리인증 또는 우수관리시설의 지정 업무를 계속한 경우			
– 조직·인력 및 시설 중 어느 하나가 변경되었으나 1개월 이내에 신고하지 않은 경우	경고	업무정지 1개월	업무정지 3개월
– 조직·인력 및 시설 중 둘 이상이 변경되었으나 1개월 이내에 신고하지 않은 경우	업무정지 1개월	업무정지 3개월	업무정지 6개월
마. 우수관리인증 또는 우수관리시설의 지정 업무와 관련하여 인증기관의 장 등 임원·직원에 대하여 벌금 이상의 형이 확정된 경우	지정 취소		
바. 법 제9조 제7항에 따른 지정기준을 갖추지 않은 경우			
– 조직·인력 및 시설 중 어느 하나가 지정기준에 미달할 경우	업무정지 1개월	업무정지 3개월	업무정지 6개월
– 조직·인력 및 시설 중 둘 이상이 지정기준에 미달할 경우	업무정지 3개월	업무정지 6개월	지정 취소
사. 법 제9조의2에 따른 준수사항을 지키지 않은 경우	경고	업무정지 1개월	업무정지 3개월
아. 우수관리인증 또는 우수관리시설 지정의 기준을 잘못 적용하는 등 우수관리인증 또는 우수관리시설의 지정 업무를 잘못한 경우			
– 우수관리인증 또는 우수관리시설 지정의 기준을 잘못 적용하여 인증을 한 경우	경고	업무정지 1개월	업무정지 3개월
– 별표3 제3호 나목부터 아목까지 또는 제4호 각 목의 규정 중 둘 이상을 이행하지 않은 경우	경고	업무정지 1개월	업무정지 3개월
– 우수관리인증 또는 우수관리시설의 지정 외의 업무를 수행하여 우수관리인증 또는 우수관리시설의 지정 업무가 불공정하게 수행된 경우	업무정지 6개월	지정 취소	
– 우수관리인증 또는 우수관리시설 지정의 기준을 지키는지 조사·점검을 하지 않은 경우	경고	업무정지 1개월	업무정지 3개월
– 우수관리인증 또는 우수관리시설의 지정 취소 등의 기준을 잘못 적용하여 처분한 경우	업무정지 1개월	업무정지 3개월	지정 취소
– 정당한 사유 없이 법 제8조 제1항 또는 제12조 제1항에 따른 처분을 하지 않은 경우	경고	업무정지 1개월	업무정지 3개월

자. 정당한 사유 없이 1년 이상 우수관리인증 또는 우수관리시설의 지정 실적이 없는 경우	업무정지 3개월	지정 취소	
차. 법 제13조의2 제2항 또는 제31조 제3항을 위반하여 농림축산식품부장관의 요구를 정당한 이유 없이 따르지 않은 경우	업무정지 3개월	업무정지 6개월	지정 취소

② 우수관리시설 점검·조사 등의 결과에 따른 조치 등
- 농림축산식품부장관의 인증기관에 행정처분 요청 : 우수관리시설의 지정을 취소하거나 우수관리인증 대상 농산물에 대한 농산물우수관리 업무의 정지 또는 시정을 명하도록 요구하여야 함
- 우수관리인증기관은 제1항에 따른 요구가 있는 경우 지체 없이 이에 따라야 하며, 처분 후 그 내용을 농림축산식품부장관에게 보고하여야 함
- 농림축산식품부장관의 직접 행정처분 : 제1항의 경우 제10조에 따라 우수관리인증기관의 지정이 취소된 후 새로운 우수관리인증기관이 지정되지 아니하거나 해당 우수관리인증기관이 업무정지 중인 경우에는 농림축산식품부장관이 우수관리시설의 지정을 취소하거나 6개월 이내의 기간을 정하여 우수관리인증 대상 농산물에 대한 농산물우수관리 업무의 정지를 명하거나 시정명령을 할 수 있음

❸ 이력추적관리

이력추적관리 등록	① 농산물(축산물은 제외)을 생산하는 자 ② 농산물을 유통 또는 판매하는 자(표시·포장을 변경하지 아니한 유통·판매자는 제외) ※ 등록기관 : 국립농산물품질관리원장(법상 장관이나 규칙에서 위임)		
등록사항	**이력추적관리의 대상품목 및 등록사항** ① 대상품목 : 식용을 목적으로 생산하는 농산물(축산물 제외) ② 등록사항		
	생산자 (단순가공 포함)	• 생산자의 성명, 주소 및 전화번호 • 이력추적관리 대상품목명 • 재배면적 • 생산계획량 • 재배지의 주소	
	유통자	• 유통업체의 명칭 또는 유통자의 성명, 주소 및 전화번호 • 수확 후 관리시설이 있는 경우 관리시설의 소재지	
	판매자	판매업체의 명칭 또는 판매자의 성명, 주소 및 전화번호	
등록변경신고	① 변경 사유가 발생한 날부터 1개월 이내에 농림축산식품부장관에게 신고 ② 신고수리 여부 결정 : 변경신고를 받은 날부터 10일 이내 ※ 신고수리 간주 : 기간 내에 신고수리 여부 또는 민원 처리 관련 법령에 따른 처리기간의 연장을 신고인에게 통지하지 아니하면 그 기간이 끝난 다음날		

이력추적관리 표시	① 이력추적관리의 등록을 한 자는 해당 농산물에 농림축산식품부령으로 정하는 바에 따라 이력추적관리의 표시를 할 수 있음 ② 대통령령에 의한 의무표시 대상자 : 표시하여야 함
이력추적관리 기준 준수	① 관리기준 : 이력추적관리에 필요한 입고·출고 및 관리 내용을 기록의 보관 ② 기준 준수 예외자(대통령령) : 노점 또는 행상을 하는 사람과 우편 등을 통하여 유통업체 를 이용하지 않고 소비자에게 직접 판매하는 생산자
등록자 지원	농림축산식품부장관은 이력추적관리에 필요한 비용의 전부 또는 일부를 지원할 수 있음
등록 유효기간	① 등록유효기간 : 3년 ② 유효기간의 조정 : 10년 범위 내(인삼류 : 5년 이내, 약용작물류 : 6년 이내) ③ 등록 갱신과 연장 신청 : 등록의 유효기간이 끝나기 1개월 전까지
표시정지 시정명령 등록취소	① 등록한 자가 다음 각 호의 어느 하나에 해당하면 그 등록을 취소하거나 6개월 이내의 기간을 정하여 이력추적관리 표시정지를 명하거나 시정명령을 할 수 있음 　1. 거짓이나 그 밖의 부정한 방법으로 등록을 받은 경우(취소) 　2. 이력추적관리 표시정지 명령을 위반하여 계속 표시한 경우(취소) 　3. 제24조 제3항에 따른 이력추적관리 등록변경신고를 하지 아니한 경우 　4. 제24조 제6항에 따른 표시방법을 위반한 경우 　5. 이력추적관리기준을 지키지 아니한 경우 　6. 제26조 제2항을 위반하여 정당한 사유 없이 자료제출 요구를 거부한 경우 　7. 업종전환·폐업 등으로 이력추적관리농산물을 생산, 유통 또는 판매하기 어렵다고 　　판단되는 경우(취소) ② 행정처분 시 위반행위 횟수 기준 : 최근 1년간 같은 위반행위로 행정처분을 받은 경우 ③ 행정처분의 개별기준 （아래 표 참조）

③ 행정처분의 개별기준

위반행위	위반횟수별 처분기준		
	1차 위반	2차 위반	3차 위반 이상
가. 거짓이나 그 밖의 부정한 방법으로 등록을 받은 경우	등록취소	–	–
나. 이력추적관리 표시정지 명령을 위반하여 계속 표시한 경우	등록취소	–	–
다. 법 제24조 제3항에 따른 이력추적관리 등록변경신고를 하지 않은 경우	시정명령	표시정지 1개월	표시정지 3개월
라. 법 제24조 제6항에 따른 표시방법을 위반한 경우	표시정지 1개월	표시정지 3개월	등록취소
마. 이력추적관리기준을 지키지 않은 경우	표시정지 1개월	표시정지 3개월	표시정지 6개월
바. 법 제26조 제2항을 위반하여 정당한 사유 없이 자료제출 요구를 거부한 경우	표시정지 1개월	표시정지 3개월	표시정지 6개월
사. 전업·폐업 등으로 이력추적관리농산물을 생산, 유통 또는 판매하기 어렵다고 판단되는 경우	등록취소		

농산물 이력정보 공개		장관은 이력추적관리를 등록한 자의 농산물 이력정보를 공개할 수 있음
등록절차	제출 서류	① 이력추적관리농산물의 관리계획서 ② 이상이 있는 농산물에 대한 회수 조치 등 사후관리계획서
	심사	① 심사기관 : 국립농산물품질관리원장 ② 신청인이 생산자집단인 경우 : 전수심사(원칙) 또는 표본심사 ③ 심사일정의 통지 ④ 심사반 구성 : 등록기관의 장은 그 소속 심사담당자와 시·도지사 또는 시장·군수·구청장이 추천하는 공무원이나 민간전문가로 심사반을 구성 → 적합판정(등록), 부적합판정(사유 통지)

❹ 사후관리 등

지위의 승계	① 승계대상 : 우수관리인증기관의 지정, 우수관리시설의 지정
	② 승계사유 및 양수인
	  – 권리·의무를 가진 자가 사망(상속인)
	  – 그 권리·의무를 양도하는 경우(양수인)
	  – 법인이 합병한 경우(합병 후 존속하는 법인이나 합병으로 설립되는 법인)
	③ 승계신고 : 승계의 사유가 발생한 날부터 1개월 이내에 지정받은 기관에 신고
	④ 행정제재처분 효과의 승계 : 승계 전 처분이 있은 날부터 1년간 그 지위를 승계한 자에게 승계(행정제재처분의 절차가 진행 중인 때에는 그 지위를 승계한 자에 대하여 그 절차를 계속 진행할 수 있음). 다만, 지위를 승계한 자가 그 지위의 승계 시에 그 처분 또는 위반사실을 알지 못하였음을 증명하는 때에는 그러하지 아니함

거짓표시 등 금지	① 우수표시품이 아닌 농산물, 농산가공품
	  – 우수표시품의 표시 또는 유사표시
	  – 우수표시품으로 광고 또는 오인유발 광고
	② 우수표시품에 아닌 농산물, 농산가공품
	  – 혼합하여 판매하거나 혼합하여 판매할 목적으로 보관하거나 진열하는 행위

우수표시품 사후관리	① 우수표시품의 해당 표시에 대한 규격·품질 또는 인증·등록 기준에의 적합성 등의 조사 ② 해당 표시를 한 자의 관계 장부 또는 서류의 열람 ③ 우수표시품의 시료(試料) 수거
권장품질표시 사후관리	① 권장품질표시를 한 농산물의 권장품질표시 기준에의 적합성 조사 ② 권장품질표시를 한 농산물의 시료 수거

우수표시품 시정조치	① 시정명령, 판매금지, 표시정지 등
	  – 표시된 규격 또는 해당 인증·등록 기준에 미치지 못하는 경우
	  – 업종전환·폐업 등으로 해당 품목을 생산하기 어렵다고 판단되는 경우
	  – 해당 표시방법을 위반한 경우
	② 장관의 우수관리인증 표시의 제거·변경 또는 판매금지 조치
	③ 장관의 인증기관에 대한 처분 요청 : 인증취소, 표시정지, 시정명령

[대통령령] 시정명령 등 개별 행정처분기준

표준규격품 위반행위	행정처분 기준		
	1차 위반	2차 위반	3차 위반
1) 법 제5조 제2항에 따른 표준규격품 의무표시사항이 누락된 경우	시정명령	표시정지 1개월	표시정지 3개월
2) 법 제5조 제2항에 따른 표준규격이 아닌 포장재에 표준규격품의 표시를 한 경우	시정명령	표시정지 1개월	표시정지 3개월
3) 법 제5조 제2항에 따른 표준규격품의 생산이 곤란한 사유가 발생한 경우	표시정지 6개월		
4) 법 제29조 제1항을 위반하여 내용물과 다르게 거짓표시나 과장된 표시를 한 경우	표시정지 1개월	표시정지 3개월	표시정지 6개월

우수관리인증농산물 행정처분 대상	행정처분 기준		
	1차 위반	2차 위반	3차 위반
1) 법 제30조에 따른 조사 등의 결과 우수관리인증농산물이 우수관리기준에 미치지 못한 경우	판매금지		
2) 법 제30조에 따른 조사 등의 결과 법 제6조 제7항에 따른 우수관리인증의 표시방법을 위반한 경우	표시변경	표시제거	판매금지

제3절 지리적표시

❶ 등록

지리적표시의 등록	목적과 실시	① 목적 : 지리적 특성을 가진 농산물 또는 농산가공품의 품질 향상과 지역특화산업 육성 및 소비자 보호 ② 제도의 실시 : 농림축산식품부장관
	지리적표시의 등록 신청	① 특정지역에서 지리적 특성을 가진 농산물 또는 농산가공품을 생산하거나 제조·가공하는 자로 구성된 법인만 신청 ② 생산자 또는 가공업자가 1인인 경우에는 법인이 아니라도 등록신청 가능
	지리적표시의 대상지역	① 해당 품목의 특성에 영향을 주는 지리적 특성이 동일한 행정구역, 산, 강 등에 따를 것 ② 김치와 인삼 : 김치의 경우에는 전국을 하나의 지리적표시의 대상지역으로 할 수 있으며, 인삼류의 경우에는 전국을 하나의 지리적표시의 대상지역으로 함

제출서류	① 서류 제출 기관 : 국립농산물품질관리원장, 산림청장 ② 제출서류 1. 정관(법인인 경우만 해당) 2. 생산계획서(법인의 경우 각 구성원별 생산계획을 포함) 3. 대상품목·명칭 및 품질의 특성에 관한 설명서 4. 해당 특산품의 유명성과 역사성을 증명할 수 있는 자료 5. 품질의 특성과 지리적 요인과 관계에 관한 설명서 6. 지리적표시 대상지역의 범위 7. 자체품질기준 8. 품질관리계획서 ③ 등록사항 변경 신청서류 1. 등록자 2. 지리적표시 대상지역의 범위 3. 자체품질기준 중 제품생산기준, 원료생산기준 또는 가공기준
등록신청 공고 및 열람	① 장관의 등록심의분과위원회 심의 요청(신청부터 30일 내) ② 심의를 위한 현지확인 가능 지리적표시분과위원장은 현지 확인을 위하여 해당 품목의 전문성을 가진 5명 이내의 위원으로 현지 확인반을 구성·운영함. 다만, 해당 지역·해당품목과 이해관계가 있는 자는 반원이 될 수 없음 ③ 부적합 판정 시 30일 내 보완 가능한 경우 보완요청 가능 ④ 등록신청공고 결정(특허청장의 사전 의견 수렴) 〈더 알아보기〉 공고결정 포함 사항 1. 신청인의 성명·주소 및 전화번호 2. 지리적표시 등록 대상품목 및 등록 명칭 3. 지리적표시 대상지역의 범위 4. 품질, 그 밖의 특징과 지리적 요인의 관계 5. 신청인의 자체 품질기준 및 품질관리계획서 6. 지리적표시 등록 신청서류 및 그 부속서류의 열람 장소 ⑤ 공고 및 열람 기간 : 2개월 ⑥ 이의신청 : 공고 및 열람 기간 내 ⑦ 등록 공고 〈더 알아보기〉 등록공고 사항 1. 등록일 및 등록번호 2. 지리적표시 등록자의 성명, 주소(법인의 경우에는 그 명칭 및 영업소의 소재지) 및 전화번호 3. 지리적표시 등록 대상품목 및 등록명칭 4. 지리적표시 대상지역의 범위 5. 품질의 특성과 지리적 요인의 관계 6. 등록자의 자체품질기준 및 품질관리계획서

	등록 결정	① 이의신청을 받았을 때에는 제3조 제6항에 따른 지리적표시 등록심의 분과위원회의 심의를 거쳐 등록을 거절할 정당한 사유가 없다고 판단되는 경우 ② 기간 내 이의신청이 없는 경우
	등록 거절	① 먼저 등록 신청되었거나, 제7항에 따라 등록된 타인의 지리적표시와 같거나 비슷한 경우 ② 「상표법」에 따라 먼저 출원되었거나 등록된 타인의 상표와 같거나 비슷한 경우 ③ 국내에서 널리 알려진 타인의 상표 또는 지리적표시와 같거나 비슷한 경우 ④ 일반명칭[농수산물 또는 농수산가공품의 명칭이 기원적(起原的)으로 생산지나 판매장소와 관련이 있지만 오래 사용되어 보통명사화된 명칭을 말한다]에 해당되는 경우 ⑤ 지리적표시 또는 동음이의어 지리적표시의 정의에 맞지 아니하는 경우 ⑥ 지리적표시의 등록을 신청한 자가 그 지리적표시를 사용할 수 있는 농산물 또는 농산가공품을 생산·제조 또는 가공하는 것을 업(業)으로 하는 자에 대하여 단체의 가입을 금지하거나 가입조건을 어렵게 정하여 실질적으로 허용하지 아니한 경우
	등록취소 공고	① 취소일 및 등록번호 ② 지리적표시 등록 대상품목 및 등록명칭 ③ 지리적표시 등록자의 성명, 주소(법인의 경우에는 그 명칭 및 영업소의 소재지) 및 전화번호 ④ 취소사유
지리적표시 원부		① 농림축산식품부장관 또는 해양수산부장관은 지리적표시 원부(原簿)에 지리적표시권의 설정·이전·변경·소멸·회복에 대한 사항을 등록·보관함 ② 제1항에 따른 지리적표시 원부는 그 전부 또는 일부를 전자적으로 생산·관리할 수 있음
지리적표시권		① 지리적표시권자 : 지리적표시를 등록한 자 ② 지리적표시권의 효력 제한 : 다음 각 호의 어느 하나에 해당하면 각 호의 이해당사자 상호 간에 대하여는 그 효력이 미치지 아니함 〈더 알아보기〉 지리적표시권의 효력 제한 1. 동음이의어 지리적표시. 다만, 해당 지리적표시가 특정지역의 상품을 표시하는 것이라고 수요자들이 뚜렷하게 인식하고 있어 해당 상품의 원산지와 다른 지역을 원산지인 것으로 혼동하게 하는 경우는 제외함 2. 지리적표시 등록신청서 제출 전에 「상표법」에 따라 등록된 상표 또는 출원심사 중인 상표 3. 지리적표시 등록신청서 제출 전에 「종자산업법」 및 「식물신품종 보호법」에 따라 등록된 품종 명칭 또는 출원심사 중인 품종 명칭 4. 제32조 제7항에 따라 지리적표시 등록을 받은 농수산물 또는 농수산가공품(이하 "지리적표시품"이라 함)과 동일한 품목에 사용하는 지리적 명칭으로서 등록 대상지역에서 생산되는 농수산물 또는 농수산가공품에 사용하는 지리적 명칭

	③ 인삼류의 지리적 표시 : 농림축산식품부령으로 정하는 표시방법 외에 인삼류와 그 용기·포장 등에 "고려인삼", "고려수삼", "고려홍삼", "고려태극삼" 또는 "고려백삼" 등 "고려"가 들어가는 용어를 사용하여 지리적표시를 할 수 있음
지리적표시권의 이전 및 승계	① 이전·승계의 금지(원칙) ② 이전·승계의 사전 승인(예외) : 다음의 경우 농림축산식품부장관의 사전 승인을 받아 이전하거나 승계할 수 있음 – 법인 자격으로 등록한 지리적표시권자가 법인명을 개정하거나 합병하는 경우 – 개인 자격으로 등록한 지리적표시권자가 사망한 경우
권리침해의 금지청구권 등	① 침해의 금지·예방청구권 : 지리적표시권자는 자신의 권리를 침해한 자 또는 침해할 우려가 있는 자에게 그 침해의 금지 또는 예방을 청구할 수 있음 ② 침해 간주 : 다음 각 호의 어느 하나에 해당하는 행위는 지리적표시권을 침해하는 것으로 봄 〈더 알아보기〉 지리적표시권의 침해 간주 사항 1. 지리적표시권이 없는 자가 등록된 지리적표시와 같거나 비슷한 표시(동음이의어 지리적표시의 경우에는 해당 지리적표시가 특정 지역의 상품을 표시하는 것이라고 수요자들이 뚜렷하게 인식하고 있어 해당 상품의 원산지와 다른 지역을 원산지인 것으로 수요자로 하여금 혼동하게 하는 지리적표시만 해당)를 등록품목과 같거나 비슷한 품목의 제품·포장·용기·선전물 또는 관련 서류에 사용하는 행위 2. 등록된 지리적표시를 위조하거나 모조하는 행위 3. 등록된 지리적표시를 위조하거나 모조할 목적으로 교부·판매·소지하는 행위 4. 그 밖에 지리적표시의 명성을 침해하면서 등록된 지리적표시품과 같거나 비슷한 품목에 직접 또는 간접적인 방법으로 상업적으로 이용하는 행위
손해배상청구권	① 지리적표시권자는 고의 또는 과실로 자신의 지리적표시에 관한 권리를 침해한 자에게 손해배상을 청구할 수 있음. 이 경우 지리적표시권자의 지리적표시권을 침해한 자에 대하여는 그 침해행위에 대하여 그 지리적표시가 이미 등록된 사실을 알았던 것으로 추정 ② 제1항에 따른 손해액의 추정 등에 관하여는 「상표법」 제110조 및 제114조를 준용
거짓표시 등 금지	① 누구든지 지리적표시품이 아닌 농수산물 또는 농수산가공품의 포장·용기·선전물 및 관련 서류에 지리적표시나 이와 비슷한 표시를 하여서는 아니 됨 ② 누구든지 지리적표시품에 지리적표시품이 아닌 농수산물 또는 농수산가공품을 혼합하여 판매하거나 혼합하여 판매할 목적으로 보관 또는 진열하여서는 아니 됨
사후관리	① 지리적표시품의 등록기준에의 적합성 조사 ② 지리적표시품의 소유자·점유자 또는 관리인 등의 관계 장부 또는 서류의 열람 ③ 지리적표시품의 시료를 수거하여 조사하거나 전문시험기관 등에 시험 의뢰

표시 시정 등	시정명령, 판매금지, 표시정지, 등록취소 사유(위반 횟수 기준 : 최근 1년간) ① 제32조에 따른 등록기준에 미치지 못하게 된 경우 ② 제34조 제3항에 따른 표시방법을 위반한 경우 ③ 해당 지리적표시품 생산량의 급감 등 지리적표시품 생산계획의 이행이 곤란하다고 인정되는 경우

지리적표시품 위반행위	행정처분 기준		
	1차 위반	2차 위반	3차 위반
1) 법 제32조 제3항 및 제7항에 따른 지리적표시품 생산계획의 이행이 곤란하다고 인정되는 경우	등록 취소		
2) 법 제32조 제7항에 따라 등록된 지리적표시품이 아닌 제품에 지리적표시를 한 경우	등록 취소		
3) 법 제32조 제9항의 지리적표시품이 등록기준에 미치지 못하게 된 경우	표시정지 3개월	등록 취소	
4) 법 제34조 제3항을 위반하여 의무표시사항이 누락된 경우	시정명령	표시정지 1개월	표시정지 3개월
5) 법 제34조 제3항을 위반하여 내용물과 다르게 거짓표시나 과장된 표시를 한 경우	표시정지 1개월	표시정지 3개월	등록 취소

❷ 지리적표시의 심판

**지리적표시
심판위원회**
	① **심판 사항**
	 – 지리적표시에 관한 심판 및 재심
	 – 지리적표시 등록거절 또는 등록 취소에 대한 심판 및 재심
	② **심판위원회 구성** : 위원장 1명을 포함한 10명 이내
	③ **심판위원회 위원장** : 위원 중에서 장관이 지정
	④ **심판위원의 위촉** : 장관이 관계 공무원과 지식재산권 분야나 지리적표시 분야의 학식과 경험이 풍부한 사람 중에서 위촉
	⑤ **심판위원의 임기** : 3년, 1회 연임 가능
	⑥ **심판위원의 해임 및 해촉 사유**
	
	  1. 심신장애로 인하여 직무를 수행할 수 없게 된 경우
	  2. 직무와 관련된 비위사실이 있는 경우
	  3. 직무태만, 품위손상이나 그 밖의 사유로 인하여 심판위원으로 적합하지 아니하다고 인정되는 경우
	  4. 심판위원 스스로 직무를 수행하는 것이 곤란하다고 의사를 밝히는 경우

구분	무효심판	취소심판
청구권자	이해관계인, 등록심의분과위	누구든지
청구사유	① 등록거절 사유에 해당하는 경우에도 불구하고 등록된 경우 ② 등록 후 지리적표시가 원산지 국가에서 보호가 중단되거나 사용되지 아니하게 된 경우	① 단체가입 : 가입금지 또는 실질적으로 가입 불가능 ② 등록단체(원)이 표시의 오용으로 품질에 대한 오인유발 또는 지리적 출처 혼동을 유발한 경우
심결의 효력	위 ① : 처음부터 무효 위 ② : 위 ② 사유가 해당하게 된 때부터 무효	심결확정일부터 권리 소멸
청구기간	청구사유에 해당하여 청구의 이익이 있는 경우 언제든지	취소사유 소멸 후 3년 이내

지리적표시의 무효심판 취소심판

※ 취소심판을 청구한 경우에는 청구 후 그 심판청구 사유에 해당하는 사실이 없어진 경우에도 취소사유에 영향을 미치지 아니함

등록거절 등록취소 심판청구

① 청구권자 : 등록의 거절을 통보받은 자 또는 등록이 취소된 자
② 심판청구 기간 : 등록거절 또는 등록취소를 통보받은 날부터 30일 이내

심판청구방식

① 심판청구서 보정 : 요지(要旨)는 변경할 수 없음
② 심판의 방법 : 심판위원은 직무상 독립하여 합의체(과반수 찬성)로서 심판하며, 그 합의는 공개하지 아니함
③ 심판위원의 지정 : 심판위원장이 심판위원 중에서 3인 지정, 3인 중 1인을 심판장으로 지정하고 심판장은 지정받은 심판사건의 사무를 총괄함

❸ 재심 및 소송

재심의 청구	심판의 당사자는 심판위원회에서 확정된 심결에 대하여 이의가 있으면 재심을 청구할 수 있음
사해심결 불복청구	① 불복청구 사유 및 재심 청구권자 : 심판의 당사자가 공모하여 제3자의 권리 또는 이익을 침해할 목적으로 심결을 하게 한 경우에 그 제3자는 그 확정된 심결에 대하여 재심을 청구할 수 있음 ② 제1항에 따른 재심청구의 경우에는 심판의 당사자를 공동피청구인으로 함
회복된 지리적표시권의 효력제한	① 효력 제한 사유 : 심결이 확정된 후 재심청구의 등록 전에 선의로 한 행위 심결확정 → 선의로 한 행위 → 재심청구 등록 → 권리의 회복 ② 회복된 권리 　- 지리적표시권이 무효로 된 후 재심에 의하여 그 효력이 회복된 경우 　- 등록거절에 대한 심판청구가 받아들여지지 아니한다는 심결이 있었던 지리적표시 등록에 대하여 재심에 의하여 지리적표시권의 설정등록이 있는 경우

심결 등에 대한 소송	① 전속관할 : 심결에 대한 소송은 특허법원의 전속관할로 함 ② 소송의 제기권자 : 당사자, 참가인 또는 해당 심판이나 재심에 참가신청을 하였으나 그 신청이 거부된 자만 제기할 수 있음 ③ 소송의 제소기간 : 소송은 심결 또는 결정의 등본을 송달받은 날부터 60일 이내에 제기하여야 함 ④ 제3항의 기간은 불변기간으로 함 ⑤ 소송 제기 사항의 제한 : 심판을 청구할 수 있는 사항에 관한 소송은 심결에 대한 것이 아니면 제기할 수 없음 ⑥ 특허법원의 판결에 대하여는 대법원에 상고할 수 있음

제4절 유전자변형농수산물의 표시

<table>
<tr><td rowspan="4">유전자변형
농수산물의 표시</td><td colspan="2">① 표시의무자 : 유전자변형농수산물을 생산하여 출하하는 자, 판매하는 자, 또는 판매할 목적으로 보관·진열하는 자
② 유전자변형농수산물의 표시대상품목, 표시기준 및 표시방법 등에 필요한 사항은 대통령령으로 정함</td></tr>
<tr><td>표시대상품목</td><td>안전성 평가 결과 식품의약품안전처장이 식용으로 적합하다고 인정하여 고시한 품목(해당 품목을 싹 틔워 기른 농산물을 포함)</td></tr>
<tr><td>표시방법</td><td>① "유전자변형 ○○(농축수산물 품목명)"
② "유전자변형 ○○(농축수산물 품목명) 포함"
③ "유전자변형 ○○(농축수산물 품목명) 포함가능성 있음"</td></tr>
<tr><td colspan="2"></td></tr>
<tr><td>거짓표시 등의 금지</td><td colspan="2">① 유전자변형농수산물의 표시를 거짓으로 하거나 이를 혼동하게 할 우려가 있는 표시를 하는 행위
② 유전자변형농수산물의 표시를 혼동하게 할 목적으로 그 표시를 손상·변경하는 행위
③ 유전자변형농수산물의 표시를 한 농수산물에 다른 농수산물을 혼합하여 판매하거나 혼합하여 판매할 목적으로 보관 또는 진열하는 행위</td></tr>
<tr><td>표시의 조사</td><td colspan="2">식품의약품안전처장은 유전자변형농수산물의 표시 여부, 표시사항 및 표시방법 등의 적정성과 그 위반 여부를 확인하기 위하여 연1회 정기조사와 수시조사(유통량이 현저하게 증가하는 시기 등 필요할 때)</td></tr>
<tr><td>표시위반 처분</td><td colspan="2">① 행정처분 : 시정명령(표시의 이행·변경·삭제), 거래행위 금지
② 공표명령 : 제57조(거짓표시 등의 금지) 위반으로 처분을 명한 경우</td></tr>
</table>

③ 인터넷 홈페이지 등에 공표명령

〈더 알아보기〉 공표명령
1. 공표명령 대상자
   1) 표시위반물량 100톤 이상(환산금액 10억원 이상)
   2) 표시위반횟수 : 적발일 기준 최근 1년 동안 2회 이상
2. 공표명령 게재 : 전국을 보급지역으로 하는 1개 이상의 일반일간신문
3. 공표내용
   1) "「농수산물 품질관리법」 위반사실의 공표"라는 내용의 표제
   2) 영업의 종류
   3) 영업소의 명칭 및 주소
   4) 농수산물의 명칭
   5) 위반내용
   6) 처분권자, 처분일 및 처분내용
4. 의견청취 : 식약처장은 공표명령을 내리기 전에 해당 대상자에게 소명자료를 제출하거나 의견을 진술할 수 있는 기회를 주어야 함

제5절 농수산물의 안전성조사 등

안전관리계획	① 안전관리계획 : 식품의약품안전처장이 매년 수립・시행 ② 세부추진계획 : 시・도지사 및 시장・군수・구청장은 관할 지역에서 생산・유통되는 농수산물의 안전성을 확보하기 위해 수립・시행 ③ 계획의 내용 : 안전성조사, 위험평가 및 잔류조사, 농어업인에 대한 교육, 그 밖에 총리령으로 정하는 사항을 포함하여야 함 〈더 알아보기〉 안전관리계획・세부추진계획의 포함내용(총리령) 1. 소비자 교육・홍보・교류 등 2. 안전성 확보를 위한 조사・연구 3. 그 밖에 식품의약품안전처장이 농수산물의 안전성 확보를 위하여 필요하다고 인정하는 사항

안전성조사	① 조사권자 : 식품의약품안전처장이나 시・도지사
	② 조사대상 : 생산에 이용・사용하는 농지・어장・용수(用水)・자재 등
	※ 조사대상지역 : 농수산물의 생산장소, 저장장소, 도매시장, 집하장, 위판장 및 공판장 등으로 하되, 유해물질의 오염이 우려되는 장소에 대하여 우선적으로 안전성조사를 하여야 함
	
	〈더 알아보기〉 안전성조사대상(총리령)
	1. 생산단계 조사
	  1) 농산물의 생산에 이용・사용하는 농지・용수(用水)・자재 등
	  2) 출하되기 전인 농산물
	  3) 유통・판매되기 전인 농산물
	2. 유통・판매 단계 조사 : 출하되어 유통 또는 판매되고 있는 농산물

	③ 조사내용(농산물) 　－ 생산단계: 총리령으로 정하는 안전기준에의 적합 여부 　－ 유통·판매 단계:「식품위생법」등 관계 법령에 따른 유해물질의 잔류허용기준 등의 초과 여부 ④ 안전기준 결정 : 식약처장과 관계중앙행정기관장 협의 〈더 알아보기〉 안전성조사대상 유해물질 결정 ∘ 유해물질의 결정 : 식약처장이 매년 관리계획으로 결정 ∘ 유해물질의 조정 : 국립농산물품질관리원장, 국립수산과학원장, 국립수산물품질관리원장 또는 특별시장·광역시장·특별자치시장·도지사·특별자치도지사(이하 "시·도지사"라 함)는 재배면적, 부적합률 등을 고려하여 안전성조사의 대상 유해물질을 식품의약품안전처장과 협의하여 조정할 수 있음		
출입·수거·조사 등	① 조사권자 : 식품의약품안전처장이나 시·도지사 ② 시료수거 및 열람 　－ 생산에 이용·사용되는 토양·용수·자재 등 의 시료수거 및 조사 　※ 시료수거 : 무상 가능 　－ 생산, 저장, 운반 또는 판매(농산물만 해당)하는 자의 관계 장부나 서류의 열람		
안전성 결과에 따른 조치	① 안전성조사 결과에 따른 조치 　－ 해당 농수산물의 폐기, 용도 전환, 출하 연기 등의 처리 　－ 해당 농수산물의 생산에 이용·사용한 농지·어장·용수·자재 등의 개량 또는 이용·사용의 금지 　－ 해당 양식장의 수산물에 대한 일시적 출하 정지 등의 처리 　－ 그 밖에 총리령으로 정하는 조치 : 폐기, 용도 전환, 출하 연기, 개량(용수·자재 등), 이용·사용의 중지, 금지와 생산자 교육이수 ② 식약처장 또는 시·도지사 : 폐기조치 미이행자에 대한 행정대집행 ③ 식품의약품안전처장이나 시·도지사가 광산피해로 인하여 불가항력적으로 생산단계 안전기준을 위반하게 된 것으로 인정하는 경우 : 해당 농수산물을 수매하여 폐기할 수 있음 ④ 식품의약품안전처장이나 시·도지사는 유통 또는 판매 중인 농산물에 대하여 안전성조사를 한 결과「식품위생법」등에 따른 유해물질의 잔류허용기준 등을 위반한 사실이 확인될 경우 : 해당 행정기관에 그 사실을 알려 적절한 조치를 할 수 있도록 할 것		
안전성 검사기관	기관의 지정	① 지정 신청 : 식약처장(서류 제출 : 국품원장) ② 신청 결격 사유 : 지정이 취소된 후 2년 미경과 ③ 중요사항 변경 시 : 사전 승인(단, 경미한 사항의 경우 : 발생일로부터 1개월 이내 신고) ④ 지정 유효기간 : 3년 + 1년 범위 내(연장) ⑤ 지정신청 시 제출서류 　1. 정관(법인인 경우만 해당) 　2. 안전성조사 및 시험분석 업무의 범위 및 유해물질의 항목 등을 적은 사업계획서 　3. 안전성검사기관의 지정기준을 갖추었음을 증명할 수 있는 서류 　4. 안전성조사 및 시험분석의 절차 및 방법 등을 적은 업무 규정	

	지정취소 등	① 위반행위의 횟수 기준 : 최근 3년간 ② 지정취소 : 최근 3년간 동일한 사항으로 4회 위반 시
	지정취소 또는 6개월 이내의 업무정지 사유	① 거짓이나 그 밖의 부정한 방법으로 지정을 받은 경우 ② 업무의 정지명령을 위반하여 계속 안전성조사 및 시험분석 업무를 한 경우 ③ 검사성적서를 거짓으로 내준 경우 ④ 그 밖에 총리령으로 정하는 안전성검사에 관한 규정을 위반한 경우
안전 교육 등		① 교육의 실시 : 식약처장이나 시·도지사 또는 시장·군수·구청장 ② 교육대상 : 생산자, 유통종사자, 소비자 및 관계 공무원 등
기술의 연구 등		식품의약품안전처장이나 시·도지사는 농수산물의 안전관리를 향상시키고 국내외에서 농수산물에 함유된 것으로 알려진 유해물질의 신속한 안전성조사를 위하여 안전성 분석 방법 등 기술의 연구개발과 보급에 관한 시책을 마련하여야 함
위험평가 등		① 위험평가 요청기관 : 농촌진흥청, 한국식품연구원 등 ② 식약처장의 공표의무 : 위험평가의 요청 사실과 평가 결과 ③ 식약처장의 유해물질 실태조사

제6절 **수산물(생략)**

제7절 **농수산물 등의 검사 및 검정**

❶ 농산물의 검사

농산물의 검사	① 검사기관 : 농림축산식품부장관, 시·도지사(누에씨 및 누에고치) ② 검사대상품목 : 검사대상 농산물의 종류별 품목(제30조 제2항 관련) 1. 정부가 수매하거나 생산자단체 등이 정부를 대행하여 수매하는 농산물 　가. 곡류 : 벼·겉보리·쌀보리·콩 　나. 특용작물류 : 참깨·땅콩 　다. 과실류 : 사과·배·단감·감귤 　라. 채소류 : 마늘·고추·양파 　마. 잠사류 : 누에씨·누에고치 2. 정부가 수출·수입하거나 생산자단체 등이 정부를 대행하여 수출·수입하는 농산물 　가. 곡류 　　1) 조곡(粗穀) : 콩·팥·녹두 　　2) 정곡(精穀) : 현미·쌀 　나. 특용작물류 : 참깨·땅콩 　다. 채소류 : 마늘·고추·양파

3. 정부가 수매 또는 수입하여 가공한 농산물
  곡류 : 현미·쌀·보리쌀

③ 검사를 받은 농산물의 포장·용기나 내용물 변경 : 농림축산식품부장관의 검사 필요
④ 농산물 검사 신청절차
  – 검사 신청 : 검사를 받으려는 날의 3일 전까지 검사신청서 제출
  – 검사신청서 제출 제외
    • 정부수매·대행수매, 검사관 참여 농산물 가공
    • 국품원장, 시·도지사, 검사기관장 인정 시
⑤ 검사항목 : 포장단위당 무게, 포장자재, 포장방법 및 품위 등
⑥ 검사표시 : 포장 겉면에 꼬리표를 붙이거나 꼬리표 내용을 겉면에 표시
※ 표시사항의 변경 : 국품원장, 시·도지사, 검사기관장에게 신청 후 승인

종류	품목	검사시행시기	유효기간 (일)
곡류	벼·콩	5.1. ~ 9.30.	90
		10.1. ~ 4.30.	120
	겉보리·쌀보리·팥·녹두·현미·보리쌀	5.1. ~ 9.30.	60
		10.1. ~ 4.30.	90
	쌀	5.1. ~ 9.30.	40
		10.1. ~ 4.30.	60
특용작물류	참깨·땅콩	1.1. ~ 12.31.	90
과실류	사과·배	5.1. ~ 9.30.	15
		10.1. ~ 4.30.	30
	단감	1.1. ~ 12.31.	20
	감귤	1.1. ~ 12.31.	30
채소류	고추·마늘·양파	1.1. ~ 12.31.	30
잠사류	누에씨	1.1. ~ 12.31.	365
	누에고치	1.1. ~ 12.31.	7
기타	농림축산식품부장관이 검사대상 농산물로 정하여 고시하는 품목의 검사유효기간은 농림축산식품부장관이 정하여 고시함		

(좌측 세로 구분: 검사의 유효기간)

검사기관

검사기관 지정

① 지정기관 : 농산물의 생산자단체나 공공기관 또는 농업 관련 법인 등
② 지정기준 : 검사에 필요한 시설과 인력을 갖추고 국내·수입 농산물의 구분, 종류, 종목(곡류만 해당)별로 신청
③ 제출서류
  – 정관(법인인 경우만 해당)
  – 검사업무의 범위 등을 적은 사업계획서 및 검사업무에 관한 규정
  – 농산물검사기관의 지정기준을 갖추었음을 증명할 수 있는 서류

	지정취소	지정을 취소하거나 6개월 이내의 기간을 정하여 검사 업무의 전부 또는 일부의 정지 〈더 알아보기〉 **지정취소(제1호, 제2호) 또는 업무정지** 1. 거짓이나 그 밖의 부정한 방법으로 지정을 받은 경우 2. 업무정지 기간 중에 검사 업무를 한 경우 3. 제80조 제3항에 따른 지정기준에 맞지 아니하게 된 경우 4. 검사를 거짓으로 하거나 성실하게 하지 아니한 경우 5. 정당한 사유 없이 지정된 검사를 하지 아니한 경우
농산물검사관	검사관 자격	① **전형시험 응시 대상자** 1. 농산물 검사 관련 업무에 6개월 이상 종사한 공무원 2. 농산물 검사 관련 업무에 1년 이상 종사한 사람 3. 농산물품질관리사 자격을 취득한 사람으로서 해당 자격을 취득한 후 1년 이상 농산물품질관리사의 직무를 수행한 사람 ※ 자격시험 응시 결격자 : 자격취소 후 1년 미경과자 ② **검사관 자격 구분** : 곡류, 특작(特作)·서류(薯類), 과실·채소류, 잠사류(蠶絲類) 등 ③ **검사관 대상 교육의 실시** : 국립농산물품질관리원장
	자격취소 등	자격취소 또는 6개월 이내의 자격정지 ① 거짓이나 그 밖의 부정한 방법으로 검사나 재검사를 한 경우 ② 이 법 또는 이 법에 따른 명령을 위반하여 현저히 부적격한 검사 또는 재검사를 하여 정부나 농산물검사기관의 공신력을 크게 떨어뜨린 경우 ③ 제82조 제7항을 위반하여 다른 사람에게 그 명의를 사용하게 하거나 자격증을 대여한 경우 ④ 제82조 제8항을 위반하여 명의의 사용이나 자격증의 대여를 알선한 경우
검사증명서 및 재검사		① **검사증명서의 발급** : 해당 농산물의 포장·용기 등이나 꼬리표에 검사날짜, 등급 등의 검사 결과를 표시하거나 검사를 받은 자에게 검사증명서를 발급 ② **재검사** - 1차 : 현장 즉시 재검사 - 2차 : 재검사일로부터 7일 이내 검사관 소속 검사기관장에게 신청 - 검사기관장의 재검사 : 신청일로부터 5일 이내 검사
검사판정의 실효		① 농림축산식품부령으로 정하는 검사 유효기간이 지난 경우 ② 제84조에 따른 검사 결과의 표시가 없어지거나 명확하지 아니하게 된 경우
검사판정의 취소 등		① **당연취소** : 거짓이나 그 밖의 부정한 방법으로 검사를 받은 사실이 확인된 경우 ② 검사 또는 재검사 결과의 표시 또는 검사증명서를 위조하거나 변조한 사실이 확인된 경우 ③ 검사 또는 재검사를 받은 농산물의 포장이나 내용물을 바꾼 사실이 확인된 경우

❷ 검정

농산물 검정	① 검정의 목적 : 농수산물 및 농산가공품의 거래 및 수출·수입을 원활히 하기 위함
	② 검정 사항
	
	  1. 농산물 및 농산가공품의 품위·품종·성분 및 유해물질 등
	  2. 수산물의 품질·규격·성분·잔류물질 등
	  3. 농수산물의 생산에 이용·사용하는 농지·어장·용수·자재 등의 품위·성분 및
	    유해물질 등
	
	③ 검정 : 시료를 접수한 날부터 7일 이내에 검정을 하여야 함
	④ 검정 신청인에 대한 요청 : 신청인에게 최소한의 범위에서 시설, 장비 및 인력 등의
	  제공을 요청할 수 있음

검정항목	분야	검정항목	세부 검정항목
	품위· 품종 및 일반성분	품위	정립, 피해립, 이종종자, 이물, 용적중, 싸라기, 입도, 이종 곡립, 분상질립, 착색립, 사미, 세맥, 다른 종피색, 과균 비율, 색깔 비율, 결점과율, 회분(灰分) 또는 조회분(粗灰 分), 사분 등
		발아율	발아율, 발아세(맥주보리만 해당) 등
		도정률	미곡의 제현율, 현백률, 도정률 등 맥류의 정백률 등
		품종	벼·현미·쌀
		일반성분	수분, 단백질, 지방, 조섬유, 산가, 산도, 당도 등
	무기성분 및 유해물질	무기성분	칼슘, 인, 식염, 나트륨, 칼륨, 질산염 등
		유해 중금속	카드뮴, 납 등
		잔류농약	클로르피리포스, 엔도설판, 디디티(DDT), 프로사이미돈, 다이아지논, 카벤다짐 등
		곰팡이 독소	아플라톡신 B1, B2, G1, G2 등
		항생물질	항생제, 합성항균제, 호르몬제
		방사능	세슘, 요오드(아이오딘)
		병원성 미생물	대장균, 바실루스 세레우스 등

검정결과 조치	① 폐기, 판매금지 : 유해물질이 검출되어 인체에 해를 끼칠 수 있다고 인정되는 경우 ② 검정결과의 공개 : 소유자가 제1항의 명령을 이행하지 아니하거나 농수산물 및 농산가 공품의 위생에 위해가 발생한 경우
검정기관 지정	① 검정기관의 지정 : 농림축산식품부장관 또는 해양수산부장관은 검정에 필요한 <u>인력과</u> <u>시설을 갖춘 기관을 지정</u>하여 제98조에 따른 검정을 대행하게 할 수 있음 ② 변경신고 : 중요사항이 변경되었을 때(신고수리여부 통지 : 신고 후 20일내) ③ 지정유효기간 : 4년(갱신신청 : 기간만료 3개월 전까지) ④ 지정신청 결격기간 : 검정기관 지정이 취소된 후 1년 미경과

검정기관 지정취소	지정을 취소하거나 6개월 이내의 기간을 정하여 해당 검정 업무의 정지 ① 거짓이나 그 밖의 부정한 방법으로 지정을 받은 경우(취소) ② 업무정지 기간 중에 검정 업무를 한 경우(취소) ③ 검정 결과를 거짓으로 내준 경우 ④ 제99조 제2항 후단의 변경신고를 하지 아니하고 검정 업무를 계속한 경우 ⑤ 제99조 제7항에 따른 지정기준에 맞지 아니하게 된 경우 ⑥ 그 밖에 농림축산식품부령 또는 해양수산부령으로 정하는 검정에 관한 규정을 위반한 경우

❸ 금지행위 및 확인ㆍ조사ㆍ점검 등

부정행위의 금지	① 거짓이나 그 밖의 부정한 방법으로 검사ㆍ재검사 또는 검정을 받는 행위 ② 제79조 또는 제88조에 따라 검사를 받아야 하는 농수산물 및 수산가공품에 대하여 검사를 받지 아니하는 행위 ③ 검사 및 검정 결과의 표시, 검사증명서 및 검정증명서를 위조하거나 변조하는 행위 ④ 제79조 제2항 또는 제88조 제3항을 위반하여 검사를 받지 아니하고 포장ㆍ용기나 내용물을 바꾸어 해당 농수산물이나 수산가공품을 판매ㆍ수출하거나 판매ㆍ수출을 목적으로 보관 또는 진열하는 행위 ⑤ 검정 결과에 대하여 거짓광고나 과대광고를 하는 행위
확인ㆍ조사ㆍ 점검 등	① 농수산물 및 수산가공품의 보관창고, 가공시설, 항공기, 선박, 그 밖에 필요한 장소에 대한 조사 등 ② 최소한의 시료를 무상으로 수거하거나 관련 장부 또는 서류를 열람

제8절 보칙

정보제공 등	농림축산식품부장관, 해양수산부장관 또는 식품의약품안전처장은 농수산물의 안전성조사 등 농수산물의 안전과 품질에 관련된 정보 중 국민이 알아야 할 필요가 있다고 인정되는 정보는 「공공기관의 정보공개에 관한 법률」에서 허용하는 범위에서 국민에게 제공할 것
명예감시원	① 명예감시원의 위촉 : 농림축산식품부장관 또는 해양수산부장관이나 시ㆍ도지사 ② 위촉 대상자 : 소비자단체 또는 생산자단체의 회원ㆍ직원 등과 농수산물의 유통에 관심 이 있고 명예감시원의 임무를 성실히 수행할 수 있는 사람 ③ 명예감시원의 임무 : 농수산물의 표준규격화, 농산물우수관리, 품질인증, 친환경수산물 인증, 농수산물 이력추적관리, 지리적표시, 원산지표시에 관한 지도ㆍ홍보 및 위반사 항의 감시ㆍ신고 등
농산물 품질관리사	① 제도의 실시 의무 : 농림축산식품부장관 ② 농산물품질관리사의 직무 1. 농산물의 등급 판정 2. 농산물의 생산 및 수확 후 품질관리기술 지도 3. 농산물의 출하 시기 조절, 품질관리기술에 관한 조언 4. 그 밖에 농산물의 품질 향상과 유통 효율화에 필요한 업무로서 농림축산식품부령으로 정하는 업무

〈더 알아보기〉 부령으로 정하는 업무
1. 농산물의 생산 및 수확 후의 품질관리기술 지도
2. 농산물의 선별·저장 및 포장 시설 등의 운용·관리
3. 농산물의 선별·포장 및 브랜드 개발 등 상품성 향상 지도
4. 포장농산물의 표시사항 준수에 관한 지도
5. 농산물의 규격출하 지도

③ 농산물품질관리사 시험·자격부여 등
　－ 해당 시험의 무효 또는 정지
　　• 부정한 방법으로 시험에 응시한 사람
　　• 시험에서 부정한 행위를 한 사람
　－ 시험 응시 자격 결격(처분 후 2년간)
　　• 시험의 정지·무효 또는 합격취소 처분을 받은 사람
　　• 농산물품질관리사의 자격이 취소된 사람

④ 교육의 실시(국품원장) : 교육내용

1. 농산물 또는 수산물의 품질 관리와 유통 관련 법령 및 제도
2. 농산물 또는 수산물의 등급 판정과 생산 및 수확 후 품질관리기술
3. 그 밖에 농산물 또는 수산물의 품질 관리 및 유통과 관련된 교육

⑤ 농산물품질관리사의 준수사항
　－ 품질 향상과 유통의 효율화를 촉진하여 생산자와 소비자 모두에게 이익이 될 수 있도록 신의와 성실로써 그 직무를 수행
　－ 다른 사람에게 그 명의를 사용하게 하거나 그 자격증을 빌려주어서는 아니 됨
　－ 자격을 취득하지 아니하고 그 명의를 사용하거나 자격증을 대여받아서는 아니 되며, 명의의 사용이나 자격증의 대여를 알선해서도 아니 됨

⑥ 농산물품질관리사의 자격취소

1. 농산물품질관리사 또는 수산물품질관리사의 자격을 거짓 또는 부정한 방법으로 취득한 사람
2. 제108조 제2항을 위반하여 다른 사람에게 농산물품질관리사 또는 수산물품질관리사의 명의를 사용하게 하거나 자격증을 빌려준 사람
3. 제108조 제3항을 위반하여 명의의 사용이나 자격증의 대여를 알선한 사람

자금지원	① 자금지원 대상 : 농수산물의 품질 향상 또는 농수산물의 표준규격화 및 물류표준화의 촉진 등을 위하여 다음 ②항 각 호의 어느 하나에 해당하는 자에게 예산의 범위에서 포장자재, 시설 및 자동화장비 등의 매입 및 농산물품질관리사 또는 수산물품질관리사 운용 등에 필요한 자금 지원 ② 자금지원 대상자 1. 농어업인 2. 생산자단체 3. 우수관리인증을 받은 자, 우수관리인증기관, 농산물 수확 후 위생·안전 관리를 위한 시설의 사업자 또는 우수관리인증 교육을 실시하는 기관·단체 4. 이력추적관리 또는 지리적표시의 등록을 한 자

	5. 농산물품질관리사 또는 수산물품질관리사를 고용하는 등 농수산물의 품질 향상을 위하여 노력하는 산지·소비지 유통시설의 사업자 6. 제64조에 따른 안전성검사기관 또는 제68조에 따른 위험평가 수행기관 7. 제80조, 제89조 및 제99조에 따른 농수산물 검사 및 검정 기관 8. 그 밖에 농림축산식품부령 또는 해양수산부령으로 정하는 농수산물 유통 관련 사업자 또는 단체
우선구매	① 우선상장 또는 우선거래 : 우수표시품, 지리적표시품 등 ② 우선구매 : 국가·지방자치단체나 공공기관은 농수산물 또는 농수산가공품을 구매할 때에는 우수표시품, 지리적표시품 등을 우선적으로 구매할 수 있음
포상금	① 고발 대상 : 유전자변형농산물과 거짓표시 등의 금지에 대한 위반 ② 포상금 지급 : ①항을 위반한 자를 주무관청이나 수사기관에 신고 또는 고발하거나 검거한 사람 및 검거에 협조한 사람에게 200만원의 범위에서 지급
청문 등	① 청문대상 – 법령상 지정 또는 등록취소의 행정처분 시 – 표준규격품의 판매금지나 표시정지, 우수관리인증농산물의 판매금지 또는 우수관리인증의 취소나 표시정지 – 지리적표시품에 대한 판매의 금지, 표시의 정지 또는 등록의 취소 – 농산물품질관리사, 농산물검사관의 자격취소 ② 의견제출의 기회 부여 : 우수관리인증을 취소, 우수관리시설의 지정 취소

제9절 벌칙

7년 이하의 징역 또는 1억원 이하의 벌금 (징역·벌금 병과 가능)	① 유전자변형농수산물의 표시를 거짓으로 하거나 이를 혼동하게 할 우려가 있는 표시를 한 유전자변형농수산물 표시의무자 ② 유전자변형농수산물의 표시를 혼동하게 할 목적으로 그 표시를 손상·변경한 유전자변형농수산물 표시의무자 ③ 유전자변형농수산물의 표시를 한 농수산물에 다른 농수산물을 혼합하여 판매하거나 혼합하여 판매할 목적으로 보관 또는 진열한 유전자변형농수산물 표시의무자
3년 이하의 징역 또는 3천만원 이하의 벌금	① 우수표시품이 아닌 농산물 → 우수표시품 표시 또는 유사표시 ② 우수표시품이 아닌 농산물 → 우수표시품 광고 또는 잘못 인식 광고 ③ 우수표시품이 아닌 농산물과 우수표시품 → 혼합하여 판매하거나 혼합하여 판매할 목적으로 보관 또는 진열하는 행위 ④ 거짓이나 그 밖의 부정한 방법 → 검사, 재검사, 검정 ⑤ 검사 및 검정 결과의 표시, 검사증명서 및 검정증명서를 위조하거나 변조한 자 ⑥ 검정 결과에 대하여 거짓광고나 과대광고를 한 자

1년 이하의 징역 또는 1천만원 이하의 벌금	① 이력추적관리의 등록을 하지 아니한 자 ② **행정처분 미이행자** : 시정명령, 판매금지, 표시정지, 유전자변형농산물에 대한 처분, 안전성조사결과 조치 ③ 검사를 받아야 하는 농산물에 대하여 검사를 받지 아니한 자 ④ 검사를 받지 아니하고 해당 농수산물이나 수산가공품을 판매·수출하거나 판매·수출을 목적으로 보관 또는 진열한 자 ⑤ 다른 사람에게 농산물검사관, 농산물품질관리사의 명의를 사용하게 하거나 그 자격증을 빌려준 자 ⑥ 농산물검사관, 농산물품질관리사의 명의를 사용하거나 그 자격증을 대여받은 자 또는 명의의 사용이나 자격증의 대여를 알선한 자
양벌규정	법인의 대표자나 법인 또는 개인의 대리인, 사용인, 그 밖의 종업원이 그 법인 또는 개인의 업무에 관하여 제117조부터 제121조까지(벌칙)의 어느 하나에 해당하는 위반행위를 하면 <u>그 행위자를 벌하는 외에 그 법인 또는 개인에게도 해당 조문의 벌금형을 과(科)함</u>(다만, 법인 또는 개인이 그 위반행위를 방지하기 위하여 해당 업무에 관하여 상당한 주의와 감독을 게을리하지 아니한 경우에는 그러하지 아니함)
과태료	① **1천만원 이하의 과태료** 1. 출입·수거·조사·열람 등을 거부·방해 또는 기피한 자 2. 이력추적관리 변경신고를 하지 아니한 자 3. 이력추적관리의 표시를 하지 아니한 자 4. 이력추적관리기준을 지키지 아니한 자 5. 제31조 제1항 제3호(우수표시품) 또는 제40조 제2호(지리적표시품)에 따른 표시방법에 대한 시정명령에 따르지 아니한 자 6. 제56조 제1항을 위반하여 유전자변형농수산물의 표시를 하지 아니한 자 7. 제56조 제2항에 따른 유전자변형농수산물의 표시방법을 위반한 자 ② **위반행위별 과태료** 표는 아래 참조

② 위반행위별 과태료

위반행위(개별기준)	과태료 금액		
	1차 위반	2차 위반	3차 이상 위반
가. 수거·조사·열람 등을 거부·방해 또는 기피한 경우	100만원	200만원	300만원
나. 이력추적관리 등록한 자로서 변경신고를 하지 않은 경우	100만원	200만원	300만원
다. 이력추적관리의 표시를 하지 않은 경우	100만원	200만원	300만원
라. 이력추적관리기준을 지키지 않은 경우	100만원	200만원	300만원
마. 우수표시품 또는 지리적표시품의 표시방법에 대한 시정명령에 따르지 않은 경우	100만원	200만원	300만원
바. 유전자변형농수산물의 표시를 하지 않은 경우	5만원 이상 1,000만원 이하		
사. 유전자변형농수산물의 표시방법을 위반한 경우	5만원 이상 1,000만원 이하		

농수산물 유통 및 가격안정에 관한 법률

제1절	총칙

목적		① 농수산물 유통의 원활화 ② 농수산물의 적정한 가격 유지 ③ 생산자와 소비자의 이익을 보호하고 국민생활의 안정에 이바지
정의	농수산물	농산물·축산물·수산물 및 임산물 〈더 알아보기〉 임산물(부령) 1. 목과류 : 밤·잣·대추·호두·은행 및 도토리 2. 버섯류 : 표고·송이·목이 및 팽이 3. 한약재용 임산물
	농수산물 도매시장	① 개설지역 : 특별시·광역시·특별자치시·특별자치도 또는 시 ② 개설 부류 : 양곡류·청과류·화훼류·조수육류(鳥獸肉類)·어류·조개류· 갑각류·해조류 및 임산물 등 대통령령으로 정하는 품목 〈더 알아보기〉 거래품목(대통령령) 1. 양곡부류 : 미곡·맥류·두류·조·좁쌀·수수·수수쌀·옥수수·메밀·참깨 및 땅콩 2. 청과부류 : 과실류·채소류·산나물류·목과류(木果類)·버섯류·서류(薯類)· 인삼류 중 수삼 및 유지작물류와 두류 및 잡곡 중 신선한 것 3. 축산부류 : 조수육류(鳥獸肉類) 및 난류 4. 수산부류 : 생선어류·건어류·염(鹽)건어류·염장어류(鹽藏魚類)·조개류·갑 각류·해조류 및 젓갈류 5. 화훼부류 : 절화(折花)·절지(折枝)·절엽(切葉) 및 분화(盆花) 6. 약용작물부류 : 한약재용 약용작물(야생물이나 그 밖에 재배에 의하지 아니한 것을 포함). 다만, 「약사법」 제2조 제5호에 따른 한약은 같은 법에 따라 의약품판매업의 허가를 받은 것으로 한정 7. 그 밖에 농어업인이 생산한 농수산물과 이를 단순가공한 물품으로서 개설자가 지정하는 품목
	중앙도매시장	특별시·광역시·특별자치시 또는 특별자치도가 개설한 농수산물도매시장 중 해당 관할구역 및 그 인접지역에서 도매의 중심이 되는 농수산물도매시장으로서 농림축산식품부령 또는 해양수산부령으로 정하는 것 〈더 알아보기〉 중앙도매시장(부령) 1. 서울특별시 가락동 농수산물도매시장 2. 서울특별시 노량진 수산물도매시장 3. 부산광역시 엄궁동 농산물도매시장

	4. 부산광역시 국제 수산물도매시장 5. 대구광역시 북부 농수산물도매시장 6. 인천광역시 구월동 농산물도매시장 7. 인천광역시 삼산 농산물도매시장 8. 광주광역시 각화동 농산물도매시장 9. 대전광역시 오정 농수산물도매시장 10. 대전광역시 노은 농산물도매시장 11. 울산광역시 농수산물도매시장
지방도매시장	중앙도매시장 외의 농수산물도매시장
농수산물 공판장	① 개설권자 : 지역농업협동조합, 지역축산업협동조합, 품목별·업종별협동조합, 조합공동사업법인, 품목조합연합회, 산림조합 및 수산업협동조합과 그 중앙회(농협경제지주회사를 포함. 이하 "농림수협 등"), 그 밖에 대통령령으로 정하는 생산자 관련 단체와 공익상 필요하다고 인정되는 법인으로서 대통령령으로 정하는 법인(이하 "공익법인") 〈더 알아보기〉 대통령령으로 정하는 생산자 관련 단체 1. 영농조합법인 및 영어조합법인, 농업회사법인 및 어업회사법인 2. 농협경제지주회사의 자회사 3. 대통령령으로 정하는 법인 : 한국농수산식품유통공사 ② 업무범위 : 농수산물의 도매 ③ 개설 승인 : 특별시장·광역시장·특별자치시장·도지사 또는 특별자치도지사(이하 "시·도지사")
민영농수산물 도매시장	① 개설권자 : 국가, 지방자치단체 및 농수산물공판장을 개설할 수 있는 자 외의 자 ② 개설허가 및 개설지역 : 시·도지사의 허가를 받아 특별시·광역시·특별자치시·특별자치도 또는 시 지역에 개설하는 시장
도매시장법인	① 지정 : 농수산물도매시장의 개설자로부터 지정 ② 업무범위 : 위탁도매, 매수도매
시장도매인	① 지정 : 농수산물도매시장 또는 민영농수산물도매시장의 개설자로부터 지정 ② 업무범위 : 매수도매, 위탁도매, 매매중개
중도매인	농수산물도매시장·농수산물공판장 또는 민영농수산물도매시장의 개설자의 허가 또는 지정을 받아 다음 각 목의 영업을 하는 자
매매참가인	① 신고 : 농수산물도매시장·농수산물공판장 또는 민영농수산물도매시장의 개설자에게 신고 ② 상장된 농수산물을 직접 매수하는 자로서 중도매인이 아닌 가공업자·소매업자·수출업자 및 소비자단체 등 농수산물의 수요자
산지유통인	① 등록 : 농수산물도매시장·농수산물공판장 또는 민영농수산물도매시장의 개설자에게 등록 ② 농수산물을 수집하여 농수산물도매시장·농수산물공판장 또는 민영농수산물도매시장에 출하(出荷)하는 영업을 하는 자(법인을 포함)

농수산물 종합유통센터	① 설치 : 국가 또는 지방자치단체가 설치하거나 국가 또는 지방자치단체의 지원 을 받아 설치된 것 ② 업무 및 시설 : 농수산물의 출하 경로를 다원화하고 물류비용을 절감하기 위하여 농수산물의 수집·포장·가공·보관·수송·판매 및 그 정보처리 등 농수산물의 물류활동에 필요한 시설과 이와 관련된 업무시설을 갖춘 사업장
경매사	① 임명 : 도매시장법인의 임명을 받거나 농수산물공판장·민영농수산물도매 시장 개설자의 임명 ② 업무 : 상장된 농수산물의 가격 평가 및 경락자 결정 등
농수산물 전자거래	농수산물의 유통단계를 단축하고 유통비용을 절감하기 위하여 전자거래의 방식 으로 농수산물을 거래하는 것

농수산물의 생산조정 및 출하조절

주산지의 지정 및 해제 등	① 지정, 변경 및 해제권자 : 시·도지사 〈더 알아보기〉 **주산지의 지정·변경 및 해제(대통령령)** • 주산지 지정 단위 : 읍·면·동 또는 시·군·구 단위 • 시·도지사의 지정 고시와 지정 후 장관에게 통지 ② 주산지 지정 : 주요 농수산물 생산지역, 생산수면 ③ 주산지 지원 : 생산자금의 융자 및 기술지도 등 ④ 지정품목 : 국내 농수산물의 생산에서 차지하는 비중이 크거나 생산·출하의 조절이 필요한 것(장관이 품목 지정) ⑤ 주산지 지정 요건 1. 주요 농수산물의 재배면적 또는 양식면적이 농림축산식품부장관 또는 해양수산부 장관이 고시하는 면적 이상일 것 2. 주요 농수산물의 출하량이 농림축산식품부장관 또는 해양수산부장관이 고시하는 수량 이상일 것
주산지 협의체	① 협의체의 설치 : 시·도지사 ② 주산지협의체 : 주산지별 또는 시·도 단위별로 설치(20명 이내 위원) ③ 중앙주산지협의회 구성 : 20명 이내 위원
농림업관측	① 관측대상 : 가격의 등락 폭이 큰 주요 농산물 ② 관측항목 : 기상정보, 생산면적, 작황, 재고물량, 소비동향, 해외시장 정보 등 ③ 국제곡물관측의 실시 : 주요 곡물에 대한 상시 관측체계의 구축과 국제 곡물수급모형의 개발 및 주요 곡물 생산 및 수출 국가들의 작황 및 수급 상황 등을 조사·분석 ④ 관측업무의 일부 위탁 : 품목을 지정하여 지역농업협동조합 등에게 위탁 ⑤ 농림업관측 전담기관 : 한국농촌경제연구원

유통관련 통계 작성 등	① 장관은 가격의 등락 폭이 큰 주요 농수산물의 유통에 관한 통계를 작성·관리하고 공표하되, 필요한 경우 통계청장과 협의할 수 있음 ② 장관은 통계 작성을 위하여 필요한 경우 관계 중앙행정기관의 장 또는 지방자치단체의 장 등에게 자료의 제공을 요청할 수 있음
종합정보 시스템	① 장관은 농수산물의 원활한 수급과 적정한 가격 유지를 위하여 농수산물유통 종합정보 시스템을 구축하여 운영할 수 있음 ② 업무의 위탁 : 농산물의 경우 한국농수산식품유통공사
계약생산	① 계약생산 및 계약출하의 장려 : 농림축산식품부장관 ② 계약당사자 : 지역농협조합 등과 생산자단체 및 수요자와 생산자 ③ 계약금 대출 등의 지원 : 장관이 농산물가격안정기금으로 생산자단체 또는 농산물 수요자에 대하여 지원
가격예시	① 예시가격 : 하한가격의 제시(파종기 이전) ② 예시가격 결정 시 참고 사항 : 농림업관측, 예상 경영비, 지역별 예상 생산량 및 예상 수급상황 등 ③ 협의 : 미리 기획재정부장관과 협의 ④ 예시가격 지지 시책 : 관측의 지속적 실시, 계약생산 또는 계약출하의 장려, 수매 및 처분, 유통협약 및 유통조절명령, 비축사업 등
과잉생산 시 생산자 보호	① 농산물 수매 : 채소류 등 저장성이 없는 농산물(생산자 또는 도매시장) ※ 수매시기 : 수확기 이전에 수매 가능 〈더 알아보기〉 수확기 이전 수매가 가능한 경우(대통령령) 1. 생산조정 또는 출하조절에도 불구하고 과잉생산이 우려되는 경우 2. 생산자보호를 위하여 필요하다고 인정되는 경우 ② 수매 농산물의 처분 : 판매 또는 수출하거나 기증 및 폐기 ③ 수매·처분 업무의 위탁 : 농림협중앙회, 한국농수산식품유통공사 ④ 우선 수매 : 생산계약, 출하계약, 출하약정을 맺은 생산자의 농산물
몰수농산물	① 몰수농산물의 이관 : 장관 ② 몰수농산물의 처분 등 : 이관받은 몰수농산물을 매각·공매·기부 또는 소각하거나 그 밖의 방법으로 처분할 수 있음 ③ 처분비용 또는 매각·공매대금 : 농산물가격안정기금으로 지출 또는 납입 ④ 처분업무 등의 대행 : 농업협동조합중앙회 또는 한국농수산식품유통공사 〈더 알아보기〉 몰수농산물의 소각·매몰(부령) 1. 국내 시장의 수급조절 또는 가격안정에 필요한 경우 2. 부패·변질의 우려가 있거나 상품 가치를 상실한 경우

유통협약 유통조절명령	유통협약 유통명령	① 유통협약의 목적 : 생산조정 또는 출하조절을 위해 ② 유통협약의 주체 : 주요 농수산물의 생산자, 산지유통인, 저장업자, 도매업자·소매업자 및 소비자 등의 대표(유통조절추진위원회 구성) ③ 유통조절명령 　－ 명령 대상 농산물 : 부패하거나 변질되기 쉬운 농수산물 　－ 현저한 수급 불안정을 해소하기 위하여 특히 필요하다고 인정되는 경우 　－ 생산자 등 또는 생산자단체의 요청 : 이해관계인·유통전문가의 의견 수렴 절차를 거치고 해당 농수산물의 생산자 등의 대표나 해당 생산자단체의 재적회원 3분의 2 이상의 찬성 　－ 협의 : 공정거래위원회 〈더 알아보기〉 유통조절명령 포함 내용(대통령령) 1. 유통조절명령의 이유(수급·가격·소득의 분석 자료를 포함) 2. 대상 품목　3. 기간　4. 지역　5. 대상자 6. 생산조정 또는 출하조절의 방안 7. 명령이행 확인의 방법 및 명령 위반자에 대한 제재조치 8. 사후관리와 그 밖에 농림축산식품부장관 또는 해양수산부장관이 유통조절에 관하여 필요하다고 인정하는 사항 〈더 알아보기〉 유통명령의 발령기준(장관 고시) 1. 품목별 특성 2. 법 제5조에 따른 관측 결과 등을 반영하여 산정한 예상 가격과 예상 공급량
	유통명령의 집행	① 유통명령의 집행 : 농림축산식품부장관 ② 유통명령 집행업무의 일부 수행 : 지방자치단체의 장, 해당 농수산물의 생산자 등의 조직 또는 생산자단체
	유통명령의 지원	① 유통명령 이행자의 손실보전(농산물가격안정기금) ② 유통명령 집행업무의 일부를 수행하는 생산자 등의 조직이나 생산자단체에 필요한 지원
비축사업		① 대금의 일부 선급 : 농산물을 비축하거나 농산물의 출하를 약정하는 생산자에게 ② 비축 농산물 수매 : 생산자 및 생산자단체로부터 수매해야 함(예외 : 가격안정을 위하여 특히 필요하다고 인정할 때에는 도매시장 또는 공판장에서 수매하거나 수입) ③ 비축용 농산물 수입 : 선물거래 가능 ④ 비축사업의 위탁 : 농림협중앙회 또는 한국농수산식품유통공사 〈더 알아보기〉 비축사업 등의 위탁(대통령령) 1. 위탁기관 : 농업협동조합중앙회·농협경제지주회사·산림조합중앙회 또는 한국농수산식품유통공사 2. 비축사업 또는 출하조절사업 　1) 비축용 농산물의 수매·수입·포장·수송·보관 및 판매 　2) 비축용 농산물을 확보하기 위한 재배·양식·선매 계약의 체결 　3) 농산물의 출하약정 및 선급금(先給金)의 지급 　4) 제1호부터 제3호까지의 규정에 따른 사업의 정산 ⑤ 비축사업 위탁 시 그 사업에 필요한 자금의 추산액 지급

	⑥ 비축사업 등의 비용처리 　– 사업과정에서 발생 감모분 : 장관이 정한 한도 내에서 비용처리 　– 비축사업기관의 책임비용 : 화재·도난·침수 등의 사고로 인하여 비축한 농산물이 멸실·훼손·부패 또는 변질된 경우의 피해에 대해서는 비축사업실시기관이 변상함(다만, 그 사고가 불가항력으로 인한 것인 경우에는 기금에서 손비(損費)로 처리)
농산물의 수입 추천	① 수입 추천 : 농림축산식품부장관의 추천 ② 수입 추천업무의 대행 : 농림축산식품부장관이 지정하는 비영리법인 ③ 수입 추천 신청 : 농산물을 수입하려는 자는 사용용도와 그 밖에 농림축산식품부령으로 정하는 사항을 적어 수입 추천신청을 하여야 함 〈더 알아보기〉 농산물의 수입 추천(시행규칙 제13조) 1. 농림축산식품부령으로 정하는 사항 　1)「관세법 시행령」제98조에 따른 관세·통계통합품목분류표상의 품목번호 　2) 품명 　3) 수량 　4) 총금액 2. 비축용 농산물로 수입하거나 생산자단체를 지정하여 수입·판매하게 할 수 있는 품목 　1) 비축용 농산물로 수입·판매하게 할 수 있는 품목 : 고추·마늘·양파·생강·참깨 　2) 생산자단체를 지정하여 수입·판매하게 할 수 있는 품목 : 오렌지·감귤류
수입이익금의 징수 등	① 수입이익금을 부과·징수 : 국내가격과 수입가격 간의 차액의 범위에서 부과·징수 〈더 알아보기〉 수입이익금의 징수(정산방법) 등(부령) 1. 고추·마늘·양파·생강·참깨 　1) 판매수익금에서 국내판매비용을 뺀 금액 　2) 수입자로 결정된 자가 수입자 결정 시 납입 의사를 표시한 금액 　＊국내판매비용 : 물품대금, 운송료, 보험료, 그 밖에 수입에 드는 비목(費目)의 비용과 각종 공과금, 보관료, 운송료, 판매수수료 등 2. 참기름·오렌지·감귤류 : 해당 품목의 수입자로 결정된 자가 수입자 결정 시 납입 의사를 표시한 금액 ② 수입이익금의 납입 : 농산물가격안정기금

제3절	농수산물도매시장

도매시장의 개설	① 중앙도매시장 : 특별시·광역시·특별자치시 또는 특별자치도가 개설 ② 지방도매시장 : 특별시·광역시·특별자치시·특별자치도 또는 시가 개설 • 시에 개설하는 지방도매시장 : 도지사 개설 허가 필요 • 특광시, 시가 도매시장 개설 시 준비 : 업무규정과 운영관리계획서 • 특광시의 중앙도매시장 개설 시 업무규정 : 장관 승인 • 업무규정의 변경 : 중앙도매시장(장관 승인), 지방도매시장(도지사 승인) • 도매시장의 폐쇄 : 특광시(3개월 전 공고), 시(3개월 전 도지사 허가) ③ 개설 부류 : 양곡부류·청과부류·축산부류·수산부류·화훼부류 및 약용작물부류별로 개설하거나 둘 이상의 부류를 종합하여 개설
개설구역	① 개설구역 : 특별시·광역시·특별자치시·특별자치도 또는 시의 관할구역 ② 관할구역으로 편입 : 도매시장의 개설구역에 인접한 일정 구역 ※ 시의 지방도매시장에 속하는 도의 일정 구역 편입 : 도지사
허가기준 등	① 도매시장 개설 요건 1. 장소 : 도매시장을 개설하려는 장소가 농수산물 거래의 중심지로서 적절한 위치에 있을 것 2. 시설 : 부령으로 고시한 기준에 적합한 시설을 갖추고 있을 것 3. 운영관리계획서의 내용이 충실하고 그 실현이 확실하다고 인정되는 것일 것 ② 조건부 개설허가 : 요구되는 시설이 일정 기간 내 갖추어질 것을 조건으로 함
도매시장 개설자의 의무	① 거래 관계자의 편익과 소비자 보호를 위한 업무 1. 도매시장 시설의 정비·개선과 합리적인 관리 2. 경쟁 촉진과 공정한 거래질서의 확립 및 환경 개선 3. 상품성 향상을 위한 규격화, 포장 개선 및 선도(鮮度) 유지의 촉진 ② 위 ①항의 효과적 이행을 위한 투자계획 및 거래제도 개선방안 등을 포함한 대책을 수립·시행하여야 함
도매시장 관리	① 도매시장의 관리(관리사무소를 두거나 시장관리자 지정) 　- 시장관리사무소 : 소속 공무원 　- 시장관리자 : 지방공사, 공공출자법인 또는 한국농수산식품유통공사 ② 시장관리업무 : 시설물관리, 거래질서 유지, 유통 종사자에 대한 지도·감독 등
도매시장 운영	① 적정수의 도매시장법인, 시장도매인, 중도매인을 두고 운영 ② 도매시장법인 운영 : 청과부류와 수산부류
도매시장법인의 지정	지정　① 도매시장 개설자가 부류별로 지정 　② 중앙도매시장의 도매시장법인 : 장관 협의 　③ 지정유효기간 : 5년~10년

업무경합	① 원칙 : 도매시장법인의 주주 및 임직원의 도매업 또는 중도매업 금지 ② 예외 : 도매시장법인이 다른 도매시장법인의 주식 또는 지분을 과반수 이상 양수하고 양수법인의 주주 또는 임직원이 양도법인의 주주 또는 임직원의 지위를 겸하게 된 경우
지정요건	① 해당 부류의 도매업무를 효과적으로 수행할 수 있는 지식과 도매시장 또는 공판장 업무에 2년 이상 종사한 경험이 있는 업무집행 담당 임원이 2명 이상 있을 것 ② 임원 중 이 법을 위반하여 금고 이상의 실형을 선고받고 그 형의 집행이 끝나거나(집행이 끝난 것으로 보는 경우를 포함) 집행이 면제된 후 2년이 지나지 아니한 사람이 없을 것 ③ 임원 중 파산선고를 받고 복권되지 아니한 사람이나 피성년후견인 또는 피한정후견인이 없을 것 ④ 임원 중 제82조 제2항에 따른 도매시장법인의 지정취소처분의 원인이 되는 사항에 관련된 사람이 없을 것 ⑤ 거래규모, 순자산액 비율 및 거래보증금 등 도매시장 개설자가 업무규정으로 정하는 일정 요건을 갖출 것
지정절차	**지정신청 시 첨부서류(대통령령)** 1. 정관 2. 주주 명부 3. 임원의 이력서 4. 해당 법인의 직전 회계연도의 재무제표와 그 부속서류(신설 법인의 경우에는 설립일을 기준으로 작성한 대차대조표) 5. 사업시작 예정일부터 5년간의 사업계획서(산지활동계획, 경매사확보계획, 농수산물판매계획, 자금운용계획, 조직 및 인력운용계획 등을 포함) 6. 거래규모, 순자산액 비율 및 거래보증금 등 도매시장 개설자가 업무규정으로 정한 요건을 갖추고 있음을 증명하는 서류

도매시장법인의 인수 · 합병	① 다른 도매시장법인의 인수 · 합병 : 개설자 승인 ② 인수 · 합병의 승인 불가 사유 – 인수 또는 합병의 당사자인 도매시장법인이 지정요건을 갖추지 못한 경우 – 그 밖에 이 법 또는 다른 법령에 따른 제한에 위반되는 경우
공공출자법인	① 공공출자법인의 설립 : 도매시장 개설자 ② 공공출자법인의 출자 – 출자자 : 지방자치단체, 관리공사, 농림수협 등, 시장의 상인 등, 도매시장법인, 개설자가 필요하다고 인정하는 자 – 출자액의 합계가 총출자액의 100분의 50을 초과 : 지방자치단체, 관리공사, 농림수협 등 ③ 상법상 주식회사, 설립등기를 한 날 도매시장법인의 지정 간주

중도매업의 허가	① 중도매업 : 개설자의 허가(부류별) ② 중도매업 허가 불가 요건 1. 파산선고를 받고 복권되지 아니한 사람이나 피성년후견인 2. 이 법을 위반하여 금고 이상의 실형을 선고받고 그 형의 집행이 끝나거나(집행이 끝난 것으로 보는 경우를 포함) 면제되지 아니한 사람 3. 중도매업의 허가가 취소(제1호에 해당하여 취소된 경우는 제외)된 날부터 2년이 지나지 아니한 자 4. 도매시장법인의 주주 및 임직원으로서 해당 도매시장법인의 업무와 경합되는 중도매업을 하려는 자 5. 임원 중에 제1호부터 제4호까지의 어느 하나에 해당하는 사람이 있는 법인 6. 최저거래금액 및 거래대금의 지급보증을 위한 보증금 등 도매시장 개설자가 업무규정으로 정한 허가조건을 갖추지 못한 자 ③ 중도매인의 금지 행위 1. 다른 중도매인 또는 매매참가인의 거래 참가를 방해하는 행위를 하거나 집단적으로 농수산물의 경매 또는 입찰에 불참하는 행위 2. 다른 사람에게 자기의 성명이나 상호를 사용하여 중도매업을 하게 하거나 그 허가증을 빌려 주는 행위 ④ 중도매업 허가 유효기간 : 개인(3~10년), 법인(5~10년) ⑤ 갱신허가 : 허가 유효기간 만료 후 계속하여 중도매업을 하려는 자 ⑥ 허가를 받은 중도매인은 도매시장에 설치된 공판장에서도 그 업무를 할 수 있음
경매사	① 경매사의 수 : 2명 이상으로 하되, 도매시장법인별 연간 거래물량 등을 고려하여 업무규정으로 그 수를 정함 ② 경매사 임면 신고 : 임면한 날부터 30일 이내에 도매시장 개설자에게 신고 ③ 경매사 결격 사유(당연면직 : 아래 제1호부터 제4호) 1. 피성년후견인 또는 피한정후견인 2. 이 법 또는 「형법」 제129조부터 제132조까지의 죄(수뢰, 뇌물 등) 중 어느 하나에 해당하는 죄를 범하여 금고 이상의 실형을 선고받고 그 형의 집행이 끝나거나(집행이 끝난 것으로 보는 경우를 포함) 집행이 면제된 후 2년이 지나지 아니한 사람 3. 이 법 또는 「형법」 제129조부터 제132조까지의 죄 중 어느 하나에 해당하는 죄를 범하여 금고 이상의 형의 집행유예를 선고받거나 선고유예를 받고 그 유예기간 중에 있는 사람 4. 해당 도매시장의 시장도매인, 중도매인, 산지유통인 또는 그 임직원 5. 제82조 제4항에 따라 면직된 후 2년이 지나지 아니한 사람 6. 제82조 제4항에 따른 업무정지기간 중에 있는 사람 〈더 알아보기〉 법 제82조 제4항(6개월 이내 업무정지 또는 면직) 1. 상장한 농수산물에 대한 경매 우선순위를 <u>고의 또는 중대한 과실</u>로 잘못 결정한 경우 2. 상장한 농수산물에 대한 가격평가를 고의 또는 중대한 과실로 잘못한 경우 3. 상장한 농수산물에 대한 경락자를 고의 또는 중대한 과실로 잘못 결정한 경우

	④ 경매사의 업무 1. 도매시장법인이 상장한 농수산물에 대한 경매 우선순위의 결정 2. 도매시장법인이 상장한 농수산물에 대한 가격평가 3. 도매시장법인이 상장한 농수산물에 대한 경락자의 결정
산지유통인	① 산지유통인 등록 : 개설자 ② 등록 예외 1. 생산자단체가 구성원의 생산물을 출하하는 경우 2. 도매시장법인이 제31조 제1항 단서에 따라 매수한 농수산물을 상장하는 경우 3. 중도매인이 제31조 제2항 단서에 따라 비상장 농수산물을 매매하는 경우 4. 시장도매인이 제37조에 따라 매매하는 경우 5. 그 밖에 농림축산식품부령 또는 해양수산부령으로 정하는 경우 〈더 알아보기〉 산지유통인 등록의 예외(부령) 1. 종합유통센터·수출업자 등이 남은 농수산물을 도매시장에 상장하는 경우 2. 법 제34조에 따라 도매시장법인이 다른 도매시장법인 또는 시장도매인으로부터 매수하여 판매하는 경우 3. 법 제34조에 따라 시장도매인이 도매시장법인으로부터 매수하여 판매하는 경우 ③ 산지유통인의 업무와 경합 금지 : 도매시장법인, 중도매인 및 이들의 주주 또는 임직원 ④ 산지유통인의 업무 제한 : 농수산물의 출하업무 외의 판매·매수 또는 중개 ⑤ 무등록 산지유통인 : 개설자는 도매시장에의 출입을 금지·제한하거나 그 밖에 필요한 조치를 할 수 있음 ⑥ 지원 : 국가나 지방자치단체는 산지유통인의 공정한 거래를 촉진하기 위하여 필요한 지원을 할 수 있음
출하자 신고	① 출하자 신고 : 도매시장에 농수산물을 출하하려는 생산자 및 생산자단체 등 ② 출하예약 출하자 : 위탁수수료의 인하 및 경매의 우선 실시 등 우대조치
수탁판매의 원칙	**수탁판매** 도매시장에서 도매시장법인이 하는 도매는 출하자로부터 위탁을 받아야 함
	매수도매 부령에 의해 특별한 사유가 있는 경우에는 매수도매 ① 법 제9조 제1항 단서(과잉생산) 또는 법 제13조 제2항 단서(비축사업)에 따라 농림축산식품부장관 또는 해양수산부장관의 <u>수매에 응하기 위하여</u> 필요한 경우 ② 법 제34조(거래의 특례)에 따라 <u>다른 도매시장법인 또는 시장도매인으로부터 매수하여 도매하는 경우</u> ③ 해당 도매시장에서 주로 취급하지 아니하는 농수산물의 <u>품목을 갖추기 위하여</u> 대상 품목과 기간을 정하여 도매시장 개설자의 승인을 받아 다른 도매시장으로부터 이를 매수하는 경우 ④ 물품의 특성상 외형을 변형하는 등 <u>가공하여 도매</u>하여야 하는 경우로서 도매시장 개설자가 업무규정으로 정하는 경우 ⑤ 도매시장법인이 법 제35조 제4항 단서에 따른 겸영사업에 필요한 농수산물을 매수하는 경우

		⑥ 수탁판매의 방법으로는 적정한 거래물량의 확보가 어려운 경우로서 농림축산식품부장관 또는 해양수산부장관이 고시하는 범위에서 <u>중도매인 또는 매매참가인의 요청</u>으로 그 중도매인 또는 매매참가인에게 정가·수의매매로 도매하기 위하여 필요한 물량을 매수하는 경우
	중도매인의 거래	① 상장 농산물 거래(단, 개설자 허가로 비상장농산물 거래 가능) **〈더 알아보기〉 비상장 농산물 거래허가 품목(시장관리위원회 심의)** 1. 영 제2조 각 호의 부류를 기준으로 <u>연간 반입물량 누적비율이 하위 3퍼센트 미만</u>에 해당하는 소량 품목 2. 품목의 특성으로 인하여 <u>해당 품목을 취급하는 중도매인이 소수인 품목</u> 3. 그 밖에 <u>상장거래에 의하여 중도매인이 해당 농수산물을 매입하는 것이 현저히 곤란</u>하다고 도매시장 개설자가 인정하는 품목 ② 비상장 농산물의 도매시장에 물건 반입 예외 : 농수산물 전자거래소에서 거래 ③ 중도매인간의 거래 제한 **〈더 알아보기〉 중도매인간의 거래 가능한 규모의 상한(부령)** 1. 중도매인이 다른 중도매인으로부터 구매한 연간 총 거래액이나 다른 중도매인에게 판매한 연간 총 거래액이 해당 중도매인의 전년도 연간 구매한 총 거래액이나 판매한 총 거래액 각각(중도매인 간 거래액은 포함하지 아니함)의 20퍼센트 미만이어야 함 2. 거래내용에 대하여 개설자에게 통보 ④ 중도매인간의 거래 : 최저거래금액 산정 불포함
매매방법		① 원칙 : 경매·입찰·정가매매 또는 수의매매(隨意賣買)의 방법 ② 예외 : 농림축산식품부령으로 매매방법을 정한 경우(부령) 1. 경매 또는 입찰 　가. 출하자가 경매 또는 입찰로 매매방법을 지정하여 요청한 경우(제2호 나목부터 자목까지의 규정에 해당하는 경우는 제외) 　나. 법 제78조에 따른 시장관리운영위원회의 심의를 거쳐 매매방법을 경매 또는 입찰로 정한 경우 　다. 해당 농수산물의 입하량이 일시적으로 현저하게 증가하여 정상적인 거래가 어려운 경우 등 정가매매 또는 수의매매의 방법에 의하는 것이 극히 곤란한 경우 2. 정가매매 또는 수의매매 　가. 출하자가 정가매매·수의매매로 매매방법을 지정하여 요청한 경우(제1호 나목 및 다목에 해당하는 경우는 제외) 　나. 법 제78조에 따른 시장관리운영위원회의 심의를 거쳐 매매방법을 정가매매 또는 수의매매로 정한 경우 　다. 법 제35조 제2항 제1호에 따라 전자거래 방식으로 매매하는 경우 　라. 다른 도매시장법인 또는 공판장(법 제27조에 따른 경매사가 경매를 실시하는 농수산물집하장을 포함)에서 이미 가격이 결정되어 바로 입하된 물품을 매매하는 경우로서 당해 물품을 반출한 도매시장법인 또는 공판장의 개설자가 가격·반출지·반출물량 및 반출차량 등을 확인한 경우

	마. (생략) 바. 경매 또는 입찰이 종료된 후 입하된 경우 사. 경매 또는 입찰을 실시하였으나 매매되지 아니한 경우 아. 법 제34조에 따라 도매시장 개설자의 허가를 받아 중도매인 또는 매매참가인외의 자에게 판매하는 경우 자. 천재·지변 그 밖의 불가피한 사유로 인하여 경매 또는 입찰의 방법에 의하는 것이 극히 곤란한 경우
거래의 특례	① 도매시장법인의 경우 : 중도매인·매매참가인 외의 자에게 판매 　– 해당 도매시장의 중도매인 또는 매매참가인에게 판매한 후 남는 농수산물이 있는 경우 　– 도매시장 개설자가 도매시장에 입하된 물품의 원활한 분산을 위하여 특히 필요하다고 인정하는 경우 　– 도매시장법인이 법 제35조 제4항 단서에 따른 겸영사업으로 수출을 하는 경우 ② 시장도매인의 경우 : 도매시장법인·중도매인에게 판매 　– 도매시장 개설자가 도매시장에 입하된 물품의 원활한 분산을 위하여 특히 필요하다고 인정하는 경우 ③ 개설자에게 보고서 제출 　– 판매한 물품의 품목·수량·금액·출하자 및 매수인 　– 판매한 사유
도매시장법인의 영업 제한	① 판매장소 : 도매시장 외의 장소에서 농수산물의 판매업무를 하지 못함 ② 도매시장으로의 농산물 반입 예외 　1. 도매시장 개설자의 사전승인을 받아 「전자문서 및 전자거래 기본법」에 따른 전자거래 방식으로 하는 경우(온라인에서 경매 방식으로 거래하는 경우를 포함) 　2. 농림축산식품부령 또는 해양수산부령으로 정하는 일정 기준 이상의 시설에 보관·저장 중인 거래 대상 농수산물의 견본을 도매시장에 반입하여 거래하는 것에 대하여 도매시장 개설자가 승인한 경우 ③ 겸영사업의 제한 : 농수산물 판매업무 외의 사업을 겸영(兼營)하지 못함 〈더 알아보기〉 도매시장법인의 겸영(부령) 1. 사업대상 : 농수산물의 선별·포장·가공·제빙(製氷)·보관·후숙(後熟)·저장·수출입·배송(도매시장법인이나 해당 도매시장 중도매인의 농수산물 판매를 위한 배송으로 한정) 등의 사업 2. 사업 요건 　1) 부채비율(부채/자기자본×100)이 300퍼센트 이하일 것 　2) 유동부채비율(유동부채/부채총액×100)이 100퍼센트 이하일 것 　3) 유동비율(유동자산/유동부채×100)이 100퍼센트 이상일 것 　4) 당기순손실이 2개 회계연도 이상 계속하여 발생하지 아니할 것 ④ 겸영사업의 통지와 보고 　– 통지 : 개설자, 사업장 소재지 시장(개설자가 다른 경우), 군수, 구청장 　– 보고 : 전년도 겸영사업 실적을 매년 3월 31일까지 제출

	⑤ 대통령령에 의한 겸영사업의 제한 : 산지 출하자와의 업무 경합 또는 과도한 겸영사업으로 인한 도매시장법인의 도매업무 약화가 우려되는 경우 → 위반행위의 차수(次數)에 따른 처분기준은 최근 3년간 같은 위반행위로 처분을 받은 경우에 적용	
	1. 제1차 위반 : 보완명령 2. 제2차 위반 : 1개월 금지 3. 제3차 위반 : 6개월 금지 4. 제4차 위반 : 1년 금지	
도매시장법인 등의 공시	거래물량, 가격정보 및 재무상황 등 ① 거래일자별·품목별 반입량 및 가격정보 ② 주주 및 임원의 현황과 그 변동사항 ③ 겸영사업을 하는 경우 그 사업내용 ④ 직전 회계연도의 재무제표	
시장도매인	지정	① 지정 : 도매시장 개설자가 부류별로 지정 ② 지정 유효기간 : 5~10년
	요건	① 임원 중 이 법을 위반하여 금고 이상의 실형을 선고받고 그 형의 집행이 끝나거나(집행이 끝난 것으로 보는 경우를 포함) 집행이 면제된 후 2년이 지나지 아니한 사람이 없을 것 ② 임원 중 해당 도매시장에서 시장도매인의 업무와 경합되는 도매업 또는 중도매업을 하는 사람이 없을 것 ③ 임원 중 파산선고를 받고 복권되지 아니한 사람이나 피성년후견인 또는 피한정후견인이 없을 것 ④ 임원 중 제82조 제2항에 따라 시장도매인의 지정취소처분의 원인이 되는 사항에 관련된 사람이 없을 것 ⑤ 거래규모, 순자산액 비율 및 거래보증금 등 도매시장 개설자가 업무규정으로 정하는 일정 요건을 갖출 것
	지정절차 (제출서류)	① 정관 ② 주주 명부 ③ 임원의 이력서 ④ 해당 법인의 직전 회계연도의 재무제표와 그 부속서류(신설 법인의 경우에는 설립일을 기준으로 작성한 대차대조표) ⑤ 사업시작 예정일부터 5년간의 사업계획서(산지활동계획, 농수산물판매계획, 자금운용계획, 조직 및 인력운용계획 등을 포함) ⑥ 거래규모, 순자산액 비율 및 거래보증금 등 도매시장 개설자가 업무규정으로 정한 요건을 갖추고 있음을 증명하는 서류
시장도매인의 영업	① 영업 : 매수 또는 위탁 도매, 매매 중개 ② 영업 제한 : 시장도매인은 해당 도매시장의 도매시장법인·중도매인에게 농수산물을 판매하지 못함	
수탁의 거부금지 등	① 수탁의 거부금지 등 : 도매시장법인 또는 시장도매인은 농수산물의 수탁을 거부·기피하거나 위탁받은 농수산물의 판매를 거부·기피하거나, 거래 관계인에게 부당한 차별대우를 하여서는 아니 됨	

	② 수탁거부금지의 예외 1. 제10조 제2항에 따른 유통명령을 위반하여 출하하는 경우 2. 제30조에 따른 출하자 신고를 하지 아니하고 출하하는 경우 3. 제38조의2에 따른 안전성 검사 결과 그 기준에 미달되는 경우 4. 도매시장 개설자가 업무규정으로 정하는 최소출하량의 기준에 미달되는 경우 5. 그 밖에 환경 개선 및 규격출하 촉진 등을 위하여 대통령령으로 정하는 경우(표준규격에 따라 출하하지 아니한 경우)
안전성 검사	① 안전성 검사 : 시장 개설자 ② 안전성 기준 미달의 농수산물 출하자 : 1년 이내의 범위에서 출하 제한 – 다른 도매시장 개설자로부터 안전성 검사 결과 출하 제한을 받은 자에 대해서도 또한 같음 ③ 안전성 기준 미달자의 출하 제한(부령) 1. 최근 1년 이내에 1회 적발 시 : 1개월 2. 최근 1년 이내에 2회 적발 시 : 3개월 3. 최근 1년 이내에 3회 적발 시 : 6개월
매매농수산물의 인수 등	① 즉시 인수 : 도매시장법인 또는 시장도매인으로부터 농수산물을 매수한 자는 매매가 성립한 즉시 그 농수산물을 인수하여야 함 ② 정당한 사유 없는 인수거부 또는 인수해태 : 그 매수인의 부담으로 해당 농수산물을 일정 기간 보관하거나, 그 이행을 최고(催告)하지 아니하고 그 매매를 해제하여 다시 매매할 수 있음 ③ 재매매 시 차손금(差損金) : 당초의 매수인이 부담
하역업무	① 개설자 : 하역업무의 효율화(하역체제의 개선, 하역의 기계화 촉진), 하역비 절감 시책의 수립·시행 ② 규격출하품에 대한 표준하역비 부담 : 도매시장법인 또는 시장도매인 ③ 장관의 명령 : 장관은 하역체제의 개선 및 하역의 기계화와 ②에 따른 규격출하의 촉진을 위하여 도매시장 개설자에게 필요한 조치를 명할 수 있음
출하자에 대한 대금결제	① 매매대금 전부의 즉시 결제(다만, 대금의 지급방법에 관하여 도매시장법인 또는 시장도매인과 출하자 사이에 특약이 있는 경우에는 그 특약에 따름) ② 표준정산서의 발급 : 출하자와 정산조직(다만, 도매시장 개설자가 농림축산식품부령 또는 해양수산부령으로 정하는 바에 따라 인정하는 도매시장법인의 경우에는 출하자에게 대금을 직접 결제할 수 있음) ③ 표준송품장, 판매원표, 표준정산서, 대금결제의 방법 및 절차 등에 관하여 필요한 사항은 농림축산식품부령 또는 해양수산부령으로 정함 〈더 알아보기〉 대금결제의 절차(부령) 1. 출하자는 송품장을 작성하여 도매시장법인 또는 시장도매인에게 제출 2. 도매시장법인 또는 시장도매인은 출하자에게서 받은 송품장의 사본을 도매시장 개설자가 설치한 거래신고소에 제출 3. 도매시장법인 또는 시장도매인은 표준정산서를 출하자와 정산 창구에 발급하고, 정산 창구에 대금결제를 의뢰 4. 정산 창구에서는 출하자에게 대금을 결제하고, 표준정산서 사본을 거래신고소에 제출

	판매원표	경매에 사용되는 판매원표에는 출하자명·품명·등급·수량·경락가격·매수인·담당경매사 등을 상세히 기입하도록 하되, 그 양식은 도매시장 개설자가 정함
	표준정산서	① 표준정산서의 발행일 및 발행자명 ② 출하자명 ③ 출하자 주소 ④ 거래형태(매수·위탁·중개) 및 매매방법(경매·입찰, 정가·수의매매) ⑤ 판매 명세(품목·품종·등급별 수량·단가 및 거래단위당 수량 또는 무게), 판매대금총액 및 매수인 ⑥ 공제 명세(위탁수수료, 운송료 선급금, 하역비, 선별비 등 비용) 및 공제금액 총액 ⑦ 정산금액 ⑧ 송금 명세(은행명·계좌번호·예금주)
대금정산조직		설립 지원 : 개설자
수수료 등의 징수 제한		① 징수하는 수수료 등 : 도매시장의 사용료, 시설 사용료, 위탁수수료, 중개수수료, 정산수수료 ② 수수료 등의 요율(부령)
	시장사용료	① 도매시장 거래금액의 1천분의 5(서울특별시 소재 중앙도매시장의 경우에는 1천분의 5.5)를 초과하지 아니할 것 ② 다만, 다음 각 목의 방식으로 거래한 경우 그 거래한 물량에 대해서는 해당 거래금액의 1천분의 3을 초과하지 아니하여야 함 　- 법 제31조 제4항에 따라 같은 조 제2항 단서에 따른 물품을 법 제70조의2 제1항 제1호에 따른 농수산물 전자거래소(이하 "농수산물 전자거래소"라 함)에서 거래한 경우 　- 법 제35조 제2항 제1호에 따라 정가·수의매매를 전자거래방식으로 한 경우와 같은 항 제2호에 따라 거래 대상 농수산물의 견본을 도매시장에 반입하여 거래한 경우 ③ 도매시장법인·시장도매인이 납부할 사용료는 해당 도매시장법인·시장도매인의 거래금액 또는 매장면적을 기준으로 하여 징수할 것
	시설사용료	① 사용료 징수 시설 　- 저온창고 　〈더 알아보기〉 저온창고 사용료 불산입 　가. 도매시장에서 매매되기 전에 저온창고에 보관된 출하자 농산물 　나. 정가매매 또는 수의매매로 거래된 농산물 　- 농산물 품질관리실, 축산물위생검사 사무실 및 도체(屠體 : 도축하여 머리 및 장기 등을 제거한 몸체) 등급판정 사무실을 제외한 시설 ② 연간 시설 사용료 : 해당 시설의 재산가액의 1천분의 50(중도매인 점포·사무실의 경우에는 재산가액의 1천분의 10)을 초과하지 아니하는 범위

	위탁수수료	위탁수수료의 최고한도(부령) ① 양곡부류 : 거래금액의 1천분의 20 ② 청과부류 : 거래금액의 1천분의 70 ③ 수산부류 : 거래금액의 1천분의 60 ④ 축산부류 : 거래금액의 1천분의 20(도매시장 또는 공판장 안에 도축장이 설치된 경우 「축산물위생관리법」에 따라 징수할 수 있는 도살 · 해체수수료는 이에 포함되지 아니함) ⑤ 화훼부류 : 거래금액의 1천분의 70 ⑥ 약용작물부류 : 거래금액의 1천분의 50
	중개수수료	중개수수료의 최고한도(부령) ① 거래금액의 1천분의 40 ② 시장도매인이 출하자와 매수인으로부터 각각 징수하는 중개수수료 : 해당 부류 위탁수수료 최고한도의 2분의 1을 초과하지 못함
	정산수수료	정산수수료의 최고한도(부령) ① 정률(定率)의 경우 : 거래건별 거래금액의 1천분의 4 ② 정액의 경우 : 1개월에 70만원

제4절 농수산물공판장 및 민영농수산물도매시장 등

공판장 개설		① 개설권자 : 농림수협 등, 생산자단체 또는 공익법인(시 · 도지사의 승인) ② 제출서류 : 업무규정과 운영관리계획서 ③ 승인 불가 사유 1. 장소 : 공판장을 개설하려는 장소가 교통체증을 유발할 수 있는 위치에 있는 경우 2. 시설 : 공판장의 시설이 제67조 제2항에 따른 기준에 적합하지 아니한 경우 3. 제2항에 따른 운영관리계획서의 내용이 실현 가능하지 아니한 경우 4. 그 밖에 이 법 또는 다른 법령에 따른 제한에 위반되는 경우
공판장의 거래 관계자		중도매인(지정), 매매참가인(신고), 산지유통인(등록) 및 경매사(임면)
도매시장공판장 운영 특례		도매시장공판장은 제70조에 따른 농림수협 등의 유통자회사(流通子會社)로 하여금 운영하게 할 수 있음
민영도매시장	개설	① 개설지역 : 특광시, 특자시도, 시지역 ② 개설허가 : 시 · 도지사 ③ 제출서류 : 업무규정 및 운영관리계획서 ④ 허가 불가 사유 : 공판장 승인불가 사유와 동일 ⑤ 허가처리기간 : 신청서를 받은 날부터 30일 이내(연장 10일 내)
	운영	민영도매시장의 개설자는 중도매인(지정), 매매참가인(신고), 산지유통인(등록) 및 경매사(임면)를 두어 직접 운영하거나 시장도매인(지정)을 두어 이를 운영하게 할 수 있음

산지판매제도	① 산지경매제를 실시하거나 계통출하(系統出荷)를 확대하는 등 생산자 보호를 위한 판매대책 및 선별·포장·저장 시설의 확충 등 산지 유통대책을 수립·시행할 것 ② 농림수협 등 또는 공익법인은 제33조에 따른 경매 또는 입찰의 방법으로 창고경매, 포전경매(圃田競賣) 또는 선상경매(船上競賣) 등을 할 수 있음	
농수산물집하장	① 설치·운영 : 생산자단체 또는 공익법인 ② 국가와 지방자치단체 : 입지 선정과 도로망의 개설에 협조하여야 함 ③ 집하장의 공판장 운영 : 공판장의 시설기준을 갖춘 집하장을 시·도지사의 승인을 받아 공판장으로 운영할 수 있음	
농수산물 산지유통센터	설치·운영	① 국가나 지방자치단체 : 농수산물의 선별·포장·규격출하·가공·판매 등을 촉진하기 위하여 농수산물산지유통센터를 설치하여 운영하거나 이를 설치하려는 자에게 부지 확보 또는 시설물 설치 등에 필요한 지원을 할 수 있음 ② 운영의 위탁 : 국가나 지방자치단체가 설치한 농수산물산지유통센터의 운영을 생산자단체 또는 전문유통업체에 위탁할 수 있음 ③ 시설 이용료 징수 : 매출액의 1천분의 5 이하 범위
	편의 제공	생산자단체, 농업협동조합중앙회, 산림조합중앙회, 수산업협동조합중앙회 또는 공익법인의 시설이용 요청 시
포전매매 계약	① 계약방식 : 서면 ② 농산물 인수와 계약해제 : 반출 약정일부터 10일 이내에 반출하지 아니한 경우에는 그 기간이 지난 날에 계약이 해제된 것으로 봄(단, 서면통지 시 예외) ③ 표준계약서의 보급 및 사용의 권장 : 농림축산식품부장관 ④ 계약내용의 신고 의무 : 장관은 대상 품목, 대상 지역 및 신고기간 등을 정하여 계약 당사자에게 포전매매 계약의 내용을 신고하도록 할 수 있음	

제5절 농산물가격안정기금

기금의 설치	① 설치권자 : 정부 ② 설치목적 : 농산물의 원활한 수급과 가격안정을 도모하고 유통구조의 개선을 촉진하기 위한 재원을 확보하기 위함
기금의 조성	① 정부의 출연금 ② 기금 운용에 따른 수익금 ③ 제9조의2 제3항(몰수농산물), 제16조 제2항(수입이익금) 및 다른 법률의 규정에 따라 납입되는 금액 ④ 다른 기금으로부터의 출연금 ⑤ 차입금(한국은행 또는 다른 기금으로부터 차입한 금액)
기금의 운용·관리	① 기금의 운용·관리자 : 장관 ② 기금의 운용·관리의 위임, 위탁 : 국립종자원장, 한국농수산식품유통공사의 장 ③ 기금계정의 설치 : 한국은행

기금의 용도	융자 대출	① 농산물의 가격조절과 생산·출하의 장려 또는 조절 ② 농산물의 수출 촉진 ③ 농산물의 보관·관리 및 가공 ④ 도매시장, 공판장, 민영도매시장 및 경매식 집하장(제50조에 따른 농수산물 집하장 중 제33조에 따른 경매 또는 입찰의 방법으로 농수산물을 판매하는 집하장)의 출하촉진·거래대금정산·운영 및 시설설치 ⑤ 농산물의 상품성 향상 ⑥ 그 밖에 농림축산식품부장관이 농산물의 유통구조 개선, 가격안정 및 종자산업의 진흥을 위하여 필요하다고 인정하는 사업
		융자권자 : 농업협동조합중앙회(농협경제지주회사 및 그 자회사를 포함), 산림조합중앙회 및 한국농수산식품유통공사
	지출	① 농수산자조금에 대한 출연 및 지원 ② 제9조(과잉생산), 제9조의2(몰수농산물), 제13조(비축사업) 및 「종자산업법」 제22조에 따른 사업 및 그 사업의 관리 ③ 유통명령 이행자에 대한 지원 ④ 기금이 관리하는 유통시설의 설치·취득 및 운영 ⑤ 도매시장 시설현대화 사업 지원 ⑥ 그 밖에 대통령령으로 정하는 농산물의 유통구조 개선 및 가격안정과 종자산업의 진흥을 위하여 필요한 사업
		대출권자 : 대출사업을 효율적으로 시행할 수 있다고 인정하는 자
기금의 회계기관		① 농림축산식품부장관 소속 공무원 중에서 기금수입징수관·기금재무관·기금지출관 및 기금출납공무원을 임명함 ② 농림축산식품부장관이 기금의 운용·관리에 관한 업무의 일부를 위임 또는 위탁한 경우 : 위임 또는 위탁받은 기관의 소속 공무원 또는 임직원 중에서 위임 또는 위탁받은 업무를 수행하기 위한 기금수입징수관 또는 기금수입담당임원, 기금재무관 또는 기금지출원 인행위담당임원, 기금지출관 또는 기금지출원 및 기금출납공무원 또는 기금출납원을 임명하여야 함 ③ 통지 : 기금회계기관 임명시 감사원, 기획재정부장관 및 한국은행총재에게 그 사실을 통지하여야 함 ④ 비용의 손비처리 - 제9조, 제13조 및 「종자산업법」 제22조에 따른 사업을 실시한 결과 생긴 결손금 - 차입금의 이자 및 기금의 운용에 필요한 경비

**기금의
운용계획**
		① 운용계획의 수립 : 장관
		② 운용계획의 포함 사항
		   1. 기금의 수입·지출에 관한 사항
		   2. 융자 또는 대출의 목적, 대상자, 금리 및 기간에 관한 사항
		   3. 그 밖에 기금의 운용에 필요한 사항
		③ 기금의 융자 기간 : 1년(단, 자금의 사용 목적상 달리 정할 수 있음)

여유자금의 운용		① 「은행법」에 따른 은행에 예치 ② 국채·공채, 그 밖에 「자본시장과 금융투자업에 관한 법률」 제4조에 따른 증권의 매입

결산보고	농림축산식품부장관은 회계연도마다 기금의 결산보고서를 작성하여 다음 연도 2월 말일까지 기획재정부장관에게 제출

제6절 농수산물 유통기구의 정비 등

정비기본방침	정비기본방침의 고시 : 장관 〈더 알아보기〉 정비기본방침의 내용 1. 제67조 제2항에 따른 시설기준에 미달하거나 거래물량에 비하여 시설이 부족하다고 인정되는 도매시장·공판장 및 민영도매시장의 시설 정비에 관한 사항 2. 도매시장·공판장 및 민영도매시장 시설의 바꿈 및 이전에 관한 사항 3. 중도매인 및 경매사의 가격조작 방지에 관한 사항 4. 생산자와 소비자 보호를 위한 유통기구의 봉사(奉仕) 경쟁체제의 확립과 유통 경로의 단축에 관한 사항 5. 운영 실적이 부진하거나 휴업 중인 도매시장의 정비 및 도매시장법인이나 시장도매인의 교체에 관한 사항 6. 소매상의 시설 개선에 관한 사항
지역별 정비계획	① 지역별 정비계획의 수립과 시행 : 시·도지사(장관 승인) ② 수정·보완 후 승인 : 기본방침에 부합되지 아니하거나 사정의 변경 등으로 실효성이 없다고 인정하는 경우
유사도매시장의 정비	① 유사도매시장의 지정 : 시·도지사 ② 정비계획의 수립·시행 : 그 구역의 농수산물도매업자의 거래방법 개선, 시설 개선, 이전대책 등 〈더 알아보기〉 유사도매시장의 정비(부령) 1. 유사도매시장의 정비계획 수립(시·도지사) 　1) 특별시·광역시 　2) 국고 지원으로 도매시장을 건설하는 지역 　3) 그 밖에 시·도지사가 농수산물의 공공거래질서 확립을 위하여 특히 필요하다고 인정하는 지역 2. 유사도매시장의 정비계획에 포함되어야 할 사항 　1) 유사도매시장구역으로 지정하려는 구체적인 지역의 범위 　2) 제1호의 지역에 있는 농수산물도매업자의 거래방법의 개선방안 　3) 유사도매시장의 시설 개선 및 이전대책 　4) 제3호에 따른 대책을 시행하는 경우의 대상자 선발기준 ③ 유사도매시장 구역 내 도매시장 개설과 운영 : 특광시·자치도, 시 ④ 유사도매시장 정비계획의 수정과 보완 및 지원 : 장관
시장의 개설· 정비 명령	① 도매시장의 통합·이전 또는 폐쇄 명령 : 개설자에게 장관이 명령 ② 도매시장 개설과 제한의 권고 : 장관이 그 지역을 관할하는 특별시·광역시·특별자치시·특별자치도 또는 시나 농림수협 등 또는 공익법인에 대하여 권고

③ 명령에 따른 손실 보상 : 정당한 보상

> **〈더 알아보기〉 시장의 정비명령(대통령령)**
> 1. 통합·이전 또는 폐쇄 시 비교·검토 사항
>   1) 최근 2년간의 거래 실적과 거래 추세
>   2) 입지조건
>   3) 시설현황
>   4) 통합·이전 또는 폐쇄로 인하여 당사자가 입게 될 손실의 정도
> 2. 통합·이전 또는 폐쇄를 명령하려는 경우 관계인의 소명이나 의견진술 기회 부여
> 3. 손실보상 시 관계인과 협의를 하여야 함

도매시장법인의 대행	도매시장법인이 판매업무를 할 수 없게 되었다고 인정되는 경우 : 도매시장 개설자는 기간을 정하여 그 업무를 대행하거나 관리공사, 다른 도매시장법인 또는 도매시장공판장의 개설자로 하여금 대행하게 할 수 있음
유통시설의 개선 등	① 개선명령 : 장관은 농수산물의 원활한 유통을 위하여 도매시장·공판장 및 민영도매시장의 개설자나 도매시장법인에 대하여 농수산물의 판매·수송·보관·저장 시설의 개선 및 정비를 명할 수 있음 ② 시설 기준 : 부령으로 정함(축산부류 도계장 설치 명령 포함)
소매유통의 개선	① 농수산물 소매단계의 합리적 유통 개선에 대한 시책을 수립·시행 : 장관 ② 지원·육성 사업 : 농수산물의 중도매업·소매업, 생산자와 소비자의 직거래사업, 생산자단체 및 대통령령으로 정하는 단체가 운영하는 농수산물직판장, 소매시설의 현대화 등 ※ 대통령령으로 정하는 단체 : 소비자단체 및 지방자치단체의 장이 직거래사업의 활성화를 위하여 필요하다고 인정하여 지정하는 단체
종합유통센터의 설치	① 설치권자 : 국가나 지방자치단체 또는 종합유통센터를 설치하려는 자 ② 운영의 위탁 및 지원 : 국가나 지방자치단체가 설치한 종합유통센터에 대하여 생산자단체 또는 전문유통업체에 그 운영을 위탁할 수 있으며, 민간설치자에게 부지 확보 또는 시설물 설치 등에 필요한 지원을 할 수 있음 **〈더 알아보기〉 종합유통센터의 설치 지원 시 의견서 제출(부령)** 지원을 하려는 지방자치단체의 장은 제출받은 종합유통센터 건설사업계획서와 해당 계획의 타당성 등에 대한 검토의견서를 농림축산식품부장관 및 해양수산부장관에게 제출하되, 시장·군수 또는 구청장의 경우에는 시·도지사의 검토의견서를 첨부하여야 하며, 농림축산식품부장관 및 해양수산부장관은 이에 대하여 의견을 제시할 수 있음 **〈더 알아보기〉 운영을 위탁할 수 있는 생산자단체 또는 전문유통업체(부령)** 1. 농림수협 등(법 제70조에 따른 유통자회사를 포함) 2. 종합유통센터의 운영에 필요한 자금과 경영능력을 갖춘 자로서 농림축산식품부장관, 해양수산부장관 또는 지방자치단체의 장이 농수산물의 효율적인 유통을 위하여 특히 필요하다고 인정하는 자 3. 종합유통센터를 운영하기 위하여 국가 또는 지방자치단체와 제1호 및 제2호의 자가 출자하여 설립한 법인 4. 운영위탁 시 시설이용료의 징수 : 매출액의 1천분의 5 이하

	③ 장관, 지자체장의 권고 : 종합유통센터를 운영하는 자 또는 이를 이용하는 자에게 그 운영방법 및 출하 농어가에 대한 서비스의 개선 또는 이용방법의 준수 등 필요한 권고를 할 수 있음 ④ 명령 : ③항의 권고를 이행하지 아니하는 경우에는 일정한 기간을 정하여 운영방법 및 출하 농어가에 대한 서비스의 개선 등 필요한 조치를 할 것을 명할 수 있음
유통자회사의 설립	① 농림수협 등은 종합유통센터·도매시장공판장을 운영하거나 그 밖의 유통사업을 수행하는 별도의 법인(이하 "유통자회사"라 함)을 설립·운영할 수 있음 ② 유통자회사는 「상법」상의 회사이어야 함 ③ 국가나 지방자치단체는 유통자회사의 원활한 운영을 위하여 필요한 지원을 할 수 있음
전자거래의 촉진	① 업무의 수행기관 : 한국농수산식품유통공사 및 농수산물 거래와 관련된 업무경험 및 전문성을 갖춘 기관 ② 업무 1. 농수산물 전자거래소(농수산물 전자거래장치와 그에 수반되는 물류센터 등의 부대시설을 포함)의 설치 및 운영·관리 2. 농수산물 전자거래 참여 판매자 및 구매자의 등록·심사 및 관리 3. 제70조의3에 따른 농수산물 전자거래 분쟁조정위원회에 대한 운영 지원 4. 대금결제 지원을 위한 정산소(精算所)의 운영·관리 5. 농수산물 전자거래에 관한 유통정보 서비스 제공 6. 그 밖에 농수산물 전자거래에 필요한 업무 ③ 장관이 지원 : 예산의 범위 내 ④ 농수산물전자거래의 거래품목 및 거래수수료 등(부령) 1. 거래품목 : 농산물·축산물·수산물 및 임산물 2. 거래수수료 　1) 판매자의 경우 : 사용료 및 판매수수료 　2) 구매자의 경우 : 사용료 3. 거래수수료는 거래액의 1천분의 30을 초과할 수 없음 4. 직접 결제 : 농수산물 전자거래소를 통하여 거래계약이 체결된 경우에는 한국농수산식품유통공사가 구매자를 대신하여 그 거래대금을 판매자에게 직접 결제할 수 있음. 이 경우 한국농수산식품유통공사는 구매자로부터 보증금, 담보 등 필요한 채권확보수단을 미리 마련하여야 함
전자거래 분쟁조정위원회	① 설치 : 한국농수산식품유통공사와 같은 항 각 호 외의 부분에 따른 기관 ② 구성 : 위원장 1명을 포함하여 9명 이내의 위원으로 구성하고, 위원은 농림축산식품부장관 또는 해양수산부장관이 임명하거나 위촉하며, 위원장은 위원 중에서 호선(互選)함 ③ ①과 ②에서 규정한 사항 외에 위원의 자격 및 임기, 위원의 제척(除斥)·기피·회피 등 분쟁조정위원회의 구성·운영에 필요한 사항은 대통령령으로 정함
유통정보화의 촉진	장관은 농수산물 유통 정보화와 관련한 사업을 지원하여야 함

재정 지원	도매시장·공판장 및 민영도매시장의 개설자에 대하여 예산의 범위에서 융자하거나 보조금을 지급할 수 있음
거래질서의 유지	누구든지 도매시장에서의 정상적인 거래와 도매시장 개설자가 정하여 고시하는 시설물의 사용기준을 위반하거나 적절한 위생·환경의 유지를 저해하여서는 아니됨. 이 경우 도매시장 개설자는 도매시장에서의 거래질서가 유지되도록 필요한 조치를 하여야 함
교육훈련 등	교육대상 : 경매사, 중도매인 등 농림축산식품부령 또는 해양수산부령으로 정하는 유통종사자
평가의 실시	평가 절차(부령) ① 도매시장의 평가 1. 농림축산식품부장관 또는 해양수산부장관은 다음 연도의 평가대상·평가기준 및 평가방법 등을 정하여 매년 12월 31일까지 도매시장 개설자와 도매시장법인·도매시장공판장·시장도매인(이하 이 항에서 "도매시장법인 등"이라 함)에게 통보 2. 도매시장법인 등은 재무제표 및 제1호에 따른 평가기준에 따라 작성한 실적보고서를 다음 연도 3월 15일까지 도매시장 개설자에게 제출 3. 도매시장 개설자는 다음 각 목의 자료를 다음 연도 3월 31일까지 농림축산식품부장관 또는 해양수산부장관에게 제출 　가. 도매시장개설자가 제1호에 따른 평가기준에 따라 작성한 도매시장 운영·관리 보고서 　나. 도매시장법인 등이 제2호에 따라 제출한 재무제표 및 실적보고서 4. 농림축산식품부장관 또는 해양수산부장관은 제1호에 따른 평가기준 및 평가방법에 따라 평가를 실시하고, 그 결과를 공표 ② 중도매인에 대한 평가 도매시장 개설자가 법 제77조 제2항에 따라 중도매인에 대한 평가를 하는 경우에는 운영규정에 따라 평가기준, 평가방법 등을 평가대상 연도가 도래하기 전까지 미리 통보한 후 중도매인으로부터 제출받은 자료로 연간 운영실적을 평가하고 그 결과를 공표할 수 있음
시장관리 운영위원회	① 설치 : 도매시장 개설자 소속(20명 이내 위원) ② 심의사항 1. 도매시장의 거래제도 및 거래방법의 선택에 관한 사항 2. 수수료, 시장 사용료, 하역비 등 각종 비용의 결정에 관한 사항 3. 도매시장 출하품의 안전성 향상 및 규격화의 촉진에 관한 사항 4. 도매시장의 거래질서 확립에 관한 사항 5. 정가매매·수의매매 등 거래 농수산물의 매매방법 운용기준에 관한 사항 6. 최소출하량 기준의 결정에 관한 사항 7. 그 밖에 도매시장 개설자가 특히 필요하다고 인정하는 사항

도매시장거래 분쟁조정위원회	① 설치 : 도매시장 개설자 소속(9명 이내 위원) ② 심의 · 조정 사항 1. 낙찰자 결정에 관한 분쟁 2. 낙찰가격에 관한 분쟁 3. 거래대금의 지급에 관한 분쟁 4. 그 밖에 도매시장 개설자가 특히 필요하다고 인정하는 분쟁

제7절 보칙

보고	① 농림축산식품부장관, 해양수산부장관 또는 시 · 도지사 : 도매시장 · 공판장 및 민영도매시장의 개설자(재산 및 업무집행 상황), 도매시장법인 · 시장도매인 또는 도매시장공판장의 개설자(재산 및 업무집행 상황) ② 도매시장 · 공판장 및 민영도매시장의 개설자 : 도매시장법인 등[기장사항(記帳事項), 거래명세 등], 중도매인 또는 산지유통인(업무집행 상황)
검사	① 농림축산식품부장관, 해양수산부장관, 도지사 또는 도매시장 개설자 : 소속 공무원으로 하여금 도매시장 · 공판장 · 민영도매시장 · 도매시장법인 · 시장도매인 및 중도매인의 업무와 이에 관련된 장부 및 재산상태를 검사 ② 도매시장 개설자 : 시장관리자의 소속 직원으로 하여금 도매시장법인, 시장도매인, 도매시장공판장의 개설자 및 중도매인이 갖추어 두고 있는 장부를 검사
명령	① 농림축산식품부장관, 해양수산부장관 또는 시 · 도지사 : 도매시장 · 공판장 및 민영도매시장의 개설자에 대하여 업무규정의 변경, 업무처리의 개선, 그 밖에 필요한 조치를 명할 수 있음 ② 농림축산식품부장관, 해양수산부장관 또는 도매시장 개설자 : 도매시장법인 · 시장도매인 및 도매시장공판장의 개설자에 대하여 업무처리의 개선 및 시장질서 유지를 위하여 필요한 조치를 명할 수 있음 ③ 농림축산식품부장관 : 기금에서 융자 또는 대출받은 자에 대하여 감독상 필요한 조치를 명할 수 있음
과징금	농림축산식품부장관, 해양수산부장관, 시 · 도지사 또는 도매시장 개설자는 도매시장법인 등이 제82조 제2항에 해당하거나 중도매인이 제82조 제5항에 해당하여 업무정지를 명하려는 경우, 그 업무의 정지가 해당 업무의 이용자 등에게 심한 불편을 주거나 공익을 해칠 우려가 있을 때에는 업무의 정지를 갈음하여 도매시장법인 등에는 1억원 이하, 중도매인에게는 1천만원 이하의 과징금을 부과할 수 있음
청문	① 제82조 제2항 및 제3항에 따른 도매시장법인 등의 지정취소 또는 승인취소 ② 제82조 제5항에 따른 중도매업의 허가취소 또는 산지유통인의 등록취소

제8절 벌칙

2년 이하의 징역 2천만원 이하의 벌금	① 제15조 제3항에 따라 수입 추천신청을 할 때에 정한 용도 외의 용도로 수입농산물을 사용한 자 ①-2 도매시장의 개설구역이나 공판장 또는 민영도매시장이 개설된 특별시·광역시·특별자치시·특별자치도 또는 시의 관할구역에서 제17조 또는 제47조에 따른 허가를 받지 아니하고 농수산물의 도매를 목적으로 지방도매시장 또는 민영도매시장을 개설한 자 ② 제23조 제1항에 따른 지정을 받지 아니하거나 지정 유효기간이 지난 후 도매시장법인의 업무를 한 자 ③ 제25조 제1항에 따른 허가 또는 같은 조 제7항에 따른 갱신허가(제46조 제2항에 따라 준용되는 허가 또는 갱신허가를 포함)를 받지 아니하고 중도매인의 업무를 한 자 ④ 제29조 제1항(제46조 제3항에 따라 준용되는 경우를 포함)에 따른 등록을 하지 아니하고 산지유통인의 업무를 한 자 ⑤ 제35조 제1항을 위반하여 도매시장 외의 장소에서 농수산물의 판매업무를 하거나 같은 조 제4항을 위반하여 농수산물 판매업무 외의 사업을 겸영한 자 ⑥ 제36조 제1항에 따른 지정을 받지 아니하거나 지정 유효기간이 지난 후 도매시장 안에서 시장도매인의 업무를 한 자 ⑦ 제43조 제1항에 따른 승인을 받지 아니하고 공판장을 개설한 자 ⑧ 제82조 제2항 또는 제5항에 따른 업무정지처분을 받고도 그 업(業)을 계속한 자
1년 이하의 징역 1천만원 이하의 벌금	① 삭제 〈2012.2.22.〉 ② 제23조의2 제1항(제25조의2, 제36조의2에 따라 준용되는 경우를 포함)을 위반하여 인수·합병을 한 자 ③ 제25조 제5항 제1호(제46조 제2항에 따라 준용되는 경우를 포함)를 위반하여 다른 중도매인 또는 매매참가인의 거래 참가를 방해하거나 정당한 사유 없이 집단적으로 경매 또는 입찰에 불참한 자 ③-2 제25조 제5항 제2호(제46조 제2항에 따라 준용되는 경우를 포함)를 위반하여 다른 사람에게 자기의 성명이나 상호를 사용하여 중도매업을 하게 하거나 그 허가증을 빌려 준 자 ④ 제27조 제2항 및 제3항을 위반하여 경매사를 임면한 자 ⑤ 제29조 제2항(제46조 제3항에 따라 준용되는 경우를 포함)을 위반하여 산지유통인의 업무를 한 자 ⑥ 제29조 제4항(제46조 제3항에 따라 준용되는 경우를 포함)을 위반하여 출하업무 외의 판매·매수 또는 중개 업무를 한 자 ⑦ 제31조 제1항을 위반하여 매수하거나 거짓으로 위탁받은 자 또는 제31조 제2항을 위반하여 상장된 농수산물 외의 농수산물을 거래한 자(제46조 제1항 또는 제2항에 따라 준용되는 경우를 포함)

		⑦-2 제31조 제5항(제46조 제2항에 따라 준용되는 경우를 포함)을 위반하여 다른 중도매인과 농수산물을 거래한 자 ⑧ 제37조 제1항 단서에 따른 제한 또는 금지를 위반하여 농수산물을 위탁받아 거래한 자 ⑨ 제37조 제2항을 위반하여 해당 도매시장의 도매시장법인 또는 중도매인에게 농수산물을 판매한 자 ⑨-2 제40조 제2항에 따른 표준하역비의 부담을 이행하지 아니한 자 ⑩ 제42조 제1항(제31조 제3항, 제45조 본문, 제46조 제1항·제2항, 제48조 제5항 또는 같은 조 제6항 본문에 따라 준용되는 경우를 포함)을 위반하여 수수료 등 비용을 징수한 자 ⑪ 제69조 제4항에 따른 조치명령을 위반한 자
양벌규정		법인의 대표자나 법인 또는 개인의 대리인, 사용인, 그 밖의 종업원이 그 법인 또는 개인의 업무에 관하여 제86조 및 제88조의 어느 하나에 해당하는 위반행위를 하면 그 행위자를 벌하는 외에 그 법인 또는 개인에게도 해당 조문의 벌금형을 과(科)함
과태료	1천만원 이하	① 제10조 제2항에 따른 유통명령을 위반한 자 ② 제53조 제3항의 표준계약서와 다른 계약서를 사용하면서 표준계약서로 거짓 표시하거나 농림축산식품부 또는 그 표식을 사용한 매수인
	5백만원 이하	① 제53조 제1항을 위반하여 포전매매의 계약을 서면에 의한 방식으로 하지 아니한 매수인 ② 제74조 제2항에 따른 단속을 기피한 자 ③ 제79조 제1항에 따른 보고를 하지 아니하거나 거짓된 보고를 한 자
	1백만원 이하	① 제27조 제4항을 위반하여 경매사 임면 신고를 하지 아니한 자 ② 제29조 제5항(제46조 제3항에 따라 준용되는 경우를 포함)에 따른 도매시장 또는 도매시장공판장의 출입제한 등의 조치를 거부하거나 방해한 자 ③ 제38조의2 제2항에 따른 출하 제한을 위반하여 출하(타인명의로 출하하는 경우를 포함)한 자 ③-2 제53조 제1항을 위반하여 포전매매의 계약을 서면에 의한 방식으로 하지 아니한 매도인 ④ 제74조 제1항 전단을 위반하여 도매시장에서의 정상적인 거래와 시설물의 사용기준을 위반하거나 적절한 위생·환경의 유지를 저해한 자(도매시장법인, 시장도매인, 도매시장공판장의 개설자 및 중도매인은 제외) ④-2 제75조 제2항을 위반하여 교육훈련을 이수하지 아니한 도매시장법인 또는 공판장의 개설자가 임명한 경매사 ⑤ 제79조 제2항에 따른 보고(공판장 및 민영도매시장의 개설자에 대한 보고는 제외)를 하지 아니하거나 거짓된 보고를 한 자 ⑥ 제81조 제3항에 따른 명령을 위반한 자

CHAPTER 03

농수산물의 원산지 표시 등에 관한 법률

제1절 총칙

목적		① 적정하고 합리적인 원산지 표시 ② 유통이력 관리 ③ 공정한 거래를 유도하고 소비자의 알권리를 보장 ④ 생산자와 소비자를 보호
정의	농산물	농업활동으로 생산되는 산물로서 대통령령으로 정하는 것
	원산지	농산물이나 수산물이 생산·채취·포획된 국가·지역이나 해역
	유통이력	수입 농산물 및 농산물 가공품에 대한 수입 이후부터 소비자 판매 이전까지의 유통단계별 거래명세
	식품접객업	「식품위생법」 제36조 제1항 제3호에 따른 식품접객업
	집단급식소	영리를 목적으로 하지 아니하면서 특정 다수인에게 계속하여 음식물을 공급하는 다음 각 목의 어느 하나에 해당하는 곳의 급식시설로서 대통령령(1회 50명 이상에게 식사를 제공하는 급식소)으로 정하는 시설 1. 기숙사 2. 학교, 유치원, 어린이집 3. 병원 4. 「사회복지사업법」 제2조 제4호의 사회복지시설 5. 산업체 6. 국가, 지방자치단체 및 「공공기관의 운영에 관한 법률」 제4조 제1항에 따른 공공기관 7. 그 밖의 후생기관 등
	통신판매	우편·전기통신, 그 밖에 총리령으로 정하는 방법으로 재화 또는 용역의 판매에 관한 정보를 제공하고 소비자의 청약을 받아 재화 또는 용역을 판매하는 것[다만, 「방문판매 등에 관한 법률」 제2조 제3호에 따른 전화권유판매는 통신판매의 범위에서 제외(단, 전자상거래 판매 포함)] 〈더 알아보기〉 총리령으로 정하는 방법 1. 광고물·광고시설물·전단지·방송·신문 및 잡지 등을 이용하는 방법 2. 판매자와 직접 대면하지 아니하고 우편환·우편대체·지로 및 계좌이체 등을 이용하는 방법
원산지 표시의 심의		이 법에 따른 농산물·수산물 및 그 가공품 또는 조리하여 판매하는 쌀·김치류, 축산물(「축산물 위생관리법」 제2조 제2호에 따른 축산물) 및 수산물 등의 원산지 표시 등에 관한 사항은 「농수산물 품질관리법」 제3조에 따른 농수산물품질관리심의회(이하 "심의회"라 함)에서 심의

제2절 농수산물 및 농수산물 가공품의 원산지 표시 등

❶ 원산지 표시

원산지 표시 의무자	① 대통령령으로 정하는 농수산물 또는 그 가공품을 수입하는 자, 생산·가공하여 출하하거나 판매(통신판매를 포함)하는 자 또는 판매할 목적으로 보관·진열하는 자 ② 휴게음식점영업, 일반음식점영업 또는 위탁급식영업을 하는 영업소, 집단급식소를 설치·운영하는 자(쇠고기의 경우 식육종류 표시) 1. 대통령령으로 정하는 농수산물이나 그 가공품을 조리하여 판매·제공(배달을 통한 판매·제공을 포함)하는 경우 2. 제1호에 따른 농수산물이나 그 가공품을 조리하여 판매·제공할 목적으로 보관하거나 진열하는 경우

원산지 표시 대상 (대통령령)	① 대통령령으로 정하는 농수산물 또는 그 가공품
	
	1. 장관이 공동으로 고시한 농수산물 또는 그 가공품
	2. 산업통상자원부장관이 공고한 수입 농수산물 또는 그 가공품. 다만, 「대외무역법 시행령」 제56조 제2항에 따라 원산지 표시를 생략할 수 있는 수입 농수산물 또는 그 가공품은 제외
	
	② 농수산물 가공품의 원료에 대한 원산지 표시대상
	다만, 물, 식품첨가물, 주정(酒精) 및 당류(당류를 주원료로 하여 가공한 당류가공품을 포함)는 배합 비율의 순위와 표시대상에서 제외
	– 원료 배합 비율에 따른 표시대상
	
	1. 한 가지 원료의 배합 비율이 98퍼센트 이상인 경우에는 그 원료
	2. 두 가지 원료의 배합 비율의 합이 98퍼센트 이상인 원료가 있는 경우에는 배합 비율이 높은 순서의 2순위까지의 원료
	3. 가목 및 나목 외의 경우에는 배합 비율이 높은 순서의 3순위까지의 원료
	4. 김치류 및 절임류(소금으로 절이는 절임류에 한정)의 경우
	  1) <u>김치류 중 고춧가루를 사용하는</u> 품목 : 고춧가루 및 소금을 제외한 원료 중 배합 비율이 가장 높은 순서의 2순위까지의 원료와 고춧가루 및 소금
	  2) <u>김치류 중 고춧가루를 사용하지 아니하는</u> 품목 : 소금을 제외한 원료 중 배합 비율이 가장 높은 순서의 2순위까지의 원료와 소금
	  3) <u>절임류</u> : 소금을 제외한 원료 중 배합 비율이 가장 높은 순서의 2순위까지의 원료와 소금. 다만, 소금을 제외한 원료 중 한 가지 원료의 배합 비율이 98퍼센트 이상인 경우에는 그 원료와 소금으로 함
	
	– 복합원재료를 사용한 경우 : 제1호에 따른 표시대상 원료로서 「식품 등의 표시·광고에 관한 법률」 제4조에 따른 식품 등의 표시기준에서 정한 복합원재료를 사용한 경우에는 농림축산식품부장관과 해양수산부장관이 공동으로 정하여 고시하는 기준에 따른 원료

③ 원료(가공품의 원료를 포함) 농수산물의 명칭을 제품명 또는 제품명의 일부로 사용하는 경우
: 그 원료 농수산물이 같은 항에 따른 원산지 표시대상이 아니더라도 그 원료 농수산물의 원산지를 표시해야 함. 다만, 원료 농수산물이 다음 각 호의 어느 하나에 해당하는 경우에는 해당 원료 농수산물의 원산지 표시를 생략할 수 있음

> 1. 제1항 제1호에 따라 고시한 원산지 표시대상에 해당하지 않는 경우
> 2. 제2항 각 호 외의 부분 단서에 따른 식품첨가물, 주정 및 당류(당류를 주원료로 하여 가공한 당류가공품을 포함)의 원료로 사용된 경우
> 3. 「식품 등의 표시·광고에 관한 법률」 제4조의 표시기준에 따라 원재료명 표시를 생략할 수 있는 경우

④ 삭제 〈2015.6.1.〉

⑤ 대통령령으로 정하는 농수산물이나 그 가공품을 조리하여 판매·제공하는 경우 : 다음 각 호의 것을 조리하여 판매·제공하는 경우를 말함. 이 경우 조리에는 날 것의 상태로 조리하는 것을 포함하며, 판매·제공에는 배달을 통한 판매·제공을 포함함

> 1. 쇠고기(식육·포장육·식육가공품을 포함)
> 2. 돼지고기(식육·포장육·식육가공품을 포함)
> 3. 닭고기(식육·포장육·식육가공품을 포함)
> 4. 오리고기(식육·포장육·식육가공품을 포함)
> 5. 양고기(식육·포장육·식육가공품을 포함)
> 5의2. 염소(유산양을 포함하며 이하 같음)고기(식육·포장육·식육가공품을 포함)
> 6. 밥, 죽, 누룽지에 사용하는 쌀(쌀가공품을 포함하며, 쌀에는 찹쌀, 현미 및 찐쌀 포함)
> 7. 배추김치(배추김치가공품을 포함)의 원료인 배추(얼갈이배추와 봄동배추를 포함)와 고춧가루
> 7의2. 두부류(가공두부, 유바는 제외), 콩비지, 콩국수에 사용하는 콩(콩가공품을 포함)

⑥ 제5항 각 호의 원산지 표시대상 중 가공품에 대해서는 주원료를 표시해야 하며, 이 경우 주원료 표시에 관한 세부기준에 대해서는 농림축산식품부장관과 해양수산부장관이 공동으로 정하여 고시함

⑦ 농수산물이나 그 가공품의 신뢰도를 높이기 위하여 필요한 경우에는 제1항부터 제3항까지, 제5항 및 제6항에 따른 표시대상이 아닌 농수산물과 그 가공품의 원료에 대해서도 그 원산지를 표시할 수 있으며, 이 경우 법 제5조 제4항에 따른 표시기준과 표시방법을 준수하여야 함

원산지표시 방법 (부령)	[별표1] 농수산물 등의 표시방법 가. 포장재에 원산지를 표시할 수 있는 경우

[별표1] 농수산물 등의 표시방법

가. 포장재에 원산지를 표시할 수 있는 경우

> 1) 위치 : 소비자가 쉽게 알아볼 수 있는 곳에 표시
> 2) 문자 : 한글로 하되, 필요한 경우에는 한글 옆에 한문 또는 영문 등으로 추가하여 표시할 수 있음
> 3) 글자 크기
>   가) 포장 표면적이 3,000㎠ 이상인 경우 : 20포인트 이상
>   나) 포장 표면적이 50㎠ 이상 3,000㎠ 미만인 경우 : 12포인트 이상

다) 포장 표면적이 50㎠ 미만인 경우: 8포인트 이상. 다만, 8포인트 이상의 크기로 표시하기 곤란한 경우에는 다른 표시사항의 글자 크기와 같은 크기로 표시할 수 있음

라) 가), 나) 및 다)의 포장 표면적은 포장재의 외형면적을 말함. 다만, 「식품 등의 표시·광고에 관한 법률」 제4조에 따른 식품 등의 표시기준에 따른 통조림·병조림 및 병제품에 라벨이 인쇄된 경우에는 그 라벨의 면적으로 함

4) 글자색 : 포장재의 바탕색 또는 내용물의 색깔과 다른 색깔로 선명하게 표시

5) 그 밖의 사항

가) 포장재에 직접 인쇄하는 것을 원칙으로 하되, 지워지지 아니하는 잉크·각인·소인 등을 사용하여 표시하거나 스티커(붙임딱지), 전자저울에 의한 라벨지 등으로도 표시할 수 있음

나) 그물망 포장을 사용하는 경우 또는 포장을 하지 않고 엮거나 묶은 상태인 경우에는 꼬리표, 안쪽 표지 등으로도 표시할 수 있음

나. 포장재에 원산지를 표시하기 어려운 경우(다목의 경우는 제외)

1) 푯말, 안내표시판, 일괄 안내표시판, 상품에 붙이는 스티커 등을 이용 : 다음의 기준에 따라 소비자가 쉽게 알아볼 수 있도록 표시함. 다만, 원산지가 다른 동일 품목이 있는 경우에는 해당 품목의 원산지는 일괄 안내표시판에 표시하는 방법 외의 방법으로 표시하여야 함

가) 푯말 : 가로 8cm × 세로 5cm × 높이 5cm 이상

나) 안내표시판

(1) 진열대 : 가로 7cm × 세로 5cm 이상

(2) 판매장소 : 가로 14cm × 세로 10cm 이상

(3) 「축산물 위생관리법 시행령」 제21조 제7호 가목에 따른 식육판매업 또는 같은 조 제8호에 따른 식육즉석판매가공업의 영업자가 진열장에 진열하여 판매하는 식육에 대하여 식육판매표지판을 이용하여 원산지를 표시하는 경우의 세부 표시방법은 식품의약품안전처장이 정하여 고시하는 바에 따름

다) 일괄 안내표시판

(1) 위치 : 소비자가 쉽게 알아볼 수 있는 곳에 설치하여야 함

(2) 크기 : 나)의 (2)에 따른 기준 이상으로 하되, 글자 크기는 20포인트 이상

라) 상품에 붙이는 스티커 : 가로 3cm × 세로 2cm 이상 또는 직경 2.5cm 이상이어야 함

2) 문자 : 한글로 하되, 필요한 경우에는 한글 옆에 한문 또는 영문 등으로 추가하여 표시할 수 있음

3) 원산지를 표시하는 글자(일괄 안내표시판의 글자는 제외)의 크기는 제품의 명칭 또는 가격을 표시한 글자 크기의 1/2 이상으로 하되, 최소 12포인트 이상으로 함

[별표2] 농수산물 가공품의 표시방법

가. 포장재에 원산지를 표시할 수 있는 경우

1) 위치 : 「식품 등의 표시·광고에 관한 법률」 제4조의 표시기준에 따른 원재료명 표시란에 추가하여 표시. 다만, 원재료명 표시란에 표시하기 어려운 경우에는 소비자가 쉽게 알아볼 수 있는 위치에 표시하되, 구매시점에 소비자가 원산지를 알 수 있도록 표시해야 함

2) 문자 : 한글로 하되, 필요한 경우에는 한글 옆에 한문 또는 영문 등으로 추가하여 표시할 수 있음

3) 글자 크기
    가) 10포인트 이상의 활자로 진하게(굵게) 표시해야 함. 다만, 정보표시면 면적이 부족한 경우에는 10포인트보다 작게 표시할 수 있으나, 「식품 등의 표시·광고에 관한 법률」 제4조에 따른 원재료명의 표시와 동일한 크기로 진하게(굵게) 표시해야 함
    나) 가)에 따른 글씨는 각각 장평 90% 이상, 자간 −5% 이상으로 표시해야 함. 다만, 정보표시면 면적이 100㎠ 미만인 경우에는 각각 장평 50% 이상, 자간 −5% 이상으로 표시할 수 있음
4) **글자색** : 포장재의 바탕색과 다른 단색으로 선명하게 표시. 다만, 포장재의 바탕색이 투명한 경우 내용물과 다른 단색으로 선명하게 표시함
5) 그 밖의 사항
    가) 포장재에 직접 인쇄하는 것을 원칙으로 하되, 지워지지 아니하는 잉크·각인·소인 등을 사용하여 표시하거나 스티커, 전자저울에 의한 라벨지 등으로도 표시할 수 있음
    나) 그물망 포장을 사용하는 경우에는 꼬리표, 안쪽 표지 등으로도 표시할 수 있음
    다) 최종소비자에게 판매되지 않는 농수산물 가공품을 「가맹사업거래의 공정화에 관한 법률」에 따른 가맹사업자의 직영점과 가맹점에 제조·가공·조리를 목적으로 공급하는 경우에 가맹사업자가 원산지 정보를 판매시점 정보관리(POS; Point of Sales) 시스템을 통해 이미 알고 있으면 포장재 표시를 생략할 수 있음

나. 포장재에 원산지를 표시하기 어려운 경우 : 별표1 제2호 나목을 준용하여 표시

[별표3] 통신판매의 경우 원산지 표시방법

1. 일반적인 표시방법

가. 표시는 한글로 하되, 필요한 경우에는 한글 옆에 한문 또는 영문 등으로 추가하여 표시할 수 있음. 다만, 매체 특성상 문자로 표시할 수 없는 경우에는 말로 표시하여야 함
나. 원산지를 표시할 때에는 소비자가 혼란을 일으키지 않도록 글자로 표시할 경우에는 글자의 위치·크기 및 색깔은 쉽게 알아 볼 수 있어야 하고, 말로 표시할 경우에는 말의 속도 및 소리의 크기는 제품을 설명하는 것과 같아야 함
다. 원산지가 같은 경우에는 일괄하여 표시할 수 있음. 다만, 제3호 나목의 경우에는 일괄하여 표시할 수 없음

2. 판매 매체에 대한 표시방법

가. 전자매체 이용
    1) 글자로 표시할 수 있는 경우(인터넷, PC통신, 케이블TV, IPTV, TV 등)
        가) 표시 위치 : 제품명 또는 가격표시 주위에 원산지를 표시하거나 제품명 또는 가격표시 주위에 원산지를 표시한 위치를 표시하고 매체의 특성에 따라 자막 또는 별도의 창을 이용하여 원산지를 표시할 수 있음
        나) 표시 시기 : 원산지를 표시하여야 할 제품이 화면에 표시되는 시점부터 원산지를 알 수 있도록 표시해야 함
        다) 글자 크기 : 제품명 또는 가격표시와 같거나 그보다 커야 함. 다만, 별도의 창을 이용하여 표시할 경우에는 「전자상거래 등에서의 소비자보호에 관한 법률」 제13조 제4항에 따른 통신판매업자의 재화 또는 용역정보에 관한 사항과 거래 조건에 대한 표시·광고 및 고지의 내용과 방법을 따름
        라) 글자색 : 제품명 또는 가격표시와 같은 색으로 함
    2) 글자로 표시할 수 없는 경우(라디오 등)
        1회당 원산지를 두 번 이상 말로 표시하여야 함

　　나. 인쇄매체 이용(신문, 잡지 등)
　　　1) 표시 위치 : 제품명 또는 가격표시 주위에 표시하거나, 제품명 또는 가격표시 주위에 원산지 표시 위치를 명시하고 그 장소에 표시할 수 있음
　　　2) 글자 크기 : 제품명 또는 가격표시 글자 크기의 1/2 이상으로 표시하거나, 광고 면적을 기준으로 별표1 제2호 가목 3)의 기준을 준용하여 표시할 수 있음
　　　3) 글자색 : 제품명 또는 가격표시와 같은 색으로 함

3. 판매 제공 시의 표시방법

　가. 별표1 제1호에 따른 농수산물 등의 원산지 표시방법
　　별표1 제2호 가목에 따라 원산지를 표시해야 함. 다만, 포장재에 표시하기 어려운 경우에는 전단지, 스티커 또는 영수증 등에 표시할 수 있음
　나. 별표2 제1호에 따른 농수산물 가공품의 원산지 표시방법
　　별표2 제2호 가목에 따라 원산지를 표시해야 함. 다만, 포장재에 표시하기 어려운 경우에는 전단지, 스티커 또는 영수증 등에 표시할 수 있음
　다. 별표4에 따른 영업소 및 집단급식소의 원산지 표시방법
　　별표4 제1호 및 제3호에 따라 표시대상 농수산물 또는 그 가공품의 원료의 원산지를 포장재에 표시함. 다만, 포장재에 표시하기 어려운 경우에는 전단지, 스티커 또는 영수증 등에 표시할 수 있음

[별표4] 영업소 및 집단급식소의 원산지 표시방법

1. 공통적 표시방법

　가. 음식명 바로 옆이나 밑에 표시대상 원료인 농수산물명과 그 원산지를 표시함. 다만, 모든 음식에 사용된 특정 원료의 원산지가 같은 경우 그 원료에 대해서는 다음 예시와 같이 일괄하여 표시할 수 있음
　　[예시]
　　우리 업소에서는 "국내산 쌀"만 사용합니다.
　　우리 업소에서는 "국내산 배추와 고춧가루로 만든 배추김치"만 사용합니다.
　　우리 업소에서는 "국내산 한우 쇠고기"만 사용합니다.
　　우리 업소에서는 "국내산 넙치"만을 사용합니다.
　나. 원산지의 글자 크기는 메뉴판이나 게시판 등에 적힌 음식명 글자 크기와 같거나 그보다 커야 함
　다. 원산지가 다른 2개 이상의 동일 품목을 섞은 경우에는 섞음 비율이 높은 순서대로 표시함
　　[예시 1] 국내산(국산)의 섞음 비율이 외국산보다 높은 경우
　　• 쇠고기
　　　불고기(쇠고기 : 국내산 한우와 호주산을 섞음), 설렁탕(육수 : 국내산 한우, 쇠고기 : 호주산), 국내산 한우 갈비뼈에 호주산 쇠고기를 접착(接着)한 경우 : 소갈비(갈비뼈 : 국내산 한우, 쇠고기 : 호주산) 또는 소갈비(쇠고기 : 호주산)
　　• 돼지고기, 닭고기 등 : 고추장불고기(돼지고기 : 국내산과 미국산을 섞음), 닭갈비(닭고기 : 국내산과 중국산을 섞음)
　　• 쌀, 배추김치 : 쌀(국내산과 미국산을 섞음), 배추김치(배추 : 국내산과 중국산을 섞음, 고춧가루 : 국내산과 중국산을 섞음)
　　• 넙치, 조피볼락 등 : 조피볼락회(조피볼락 : 국내산과 일본산을 섞음)

[예시 2] 국내산(국산)의 섞음 비율이 외국산보다 낮은 경우
- 불고기(쇠고기 : 호주산과 국내산 한우를 섞음), 죽(쌀 : 미국산과 국내산을 섞음), 낙지볶음(낙지 : 일본산과 국내산을 섞음)

라. 쇠고기, 돼지고기, 닭고기, 오리고기, 넙치, 조피볼락 및 참돔 등을 섞은 경우 각각의 원산지를 표시
  [예시] 햄버그스테이크(쇠고기 : 국내산 한우, 돼지고기 : 덴마크산), 모둠회(넙치 : 국내산, 조피볼락 : 중국산, 참돔 : 일본산), 갈낙탕(쇠고기 : 미국산, 낙지 : 중국산)

마. 원산지가 국내산(국산)인 경우에는 "국산"이나 "국내산"으로 표시하거나 해당 농수산물이 생산된 특별시·광역시·특별자치시·도·특별자치도명이나 시·군·자치구명으로 표시할 수 있음

바. 농수산물 가공품을 사용한 경우에는 그 가공품에 사용된 원료의 원산지를 표시하되, 다음 1) 및 2)에 따라 표시할 수 있음
  [예시] 부대찌개[햄(돼지고기 : 국내산)], 샌드위치[햄(돼지고기 : 독일산)]
  1) 외국에서 가공한 농수산물 가공품 완제품을 구입하여 사용한 경우에는 그 포장재에 적힌 원산지를 표시할 수 있음
    [예시] 소세지야채볶음(소세지 : 미국산), 김치찌개(배추김치 : 중국산)
  2) 국내에서 가공한 농수산물 가공품의 원료의 원산지가 영 별표1 제3호 마목에 따라 원료의 원산지가 자주 변경되어 "외국산"으로 표시된 경우에는 원료의 원산지를 "외국산"으로 표시할 수 있음
    [예시] 피자[햄(돼지고기 : 외국산)] 두부(콩 : 외국산)
  3) 국내산 쇠고기의 식육가공품을 사용하는 경우에는 식육의 종류 표시를 생략할 수 있음

사. 농수산물과 그 가공품을 조리하여 판매 또는 제공할 목적으로 냉장고 등에 보관·진열하는 경우에는 제품 포장재에 표시하거나 냉장고 등 보관장소 또는 보관용기별 앞면에 일괄하여 표시함. 다만, 거래명세서 등을 통해 원산지를 확인할 수 있는 경우에는 원산지표시를 생략할 수 있음

아. 삭제 〈2017.5.30.〉

자. 표시대상 농수산물이나 그 가공품을 조리하여 배달을 통하여 판매·제공하는 경우에는 해당 농수산물이나 그 가공품 원료의 원산지를 포장재에 표시함. 다만, 포장재에 표시하기 어려운 경우에는 전단지, 스티커 또는 영수증 등에 표시할 수 있음

2. 영업형태별 표시방법

가. 휴게음식점영업 및 일반음식점영업을 하는 영업소
  1) 원산지는 소비자가 쉽게 알아볼 수 있도록 업소 내의 모든 메뉴판 및 게시판(메뉴판과 게시판 중 어느 한 종류만 사용하는 경우에는 그 메뉴판 또는 게시판을 말함)에 표시하여야 함. 다만, 아래의 기준에 따라 제작한 원산지 표시판을 아래 2)에 따라 부착하는 경우에는 메뉴판 및 게시판에는 원산지 표시를 생략할 수 있음
    가) 표제로 "원산지 표시판"을 사용할 것
    나) 표시판 크기는 가로 × 세로(또는 세로 × 가로) 29cm × 42cm 이상일 것
    다) 글자 크기는 60포인트 이상(음식명은 30포인트 이상)일 것
    라) 제3호의 원산지 표시대상별 표시방법에 따라 원산지를 표시할 것
    마) 글자색은 바탕색과 다른 색으로 선명하게 표시

2) 원산지를 원산지 표시판에 표시할 때에는 업소 내에 부착되어 있는 가장 큰 게시판(크기가 모두 같은 경우 소비자가 가장 잘 볼 수 있는 게시판 1곳)의 옆 또는 아래에 소비자가 잘 볼 수 있도록 원산지 표시판을 부착하여야 함. 게시판을 사용하지 않는 업소의 경우에는 업소의 주 출입구 입장 후 정면에서 소비자가 잘 볼 수 있는 곳에 원산지 표시판을 부착 또는 게시하여야 함

3) 1) 및 2)에도 불구하고 취식(取食)장소가 벽(공간을 분리할 수 있는 칸막이 등을 포함)으로 구분된 경우 취식장소별로 원산지가 표시된 게시판 또는 원산지 표시판을 부착해야 함. 다만, 부착이 어려울 경우 타 위치의 원산지 표시판 부착 여부에 상관없이 원산지 표시가 된 메뉴판을 반드시 제공하여야 함

나. 위탁급식영업을 하는 영업소 및 집단급식소
1) 식당이나 취식장소에 월간 메뉴표, 메뉴판, 게시판 또는 푯말 등을 사용하여 소비자(이용자를 포함)가 원산지를 쉽게 확인할 수 있도록 표시하여야 함
2) 교육・보육시설 등 미성년자를 대상으로 하는 영업소 및 집단급식소의 경우에는 1)에 따른 표시 외에 원산지가 적힌 주간 또는 월간 메뉴표를 작성하여 가정통신문(전자적 형태의 가정통신문을 포함)으로 알려주거나 교육・보육시설 등의 인터넷 홈페이지에 추가로 공개하여야 함

다. 장례식장, 예식장 또는 병원 등에 설치・운영되는 영업소나 집단급식소
가목 및 나목에도 불구하고 소비자(취식자를 포함)가 쉽게 볼 수 있는 장소에 푯말 또는 게시판 등을 사용하여 표시할 수 있음

3. 원산지 표시 대상별 표시방법

가. 축산물의 원산지 표시방법 : 축산물의 원산지는 국내산(국산)과 외국산으로 구분하고, 다음의 구분에 따라 표시
1) 쇠고기
가) 국내산(국산)의 경우 "국산"이나 "국내산"으로 표시하고, 식육의 종류를 한우, 젖소, 육우로 구분하여 표시. 다만, 수입한 소를 국내에서 6개월 이상 사육한 후 국내산(국산)으로 유통하는 경우에는 "국산"이나 "국내산"으로 표시하되, 괄호 안에 식육의 종류 및 출생국가명을 함께 표시
[예시] 소갈비(쇠고기 : 국내산 한우), 등심(쇠고기 : 국내산 육우), 소갈비[쇠고기 : 국내산 육우(출생국 : 호주)]
나) 외국산의 경우에는 해당 국가명을 표시
[예시] 소갈비(쇠고기 : 미국산)
2) 돼지고기, 닭고기, 오리고기 및 양고기(염소 등 산양 포함)
가) 국내산(국산)의 경우 "국산"이나 "국내산"으로 표시. 다만, 수입한 돼지 또는 양을 국내에서 2개월 이상 사육한 후 국내산(국산)으로 유통하거나, 수입한 닭 또는 오리를 국내에서 1개월 이상 사육한 후 국내산(국산)으로 유통하는 경우에는 "국산"이나 "국내산"으로 표시하되, 괄호 안에 출생국가명을 함께 표시
[예시] 삼겹살(돼지고기 : 국내산), 삼계탕(닭고기 : 국내산), 훈제오리(오리고기 : 국내산), 삼겹살[돼지고기 : 국내산(출생국 : 덴마크)], 삼계탕[닭고기 : 국내산(출생국 : 프랑스)], 훈제오리[오리고기 : 국내산(출생국 : 중국)]
나) 외국산의 경우 해당 국가명을 표시
[예시] 삼겹살(돼지고기 : 덴마크산), 염소탕(염소고기 : 호주산), 삼계탕(닭고기 : 중국산), 훈제오리(오리고기 : 중국산)

나. 쌀(찹쌀, 현미, 찐쌀을 포함) 또는 그 가공품의 원산지 표시방법 : 쌀 또는 그 가공품의
   원산지는 국내산(국산)과 외국산으로 구분하고, 다음의 구분에 따라 표시
   1) 국내산(국산)의 경우 "밥(쌀 : 국내산)", "누룽지(쌀 : 국내산)"로 표시
   2) 외국산의 경우 쌀을 생산한 해당 국가명을 표시
      [예시] 밥(쌀 : 미국산), 죽(쌀 : 중국산)
다. 배추김치의 원산지 표시방법
   1) 국내에서 배추김치를 조리하여 판매·제공하는 경우에는 "배추김치"로 표시하고,
      그 옆에 괄호로 배추김치의 원료인 배추(절인 배추를 포함)의 원산지를 표시. 이
      경우 고춧가루를 사용한 배추김치의 경우에는 고춧가루의 원산지를 함께 표시
      [예시]
      – 배추김치(배추 : 국내산, 고춧가루 : 중국산), 배추김치(배추 : 중국산, 고춧가루
        : 국내산)
      – 고춧가루를 사용하지 않은 배추김치 : 배추김치(배추 : 국내산)
   2) 외국에서 제조·가공한 배추김치를 수입하여 조리하여 판매·제공하는 경우에는
      배추김치를 제조·가공한 해당 국가명을 표시
      [예시] 배추김치(중국산)
라. 콩(콩 또는 그 가공품을 원료로 사용한 두부류·콩비지·콩국수)의 원산지 표시방법 :
   두부류, 콩비지, 콩국수의 원료로 사용한 콩에 대하여 국내산(국산)과 외국산으로 구분
   하여 다음의 구분에 따라 표시
   1) 국내산(국산) 콩 또는 그 가공품을 원료로 사용한 경우 "국산"이나 "국내산"으로 표시
      [예시] 두부(콩 : 국내산), 콩국수(콩 : 국내산)
   2) 외국산 콩 또는 그 가공품을 원료로 사용한 경우 해당 국가명을 표시
      [예시] 두부(콩 : 중국산), 콩국수(콩 : 미국산)

[별표5] 원산지를 혼동하게 할 우려가 있는 표시 및 위장판매의 범위

1. 원산지를 혼동하게 할 우려가 있는 표시

가. 원산지 표시란에는 원산지를 바르게 표시하였으나 포장재·푯말·홍보물 등 다른 곳에
   이와 유사한 표시를 하여 원산지를 오인하게 하는 표시 등을 말함
나. 가목에 따른 일반적인 예는 다음과 같으며 이와 유사한 사례 또는 그 밖의 방법으로
   기망(欺罔)하여 판매하는 행위를 포함
   1) 원산지 표시란에는 외국 국가명을 표시하고 인근에 설치된 현수막 등에는 "우리
      농산물만 취급", "국산만 취급", "국내산 한우만 취급" 등의 표시·광고를 한 경우
   2) 원산지 표시란에는 외국 국가명 또는 "국내산"으로 표시하고 포장재 앞면 등 소비자가
      잘 보이는 위치에는 큰 글씨로 "국내생산", "경기특미" 등과 같이 국내 유명 특산물
      생산지역명을 표시한 경우
   3) 게시판 등에는 "국산 김치만 사용합니다"로 일괄 표시하고 원산지 표시란에는 외국
      국가명을 표시하는 경우
   4) 원산지 표시란에는 여러 국가명을 표시하고 실제로는 그중 원료의 가격이 낮거나
      소비자가 기피하는 국가산만을 판매하는 경우

2. 원산지 위장판매의 범위

가. 원산지 표시를 잘 보이지 않도록 하거나, 표시를 하지 않고 판매하면서 사실과 다르게
   원산지를 알리는 행위 등을 말함
나. 가목에 따른 일반적인 예는 다음과 같으며 이와 유사한 사례 또는 그 밖의 방법으로
   기망하여 판매하는 행위를 포함

	1) 외국산과 국내산을 진열·판매하면서 외국 국가명 표시를 잘 보이지 않게 가리거나 대상 농수산물과 떨어진 위치에 표시하는 경우 2) 외국산의 원산지를 표시하지 않고 판매하면서 원산지가 어디냐고 물을 때 국내산 또는 원양산이라고 대답하는 경우 3) 진열장에는 국내산만 원산지를 표시하여 진열하고, 판매 시에는 냉장고에서 원산지 표시가 안 된 외국산을 꺼내 주는 경우
원산지 표시 간주	다른 법령에 의해 이미 표준규격표시품 등의 표시를 한 경우
거짓 표시 등의 금지	① 누구든지 다음 각 호의 행위를 하여서는 아니 됨 　1. 원산지 표시를 거짓으로 하거나 이를 혼동하게 할 우려가 있는 표시를 하는 행위 　2. 원산지 표시를 혼동하게 할 목적으로 그 표시를 손상·변경하는 행위 　3. 원산지를 위장하여 판매하거나, 원산지 표시를 한 농수산물이나 그 가공품에 다른 농수산물이나 가공품을 혼합하여 판매하거나 판매할 목적으로 보관이나 진열하는 행위 ② 농수산물이나 그 가공품을 조리하여 판매·제공하는 자는 다음 각 호의 행위를 하여서는 아니 됨 　1. 원산지 표시를 거짓으로 하거나 이를 혼동하게 할 우려가 있는 표시를 하는 행위 　2. 원산지를 위장하여 조리·판매·제공하거나, 조리하여 판매·제공할 목적으로 농수산물이나 그 가공품의 원산지 표시를 손상·변경하여 보관·진열하는 행위 　3. 원산지 표시를 한 농수산물이나 그 가공품에 원산지가 다른 동일 농수산물이나 그 가공품을 혼합하여 조리·판매·제공하는 행위 ③ 제1항이나 제2항을 위반하여 원산지를 혼동하게 할 우려가 있는 표시 및 위장판매의 범위 등 필요한 사항은 농림축산식품부와 해양수산부의 공동 부령으로 정함 ④ 「유통산업발전법」 제2조 제3호에 따른 대규모점포를 개설한 자는 임대의 형태로 운영되는 점포(이하 "임대점포"라 함)의 임차인 등 운영자가 제1항 각 호 또는 제2항 각 호의 어느 하나에 해당하는 행위를 하도록 방치하여서는 아니 됨 ⑤ 「방송법」 제9조 제5항에 따른 승인을 받고 상품소개와 판매에 관한 전문편성을 행하는 방송채널사용사업자는 해당 방송채널 등에 물건 판매중개를 의뢰하는 자가 제1항 각 호 또는 제2항 각 호의 어느 하나에 해당하는 행위를 하도록 방치하여서는 아니 됨
과징금	① **부과권자와 부과대상** : 농림축산식품부장관, 해양수산부장관, 관세청장, 특별시장·광역시장·특별자치시장·도지사·특별자치도지사 또는 시장·군수·구청장(자치구의 구청장)은 제6조 제1항 또는 제2항(거짓표시 금지)을 <u>2년 이내에 2회 이상 위반한 자</u>에게 그 <u>위반금액의 5배 이하에 해당하는</u> 금액을 과징금으로 부과·징수할 수 있음. 이 경우 제6조 제1항을 위반한 횟수와 같은 조 제2항을 위반한 횟수는 합산함 ② **위반금액** : 제6조 제1항 또는 제2항을 위반한 농수산물이나 그 가공품의 판매금액으로서 각 위반행위별 판매금액을 모두 더한 금액. 다만, 통관단계의 위반금액은 제6조 제1항을 위반한 농수산물이나 그 가공품의 수입 신고 금액으로서 각 위반행위별 수입 신고 금액을 모두 더한 금액 ③ 제1항에 따른 과징금 부과·징수의 세부기준, 절차, 그 밖에 필요한 사항은 대통령령으로 정함

	④ 농림축산식품부장관, 해양수산부장관, 관세청장, 시·도지사 또는 시장·군수·구청장은 제1항에 따른 과징금을 내야 하는 자가 납부기한까지 내지 아니하면 국세 또는 지방세 체납처분의 예에 따라 징수함
원산지 표시 등의 조사	① 조사 시 필요한 경우 해당 영업장, 보관창고, 사무실 등에 출입하여 농수산물이나 그 가공품 등에 대하여 확인·조사 등을 할 수 있으며 영업과 관련된 장부나 서류의 열람을 할 수 있음 ② 자체계획의 수립 : 수거·조사를 하는 경우 업종, 규모, 거래 품목 및 거래 형태 등을 고려하여 매년 인력·재원 운영계획을 포함한 자체 계획을 수립한 후 그에 따라 실시하여야 함 ③ 평가(수거·조사)의 실시 　– 자체 계획에 따른 추진 실적 　– 그 밖에 원산지 표시 등의 조사와 관련하여 평가가 필요한 사항
영수증 등의 비치	축산물 : 다른 법률에 따라 발급받은 원산지 등이 기재된 영수증이나 거래명세서 등을 매입일부터 6개월간 비치·보관
위반에 대한 처분 등	① 처분권자 : 농림축산식품부장관, 해양수산부장관, 관세청장, 시·도지사 또는 시장·군수·구청장 ② 처분의 내용 　1. 표시의 이행·변경·삭제 등 시정명령 　2. 위반 농수산물이나 그 가공품의 판매 등 거래행위 금지 ③ 공표명령 : 2년 이내에 2회 이상 원산지를 표시하지 아니하거나, 제6조를 위반함에 따라 제1항에 따른 처분이 확정된 경우 ④ 공표의무자 　1. 제5조 제1항에 따라 원산지의 표시를 하도록 한 농수산물이나 그 가공품을 생산·가공하여 출하하거나 판매 또는 판매할 목적으로 가공하는 자 　2. 제5조 제3항에 따라 음식물을 조리하여 판매·제공하는 자 ⑤ 공표사항 　1. 제1항에 따른 처분 내용 　2. 해당 영업소의 명칭 　3. 농수산물의 명칭 　4. 제1항에 따른 처분을 받은 자가 입점하여 판매한 「방송법」 제9조 제5항에 따른 방송채널사용사업자 또는 「전자상거래 등에서의 소비자보호에 관한 법률」 제20조에 따른 통신판매중개업자의 명칭 　5. 그 밖에 처분과 관련된 사항으로서 대통령령으로 정하는 사항 〈더 알아보기〉 대통령령으로 정하는 사항 1. "「농수산물의 원산지 표시 등에 관한 법률」 위반 사실의 공표"라는 내용의 표제 2. 영업의 종류 3. 영업소의 주소(「유통산업발전법」 제2조 제3호에 따른 대규모점포에 입점·판매한 경우 그 대규모점포의 명칭 및 주소를 포함) 4. 농수산물 가공품의 명칭 5. 위반 내용 6. 처분권자 및 처분일

	7. 법 제9조 제1항에 따른 처분을 받은 자가 입점하여 판매한 「방송법」 제9조 제5항에 따른 방송채널사용사업자의 채널명 또는 「전자상거래 등에서의 소비자보호에 관한 법률」 제20조에 따른 통신판매중개업자의 홈페이지 주소 ⑥ 공표기간 : 처분이 확정된 날부터 12개월 ⑦ 공표를 위한 대통령령으로 정하는 주요 인터넷 사업자 : 공표일이 속하는 연도의 전년도 말 기준 직전 3개월간의 일일평균 이용자수가 1천만 명 이상인 정보통신서비스 제공자
교육	① 교육대상 : 원산표시 등, 거짓표시 금지를 위반하여 처분이 확정된 경우 ② 이수명령의 이행기간 : 교육 이수명령을 통지받은 날부터 최대 4개월 이내 ③ 교육시간 : 2시간 이상 ④ 교육의 대체 이행 : 원산지 교육대상자의 종업원 중 관리책임을 맡은 자 〈더 알아보기〉 교육 대체 이행 사유 1. 영 제7조의2 제3항에 따른 원산지 교육을 받아야 하는 자(이하 이 조에서 "원산지 교육대상자"라 함)가 질병, 사고, 구속 및 천재지변으로 법 제9조의2 제2항에 따른 교육 이수명령의 이행기간 내에 교육을 받을 수 없는 경우 2. 원산지 교육대상자가 영업에 직접 종사하지 아니하는 경우 3. 원산지 교육대상자가 둘 이상의 장소에서 영업을 하는 경우
정보제공	① 정보제공 : 장관 ② 정보제공 사항 : 농수산물의 원산지 표시와 관련된 정보 중 방사성물질이 유출된 국가 또는 지역 등 국민이 알아야 할 필요가 있다고 인정되는 정보

❷ 수입 농산물 및 농산물 가공품의 유통이력 관리

유통이력관리	① 유통이력 신고 　- 신고 의무자 : 농산물 및 농산물 가공품을 수입하는 자와 수입 농산물 등을 거래하는 자(소비자에 대한 판매를 주된 영업으로 하는 사업자는 제외) 　- 신고 내역 : 공정거래 또는 국민보건을 해칠 우려가 있는 것으로서 "유통이력관리수입농산물 등"에 대한 유통이력 ② 유통이력의 기록과 보관 : 거래일부터 1년간 보관 ③ 유통이력관리수입농산물 등의 양도 시 양수자에게 유통이력 신고의무가 있음을 알려주어야 함 ④ 농림축산식품부장관은 유통이력관리수입농산물 등을 지정하거나 유통이력의 범위 등을 정하는 경우에는 수입 농산물등을 국내 농산물 등에 비하여 부당하게 차별하여서는 아니 되며, 이를 이행하는 유통이력신고의무자의 부담이 최소화되도록 하여야 함 ⑤ 제1항부터 제4항까지에서 규정한 사항 외에 유통이력 신고의 절차 등에 관하여 필요한 사항은 농림축산식품부령으로 정함
사후관리	① 장관은 관계 공무원으로 하여금 유통이력신고의무자의 사업장 등에 출입하여 유통이력관리수입농산물 등을 수거 또는 조사하거나 영업과 관련된 장부나 서류를 열람하게 할 수 있음 ② 유통이력신고의무자는 정당한 사유 없이 제1항에 따른 수거·조사 또는 열람을 거부·방해 또는 기피하여서는 아니 됨

제3절 보칙

명예감시원	① 위촉권자 : 장관, 시·도지사 또는 시장·군수·구청장 ② 명예감시원의 업무 : 원산지 표시를 지도·홍보·계몽하거나 위반사항을 신고 ③ 명예감시원에게 활동에 필요한 경비를 지급할 수 있음
포상금	① 지급권자 : 장관, 관세청장, 시·도지사 또는 시장·군수·구청장 ② 지급 대상 : 원산지 표시 위반, 원산지 거짓표시 금지를 위반한 자를 주무관청이나 수사기관에 신고하거나 고발한 자 ③ 포상금 : 1천만원 범위 내 ④ 장관 시상 : 원산지 표시의 활성화를 모범적으로 시행하고 있는 지방자치단체, 개인, 기업 또는 단체에 대하여 우수사례로 발굴하거나 시상
업무협조	국가 또는 지방자치단체, 그 밖에 법령 또는 조례에 따라 행정권한을 가지고 있거나 위임 또는 위탁받은 공공단체나 그 기관 또는 사인은 원산지 표시와 유통이력 관리제도의 효율적인 운영을 위하여 서로 협조하여야 함

제4절 벌칙

7년 이하의 징역 1억원 이하의 벌금		제6조(거짓 표시 등의 금지) 제1항, 제2항 위반
1년 이하의 징역 1천만원 이하의 벌금		제9조(원산지 표시 등의 위반에 대한 처분 등) 이행 위반 ① 표시의 이행·변경·삭제 등 시정명령 ② 위반 농수산물이나 그 가공품의 판매 등 거래행위 금지
양벌규정		법인의 대표자나 법인 또는 개인의 대리인, 사용인, 그 밖의 종업원이 그 법인 또는 개인의 업무에 관하여 제14조 또는 제16조에 해당하는 위반행위를 하면 그 행위자를 벌하는 외에 그 법인이나 개인에게도 해당 조문의 벌금형을 과(科)함. 다만, 법인 또는 개인이 그 위반행위를 방지하기 위하여 해당 업무에 관하여 상당한 주의와 감독을 게을리하지 아니한 경우에는 그러하지 아니함
과태료	1천만원 이하	① 제5조 제1항·제3항을 위반하여 원산지 표시를 하지 아니한 자 ② 제5조 제4항에 따른 원산지의 표시방법을 위반한 자 ③ 제6조 제4항을 위반하여 임대점포의 임차인 등 운영자가 같은 조 제1항 각 호 또는 제2항 각 호의 어느 하나에 해당하는 행위를 하는 것을 알았거나 알 수 있었음에도 방치한 자 ③-2 제6조 제5항을 위반하여 해당 방송채널 등에 물건 판매중개를 의뢰한 자가 같은 조 제1항 각 호 또는 제2항 각 호의 어느 하나에 해당하는 행위를 하는 것을 알았거나 알 수 있었음에도 방치한 자

		④ 제7조 제3항을 위반하여 수거·조사·열람을 거부·방해하거나 기피한 자
		⑤ 제8조를 위반하여 영수증이나 거래명세서 등을 비치·보관하지 아니한 자
	500만원 이하	① 제9조의2 제1항에 따른 교육 이수명령을 이행하지 아니한 자
		② 제10조의2 제1항을 위반하여 유통이력을 신고하지 아니하거나 거짓으로 신고한 자
		③ 제10조의2 제2항을 위반하여 유통이력을 장부에 기록하지 아니하거나 보관하지 아니한 자
		④ 제10조의2 제3항을 위반하여 같은 조 제1항에 따른 유통이력 신고 의무가 있음을 알리지 아니한 자
		⑤ 제10조의3 제2항을 위반하여 수거·조사 또는 열람을 거부·방해 또는 기피한 자

PART

02

원예작물학

원예식물 개관

❶ 원예작물

의의	일반적으로 원예에 속하는 작물, 즉 과수, 채소, 화훼 등을 통틀어 원예작물이라 하며 쌀, 맥류, 감자 등의 농작물과 임업에 속하는 임목과 구별됨
특성	① 비타민의 공급원 ② 다양한 무기질의 제공 ③ 기능성 가치 ④ 재배방식의 다양성 ⑤ 대부분 알칼리성 ⑥ 재배의 집약성 ⑦ 품질의 변질 및 부패성

❷ 원예작물의 분류

<table>
<tr><td rowspan="13">식용부위에
따른 분류</td><td rowspan="4">잎줄기
채소</td><td>엽경채류
(잎채소)</td><td>잎을 식용으로 하는 채소
例 배추, 시금치, 양배추, 상추, 셀러리 등</td></tr>
<tr><td>화채류
(꽃채소)</td><td>꽃덩이를 식용으로 하는 채소
例 브로콜리, 꽃양배추 등</td></tr>
<tr><td>경채류
(줄기채소)</td><td>줄기만을 식용으로 하는 채소
例 토당귀, 죽순, 아스파라거스 등</td></tr>
<tr><td>인경채류
(비늘줄기 채소)</td><td>잎이 변태된 비늘잎 또는 비늘줄기를 식용으로 하는 채소
例 마늘, 파, 부추, 쪽파, 양파 등</td></tr>
<tr><td rowspan="4">뿌리채소
(근채류)</td><td>직근류</td><td>무, 당근, 우엉 등(뿌리가 곧은 채소)</td></tr>
<tr><td>괴근류</td><td>고구마, 마 등(뿌리가 덩이로 된 채소)</td></tr>
<tr><td>괴경류</td><td>감자, 토란 등(줄기가 덩이로 된 채소)</td></tr>
<tr><td>근경류</td><td>생강, 연근, 고추냉이 등(뿌리줄기가 덩이로 된 채소)</td></tr>
<tr><td rowspan="5">열매채소
(과채류)</td><td colspan="2">생식기관인 열매를 식용으로 하는 채소</td></tr>
<tr><td>두과</td><td>완두, 강낭콩 등</td></tr>
<tr><td>박과</td><td>오이, 호박, 참외, 수박 등</td></tr>
<tr><td>가지과</td><td>고추, 토마토, 가지 등</td></tr>
<tr><td>기타</td><td>옥수수(벼과), 딸기(장미과)</td></tr>
</table>

온도의 적응성에 따른 분류	호온성 채소	① 25℃ 정도의 비교적 높은 온도에서 잘 생육되는 채소로, 대부분의 열매채소가 호온성 ② 토마토, 고추, 오이, 가지 수박, 참외 등(단, 딸기, 완두, 잠두 등은 호냉성) ※ 토마토는 호온성 채소로 생육적온은 17~27℃이며, 과실비대에 적합한 온도는 25~30℃
	호냉성 채소	① 엽경채류와 대부분의 근채류 ② 배추, 무, 파, 마늘, 시금치, 상추, 사과, 카네이션 등(단, 고구마, 토란, 마 등은 호온성)

식물학적 분류	담자균류	유성생식 결과로 담자기에서 포자를 만드는 균류로서 스스로 양분을 만들지 못하여 기생하는 생물 (예 목이버섯, 송이버섯, 느타리버섯 등)
	단자엽 (외떡잎)	종자식물의 씨앗 속에 들어있는 배(胚)에서 처음으로 형성된 떡잎이 한 개인 식물

화본과	백합과	생강과	토란과	마과
옥수수, 죽순	양파, 마늘	생강	토란, 구약	마

	쌍자엽 (쌍떡잎)	씨앗의 배에서 처음 나오는 떡잎이 두 장인 식물

명아주과	근대, 시금치	가지과	고추, 토마토
십자화과	양배추, 배추, 무	박과	수박, 오이, 참외
콩과	콩, 녹두, 팥	국화과	상추, 우엉
아욱과	아욱, 오크라	도라지과	도라지
산형화과	셀러리, 당근	장미과	사과, 나무딸기
메꽃과	고구마		

광선의 적응성에 따른 분류	양성채소	햇볕이 잘 쬐이는 곳에서 잘 자라는 채소 예 박과, 콩과, 가지과, 결구상추, 무, 배추, 당근 등
	음성채소	그늘에서도 잘 자라는 채소 예 토란, 아스파라거스, 부추, 마늘, 비결구성 잎채소 등

❸ 과수의 분류

꽃의 발육부분에 따른 분류	진과(眞果)	씨방이 발육하여 열매로 자란 것 예 호박, 복숭아, 감귤, 포도, 복숭아, 감 등
	위과(僞果)	씨방 이외의 부분(꽃받기 등)이 발육하여 과실로 자란 것 예 사과, 배, 딸기, 오이, 무화과 등
과실의 구조에 따른 분류	인과류	꽃받기가 발달하여 식용부위가 된 과실(씨방은 과심 부위) 예 사과, 배, 비파 등
	준인과류	씨방이 발달하여 과육이 된 것 예 감, 귤, 오렌지 등

	핵과류	중과피는 부드럽고 즙이 많은 살로 먹는 부분이고, 내과피는 딱딱한 핵을 갖고 있음 예 복숭아, 자두, 살구, 양앵두, 매실 등
	견과류	딱딱한 껍데기와 마른 껍질 속에 씨앗 속살만 들어가 있는 열매 또는 씨앗 등의 부류 예 밤, 호두, 아몬드 등
	장과류	과실이 무르익으면 과피(겉껍질) 안쪽의 과육부(중과피와 내과피) 세포는 거의 액포가 되고 다량의 과즙을 함유하여 연화되는 과실류 예 포도, 무화과, 나무딸기, 석류, 블루베리 등
화훼의 분류	초화류	종자를 파종하면 발아 후 1년 이내에 개화하고 결실하는 화훼류로, 생육기간이 짧고 개화가 일시에 이루어지기 때문에 화단용으로 많이 이용됨 • 춘파일년초 : 고온에서 잘 자라며 단일성 식물로서 일장이 점차 짧아지는 여름~가을에 개화 예 채송화, 봉선화, 백일홍, 분꽃, 꽃양배추, 코스모스, 해바라기, 맨드라미 등 • 추파일년초 : 서늘한 기후조건에서 잘 자라며 저온을 어느 정도 경과한 다음 일장이 점차 길어지는 조건에서 개화하는 장일성 식물로서 일장이 길어지는 봄~여름에 개화 예 금어초, 스토크, 과꽃, 시네라리아, 데이지, 패랭이꽃, 팬지 등
	숙근초화류	겨울에는 지상부가 말라죽지만 지하부는 계속 살아남는 초본성 화훼류로 화단용 또는 절화용으로 많이 이용됨. 영양번식을 주로 하기 때문에 품종 고유의 특성을 유지할 수 있음 • 온실숙근초 : 베고니아, 제라늄 등 • 반노지숙근초 : 국화, 카네이션 등 • 노지숙근초 : 작약, 마가렛데이지, 원추리 등
	구근초화류	식물기관의 일부인 줄기 또는 뿌리의 일부분 등이 비대해져서 알뿌리 모양으로 변형된 것 예 백합, 글라디올러스, 다알리아, 튤립, 히아신스, 수선화, 칸나, 프리지아 등
	화목류	나무 종류 중 꽃이 아름답게 피는 나무 예 벚꽃나무, 장미, 철쭉나무, 목련, 개나리, 진달래, 이팝나무, 동백나무, 산수유, 무궁화 등
	관엽나무	식물의 잎을 관상하기 위해 기르는 식물 예 고무나무, 야자류, 사철나무, 주목 등

박문각

❹ 원예식물의 구조

세포벽	① 1차벽과 2차벽 　– 1차벽 : 셀룰로오스와 펙틴으로 구성 　– 2차벽 : 1차벽 안쪽에 셀룰로오스와 리그닌으로 구성 ② 기능 　– 식물체를 지지하고 고유의 형태 유지 　– 식물체를 보호하며 세포의 기능을 규정하고 식물의 여러 가지 운동이 가능 　– 미섬유 사이에 리그닌·수베린·큐틴 등이 퇴적되면서 조직을 견고하게 하며 외부환경의 영향을 완충하는 동시에 수분·가스·병원균 등의 출입 제한 　– 독특한 구조가 형성되고 세포의 기능이 특수화되며, 세포벽의 물리적 성질·탄성과 함수량 등에 의한 용적변화로 식물체는 기공의 개폐와 같은 운동을 할 수 있음 ③ 펙틴 　– 식물의 세포벽 사이에 존재 　– 세포를 단단하게 유지시켜주는 다당류 물질 　– 과실의 경도와 식감에 영향 ④ **염화칼슘($CaCl_2$)** : 칼슘(Ca)은 세포벽에서 펙틴의 결합을 견고히 하고, 과육의 연화 억제, 노화의 지연, 과실의 경도 강화 등을 통해 저장력을 향상시킴
분열조직	세포분열이 계속 일어나는 조직 ① 생장점 : 식물의 줄기, 뿌리 끝에 있으며 항상 세포분열이 활발한 세포의 집단. 생장점의 활동으로 길이 신장이 이루어지며, 측지·신엽·화아 등 형성 ② 형성층 : 줄기나 뿌리에 위치하여 식물의 비대 생장을 주도함 ③ 절간분열조직 : 단자엽식물의 줄기 마디에 분포하면서 마디의 신장에 관여함 ④ 분열조직의 세포 : 분열능력이 있고, 세포간극이 거의 없으며, 세포질로 충만해 있음
영구조직	분열조직에서 생성된 세포들이 성숙하여 분열능력이 없어진 세포집단 ① 유조직 : 액포와 세포질을 가지고 있는 살아 있는 세포로 구성된 조직으로 세포벽은 얇지만 세포간극이 보이고, 생리적 활성이 강하며, 양분의 동화·호흡·저장 등의 중요한 기능을 담당함 ② 기계조직 : 세포벽이 두껍고 목화되어 있으며, 견고하여 식물체를 기계적으로 강하게 지지해 줌 ③ 통도조직 : 양분과 수분의 통로가 되는 조직 ④ 분비조직 : 물질 사이의 부산물인 점액, 유액, 고무질, 수지 등을 분비하는 조직 ⑤ 피복조직 : 식물의 표면을 덮고 있는 세포층으로 식물체를 보호하며, 체내의 수분증발을 막거나 유해물질이나 병해충의 침투를 막기 위한 조직

뿌리	근관(根冠)	뿌리 끝에 있는 골무 또는 모자 모양의 조직
	생장점	식물의 줄기와 뿌리의 끝에서 세포의 증식, 기관 형성과 같이 두드러진 형성활동을 하는 부분
	신장대	생장점에서 만들어진 세포들이 길게 자라는 부분
	근모대	뿌리에서 잔털이 빽빽하게 발생한 부분으로 잔털이 뿌리의 표면적을 넓혀 양분과 수분의 흡수를 도움

Chapter 01 원예식물 개관 | 81

줄기	① 식물을 지지하는 축으로 잎과 꽃이 부착되고 뿌리에 연결되어 있음 ② 줄기가 변태된 예 : 포도의 덩굴손, 고구마·딸기의 포복경, 감자의 괴경
잎	① 내부구조 : 표피조직, 엽육조직, 유관속조직(잎의 엽맥을 따라 발달하고 양수분의 통로가 되는 조직)으로 구성 ② 잎이 변태된 예 : 선인장의 가시, 마늘의 인편, 양파의 인경 등
꽃(화아)	① 꽃의 구조 : 꽃잎, 꽃받침, 수술과 암술로 구성 ② 양성화(완전화, 자웅동주) : 암술과 수술을 한 꽃에 모두 가진 꽃 　예 무, 배추, 양배추, 양파, 수박, 오이, 브로콜리, 가지, 딸기 등 ③ 단성화(불완전화, 자웅이화) : 암술과 수술 중 하나만 가진 꽃 　예 시금치, 아스파라거스, 은행나무 등

원예식물의 생육

❶ 생장과 발육

개요	① 생장 : 양적(체적과 중량의 증가)으로 식물체가 커가는 것, 즉 식물의 키가 자라고 줄기가 굵어지는 것

영양생장	생식생장
종자의 발아 → 줄기·잎의 증가 → 꽃눈형성	개화 → 결실

<table>
<tr><td rowspan="1">개요</td><td>
② 발육 : 생장과정에서 일부의 세포들이 기능과 형태적으로 변하는 것(세포분열)으로 새로운 조직이나 기관의 발달이 이루어짐
③ 생장곡선 : 식물의 생장속도를 3단계로 구분하여 곡선으로 나타낸 S자형의 곡선
  – 제1단계 : 생장속도가 느린 것은 주로 이 시기가 세포분열단계이기 때문임
  – 제2단계 : 세포가 급격히 신장하면서 용적이 커지기 때문에 생장속도가 크게 빨라짐
  – 제3단계 : 세포의 성숙단계로서 세포의 용적 변화가 크게 둔화되어 생장속도가 다시 느리게 됨
</td></tr>
</table>

물질대사

① 물질대사 : 체내에서 일어나는 물질의 상호 전환(화학변화)과 그에 수반하는 에너지의 출입(에너지의 변환)

② 물질의 분해와 합성
- 합성(동화작용) : 에너지의 공급이 필요(식물의 광합성)
- 분해(이화작용) : 에너지의 방출이 따름(호흡작용)

〈더 알아보기〉 광합성작용

° 광합성의 반응식

$$6CO_2 + 6H_2O + 빛 \underset{\text{호흡작용}}{\overset{\text{광합성}}{\rightleftarrows}} C_6H_{12}O_6 + 6O_2$$

° 광합성의 장소
- 식물 세포에 존재하는 세포 내 소기관인 엽록체
- 광합성 반응 중 명반응은 틸라코이드에서 일어나고, 암반응은 스트로마에서 일어남

° 광합성 과정
- 명반응 : ATP, NADPH가 생성되며 이것들이 암반응으로 넘어가 포도당을 합성하는 과정에 쓰임
- 암반응 : 캘빈 회로를 돌려서 명반응의 부산물을 사용해 포도당을 합성

---

③ 호흡작용 : 주로 미토콘드리아에서 포도당을 산화시키고, 이 과정에서 ATP를 생산하는 화학반응. 광합성이 탄산가스의 환원반응이라면, 호흡작용은 포도당의 산화반응

❷ 종자

종자의 구조	종피	종자를 감싸는 보호기관	
	배유(배젖)	발아에 필요한 영양을 저장하는 기관	
		유배유종자	벼, 보리, 옥수수, 감 등
		무배유종자	콩, 호박, 무 등
	배(胚)	① 배(胚, embryo)는 씨앗의 일부로서 잎이나 줄기, 뿌리를 모두 가지고 있음 ② 씨앗 안에는 배(胚)에 영양을 공급하기 위한 배젖이 준비되어 있으며 씨앗을 뿌렸을 때 싹이 트는 것은 바로 이 배(胚)가 성장하는 것	
수정과 종자의 생성	수분과 수정	① 수분(受粉) : 종자식물에서 수술의 화분이 암술머리에 붙는 일 ② 수정(受精) : 수분으로 암술머리에 화분이 부착되면 화분관이 신장하며, 화분관을 따라 2개의 정세포가 주공을 통해 배낭 안으로 들어가 수정(受精, fertilization)을 하게 됨 ③ 자가수정과 타가수정으로 분류	
	종자의 생성	수정이 이루어진 후 배주가 발육하여 종자가 됨	
수정분류	자가수정	개체에서 형성된 암배우자와 수배우자의 수정이 이루어지는 것 📵 완두, 강낭콩, 상추, 가지, 토마토, 우엉 등	
	타가수정	서로 다른 개체에서 생긴 암수배우자 간에 수정이 이루어지는 것 📵 배추류, 무, 박과채소, 옥수수, 시금치, 아스파라거스 등	
	자가 + 타가 수정	자가수정과 타가수정을 겸하는 것 📵 고추, 딸기, 양파, 당근, 셀러리 등	
	자가 불화합성	수술과 암술이 완전한 생식능력을 가지면서 자가수분(自家受粉)에 의해 종자를 만들지 않는 성질 📵 사과, 배, 복숭아, 백합, 피튜니아 등	
	웅성불임	웅성세포인 꽃가루가 아예 생기지 않거나 있어도 기능이 상실되어 수정능력을 잃어버리는 현상	
	단위결과 (單爲結果)	종자가 형성되지 않아도 정상적인 과실이 맺히는 것 📵 바나나, 파인애플, 무화과 등	
종자의 저장	종자 수명	① 종자의 수명에 영향을 미치는 요인 : 수분함량, 저장습도, 통기상태 등 ② 종자의 수명을 연장하기 위한 조건 : 건조상태, 저습상태, 저온상태, 밀폐상태의 저장	
	발아력 상실원인	종자 내 단백질의 응고, 저장양분의 소모, 효소의 활력 저하 등	

❸ 종자의 우량 조건

외적 조건	① 수분함량이 낮을 것 ② 불순물이 포함되지 않을 것 ③ 크고 무거울 것 ④ 고유의 색택을 가질 것 ⑤ 오염, 변색, 기계적 손상이 적을 것
내적 조건	① 유전적으로 순수할 것 ② 발아율이 높고 발아세가 좋을 것 * 발아세 : 단기간에 얼마나 균일하게 발아하는가의 정도를 나타내는 것

❹ 발아와 맹아

발아	① 종자의 배가 생장하여 어린 뿌리와 싹이 종피를 뚫고 나오는 것으로, 온도·수분·산소가 적당해야 하고, 때로는 광조건이 필요함 ② 종자발아의 일반적인 기작은 보리종자에서 처음 밝혀짐. 종자가 수분을 흡수하면 배에서 지베렐린이 활성화됨
맹아(萌芽)	수목의 눈이나 마늘, 감자, 백합 등의 생장점이 활동을 시작하여 새싹이 돋는 것

❺ 종자의 발아요건

수분	모든 종자는 어느 정도의 수분을 흡수해야 발아가 진행됨
온도	① 발아의 최적온도 : 20~30℃, 저온작물이 고온작물에 비해 발아온도가 낮음 ② 작물별 종자의 발아 온도 <table><tr><td>저온성 종자</td><td>시금치, 상추, 부추 등</td></tr><tr><td>중온성 종자</td><td>파, 양파 등</td></tr><tr><td>고온성 종자</td><td>토마토, 가지, 고추 등</td></tr></table>
산소	대부분의 작물은 충분한 산소가 공급되어야 발아가 잘됨(단, 벼 종자는 예외)

❻ 광선과 발아

종자와 광조건	광조건에 발아가 촉진되는 것을 호광성 종자라고 하며, 암조건에 발아가 촉진되는 것을 호암성(혐광성) 종자라고 함
호광성 종자	담배, 상추, 우엉, 셀러리, 진달래, 철쭉, 금어초, 피튜니아, 베고니아, 스토크, 리뮬라, 칼세올라리아
혐광성 종자	오이, 호박, 토마토, 고추, 무, 양파, 파, 부추, 맨드라미, 백일홍, 델피니움, 니겔라, 시클라멘

❼ 종자의 휴면

휴면의 의의	① 휴면의 정의 : 일정 단계에서 일시적으로 생장활동을 거의 멈추는 생리현상으로, 자신이 처한 불량환경을 극복하는 수단 ② 식물체의 휴면에도 지베렐린과 아브시스산이 관여하는데, 지베렐린보다 아브시스산이 많이 분포할 때 식물체는 휴면을 함 ③ 아브시스산(ABA) : 식물종자의 휴면을 유기하는 호르몬으로 ABA(abscisic acid)는 휴면개시와 함께 증가
휴면의 구분	① 자발적 휴면 : 내적 요인에 의한 휴면 ② 타발적 휴면 : 외적 요인에 의한 휴면 ③ 1차 휴면 : 자발적 휴면과 타발적 휴면을 합친 휴면 ④ 2차 휴면 : 불리한 환경조건에 장기간 보존되어 휴면이 새로 생기는 휴면
휴면의 원인	① 발아 억제 물질 ② 종피의 기계적 저항 ③ 종피의 불투기성 ④ 경실(硬實), 배휴면, 배의 미숙 등 ※ 경실의 휴면타파법 : 질산염처리, 건열·습열·고압처리, 층적법, 진한 황산처리, 종피부상법 등

❽ 화아분화와 추대

화아분화	① 화아분화(꽃눈분화)의 정의 : 발육 중에 있는 정아(頂芽) 및 액아(腋芽)는 왕성하게 장차 엽으로 될 원기를 형성하고 있으나, 어떤 시기가 오면 엽의 원기형성을 중지하고 장차 발육하여 꽃으로 되는 화아형성을 개시하는데, 이것을 화아분화라 함 ② 화아분화(개시)의 특징 　– 잎줄기 채소는 생장속도가 둔화되고, 뿌리채소는 뿌리의 비대가 불량해짐 　– 화아는 꽃으로 발전할 세포조직 　– 화아분화를 기점으로 작물은 생식생장이 시작됨 ※ 작물의 가지를 수평으로 유인하면 화아분화가 촉진됨	
추대(抽薹)	① 추대의 정의 : 식물이 영양생장 단계에서 생식생장 단계로 전환되면서 형성되는 꽃줄기 (꽃대) ② 추대의 촉진 요건	
	일장(日長)	저온감응성 작물(무, 배추)은 장일상태에서 화아분화와 발육 촉진
	온도	추대가 잘되는 온도는 25~30℃이고 고온일수록 추대가 빨라짐
	토양조건	점질토양이나 비옥토보다 사질토양이나 척박한 토양에서 추대가 빠름
	③ 추대의 문제 : 추대는 무, 배추, 양배추 등에서 수량감소의 원인이 됨	

❾ 춘화(春花)처리

춘화	① 춘화 : 개화를 위해 생육의 일정한 시기에 저온을 경과해야 하는 생리적 현상 ② 춘화처리 : 종자를 형성하려면 우선 꽃눈분화를 유도하여 개화시켜야 하는데 저온에 의해서 꽃눈분화를 유도시키는 것 〈더 알아보기〉 춘화처리에 영향을 미치는 조건 종자의 수분 흡수, 온도(0~10℃), 산소 공급, 종자의 배(胚) 탄수화물 화학약제(배양액에 존재하는 칼리(K$^+$), 에틸렌과 지베렐린 처리) ③ 인경류인 마늘과 양파, 구근류인 무는 춘화와 추대 모두 나타나는 특성이 있음	
춘화의 종류	녹식물 춘화형	식물이 성장하여 엽록체 형성 후 일정크기에 도달한 경우, 저온에 감응하는 식물 예 양배추, 당근 등
	종자 춘화형	종자 때부터 저온을 감응하여 꽃눈이 분화하는 식물 예 맥류, 무, 배추 등
	저온 춘화형	일정기간 저온을 거치면서 화아분화가 되는 식물
춘파형 품종 추파형 품종	춘파형	봄에 파종하면 유식물 기간을 저온상태에 있지 않더라도 이삭이 잘 나와 정상적으로 결실하는 품종
	추파형	월동 1년생 식물을 가을에 파종하면 어린 식물이 월동하고 봄에 생장하여 출수하는 품종으로, 봄에 파종하면 줄기와 잎은 무성하나 이삭이 나오지 않는 현상이 발생함
이춘화 재춘화	이춘화 (離春化)	춘화의 효과가 상실되는 현상. 춘화처리를 받은 후 고온이나 건조상태에 두면 춘화처리의 효과가 상실됨. 춘화처리가 불충분한 경우는 쉽게 이춘화 되나 충분한 춘화처리 후에는 어려움 ※ 밀 등에서 저온 버널리제이션을 실시한 직후에 35℃ 정도의 고온처리를 하면 버널리제이션 효과를 상실하는 현상
	재춘화	이춘화한 것이라도 다시 저온처리를 하면 그 효과는 여전히 발생하는데 이것을 재춘화라고 하며, 버널리제이션의 효과가 어떠한 원인에 의해서 감쇄되는 현상

❿ 과실의 착과와 발육

과실의 착과	의의	종자가 형성되면서 자방과 부근의 일부 조직이 비대하여 과실이 됨 ① 수정 전 과실비대는 주로 세포분열에 의하고, 수정 후에는 세포의 용적 증가에 의해 이루어짐 ② 종자의 형성 과정에서 옥신이 형성되기 때문에 착과와 과실비대가 촉진되며 종자가 형성되지 않으면 낙과나 기형과가 발생하고, 착과된 과실도 비대가 억제됨

	과실의 생성	① 착과 이후 과실은 탄수화물, 무기물, 수분 등을 끌어들이는 중심이 됨 ② 과실이 양분을 집중적으로 끌어들임에 따라 다른 영양기관의 기능은 급속도로 쇠퇴하게 됨 ③ 과실 간의 양분 경합은 물론 영양기관 간의 양분 경합도 발생함
	과실의 비대	① 과실의 비대 중에 옥신이 특히 많이 생성되어 과실비대를 촉진 ② 수정이 안 된 상태에서도 옥신처리를 하면 착과가 촉진
과실의 성숙	과실의 성숙의 의의	과실의 성숙은 과실의 중량과 크기가 최고에 달하고, 바로 수확할 수 있는 단계에 이른 것
	생리적 성숙	생리적 성숙에서 과실의 질적 변화 ① 저장탄수화물이 당으로 변화 ② 유기산의 감소로 신맛이 감소 ③ 엽록소가 감소하고 과실 고유의 색택 발현 ④ 세포벽의 펙틴질이 분해되고 조직이 연화 ⑤ 과실 고유의 향기 발현 ⑥ 호흡의 일시적인 상승이 있기도 함 ⑦ 에틸렌의 급격한 상승
	과실의 성숙과 호흡	클라이맥터릭형 — 과실의 성숙이나 수확 후 노화과정에서 일시적으로 호흡이 증가하는 작물형 예 수박, 사과, 배, 토마토, 바나나, 멜론, 복숭아, 감, 자두 등
		비클라이맥터릭형 — 과실의 성숙이나 수확 후 노화과정에서 호흡에 변화가 없거나 완만하게 감소하는 형 예 딸기, 감귤, 포도, 동양배 등
단위결과	수분이나 수정이 되지 않아 종자가 형성되지 않은 상태에서 과실이 비대발육하는 현상	
	자연적 단위결과	자방에 옥신 함량이 많아 자연적으로 단위결과가 이루어지는 것 예 토마토, 고추, 바나나, 감귤 등
	환경적 단위결과	특수한 환경조건에서 단위결과가 이루어지는 것
	화학적 단위결과	단위결과를 일으키는 화학물질 예 지베렐린, PCA, NAA
	※ 위단위결과(僞單位結果) : 정상적인 수분 수정은 이루어지지만 발달 과정에서 배가 퇴화하여 종자가 형성되지 못하고 착과가 이루어지는 현상. 과실 안에 배가 발달한 흔적이 남아 있음	

⑪ 일장(日長)

일장효과	① 일장반응(개화반응) : 하루 24시간 중 낮의 길이의 길고 짧음에 의해서 나타나는 식물체의 출수반응 또는 개화반응 ② 일장효과[광주성(光周性)] : 일장이 식물의 화아분화, 개화 등에 미치는 효과 ③ 일장의 생육반응 : 화아분화, 개화, 인경ㆍ괴경의 형성, 줄기의 생장변화, 색소형성의 변화 등

PART 02

한계일장과 개화반응	유도일장	식물의 화성(化成)을 유도할 수 있는 일장
	한계일장	유도일장과 비유도일장의 경계가 되는 일장
	장일성식물	시금치, 무, 양파, 감자, 당근, 양배추, 보리 등
	단일성식물	콩, 옥수수, 딸기, 가을국화, 나팔꽃 등
	중성식물	일장에 관계없이 일정 크기에 도달하면 개화하는 식물 예 토마토, 고추, 가지, 오이, 호박 등

※ 가을국화에 대한 일장처리 : 8~9월에 개화하는 가을국화를 7~8월에 개화시키기 위해서는 차광해서 단일처리하면 됨

※ 배추의 결구는 저온조건에서 촉진되고, 양파의 구 비대는 고온과 장일조건에서 촉진

원예식물의 환경

제1절 토양환경

❶ 토양의 조건

토성	토성은 양토를 중심으로 사양토~식양토의 범위가 토양의 조건에 알맞음	
토양구조	단립구조 (單粒構造)	토양 사이의 공간이 작아 공기나 물이 잘 통하지 않는 구조. 식물의 생육에 부정적인 영향을 미침
	입단구조 (粒團構造)	• 토양의 단일 입자를 일차 입자라고 하고, 이것이 다차적으로 집합되어 있는 것을 말함 • 유기물과 석회가 많은 표층토에서 주로 보임 • 대·소공극(틈)이 많아서 통기·투수가 양호하고 양수분(養水分)의 저장력이 높아서 작물생육에 알맞음
	입단파괴	경운(耕耘), 입단의 팽창과 수축, 비·바람, 나트륨이온의 첨가
	입단형성	유기물과 석회의 사용, 콩과 작물의 재배, 토양피복, 토양개량제 사용
토양반응	좋은 토양은 중성 및 약산성 토양 * 산성토양 : 토양용액의 수소이온농도가 pH7보다 낮은 토양	
기타 토양 함유물	무기물	작물에 필요한 무기성분이 풍부하고 균형 있게 함유된 토양의 지력이 좋음
	유기물	토양 중에 유기물 함량이 증대할수록 지력이 향상됨
	토양수분 토양공기	토양 속에 최적 용수량과 최적 용기량을 유지할 때 작물의 생육에 유리함
	토양미생물	유용한 미생물이 번식하기 좋은 토양상태가 작물 생육에 좋음
	유해물질	작물에 유해한 물질이 없는 토양이 작물 생육에 좋음

❷ 토성

토성의 의의	① 미국농무성법에 따른 토성의 구분

① 미국농무성법에 따른 토성의 구분

구분	모래	미사(식토)	점토
입자의 지름	2.00~0.05mm	0.05~0.002mm	0.002mm 이하

② 토양의 종류별 점토의 함량

사토(모래흙)	12.5% 이하	식양토	37.5~50.0%
사양토	12.5~25.0%	식토	50.0% 이상
양토	25.0~37.5%		

③ 토양의 입경구분과 표면적
- 모래입자는 입경이 비교적 커서 미사나 점토에 비해 노출된 표면적이 적음
- 모래는 입자 간의 공극(空隙)을 증대시키고 통기나 배수작용을 좋게 함
- 점토
  • 점토는 g당 표면적이 미사나 세사에 비해 큼
  • 점토는 입경이 작아서 큰 표면적을 가짐
  • 점토함량은 토양의 보수력에 결정적 영향을 미침

사질토

① 사질토 특성
- 파종, 관수, 복토 등의 경작이 쉬움
- 지온의 상승이 빠름
- 통기 및 통수성이 양호함
- 보수·보비력이 작음
② 사질토에서 재배된 작물
- 겉뿌리의 발생이 적음
- 봄채소의 생육 촉진과 수확이 빨라짐
- 작물의 육질이 무르고 저장성이 나쁨(경제수령이 짧음)
- 착색이 빠름
- 무의 경우 바람들이가 쉬움

❸ 토양 3상과 작물생육

토양 3상	① 고상(固相) : 토양광물과 유기물인 고체상태의 입자
	② 액상(液相) : 토양 공극에 여러 가지 용질이 녹아 있는 토양수
	③ 기상(氣相) : 수증기와 이산화탄소 및 그 밖의 대기 구성분이 함께 있는 토양공기
토양 3상과 작물생육	① 토양 3상의 이상적인 구성 : 고상 50%, 액상 25%, 기상 25%
	② 작물은 고상에 의해 지지(支持)받고, 액상에 의해 양분과 수분을 공급받으며, 기상에서 탄산가스를 흡수함
	③ 액상비율이 높으면 통기불량으로 뿌리활력이 저하되며, 기상비율이 높으면 작물은 수분 부족으로 위조(萎凋) 고사하게 됨

❹ 토양 중의 무기성분

다량원소와 미량원소	다량원소	질소, 인산, 칼륨, 칼슘, 마그네슘, 황과 탄소, 산소, 수소
	미량원소	철, 망간, 구리, 아연, 붕소, 몰리브덴, 염소
비료요소	자연함량으로 부족해서 인공적인 공급이 필요한 무기물 요소 ※ 비료 4요소(질소, 인산, 칼륨, 칼슘), 마그네슘, 철, 망간, 붕소, 아연, 규소 등	
생리작용	C, O, H	식물체의 90~98%. 엽록소 구성원소. 광합성 재료
	질소(N)	엽록소, 단백질, 효소 등의 구성요소. 결핍 시 황백화 현상
	인산(P)	세포핵, 분열조직, 효소 등의 구성성분. 어린 조직이나 열매에 함유
	칼륨(K)	잎, 생장점, 뿌리의 선단에 많이 함유
	칼슘(Ca)	• 세포막의 주성분(펙틴과 결합) • 결핍 시 사과의 고두병이나 코르크스폿, 토마토 배꼽썩음병, 땅콩의 빈꼬투리, 딸기의 잎끝마름 유발
	마그네슘 (Mg)	• 엽록소 구성원으로 결핍 시 엽맥 사이의 황백화현상 유발 • 석회가 부족한 산성토양이나 석회를 과다 사용할 때 결핍현상이 나타남
	붕소(B)	• 생장점 부근에 함유량이 많고, 결핍 시 분열조직에 괴사를 일으키며 수정과 결실이 나빠짐 • 사과의 축과병, 양배추의 갈색병, 셀러리의 줄기쪼김병
	아연(Zn)	결핍 시 황백화, 괴사, 조기낙엽 등을 초래하고, 감귤류의 잎무늬병, 소엽병, 결실불량을 초래함

❺ 토양유기물

토양유기물과 부식	① **토양유기물** : 동·식물의 잔재. 탄소(C)를 포함하고 있는 물질로, 가열하면 연기를 발생시키면서 검게 탐(예 탄수화물, 단백질, 지방, 비타민 등) ② **부식** : 유기물이 미생물 작용에 의해 화학작용을 받아 분해되어 유기물의 원형을 잃은 것으로 흑색을 띰
토양유기물의 기능	① 암석의 분해 촉진 ② **양분의 공급** : 유기물 분해 시 각종 무기물(미량원소) 공급 ③ **이산화탄소 공급** : 대기 중에 CO_2를 공급하여 광합성을 촉진 ④ **생장촉진 물질의 생성** : 유기물 분해 시 호르몬, 비타민, 핵산물질 생성 ⑤ 토양 입단의 형성 조장 ⑥ 보수·보비력의 증대 ⑦ **토양 완충능의 증대** : 부식 콜로이드는 토양반응을 급히 변동시키지 않게 함 ⑧ 미생물의 증식 촉진 ⑨ 지온의 상승 ⑩ **토양보호** : 유기물 피복 시 토양침식 방지되고 유기물 사용으로 토양입단이 형성되면 빗물의 지하침투가 용이하게 하므로 토양침식 경감

부식함량과 작물생육	① 토양의 부식함량의 증대 : 지력의 증대 효과 ② 습답에서의 부식 : 토양 공기의 부족으로 유기물 분해가 저해됨 ③ 배수가 잘 되는 밭이나 투수가 잘 되는 논 : 부식의 과다 축적이 없음

❻ 산성토양

토양반응	① 토양의 산성, 중성, 알칼리성 ② 산성 < pH7 중성 < 알칼리성
생성원인	① 토양 중의 염기가 빗물에 용해되어 유실될 때 생성 ② 산성비료(유안, 염화칼리, 황산칼리, 인분뇨)의 과다 사용으로 생성
산성토양의 해(害)	① 과다한 수소이온은 작물의 뿌리에 해를 끼침 ② 알루미늄이온과 망간이온이 용출되어 작물에 해를 줌 ③ 필수원소(P, Ca, Mg, Mo, B)의 결핍을 가져옴 ④ 미생물의 활동이 저해되어 유기물의 분해가 나빠지고 토양의 입단형성 저해 ⑤ 유용한 미생물 활동 저해
산성토양의 개량	① 석회물질의 시용 ② 석회분말, 백운석분말, 탄산석회분말, 규회석분말과 퇴비, 녹비 등 병용

제2절 토양수분 환경

❶ 토양수분과 흡착력

토양수분 흡착력의 표시	수주의 높이(cm)	수주높이의 대수(pF)	대기압(mbar)
	1	0	0.001
	10	1	0.01
	1,000	3	1
	10,000,000	7	10,000

토양수분의 표시	토양수분장력(pF)	수분의 토양 흡착력을 수주높이의 절대치로 표시
	최대용수량	① 토양의 모든 공극에 수분이 꽉 찬 상태의 용수량 ② 포화용수량이라고도 함(pF = 0)
	포장용수량	최대용수량에서 모세관에만 흡착된 수분함량(pF = 1.7~2.7)
	위조점과 위조계수	① 위조점 : 토양이 수분을 상실하여 식물이 시드는 점 ② 위조계수 : 위조점 상태의 수분함량(pF = 4.2)
	흡습계수	흡습계수 = $\dfrac{\text{토양 포화상태의 수분량}}{\text{건조토양의 중량}} \times 100$
	수분당량	물로 포화시킨 토양에 1,000배의 원심력을 작용할 경우 토양 중에 남아있는 수분

토양 중 수분의 종류	결합수 (이용불가)	토양 구성 성분으로 존재하는 수분 중 pF 7.0 이상의 수분
	흡습수 (이용불가)	토양입자에 흡착되어 있는 수분으로 pF 4.5 이상의 수분
	모관수 (이용가능)	토양 간의 모관력에 의하여 유지되는 수분으로 pF 2.5~4.5
	중력수 (이용희박)	토양공극을 다 채우고 남은 수분으로 중력에 의해 지하부에 유입되는 pF 2.5 이하의 수분

❷ 유효수분 등

유효수분	① 유효수분의 정의 : 식물이 토양 중에서 흡습하여 이용할 수 있는 물 ② 식물 생장이 가능한 토양의 유효수분 : 포장용수량~영구위조점(pF 2.7~4.2) ③ 식물 생육에 가장 알맞은 최대 함수량 : 최대 용수량의 60~80% ④ 토양 중에 점토함유량이 많을수록 유효수분의 범위는 넓어짐 　→ 사토(유효수분의 범위가 좁음), 식토(유효수분의 범위가 넓음)
수분의 역할	① 광합성과 각종 화학반응의 원료 ② 용매와 물질의 운반매체 ③ 각종 효소의 활성을 증대시켜 촉매작용을 촉진 ④ 식물의 체형 유지(수분의 흡수로 세포의 팽압이 증대) ⑤ 체온 조절 : 증산작용으로 체온상승이 억제
한해(旱害)	토양 내의 수분이 부족하여 작물생육이 저해되고 위조 · 고사되는 현상
내건성 (耐乾性)	① 내건성의 정의 : 작물이 건조에 견디는 정도 ② 내건성이 강한 작물의 구성 　- 잎이 작고 뿌리가 지상부에 비해 발달할수록 　- 기공이 작을수록 　- 세포는 작고 세포의 보수력이 강할수록 　- 원형질의 점도가 높고, 응고는 덜할수록 　- 세포의 삼투압이 높을수록 ③ 내건성이 강한 작물 : 수수, 기장, 조, 밀, 메밀, 참깨, 고구마 등 ④ 내건성과 작물의 특성 　- 영양생장기 때가 생식생장기 때보다 내건성이 강함 　- 벼, 맥류는 생식세포의 감수분열기에 내건성이 가장 약함 　- 밀식한 작물은 내건성이 약함 　- 건조한 환경에서 자란 작물이 내건성이 강함 　- 질소의 과용은 경엽발달을 촉진하므로 내건성을 약하게 함

❸ 습해[濕害]

습해의 정의	작물 생육을 위한 최적의 수분 함량보다 과다하여 해당 작물에 장해를 입히는 것
습해 대책	① 배수 ② 이랑만들기[畦立栽培] : 이랑을 세우고 고랑과 높이를 다르게 하는 것 ③ 토양개량 : 세사를 객토하는 등 토양의 투수성을 높이는 것 ④ 시비 : 표층시비(뿌리가 지표면에 가까워지게 유도)하거나 질소질 비료의 과용을 피하고 칼륨과 인산질 비료를 시비함 ⑤ 과산화석회의 시용 ⑥ 내습성 품종의 선택

❹ 관수[灌水]

관수 시기		보통 유효수분의 50~85%가 소모되었을 때(pF 2.0~2.5)
관수방법	지표관수	지표면에 물을 흘려보내는 관수
	지하관수	땅 속에 작은 구멍이 있는 송수관을 묻고 물을 공급
	살수관수	송수관 끝에 노즐을 설치한 후 수압을 높여서 공중에 물을 뿌려 공급
	점적관수	플라스틱튜브 끝에서 물방울을 똑똑 떨어지게 하거나 천천히 흘러 나오도록 하여 원하는 부위에 대해서만 제한적으로 소량의 물을 지속적으로 공급하는 관수방법 ① 절화작물이나 분화용 화훼재배 시 개화기 또는 수확기 관수방법 ② 물 절약, 관수와 시비 동시화, 토양유실 억제, 자동화 가능
	저면관수	분 재배나 온실 재배에서 모세관수에 의하여 밑에서부터 물을 흡수하게 하는 일 → 미세종자의 파종상자, 양액재배, 분화재배 시 관수방법

❺ 배수[排水]

배수효과		① 작물 생육에 필요한 적정량 수분 이상 배출(습해 방지, 토성 개선) ② 다모작을 가능하게 하고 기계화 작업이 가능하게 함
배수법	객토	① 토성을 개량하거나 지반을 높여서 배수하는 방법 ② 경비가 많이 들고 대규모로 시행하기는 어려움
	명거배수	① 지표면에 도랑을 파서 만든 수로를 명거(open ditch)라 하며 명거에 의한 배수를 명거배수라 함 ② 명거배수는 강우에 의하여 발생한 지표수의 배제를 목적으로 하는 경우와 지하수의 수위를 낮추고 지하의 과잉수를 배제할 목적으로 하는 경우가 있음
	암거배수	① 배수로를 지하에 파서 물을 빼는 방법 ② 대개 지하에 토관, 목관, 통나무, 돌, 조개껍질 등을 묻어 지표의 물을 신속히 지하로 빠지게 함

제3절   온도의 환경

❶ 식물의 유효온도

유효온도	① 유효온도의 정의 : 작물의 생장과 생육이 효과적으로 이루어지는 온도 ② 최저온도와 최고온도 : 작물생육이 가능한 최저온도와 최고온도
최적온도	① 최적온도의 정의 : 작물의 생육에 가장 알맞은 온도 ② 작물이 최대 수량을 얻을 수 있는 조건의 온도 범위 ③ 일반적으로 열대산 작물이 온대산 작물보다 최적온도가 높음
적산온도	① 적산온도의 정의 : 작물의 발아로부터 성숙에 이르기까지의 0℃ 이상의 일평균기온을 합산한 것 ② 작물의 적산온도는 생육시기와 생육기간에 따라서 차이가 생김 ③ 여름작물 중에서 생육기간이 긴 벼는 3,500~4,500℃이고 담배는 3,200~3,600℃이며, 생육기간이 짧은 메밀은 1,000~1,200℃이고 조는 1,800~3,000℃, 겨울작물인 추파맥류는 1,700~2,300℃
온도계수	Q10으로 표시하며, 온도차 10℃에서의 물리·화학·생물학적 성질의 변화율

❷ 온도와 식물의 생리작용

광합성작용	① 온도가 높아지면 광합성의 속도 증가 ② 식물의 생육적온보다 높아지면 광합성 둔화
호흡작용	온도 30℃까지는 호흡량이 증가하지만 그 이상이 되면 둔화하고 50℃에 이르면 호흡 정지
증산작용	온도가 오르면 식물의 증산작용 증가
전류속도	① 전류속도의 정의 : 동화물질이 잎으로부터 생장점 등으로 전류되는 속도 ② 온도가 높아지면 전류속도가 빨라지지만 고온이나 저온에서는 느려짐
수분·양분의 이동속도	온도가 높아지면 수분 및 양분의 이동속도 증가

❸ 온도와 식물의 생육

변온과 생육		① 변온은 작물의 발아를 조장하고 괴경과 괴근의 발달, 개화, 결실 촉진 ② 낮의 변온이 작으면 작물의 생장을 촉진하고, 밤의 변온이 크면 동화물질의 축적 조장
채소의 생육과 온도	저온성 채소	15~20℃에서 발아되는 채소(예 상추, 시금치, 부추, 셀러리 등)
	중온성 채소	20~25℃에서 발아되는 채소(예 파, 완두, 양파 등)
	고온성 채소	25~30℃에서 발아되는 채소(예 오이, 호박, 고추, 토마토 등)

	채소작물과 고온현상	① 상추는 발아가 억제됨 ② 단백질의 변성 : 효소활동의 감소 ③ 동화물질의 소모 증대 ④ 대사작용의 교란 : 독성물질의 체내 축적
지온과 생육		① 열대산 채소는 지상부가 지하부보다 내서성이 강함 ② 지온의 최적온도가 대체로 기온보다 높음 ③ 지온이 낮을수록 토양수분 중에 용존하는 산소의 양이 많음

제4절 광(光) 환경

❶ 광도와 광질

광도와 광합성	① 광도 : 일정한 방향에서 물체 전체의 밝기(빛의 세기)를 나타내는 양 ② 광도와 광합성 : 광도는 광합성에 결정적인 영향을 미치는 요소. 광도가 증가할수록 일정수준까지 광도에 비례하여 광합성이 증가함
광도와 식물생장	① 광도는 작물기관의 형태, 엽록체 구조 등에 영향을 미침 ② 저광도에서 식물생장 : 잎이 얇아지고, 엽육세포는 작아지며 줄기가 가늘고 길어짐. 또한 엽록체당 엽록소 함량이 증가함
광질	광이 작물(作物)의 생장(生長)에 미치는 영향은 광파장에 기인하는 광선으로 390~ 760nm의 파장을 가진 가시광선(可視光線)이며 광파장에 따라 그 질이 다름 ① 식물생육에 유효한 파장 : 400~700nm ② 광합성에 유효한 파장 : 450nm(청색광), 650nm(적색광) ③ 광합성에 억제적 파장 : 400nm 이하 자외선 ④ 발아, 화아유도, 휴면, 형태형성 관여 파장 : 700~760nm

광보상점 광포화점	광보상점	광합성 과정에서 식물에 의한 이산화탄소의 흡수량과 방출량이 같아져서 식물체가 외부 공기 중에서 실질적으로 흡수하는 이산화탄소의 양이 0 이 되는 광의 강도
	광포화점	광도가 계속 증대되어 어느 한계에 도달하게 되면 광도가 더 증대되어도 더 이상 광합성이 증가하지 않는 시점의 광도 예 수박과 토마토에 비해 상추의 광포화점이 낮음

❷ 광과 식물의 생리작용

광합성	식물이 빛 에너지를 이용하여 양분을 스스로 만드는 과정으로, 물과 이산화탄소를 재료로 포도당과 산소 생성
굴광현상 (屈光現像)	① 굴광현상 : 빛의 자극을 받아 반응하여 빛이 비추는 방향으로 구부러지는 현상으로, 식물이 빛 쪽으로 굽으며 자라는 것은 빛에서 먼 쪽에 있는 세포가 햇빛에 가까운 쪽의 세포보다 빠르게 신장하기 때문

	② 굴광현상과 옥신 – 식물의 굴광성은 생장점에서 생성된 옥신의 생리작용 영향 – 광선 쪽 옥신은 농도가 낮아지고, 그 반대쪽은 높아짐 – 옥신의 농도가 높아지는 부위는 세포의 신장이 촉진됨
광합성과 호흡작용	① 호흡작용 : 광합성의 결과로 만들어진 탄수화물을 산소를 이용하여 물과 이산화탄소로 분해시키는 물질대사작용(광합성의 역반응) ② 광합성 작용에 투입된 광에너지는 호흡작용을 거쳐 ATP(고에너지 인산화물) 형태로 방출 ③ 호흡작용의 결과로 에너지의 생산, 양분의 소모, 맹아 등의 생장현상이 나타남 $$6CO_2 + 6H_2O + 빛 \xleftarrow[호흡작용]{광합성} C_6H_{12}O_6 + 6O_2$$
증산작용	햇빛을 받아 광합성을 수행하는 과정에서 동화물질이 축적되면 이 물질이 공변세포의 삼투압을 증가시키고 기공을 열게 하여 증산작용이 시작됨
기타	식물체가 광을 받으면 식물의 착색을 촉진하고, C/N율이 높아져서 식물의 생장과 개화를 촉진하게 됨

❸ 일장

일장반응		① 일장반응(일장효과) : 일장의 장단에 따라 나타나는 식물의 여러 가지 생육반응(개화, 인경이나 괴경 형성, 줄기, 생장, 낙엽, 휴면유도 및 제거 등) ② 광주기성(光周期性) : 일조시간의 주기적 변동에 따라 생물의 물질대사·발육·생식·행동 등이 달라지는 성질
한계일장		① 식물의 일장 반응에서 경계나 기준이 되는 낮의 길이. 예를 들어 최소한 하루 12시간 이상의 일장이 요구되는 장일식물에서 12시간이 바로 한계일장 ② 장일과 단일을 구분 짓는 일장이라고도 볼 수 있어 이 한계일장을 기준으로 하여 이보다 짧은 조건에서 개화하는 식물을 단일식물이라 하고 긴 조건에서 개화하는 것을 장일식물이라 함
장일성 식물 단일성 식물	장일성 식물	긴 일장에서 개화반응을 나타내는 식물 예 시금치, 카네이션, 피튜니아 등
	단일성 식물	짧은 일장에서 개화반응을 나타내는 식물 예 딸기, 들깨, 코스모스, 국화, 다알리아, 만생종벼, 감자, 고구마 등
	중성식물	일장과 관계없이 식물체가 적정 크기에 도달하면 개화하는 것 예 가지과 채소, 오이, 호박, 장미, 해바라기 등
일장효과와 재배적 이용	만생종벼	조파조식(早播早植)하면 영양생장량을 증대시킬 수 있음
	시금치	월동 전에 추파하면 영양생장량을 증대시킬 수 있음
	가을국화	• 단일처리하면 개화 촉진, 장일처리하면 개화 억제 • 8~9월에 개화하는 국화의 7~8월 개화 처리 : 차광 • 8~9월에 개화하는 국화의 12~1월 개화 처리 : 조명

양파	장일처리하면 양파의 인경발육이 촉진됨
오이·호박	수꽃수 증가(장일처리), 암꽃수 증가(단일처리)
고구마 등	고구마의 괴근, 감자의 괴경 발육 촉진 : 단일처리

제5절 공기환경

❶ 공기일반

공기의 영향	① 이산화탄소, 산소 : 광합성과 호흡에 영향 ② 바람 : 작물의 도복과 과실 낙과에 영향 ③ 토양 공극 속의 공기 : 토양미생물의 활동과 뿌리의 생장에 영향
공기의 영향과 작물생육	① 광합성과 호흡작용 : 산소와 이산화탄소 공급 ② 콩과작물에 질소고정균을 통해 질소 공급 ③ 유해가스 : 작물생육 저해 ④ 토양 중 산소의 부족 : 토양미생물 활동의 둔화, 뿌리의 활력 저하 ⑤ 적당한 바람 : 공기성분의 평형 유지, 유해가스의 피해방지 등

❷ 이산화탄소 농도

	대기조성	질소(78%), 산소(21%), 이산화탄소(0.03%)
농도의 영향	호흡속도	이산화탄소의 농도 증가 시 작물의 호흡 억제
	이산화탄소 포화점	이산화탄소의 농도 증가에 따라 광합성 속도는 증가하지만 어느 한계점에 도달하면 더 이상 광합성의 속도가 증가하지 않는 지점 (CO_2 농도 : 0.21~0.3%)
	이산화탄소 보상점	광합성 작용에 의한 유기물의 생성속도와 호흡작용에 의한 유기물의 소모속도가 같아지는 지점(CO_2 농도 : 0.003~0.01%)
농도의 증감		① 계절의 변화 : 광합성 작용의 계절적 영향 → 여름철(농도 낮음), 가을철(농도 높음) ② 지면과의 거리 : 지면에 가까울수록 농도 증가(CO_2는 공기보다 무거움) ③ 미숙유기물 : 퇴비, 낙엽 등을 사용하게 되면 이산화탄소 발생이 많아져서 농도 증가 ④ 공기 중 미풍 : 이산화탄소 농도의 불균형 상태 완화

❸ 연풍과 강풍 및 공기재해

연풍 강풍	① **연풍** : 풍속 4~6m/hr 이하의 부드러운 바람 ② **연풍과 강풍이 작물생육에 미치는 영향**	
	연풍	강풍
	• 작물 주위의 탄산가스 농도의 유지 • 잎의 수광량 증대 → 광합성 촉진 • 증산작용의 촉진 • 꽃가루 매개 조장 • 수확물의 건조 촉진 • 다습 환경에서 발생하는 병해 경감	• 수분수정의 방해로 벼에 불임립, 쭉정이 발생 • 열상, 낙과의 발생 • 강풍에 의한 상처 → 호흡 증가 • 광합성의 저하
대기오염	식물의 기공을 통하여 오염물질이 식물체 내에 들어가 장해 유발	
유해가스	아황산가스(SO_2), 이산화탄소(CO_2), 불화수소(HF), 오존(O_3) 등	

제1절 **작부체계(作付體系, cropping system)**

❶ 작부체계

의의	① 작부체계란 어떠한 작물을 시기별로 어떻게 재식할 것인가 하는 체계 ② 작부체계는 농업자원(기후, 토양, 물 등), 영농자금, 시장, 영농기술 등의 상호작용을 통하여 결정	
주요 작부체계	연작(連作)	동일 토지에 동일작물을 매년 계속해서 재배하는 작부방식(이어짓기)
	윤작(輪作)	동일 토지에서 일정한 순서에 따라 종류가 다른 작물을 재배하는 경작방식 (돌려짓기)
	간작(間作)	한 종류의 작물이 생육하고 있는 이랑 사이 또는 포기 사이에 한정된 기간 동안 다른 작물을 심는 것
	혼작(混作)	두 종류 이상의 작물을 동시에 같은 경지에 재배할 때 그들 사이에 주작물·부작물의 관계가 없는 작부방식(섞어짓기)
	교호작 (交互作)	한 가지 작물을 몇 이랑씩 띠 또는 두둑을 만들어 다른 작물과 번갈아 재배하는 방식
	주위작 (周圍作)	포장의 주위에 포장 내의 작물과 다른 작물들을 재배하는 것으로, 논두렁 등이 대표적인 예
	답전윤환 (畓田輪換)	논 또는 밭을 논 상태와 밭 상태로 몇 해씩 돌려가면서 벼와 밭 작물을 재배하는 방식으로, 논밭 돌려짓기, 윤답이라고도 함
	자유작 (自由作)	비료와 농약이 발달함에 따라 유리하다고 생각되는 작물을 그때그때 자유로이 재배하는 방식으로, 비배관리가 집약적이고 투기적인 경향이 있음

❷ 연작과 기지 및 윤작

연작작물	연작 대상작물은 연작에 의한 피해가 적은 작물이나, 연작의 피해가 있더라도 수익성이 높거나 수요가 큰 작물(벼농사)		
기지(忌地)	기지현상	한 작물을 같은 토지에다 계속해서 재배할 때 생육이 크게 억제되는 현상	
	작물별 기지 정도	연작해가 적은 작물	벼, 수수, 고구마, 무, 양파, 호박 등
		1년 휴작물	시금치, 콩, 파, 생강 등
		2~3년 휴작물	감자, 오이, 참외, 토란 등
		5~7년 휴작물	수박, 가지, 우엉, 고추, 토마토 등
		10년 이상 휴작물	인삼, 아마 등

	기지의 원인	① 토양전염병의 해 ③ 유독물질의 축적 ⑤ 토양비료분의 소모 ⑦ 잡초의 번성 등	② 토양선충 번성 ④ 염류의 집적 ⑥ 토양의 물리적 성질 악화
염류집적	① 지표수, 지하수 및 모재 중에 함유된 염분이 강한 증발 작용하에서 토양 모세관수의 수직과 수평 이동을 통하여 점차적으로 지표에 집적되는 과정 ② 건조 및 반건조 기후 지대에서 많이 일어나며 시설 하우스와 같이 폐쇄된 환경 또는 과잉 시비된 토양에서 일어나기도 함		
윤작	① 윤작의 정의 : 2가지 이상의 작물을 돌려가면서 농사를 짓는 농법 ② 윤작작물 : 중경작물이나 휴한작물처럼 윤작에 삽입되는 작물(오이와 벼, 호밀과 콩) ③ 윤작의 이점 　– 토양보호와 지력의 유지 또는 증진 　– 기지현상 감소 　– 병충해나 잡초의 발생 경감 　– 수량 증대 및 토지의 이용 증대		

제2절　파종

파종의 의의	① **파종의 정의** : 작물의 번식에 쓰이는 종자를 심는 것을 파종이라고 하며, 일반적으로 종자를 뿌려 심는 것 ② **파종기** : 파종의 실제 시기로 정식 예정일로부터 소급계산해서 파종기를 정하기도 함(가지, 정식일 70~80일 전)		
파종량	① **파종량의 결정기준** : 정식할 묘수, 발아율, 육성률(성묘율) 등으로 보통 소요 묘수의 2~3배의 종자를 파종 ② **파종량을 소요 묘수보다 늘려야 하는 요인** 　– 추운 곳에 파종할 때 　– 땅이 척박하거나 시비량이 적을 때 　– 종자의 발아력이 낮을 때 　– 적종 파종기보다 늦을 때 　– 토양이 건조하거나 병해충 발생이 우려될 때		
파종 전 종자처리	**선종(選種)**	종자 고르기(고르기 방법 : 육안, 중량, 비중 등)	
	침종(浸種)	종자 담그기(종자의 수분 흡수, 발아억제물질의 제거, 발아 촉진)	
	최아(催芽)	싹틔우기(파종 전 종자손실을 막기 위해 싹을 틔우는 것)	

파종방법	산파(散播)	① 토양 전면에 흩어 뿌리는 법(살파, 撒播) ② 특성 : 노동력이 절감되지만 종자량 과다, 관리작업의 어려움, 통기 및 투광이 나빠지고 도복하기 쉬움
	조파(條播)	① 뿌림골을 만든 후 종자를 골을 따라 줄지어 뿌리는 방법 ② 적용작물 : 개체가 차지하는 평면공간이 넓지 않은 작물 ③ 특성 : 수분과 양분의 공급이 좋고, 통풍·통광도 좋으며 관리작업도 좋아서 작물 생육에 유리함
	점파(點播)	① 종자를 일정한 간격으로 1립 내지 2~3립씩 띄엄띄엄 파종 ② 노력이 많이 들지만 종자량이 적게 들고, 통풍과 투광도 좋아 건실하고 균일한 생육 가능 ③ 대립종자의 경우 점파방식 사용
	적파(摘播)	점파를 하는 경우 한 곳에 다수의 종자를 파종하는 방법(예 호박)

제3절 복토(覆土)와 진압(鎭壓)

❶ 복토

복토의 의의	① 복토의 정의 : 흙덮기, 파종 후 종자가 노출되지 않도록 묘상을 흙으로 덮어 주는 일 ② 복토의 효과 : 파종상의 습도유지와 토양 미생물의 피해를 줄이고 잡초 발생을 억제하는 효과와 비·바람에 종자가 이동하는 것을 막는 구실도 함	
종자별 복토방법	얕은 복토	호광성 종자, 미세종자
	깊은 복토	혐광성 종자, 대립종자
토양과 온도별 복토방법	얕은 복토	점질토양, 적온
	깊은 복토	사질토양, 저온 또는 고온
복토의 두께	① 복토의 두께 결정 시 유의사항 : 작물의 발아습성, 씨의 크기, 토양의 성상 및 온도 등 ② 몹시 춥거나 더울 때에는 약간 깊은 복토 시행 ③ 대체로 복토가 두꺼우면 발아에 필요한 산소가 부족하여 발아가 불량하게 되고, 새싹이 지상에 나타날 때까지 에너지를 많이 필요로 하므로 생육이 불량하게 됨. 일반적 표준은 뿌린 종자 지름의 3배	

❷ 진압

진압의 정의	파종을 하고 복토 전이나 후에 종자 위를 가압하는 것
진압의 효과	① 발아조장 : 토양을 진압하면 종자가 토양에 밀착되고, 토양이 긴밀해져서 지하수가 모관 상승하게 되어 종자에 흡수되므로 종자가 발아하는 데 유용함 ② 토양 유실의 방지 : 경사지나 바람이 센 곳에서 토양이 비에 씻기거나 바람에 유실되는 것을 방지함

| 제4절 | **육묘** |

❶ 육묘의 의의

육묘의 특징	① 육묘의 정의 : 재배하고 있는 농작물로서 번식용으로 이용되는 어린 모를 묘상 또는 못자리에서 기르는 일 ② 모는 종자로부터 자라난 실생묘(實生苗)와 종자 이외의 식물의 영양체로부터 분리해서 양성한 꺾꽂이묘[揷木苗]·휘묻이묘[取木苗]·접붙이기묘[接木苗] 등으로 구별하기도 함 ③ 모는 적당히 자란 후 본포에 이식하기 위한 것인데 묘상에서는 면밀한 관리하에 육성됨 ④ 묘상에서 육묘하여 이식을 하면 본포에 직접 파종하는 것보다 많은 노력이 들지만 육묘해야 할 경우가 있음
육묘의 목적	① 조기수확(채소류, 담배), 수확기간 연장 ② 직파가 불리한 경우(딸기, 고구마) ③ 수량 증대, 집약적 관리(어린묘의 환경 및 병충해 관리) ④ 본포의 토지이용도 증대 ⑤ 화아분화 및 추대 방지(배추, 무) ⑥ 묘의 본포에 대한 적응력 향상 ⑦ 종자 절약
유효묘	① 파종한 종자가 발아해서 이식이 가능하게 자란 건전묘 ② 유효묘수 = 구 × 판 × 발아율 × 성묘율

❷ 상토(床土)

상토의 의의	① 모종을 가꾸는 온상에 쓰는 토양 ② 부드럽고 물 빠짐과 물 지님이 좋으며 여러 가지 양분을 고루 갖춘 흙
상토의 조건	① 상토는 다루기 쉽고 편리하여야 함 ② 보수력, 보비력이 좋아야 함 ③ 뿌리호흡에 좋도록 통기성이 있어야 함 ④ 유효 미생물은 많고, 무균, 무충, 무종자에 산도는 중성에 가까워야 함 ⑤ 육묘 기간 중에는 성질이 변하지 않아야 함 ⑥ 토양 입자의 크기는 균일해야 하고 뿌리엉킴성이 좋아야 함
상토의 재료	① 유기질 재료 　– 코코피트 : 코코넛 껍질에서 섬유질을 제거한 뒤 가공하여 만든 유기물질 　– 피트모스 : 이탄토, 습지, 늪 등에 수생식물류 및 그 밖의 것이 다소 부식화되어 쌓인 것 ② 무기질 재료 : 질석(버미큘라이트), 진주암(펄라이트), 규산염 광물(제올라이트) 등
상토의 비율	코코피트의 비율은 약 50~70%이며, 질석은 약 5~10%, 제올라이트는 약 10%, 펄라이트는 약 10~15%, 피트모스는 약 10% 정도

❸ 육묘방법

온상육묘	① 온상 : 인공적으로 따뜻하게 하여 식물을 기르는 설비. 열원(熱源)을 마련하거나 태양열을 효과적으로 이용 ② 낮에는 온도를 높여서 광합성을 촉진하고, 밤에는 온도를 낮추어 호흡량을 줄여서 작물의 양분소모를 줄임
접목육묘	① 접목 : 눈 또는 눈이 붙은 줄기(접수)를, 뿌리가 있는 줄기 또는 뿌리(대목)에 접착시켜 접붙이 묘를 생산하는 방법 ② 토양전염성병이나 저온이나 고온 등 불량한 환경에 대한 내성을 높이고, 흡비력을 증진시킬 수 있음
양액육묘	양액재배 : 토양을 사용하지 않는 무토양(無土壤), 무지력(無地力) 재배방법으로 무균의 영양소를 가진 배양액을 공급함
공정육묘 (플러그육묘)	① 공정육묘 : 육묘의 생력화, 효율화, 안정화 및 연중 계획생산을 목적으로 상토제조 및 충전, 파종, 관수, 시비, 환경관리 등 제반 육묘작업을 일관 체계화, 장치화한 묘생산 시설에서 질이 균일하고 규격화된 묘를 연중 계획적으로 생산하는 것 ② 플러그육묘는 공정육묘보다는 다소 좁은 의미를 갖는 것으로 육묘에 사용되는 용기가 규격화되어 있고 생산된 묘가 성형화되어 있어 플러그와 같이 꽂을 수 있다는 의미에서 플러그 묘로 불리기도 함

❹ 경화(硬化)

경화의 의의	본포에 정식하기 전에 외부환경에 적응할 수 있도록 본포와 유사한 환경에 조금씩 노출시키는 것
경화방법	① 서서히 관수량을 줄임 ② 온도를 낮추고 직사광선에 노출량을 늘임
경화효과	① 엽육이 두꺼워짐 ② 건물량이 증가함 　* 건물량 : 생물체에서 수분을 제거(건조)하고 측정한 무게 ③ 지상부 생육은 둔화되고 지하부 생육은 발달함 ④ 내한성과 내건성이 증가함 ⑤ 활착이 촉진됨 ⑥ 큐티클층과 왁스층이 발달함

PART 02

제5절	이식(移植)과 가식(假植)

이식과 가식	① 이식(정식) : 현재 생육 중인 묘상에서 본포에 작물을 옮겨 심는 것 ② 가식 : 정식할 때까지 잠정적으로 옮겨 심어 두는 것 ※ 가식의 장점 : 불량묘 도태, 이식성 향상, 도장방지 등	
이식의 장점과 단점	장점	생육 촉진, 수량 증대, 토지이용률 증대, 숙기 단축, 활착 증진
	단점	뿌리 손상, 벼의 생육 지체 및 결실 불량
이식의 시기	① 토양수분이 풍부하며 바람이 없고 흐린 날 ② 지온이 충분하고 동상해의 우려가 없는 날	
이식과 관리	① 이식 전 묘상의 깊이 정도로 이식하되, 정식 토양이 건조한 경우 묘상의 깊이보다 더 깊이 정식 ② 이식 후 진압과 충분한 관수가 필요하며, 지주를 세워서 도장 방지	

제6절	중경(中耕)

중경의 정의	작물의 생육 도중에 작물 사이의 토양을 가볍게 긁어주는 작업	
중경의 특징	장점	발아 조장, 토양의 통기성 증대, 토양의 수분 증발 억제, 비효 증진, 잡초 방제
	단점	단근(뿌리 절단) 피해, 토양의 침식 조장, 작물의 동상해 피해

제7절	잡초

❶ 잡초의 피해와 유용성

잡초의 피해	① 잡초와 작물 사이에 수분, 양분, 광 등의 경합에 의한 작물의 수확량 감소 ② 작물의 발아나 생육 억제 ③ 기생(寄生) : 작물의 뿌리나 줄기에 침입하여 작물의 영양 탈취 ④ 병충해의 매개
잡초의 유용성	① 토양에 유기물과 퇴비 공급 ② 토양 침식의 방지(토양의 입단화 조장) ③ 지온의 과도한 상승 억제

❷ 잡초방제법

기계적 방제	① 인위적인 힘(인력, 축력, 기계)을 이용하여 잡초를 뽑거나 제거하는 방법 ② 시간과 노력이 많이 듦 ③ 방제방법 : 중경, 배토, 토양 피복, 멀칭 등
경종적 방제	① 생태적 방제로 잡초의 경합력은 약화시키고 작물의 경합력을 높이는 방법 ② 방제방법 : 작부체계, 육묘이식, 재식밀도 상향 조정, 시비관리 등
화학적 방제	제초제를 사용하는 방법
생물적 방제	곤충이나 미생물 또는 병원성을 이용하여 잡초의 세력을 약화시키는 방법
종합적 방제 (IWM)	IWM(Integrated Weed Management) : 다양한 제초방법을 조화롭게 이용하는 것

제8절 　배토(培土)와 멀칭(mulching)

❶ 배토

배토의 의의	① 작물의 생육기간 중에 골 사이나 포기 사이의 흙을 포기 밑으로 긁어모아 주는 것 ② 작은 작물 사이에 흙을 북돋아 주어 작은 뿌리의 지지력을 강화시켜 도장을 방지하는 효과를 지니며 고랑에 발생한 잡초를 매몰·고사시키는 작용을 함
작물별 배토효과	① 옥수수 : 도복 경감 ② 토란 : 분구 억제와 비대 촉진 ③ 감자 : 괴경의 발육 조장 ④ 당근 : 수부의 착색 방지 ⑤ 대파 : 줄기의 연백화(흰색 부분의 증가)

❷ 멀칭

멀칭의 정의	식물을 재배할 때 경지토양의 표면을 비닐, 플라스틱, 짚, 건초 등으로 덮어주는 일
멀칭의 효과	① 침식 방지 : 거세게 내리는 비로 인하여 경지토양이 씻겨나가는 것을 방지 ② 토양의 수분 보존과 식물의 건조 방지 ③ 잡초의 방제 ④ 유익한 박테리아의 번식 촉진 ⑤ 비료 유실 방지 ⑥ 곁뿌리 발달과 신장 촉진 ⑦ 조기수확 및 수확량 증대

제9절 비료와 시비(施肥)

❶ 비료의 분류

분류 기준		분류 내용
재료	동물질 비료	뒷거름, 닭똥(계분), 골분 등
	식물질 비료	콩깻묵, 쌀겨, 풋거름 등
	광물질 비료	유안, 과석, 용성인비, 석회질소 등
	잡질 비료	퇴비, 배합비료 등
모양	고체 비료	황산암모늄(유안), 요소 등
	액체 비료	암모니아, 뒷거름 등
함유성분	질소질 비료	유안, 요소, 질산암모늄, 석회질소 등
	인산질 비료	과인산석회(과석), 용성인비, 중과인산석회(중과석) 등
	칼륨질 비료	황산칼륨, 염화칼륨, 초목회(草木灰)
	복합비료	질소, 인산, 칼리가 혼합된 비료. 화성비료, 산림용 복비
	규산질 비료	규산석회질, 규산고토질, 규화석 등
	석회질 비료	생석회, 소석회 등
	미량원소비료	망간, 붕소 등
반응	화학적 산성비료	과인산석회, 중과인산석회 등
	화학적 중성비료	**요소, 질산칼륨, 질산암모늄**, 황산칼륨, 유안 등
	화학적 염기성 비료	**석회질소, 용성인비** 등
	생리적 산성비료	유안, 황산칼륨, 염화칼륨 등
	생리적 중성비료	**요소, 질산칼륨, 질산암모늄**, 과인산석회 등
	생리적 염기성 비료	**석회질소, 용성인비**, 질산나트륨, 질산칼륨, 초목회 등
효과	속효성 비료	대부분의 화학적 비료 : 황산암모늄, 염화칼륨
	완효성 비료	지효성 비료 : 석회질소, 깻묵, 두엄 등
배합	단일비료	요소, 황산암모늄, 염화칼륨 등
	배합비료	몇 가지 비료를 혼합한 것

❷ 시비(施肥)

시비의 정의	작물의 생육을 위해 토양에 비료를 공급하는 것
밑거름과 덧거름	① 밑거름[基肥] : 파종 전 또는 이앙 전에 주는 비료 ② 덧거름[追肥] : 작물의 생육 중에 추가로 주는 비료
비료의 흡수율	① 흡수율 : 시비한 비료의 성분량 중 실제 재배작물이 비료를 흡수한 양의 비율 ② 질소(30~50%), 칼륨(40~60%), 인산(10~20%) ③ 흡수율 요인 : 작물의 종류 및 품종, 시비시기, 비료의 화학적 형태, 토양조건

시비시기	종자수확작물	영양생장기(질소), 생식생장기(인산, 칼륨)
	과실수확작물	결실기(인산, 칼륨)
	잎수확작물	질소
	뿌리・지하경 수확작물	초기(질소), 영양생장기(칼륨)

시비관리	① 기비(밑거름) : 지효성 비료(퇴비, 깻묵 등), 인산, 칼륨, 석회질소 등 ② 생육 기간 중 나누어 시비 : 속효성 질소비료 ③ 생육기간이 길고 시비량이 많은 경우 또는 사질토, 누수답 : 추비횟수 증가 ④ 엽채류 : 생육기간 중 질소질비료(수확 직전까지) ⑤ 칼슘비료 : 산성토양의 중화제 ⑥ 질소비료의 과다 : 식물체의 도장, 꽃눈 형성 불량 ⑦ 마그네슘 비료 : 엽록소의 필수 구성분으로 부족 시 엽맥 사이의 황백화 ⑧ 망간 결핍 : 잎색이 누렇게 되고 수세가 약해짐

시비량	성분량 계산	성분량 = 비료중량 × $\dfrac{보증성분량(\%)}{100}$
	중량 계산	비료중량 = 비료량 × $\dfrac{100}{보증성분량(\%)}$
		[예시문제] 100m² 의 포장에 20kg의 질소를 시비하고자 할 때 필요한 복합비료(20-10-20)의 양은? [풀이] 성분량(질소) = 20kg × $\dfrac{100}{보증성분량(20\%)}$ = 100kg

❸ 엽면시비

의의	① 엽면시비 : 액체비료를 식물의 잎에 직접 공급하는 방법 ② 엽면시비용 무기염류 : 철, 아연, 망간, 칼슘, 마그네슘 등 미량원소
시비 시기	① 토양시비가 곤란한 경우 ② 뿌리의 흡수력이 저하된 경우 ③ 특정 무기양분의 결핍 증상이 예견된 경우 ④ 작물의 초세를 급격히 상승시킬 필요가 있는 경우
엽면시비의 유용성	① 토양에서 흡수하기 어려운 미량원소의 공급 ② 지효성 비료의 대체 비료 ③ 뿌리 기능이 나빠진 경우 ④ 영양공급을 조절하기가 쉬움 ⑤ 정확한 시비시기에 효과적 ⑥ 농약과 혼용 가능
흡수력	① 잎의 뒷면 > 잎의 앞면 ② 뿌리에 직접 공급이 가능한 경우 효과적 ③ 엽면살포는 오후에 하는 것이 좋음 ④ 요소는 약산성 상태에서 흡수가 잘 됨

제10절　원예작물의 생육조절

❶ 정지(整枝)와 전정(剪定)

의의	① 정지 : 나무의 주간, 주지, 측지 등 나무의 골격이 되는 부분을 계획적으로 절단하여 수형(樹形)을 만드는 것 ② 전정 : 나무의 잔가지를 자르거나 솎아주어 나무의 생육과 결실을 조절하여 주는 것
정지 · 전정 목적	① 수관 내부의 수광과 통풍의 조장 ② 과실의 품질저하 방지 ③ 결실부(結實部) 위치가 높아지고 기부쪽이 텅비는 것을 방지 ④ 화아분화의 용이 ⑤ 해거리 방지 ⑥ 튼튼한 새가지를 만들고, 노쇠현상 속도의 지연 ⑦ 약제살포 용이 ⑧ 병충해 발생 방지
강전정	① 강전정 : 줄기를 많이 잘라내어 새눈이나 새가지의 발생을 촉진시키는 전정법 ② 노목에서 새가지 발생 촉진 ③ 강전정이 계속되면 오히려 꽃눈 형성이 억제되고 나무가 빨리 노쇠하여 경제수명이 단축될 수 있음

❷ 작물의 생육조절방법

적심(摘心)	생육 중인 작물의 줄기 또는 가지의 선단 생장점을 잘라주어 분지수를 늘리거나 생육을 촉진하는 방법
적아(摘芽)	① 액아(腋芽)를 일부 또는 전부 제거하는 조작 ② 식물체의 영양과 호르몬의 균형을 변화시킴으로써 주축, 특정한 가지, 꽃, 잎 혹은 과실 또는 지하부, 덩이뿌리 등의 발생과 발육을 조절할 수 있음
적엽(摘葉)	일부 잎을 제거해주는 것
절상(折傷)	새눈이나 새가지의 위에 칼집을 내어 눈이나 가지의 발육을 조장하는 일
유인(誘引)	지주를 세워 덩굴을 유인하는 일
적화(摘花)	꽃을 솎아주는 일
적과(摘果)	① 과실의 착생수가 과다할 때 여분의 것을 어릴 때에 적제하는 것 ② 해거리를 방지하고 크고 올바른 모양의 과실을 수확하기 위하여 알맞은 양의 과실만 남기고 따버리는 것
환상박피 (環狀剝皮)	① 줄기나 가지의 껍질을 3~6mm 정도의 넓이로 둥글게 도려내는 것 ② 화아분화(花芽分化)나 숙기(熟期)를 단축시킬 목적으로 실시

❸ 착과와 과실생육

착과	① 착과 : 꽃이 수정되면서 과실의 발육이 시작되는 것 ② 단위결과 : 속씨식물에서 수정이 되지 아니하였는데도 단순히 어떤 자극에 의하여 씨방이 발달하여 열매가 생기는 현상
과실의 발육	① 자방이 발달하여 과실이 됨 ② 과실의 발육단계 : 종피형성기 → 배형성기 → 과실비대기

❹ 봉지씌우기[복대, 覆袋]

복대의 의의	① 어린 과일의 솎기를 마친 후에 벌레 등의 피해를 막기 위하여 봉지를 씌우는 것 ② 주로 포도, 사과, 배, 복숭아 따위를 재배할 때 실시
복대의 목적	① 병충해 방제 ② 과실의 착색 증진 ③ 열과(裂果) 방지 ④ 숙기 조절

❺ 과수의 결과습성[結果習性]

의의	결과습성 : 과수나 채소류에서 줄기나 가지에 열매를 맺는 성질	
과수의 결과습성	1년생 가지에 결실	포도, 감, 감귤, 무화과
	2년생 가지에 결실	복숭아, 자두, 매실
	3년생 가지에 결실	사과, 배
결과모지 열매가지	① 결과모지 : 열매가지가 나오게 하는 가지 ② 열매가지 : 열매를 맺는 가지	

❻ 낙과와 수분매조[受紛媒助]

생리적 낙과	① 수정이 되지 않을 경우 ② 생식기관이나 배(胚)의 발육이 불완전하거나 중지된 경우 ③ 질소와 탄수화물이 과부족한 경우 ④ 단위결과성이 약한 품종인 경우
낙과방지	① 인공수분이나 곤충의 방사 등을 통해 수분매조를 유도 ② 관개, 멀칭 등을 통해 건조 및 과습을 방지 ③ 정지 또는 전정을 통해 수광태세 향상 ④ 낙과방지 생장조절제 살포 : NAA(합성옥신), 2,4-D 등

| 제11절 | 생장조절물질 |

❶ 식물호르몬

의의	식물이 생산하는 저농도로 식물의 생리현상을 조절하는 물질
종류	식물의 신장 성장을 조절하는 옥신, 지베렐린, 세포 분열을 촉진하는 시토키닌(사이토카이닌), 성숙·낙엽을 촉진하는 에틸렌 등이 있음

❷ 옥신(Auxin)

의의	① 세포의 생장점 부위에서 생성되어 아래로 이동 ② 식물의 성장을 조절하는 호르몬의 하나로, 식물 줄기와 잎, 뿌리의 성장을 촉진하고, 낙과를 방지하며, 착과를 촉진함
종류	① 천연옥신 : IAA, IAN, PAA 등 ② 합성옥신 : PCPA, BNOA, NAA, 2,4-D, 2,45-T, IBA 등
생리작용	① 생장 촉진　　② 굴광성 유도　　③ 발근 촉진　　④ 이층형성 억제(낙과 방지) ⑤ 단위결과 촉진　⑥ 제초제 이용　⑦ 개화 촉진
발근촉진제	식물호르몬 옥신의 일종인 인돌아세트산(IAA), 인돌부틸산(IBA), 나프탈렌아세트산(NAA) 등

❸ 지베렐린(Gibberellin)

의의	벼의 키다리병균에 의해 생산된 고등식물의 식물생장조절제로 합성이 불가능한 호르몬
재배적 이용	① 경엽(莖葉)의 신장 촉진 ② 개화 유도 : 저온처리와 장일조건이 필요한 식물의 화아형성과 개화 촉진 ③ 휴면타파와 발아 촉진 ④ 단위결과의 촉진 ⑤ 결실과 비대 촉진

❹ 시토키닌(Cytokinin)

의의	① 식물에 있어서 식물 세포의 세포분열과 세포질 분열을 촉진하는 식물호르몬 ② 옥신과 함께 존재하여야 세포분열을 촉진할 수 있음
재배적 이용	① 잎의 생장 촉진　　　② 호흡 억제　　　　③ 잎의 노화 지연 ④ 저장 중 신선도 유지　⑤ 종자의 발아 촉진 ⑥ 내한성(耐寒性) 증진　⑦ 기공의 개폐 촉진

❺ 에틸렌(Ethylene)

의의	① 성숙에 관여하는 기체상태의 호르몬(성숙호르몬 또는 스트레스호르몬) ② 침수, 가뭄, 냉해, 상처, 병원균의 공격 등은 식물 내 에틸렌 생합성 유도 가능 ③ 에세폰을 수용액으로 살포 또는 침지하면 식물 내에서 에틸렌 발산
재배적 이용	① 잎과 꽃의 노화 촉진 ② 낙엽 촉진(잎의 탈리) ③ 종자 발아 유도 ④ 과일 성숙 촉진 ⑤ 정아우세현상 타파 ⑥ 암꽃의 착생수 증대

❻ 아브시스산(ABA, Abscisic acid)

의의	식물의 생장을 억제하고 환경 스트레스에 대한 식물의 반응에 관여하는 식물호르몬
재배적 이용	① 잎의 노화 ② 낙엽 촉진 ③ 휴면유도 ④ 발아억제 ⑤ 화성 촉진 ⑥ 내한성 증진 ⑦ 포도의 착색 증진

❼ 생장억제물질

B−9	신장 억제 및 왜화(矮化)작용
Phosfon−D	줄기의 길이 단축
CCC	절간 신장 억제 및 토마토의 개화 촉진
Amo−1618	국화의 왜화 및 개화 지연
MH	저장 중인 감자, 양파의 발아 억제, 당근, 파, 무의 추대 억제, Anti−옥신

제12절 병충해

❶ 병해

진균(곰팡이)	탄저병, 배추뿌리잘록병, 역병, 노균병, 흰가루병 등 ① 오이의 노균병 : 기온이 20~25℃, 다습상태에서 발병 ② 고추 역병 : 유묘기에 감염되면 그루 전체가 심하게 시들고 죽음. 생육 중기나 후기의 　　병든 그루는 처음에 시들다가 후에 적황색으로 변해 말라죽음
세균	궤양병, 근두암종병, 무름병, 풋마름병 등
바이러스	잎마름병, 모자이크병, 위축병, 사과나무고접병 등
마이코 플라즈마	① 바이러스와 세균의 중간 영역에 위치하는 미생물 ② 오갈병, 감자빗자루병 등 * 오갈병 : 바이러스의 침입을 받아 잎이나 줄기가 불규칙하게 오그라들어 기형이 되고 생육이 　　현저히 감소되어 키가 작아지는 식물병으로, 벼, 보리, 무 등에 주로 발생

❷ 충해

주요 해충	진딧물, 응애, 좀나방, 총채벌레, 노린재, 고자리파리, 선충, 굴파리 등
진딧물	① 몸길이 2~4mm로 소형이며 몸 빛깔은 다양하고 초목의 줄기, 새싹, 잎에 모여서 살며 식물의 즙액을 빨아먹으므로 대부분이 해충으로 분류 ② 진딧물의 배설물은 식물의 광합성을 방해하고 수목의 미관을 저해함 ③ 진딧물 방제에 무당벌레, 콜레마니진디벌 등 천적곤충을 이용하여 생물학적 방제를 하기도 함
총채벌레	원예작물의 어린 잎, 눈, 꽃봉오리, 꽃잎 속 등에 들어가 즙액을 빨아 먹음
온실가루이	① 성충의 몸길이는 1.4mm로서 작은 파리모양이고 몸 색은 옅은 황색이지만 몸 표면이 흰 왁스가루로 덮여 있어 흰색을 띰 ② 화훼류의 잎 뒷면에 주로 기생하면서 즙액을 빨아먹고, 배설한 곳에서는 그을음병 발생

❸ 병충해 방제법

재배적 방제 (경종적 방제)	① 의의 : 재배환경을 조절하거나 특정 재배기술을 적용하여 병충해 발생을 억제하는 방제 방법 ② 재배적 방제 방법 　– 윤작 　– 중간 기주식물의 제거(배나무 적성병 – 향나무) 　– 적기 파종 　– 적당량의 시비(질소과다 – 오이만할병) 　– 산성토양의 개선 　– 생장점 배양(무병주 생산) 　– 내병성 대목에 접목
물리적 방제 (기계적 방제)	낙엽 소각, 밭토양 침수, 나방·유충의 포살, 과수 봉지씌우기, 건열처리 등
생물학적 방제	① 해충에 대한 천적 곤충을 이용하거나 페로몬을 이용하여 방제 ② 천적곤충 　– 무당벌레(진딧물) 　– 온실가루이좀벌, 칠레이리응애(점박이응애), 마일즈응애, 굴파리좀벌 　– 애꽃노린재 : 각종 응애류, 진딧물류, 매미충류, 총채벌레 등 ③ 페로몬트랩 : 사과무늬잎말이나방, 복숭아심식나방
화학적 방제	농약을 사용하여 방제
법적 방제	법령에 의해 식물검역을 통해서 병균이나 해충의 국내 침투 전파를 막는 것
종합적 해충관리 (IPM; Integrated Pest Management)	① 모든 적절한 기술을 상호 모순되지 않게 사용하여 경제적 피해를 일으키는 수준 이하로 해충개체군을 감소시키고 유지하는 해충개체군 관리시스템 ② 반드시 완전 방제를 목적으로 하지는 않음(병충해를 극소화할 수 있는 정도로 밀도 조절)

PART 02

❹ 농약

농약의 형태	유제(乳劑)	• 농약의 주제(主劑)를 용제에 녹여 유화제로 하고 계면활성제를 가하여 제조한 농약 제형을 일컫는 말로 에멀션 또는 유탁제라고도 함 • 수화제보다 살포액의 조제가 편리하고 약효가 수화제보다 다소 증진되는 경향
	액제(液劑)	수용성의 액제상태의 약제로 주제(主劑)를 물에 녹여 계면활성제나 동결방지제를 첨가하여 만들며 물에 희석하여 도포, 주입, 침지, 토양혼화, 살포 등의 방법으로 사용
	수화제 (水和劑)	물에 녹지 않는 농약 원제를 점토나 규조토를 증량제로 하여 계면활성제와 분산제를 가하여 제제화한 것
	유기인제	인을 함유한 유기화합물 가운데서 살충제로 쓰이는 약제로 파라티온(parathion) 등이 있음
	분제(粉劑)	가루로 된 농약제제의 총칭
	입제(粒劑)	대체로 8~60메시(입자지름 약 0.5~2.5mm) 범위의 작은 입자로 된 농약
농약의 사용	① 수화제는 수화제끼리 혼합 ② 고온에서 살포하지 않음 ③ 차고 다습한 날에는 살포하지 않음 ④ 고온 시 유기인제는 저농도로 살포 ⑤ 나무가 허약할 때나 관수 직전에는 살포하지 않음	

원예식물의 품종·번식·육종

제1절	품종

❶ 품종과 계통(系統)

품종의 의의	① 품종 : 작물의 재배나 이용상 동일한 특성을 가진 개체군 ② 품종은 적어도 한 가지 이상의 특징에 있어 다른 품종과 구별할 수 있으며, 후속 세대에서도 그 특징이 유지됨
특성과 형질	① 특성 : 어떤 품종을 다른 품종과 구별하게 하는 특징 ② 형질 : 특성을 표현하기 위한 측정의 대상(키, 숙기, 꽃색깔 등)
계통	① 공통된 조상과 유전자형이 같은 개체군 ② 유전형질이 균일한 품종이라도 돌연변이나 교잡 등에 의하여 유전형질이 다르게 된 집단

❷ 우량품종

우량품종	품종 중 재배적 특성이 우수한 것
우량품종의 조건	① 우수성 : 다른 품종보다 우수할 것 ② 균일성 : 품종 내 모든 개체들의 특성과 유전형질이 균일할 것 ③ 영속성 : 균일하고 우수한 특성이 변하지 않고 지속될 것 ④ 광지역성 : 특정 지역에 국한된 품종보다 가능한 넓은 지역에 적응되고, 재배되는 성질일 것
품종의 퇴화	① 품종의 퇴화 : 우량품종이라도 재배 세대가 경과함에 따라 특성과 기능이 퇴보하는 것 ② 퇴화의 종류 : 유전적 퇴화, 생리적 퇴화, 병리적 퇴화 ③ 퇴화의 억제 : 진딧물 방제를 위한 감자의 생장점 배양, 고랭지 재배
우량품종의 특성유지방법	① 신품종이나 우량품종의 종자 이용 ② 영양번식 : 유전적으로 동일한 개체를 얻을 수 있음 ③ 격리재배 : 자연교잡의 방지 ④ 종자의 저온저장 ⑤ 종자의 갱신 : 종자를 원종포나 채종포에서 채종한 종자로 갱신

제2절 | **번식**

❶ 종자번식(유성번식)

종자번식	다음 세대를 계승할 새로운 개체를 종자 파종을 하여 만들고, 이를 통해 자손을 번식시키는 방법	
종자번식의 장단점	장점	① 방법이 간단하고 대량 채종 가능 ② 우량종 개발 가능 ③ 취급과 저장·수송 간편 ④ 영양번식에 비해 발육이 왕성하고 수명이 긺
	단점	① 변이가 일어날 가능성이 있음 ② 불임성이나 단위결과성 식물의 번식이 어려움 ③ 목본류(교목, 관목)는 개화까지의 기간이 오래 걸림

❷ 영양번식(무성번식)

영양번식의 의의	① 영양번식(營養繁殖) : 특별한 생식 기관을 만들지 아니하고 영양체의 일부에서 다음 대의 종족을 유지하여 가는 무성생식 ② 식물의 생식기관이 아닌 영양기관(營養器官), 즉 줄기(莖), 잎(葉), 눈(芽), 뿌리(根) 등을 이용해서 번식시키는 방법	
영양번식법	자연영양번식법	모체에서 자연적으로 생성 분리된 영양기관을 번식에 이용하는 것으로 고구마의 덩이뿌리, 감자의 덩이줄기 등이 있음
	인공영양번식법	인공적으로 영양체를 분할하여 번식시키는 것으로 삽목(揷木), 접목(接木), 취목(取木), 분주(分株), 분구(分球)법 등이 있음
영양번식의 장단점	장점	① 모체와 유전적으로 완전히 동일한 개체를 얻을 수 있음 ② 초기 생장이 좋으며 조기 결과의 효과를 얻을 수 있음 ③ 자가불화합성 또는 교배불친화성인 과수품목에 유용함 ④ 종자번식이 불가능한 마늘·무화과·바나나·감귤류 등의 유일한 번식방법 ⑤ 화목류의 경우 개화까지의 기간을 단축할 수 있음 ⑥ 병충해 및 저항성을 증진시킬 수 있음
	단점	① 바이러스에 감염되면 제거 불가능 ② 종자번식 작물에 비해 취급·저장·수송이 어려움 ③ 증식률이 낮음

❸ 접목(接木)

접목의 의의	① 접목(접붙이기) : 대목에 원하는 품종의 접순을 붙여 번식시키는 방법 ② 고욤나무와 감나무, 찔레나무와 장미, 탱자나무와 귤나무, 돌배나무와 배나무 등 ③ 접목에서 정부(頂部)가 되는 쪽을 접수(接穗)라고 하고, 기부(基部)가 되는 쪽을 대목(臺木)이라고 함	
접수와 대목	① 친화성 : 접수와 대목은 동종 간이 가장 좋음 ② 접수와 대목의 형성층이 서로 밀착하여 유상조직이 생기고 유관속으로 연결되어 완전한 식물체로 성장	
접목의 적기	① 대목의 활력이 높고, 접수가 휴면 상태일 때가 좋음 ② 사과, 배 등은 3월 중순경, 밤, 감 등은 4월 중하순이 좋음 ③ 봄에 접목하는 수종은 평균기온 15℃ 전후로 대목의 새순이 나오고 본엽이 2개 정도일 때가 적기	
접목방법	지접 (枝接, 가지접)	가지접에는 가지를 잘라 대목에 접붙이는 방법에 따라 깎기접·쪼개접·복접(腹接)·혀접·고접(高接) 등으로 나누는데, 일반적으로 깎기접이 많이 이용
	아접 (芽接, 눈접)	여름에서 가을에 가지에 충실한 눈을 채취하여 대목에 접합, 결속하는 접목법
	뿌리접	벌레의 해에 대하여 또는 생리적으로 저항성이 있는 종류의 뿌리로 이미 성장한 나무에 접목하여 나무를 젊게 하는 일
접목의 효과	① 신품종 증식이 쉬움 ② 결과연령 단축 ③ 병충해에 대한 저항성 증진 ④ 고접으로 수확작업 용이(예 사과) ⑤ 모수의 영양계 조직의 보존이 가능 ⑥ 수세 조절과 수형 변화를 꾀할 수 있음	

❹ 삽목(揷木, 꺾꽂이)

삽목의 의의	① 삽목 : 뿌리나 잎, 줄기를 잘라 땅에 꽂아 뿌리를 내리게 하여 번식시키는 방법 ② 쌍떡잎식물은 삽목으로 발근이 잘됨 ③ 줄기꽂이(고구마, 개나리, 버드나무 등), 잎꽂이(베고니아, 아프리카제비꽃 등)	
삽목의 장단점	장점	① 모수의 특성을 그대로 이어 받음 ② 결실이 불량한 수목 번식에 알맞음 ③ 묘목의 양성기간이 단축 ④ 개화결실이 빠름 ⑤ 병충해 저항성이 강함 ⑥ 특정 체세포 돌연변이를 번식시키고 싶을 때 이용
	단점	수명이 짧고, 삽목이 가능한 종류가 적음

삽목의 시기	① 모수의 나이가 어리고, 영양적으로 충실할수록 발근율이 높음 ② C/N율이 높은 것이 발근에 유리함 ※ C/N율이 낮으면 영양생장이 계속되고, 높으면 개화를 유도함 ③ 삽목 시 기온보다 지온이 다소 높은 것이 유리하고 공중습도가 높은 것이 좋음 ④ 상록침엽수(4월 중순), 상록활엽수(6월 하순~7월 상순) 　→ 포도나무(3월 중순 아직 눈이 트기 시작하기 전)

❺ 분주(分株, 포기나누기), 취목(取木, 휘묻이), 구근번식

분주	뿌리가 여러 개 모여 덩어리로 뭉쳐 있는 것을 작은 포기로 나누어 번식시키는 방법 예 나무딸기, 앵두나무, 대추나무, 거베라, 국화, 작약, 붓꽃 등
취목	원줄기에서 가지를 자르지 않고 땅에 휘게 묻어 뿌리를 내리게 한 다음, 잘라서 옮겨 심는 방법 예 뽕나무, 포도, 석류나무 등
구근번식	튤립과 글라디올러스처럼 구근으로 번식하는 화초 종류

❻ 조직배양과 생장점 배양

조직배양	① 조직배양 : 식물의 잎, 줄기, 뿌리와 같은 조직이나 기관의 일부를 모체에서 분리해 무균적인 배양을 통해 캘러스를 만들거나 식물체를 분화, 증식시키는 기술 ② 식물의 전체형성능 : 대부분의 식물은 다양한 식물조직이나 세포배양을 통해 완전한 식물체를 재생시킬 수 있는 특성을 가지고 있음
생장점 배양	① 식물의 생장점을 잘라서 배지에서 키워 전체 식물체를 분화시키는 조직배양 방법으로 무병(주로 바이러스) 식물체를 얻는 데 이용 ② 고등식물의 줄기나 뿌리의 생장점 또는 생장점을 함유하는 주변조직을 분리하여 기내에서 무균적으로 배양하는 방법

제3절　육종(育種)

❶ 육종의 의의

육종의 개념	식물의 유전적인 성질을 이용하여 농업에 유익한 새로운 종을 만들어 내거나, 기존의 품종을 더욱 좋게 만들어내는 일
작물 육종의 목표	① 수량 증대와 품질 향상 ② 내병충해성을 강화 ③ 농업수익의 증대 ④ 친환경 육종을 통해 농약 사용을 줄이고 노동력을 절감시킴

❷ 육종방법

분리육종법	① 같은 종에서도 잘 살펴보면 자연적인 '변종'이 있고, 특히 재래 품종 중에는 잡다한 성질을 가진 것이 섞여 있는데, 이것을 분리하여 이용가치가 높은 것을 선택하는 방법 ② 작물의 번식법에 의하여 순계분리법(純系分離法) · 계통분리법 · 영양계(營養系)분리법 등이 있음	
	순계분리법	일반적으로 재래품종은 자연교잡, 자연돌연변이, 다른 품종의 기계적인 혼입 등으로 인하여 많은 유전자형이 혼합된 상태로 되어 있는데, 이들 재래품종의 개체군 속에 들어 있는 형질 중에서 유용한 개체를 선발하는 일
	계통분리법	• 개체 또는 계통의 집단을 대상으로 하는 선발육종법의 하나인데, 개체 또는 계통의 집단을 대상으로 하여 선발을 거듭하는 방법 • 주로 무 · 배추 · 옥수수와 같은 타가수정(他家受精) 작물에 이용되며, 순계분리법처럼 완전한 순계를 얻기는 어려움
교잡육종법	① 인공적으로 특정하게 다른 종이나 품종을 교배시켜 그 자손 가운데서 양친이 가진 뛰어난 형질(形質)을 함께 가진 유용한 것을 골라내는 방법 ② 여교잡법 : A품종과 B품종의 교잡 → 다시 양친 A와 B 중 하나와 교잡	
도입육종법	외국에서 시험재료를 들여와 그대로 혹은 얼마 동안 선발한 후 그 품종을 보급하는 방법	
잡종강세 육종법	① 옥수수나 대부분의 야채류 등 타식성(他殖性) 작물을 무리하게 자가수정(自家受精)시키거나 근친교배시키면 자식약세(自殖弱勢) · 근교(近交)약세를 일으켜 생육이 부진해지므로, 원연(遠緣)교잡을 실시해 잡종의 성질을 남겨 주는 육종법 ② 잡종강세가 왕성하게 나타나는 1대 잡종(F1) 그 자체를 품종으로 이용하는 육종법 ③ 잡종강세 육종법 적용식물	

인공교배 이용	토마토, 오이, 가지, 수박 등
자가불화합성 이용	배추, 양배추, 무 등
웅성불임성 이용	양파, 고추, 당근 등
암수 다른 꽃 이용	오이, 수박, 옥수수 등
암수 다른 포기 이용	시금치, 머위 등

배수체 육종법	① 생물에는 그 종에 특정한 염색체 수의 짝(게놈)이 있는데, 이것을 화학약제(콜히친)로 배가(倍加)시킴으로써 뛰어난 것을 얻는 방법 ② **씨없는 수박** : 2n = 22인 수박의 염색체 수를 배가시켜 4n을 만들고 2n×4n의 방법으로 3배체(3n)의 씨없는 수박을 만듦

돌연변이 육종법	① 어떤 종류의 화학약제(化學藥劑)·방사선 등을 생물체에 처리하면 여러 돌연변이가 생기는데, 이것을 이용하여 그 속에서부터 유용한 것을 골라내는 방법 ② 돌연변이 육종법의 종류	
	자연적 돌연변이	과수의 아조변이를 육종에 이용하는 방법 * 아조변이 : 생장 중인 가지 및 줄기의 생장점의 유전자에 돌연변이가 일어나 둘이나 셋의 형질이 다른 가지나 줄기가 생기는 일로 가지변이 라고도 함
	인위적 돌연변이	유전자, 염색체 등에 X선, 감마선 등을 조사하여 돌연변이를 유발 시켜 새로운 품종으로 육성시키는 방법

❸ 종자의 증식·갱신·채종

종자의 증식	종자를 양적으로 늘리는 것
종자의 갱신	① 신품종의 특성을 유지하고 품종퇴화를 방지하기 위해서 일정기간마다 우량종자로 바 꾸어 재배하는 것 ② 종자의 갱신 주기 : 감자, 옥수수(매년 갱신), 벼, 보리, 콩(4년 주기)
종자의 채종	① 재배지 선정 : 씨감자(고랭지), 옥수수, 십자화과(섬, 산간지 등 격리지점) ② 종자 선택 및 종자 처리 : 원종포에서 생산 관리된 우량종자 선정 및 처리 ③ 이형주의 철저한 제거 ④ 수확 및 조제 : 상처 없이 성숙단계에서 채종

특수원예

제1절 시설원예

❶ 의의 및 입지조건

시설원예의 정의	유리온실이나 비닐하우스를 이용하여 채소·꽃·과수 등의 원예작물을 집약적으로 재배·생산하는 것
필요성과 수익성	① 필요성 : 시설원예로 채소와 꽃 등이 연중 생산되면서 소비자의 기호에 맞는 상품을 공급하는 체계가 필요함 ② 수익성 : 시설원예는 공급의 계절적 편재성을 극복하면서 고가출하 가능
입지조건	① 기상조건 : 난방부하가 적은 온난지역 ② 토양 및 수리조건 : 비옥한 토양과 지하수위와 배수가 양호한 장소 ③ 위치조건 : 생산물 출하가 용이하고 수송비 절감이 가능한 곳

❷ 시설자재

골격자재	① 골격을 유지하기 위해 목재, 경합금재, 강재 등이 사용됨 ② 경합금재 : 가볍고 내식성이 강한 반면 비싸고 강재에 비하여 강도가 떨어짐
피복자재	① 기초 피복재 : 유리, 플라스틱 필름 등 ② 보온·차광 피복재 : 부직포, 거적 등 ③ 피복재의 조건 : 높은 투광률, 낮은 열투과율, 보온성, 낮은 열전도율, 낮은 수축·팽창률, 내충격성, 저렴한 가격 등

❸ 시설의 구조

구조적 조건	고정하중과 적재하중, 적설하중, 풍하중을 고려한 설계	
지붕의 기울기	① 30° 정도의 투광률 ② 최소 26° 이상의 비흘림 기울기 ③ 적설방지 기울기 : 다설지역 32° 이상, 채소·절화용 온실 26.5~29° 정도	
시설 설치방향	단동(외지붕형, 3/4지붕형)	동서 방향, 투광률 10% 정도
	양지붕형 연동	남북동 방향(단, 벤로형은 동서동이 원칙)
	플라스틱 하우스	촉성재배(동서동), 반촉성재배(남북동)

❹ 시설의 종류

외지붕형	① 지붕이 한 쪽만 있는 온실 ② 겨울 채광이 좋고, 소규모 시설에 적합하며 동서방향이 유리함
스리쿼터형 (3/4형)	① 남쪽 지붕이 지붕 전체의 3/4을 차지하는 온실 ② 동서 방향이 좋음
양지붕형	① 지붕의 양쪽 길이가 같은 온실 ② 남북 방향 시설이 유리하고, 균일한 광선 및 통풍성이 좋음
벤로형	① 폭이 좁은 양지붕형 온실을 연결한 것 ② 동서 방향 시설이 좋으며, 시설비가 적게 들고 투과율이 높음

❺ 시설의 관리

온도관리	① 변온관리 : 온실의 온도를 낮에는 높게(광합성의 촉진), 야간에는 낮게(호흡 억제) 　유지하는 관리방법 ② 변온관리는 항온관리에 비해 유류절감, 작물생육과 수확량 증대 및 품질향상 효과를 　가져올 수 있음 ③ 보온 : 전열에 의한 열손실 방지, 난방으로 저온장해 방지 등 ※ 보온의 기본원리 : 환기전열(換氣傳熱)의 억제
수분관리	① 시설 내에서는 수분공급이 없고, 증산량은 많으므로 수분공급 필요 ② 토양수분의 과습 시 이랑을 높이고 암거배수시설 설치
토양관리	① 토양장해 : 비료성분의 축적과 염류집적현상 발생 ※ 염류집적현상 관리 : 객토, 유기물 사용, 담수 처리, 제염작물 재배 ② 연작장해 : 병원성 미생물과 해충의 생존밀도가 높아짐 ③ 토양경화 : 집약적 재배와 인공관수에 의해 토양이 굳게 다져지게 됨 ④ 미량원소의 부족 : 미량원소가 부족하게 되면 작물생육장해 발생
광관리	① 구조재 차광 : 구조재의 비율이 클수록 광차단율이 높아짐 ② 피복재 광투과량 : 피복재 자체의 먼지, 색소 등의 광흡수에 의해 광투과량이 감소 ③ 시설의 방향과 광투과량 : 겨울(동서동), 연동형(남북동)이 광량이 더 많음 ④ 반사광의 이용
이산화탄소 관리	① 밤에는 작물의 호흡작용으로 CO_2가 방출되어 실내 CO_2 농도가 높아지는 반면, 낮에는 　광합성 작용으로 CO_2 농도가 급속히 낮아짐 ② 실내 통로에는 CO_2 농도가 높고, 잎, 줄기가 무성한 부분은 농도가 낮음 ③ CO_2 결핍 : 경엽신장이 불량하고 연약해지며 낙화, 낙과 증대 ④ CO_2 시비 시기 : 해 뜬 후 1시간 후부터 환기 시까지 2~3시간 ⑤ 양액재배의 경우 토양재배보다 CO_2 농도를 높여야 함

❻ 시설 내 생리장해

토양환경불량	염류집적	① **염류집적** : 지표수, 지하수 및 모재 중에 함유된 염분이 강한 증발 작용하에서 토양 모세관수의 수직과 수평 이동을 통하여 점차적으로 지표에 집적되는 과정 ② 질소비료의 과다 사용으로 특정원소의 결핍 초래 ③ **높은 염류농도** : 토양 삼투압이 뿌리의 삼투압보다 커져서 작물이 위조됨
	토양의 산성화	질소질 비료의 사용으로 산성화한 토양은 인산과 칼륨의 흡수를 어렵게 하여 생육장해를 일으킴
	온도장해	지온이 높으면 작물의 호흡이 증가하고 산소 부족과 칼슘 흡수 저해를 유발, 칼슘결핍증과 생장 억제
유해가스집적		① 유해가스 : 암모니아, 아질산가스, 아황산가스, 일산화탄소 등 ② 가스장해 : 암모니아(잎둘레갈변), 아질산가스(고추 - 흰색점무늬), 아황산가스(광합성 저하 - 잎 뒷면 갈색점무늬)

병해충		① 시설 내 병해충의 특징
		  - 병원균의 빠른 전파
		  - 살충제의 약효가 오래 지속되지만 식물이 연약해지고 웃자람으로 도장하기 쉬움
		  - 침입한 해충의 빠른 증식
		  - 해충의 연중 발생
		  - 살충제 내성으로 방제가 어려움
		② 시설 내 주요 병해 : 역병, 균핵병, 잿빛곰팡이병, 흰가루병, 노균병, 검은별무늬병, 풋마름병, 배꼽썩음병 등
		③ 저온 또는 고온 병해
		  - 저온장해 : 노균병, 균핵병, 잿빛곰팡이병 등
		  - 고온장해 : 시들음병, 풋마름병, 탄저병 등

제2절 청정재배

❶ 수경재배

수경재배의 의의	① **수경재배** : 시설재배의 한 형태로서 생장에 필요한 양분을 녹인 배양액만으로 식물을 기르는 일 ② 무토양재배를 원칙으로 하며, NFT(nutrient film technique)나 담액수경(湛液水耕), 분무경(噴霧耕), 모관수경(毛管水耕) 등의 수경재배가 포함됨 ③ 재배작물 : 오이·토마토·방울토마토·고추 등의 과채류, 상추·미나리·엔다이브·잎파·들깨 등의 엽채류, 장미·거베라·국화·카네이션 등의 화훼류

수경재배의 특징	① 연작장해 없이 동일 장소에서 동일 작물을 반복해서 재배할 수 있음 ② 미생물이나 중금속 오염 가능성이 없음 ③ 관리작업을 자동화할 수 있어서 생력재배 가능 ④ 생육이 빠름(생산량 증대) ⑤ 토양재배가 어려운 곳이나 토양 오염 지역에서도 재배가 가능 ⑥ 작물생육 요인으로 양분농도나 pH 변화에 영향을 받음 ⑦ 비용이 많이 듦 ⑧ 수경재배가 가능한 작물이 제한되어 있음

❷ 식물공장(NFT)

식물공장의 정의	외부환경과 단절된 공간에서 빛, 공기, 온도, 습도, 양분 등 식물의 환경을 인공적으로 조정하여 농산물을 계획적으로 생산하는 시설
식물공장의 특징	① 시설비 저렴 ② 설치 간단 ③ 산소부족이 없음 ④ 자동화, 생력화가 가능

❸ 청정재배의 요건

청정재배의 가능요건	① 특수한 구조의 시설이 필요함(재배모판, 양액공급장치, 양액탱크 등) ② 양질의 물 공급 필요 ③ 폐양액과 소독액의 배수시설 필요 ④ 양액조제 및 시설 관리에 전문성 필요

농산물품질관리사
1차 한권으로 합격하기

수확 후 품질관리론

수확 후 품질관리

개념	① **수확 후 품질관리** : 수확된 농산물이 생산자로부터 최종소비자에게 도달되는 전과정에서 실시되는 각종 조치를 총칭하는 것 ② **수확 후 주요활동** : 품질 향상, 신선도의 유지, 부패의 방지, 감모율 감소, 유통기간의 연장 등의 종합적 활동

기술	① **품질결정과 관련된 결정요소**
	  − 사회문화적 환경 : 시장의 특성, 소비자의 기호 및 유형
	  − 생물적 특성 : 품종, 저장성, 가공성 및 재배법 등
	  − 기술적 특성 : 안전성 유지 기술, 상품차별화 기술, 시설과 장비의 이용기술 등
	② **수확 후 품질관리기술의 분류**
	  − 수확 후 생명유지 작용 : 호흡, 성숙, 수분 증산, 장해 제거, 에틸렌 관리 등
	  − 유통 환경 : 온도, 상대습도, 가스 조성, 에틸렌 농도, 광(광도), 물리적 충격 등
	  − 부가가치의 창출 및 물류시스템의 구축과 효율성 증진 기술
	③ **품질관리기술**
	  − 품질안전성 유지기술 : 예냉, 예건, 저장기술, MA포장, CA저장, 신선도 유지, 큐어링, 훈증, 살균, HACCP 적용 등
	  − 상품화 기술 : 선별, 포장, 후숙 등
	  − 부가가치의 창출 기술 : 신선편이, 가공 등

CHAPTER
02 성숙과 수확

❶ 성숙

의의	① 농산물의 종자나 과실에서 미숙한 과실이 수확 가능한 상태로 변해가는 과정 ② 성숙한 농산물의 변화 　－ 과실의 외관 완성　　　－ 내용물의 충실 　－ 발아력의 완전화　　　－ 수확의 최적화 상태 도달
성숙도의 구분	① 원예적 성숙도 : 작물의 상업적 이용 측면에서 본 성숙 ※ 상업적 성숙도 : 시장에서 소비자에게 판매가 가능한 시점에서의 성숙도 ② 생리적 성숙도 : 식물의 생장 자체의 성숙에 기준을 둔 성숙도 ③ 작물의 수확 적기 판단기준 : 원예적 성숙도 　－ 생리적 성숙도 이전에 수확하는 작물 : 애호박, 오이, 가지 등 　－ 생리적 성숙단계에서 수확하는 작물 : 사과, 수박, 참외, 양파, 감자 등

과실별 성숙의 특징	과실 성숙의 특징	구체적 성분 변화
	크기와 형태, 향기	크기와 형태는 비대하고, 품종 고유의 향기가 남
	품종 고유의 색태	과피의 바탕색이 품종 고유의 색택 발현
	엽록소 변화	엽록소는 감소하고, 카로티노이드 또는 안토시아닌의 증가
	펙틴질의 변화	세포의 중층에서 펙틴질이 가용성 펙틴으로 변화
	유기산 감소	가용성 고형물이 증가하고, 유기산은 감소
	전분의 가수분해	생리적으로 저장되어 있던 전분이 가수분해되면서 자당과 환원당이 증가
	에틸렌	에틸렌 생성이 증가
	호흡	호흡급등현상이 나타남(특히 사과)

과실의 성숙 과정	① 경숙(硬熟) : 과실 초기의 단단한 초기 상태 ② 완숙(完熟) : 과실이 연해지는 상태로, 과실 고유의 향기와 색상을 띄고 펙틴질이 분해되는 상태 ③ 과숙(過熟) : 과실이 연화(軟化)되어 식용으로 부적당한 상태

과실성숙의 주요 요인	기온과 일조량	고온과 많은 일조량은 과실의 성숙을 앞당김
	토양 양분	양분이 많은 토양에서 성숙과 착색이 늦어짐
	비료	① 많은 인산비료 : 성숙 촉진 ② 풍부한 질소비료 : 성숙 지연
	착과량	착과량이 많으면 성숙이 늦어짐

과실성숙도 판정기준	① 품종 고유의 색택이 나타날 때 성숙 판단 ② 수확이 쉬워질 때(꼭지가 잘 떨어질 때) ③ 성숙기가 된 과실 : 과실 연화, 단맛 증가, 신맛 감소 ④ 펙틴의 변화 : 과실이 성숙될수록 불용성 펙틴이 가용성 펙틴으로 변화 ⑤ 개화 후 경과일수 : 꽃핀 다음 성숙기까지 거의 일정한 기간이 걸림

❷ 수확

수확시기의 판단	① 수확기 결정 요인 : 작물의 발육 정도, 재배조건, 시장조건, 기상조건 등 ② 외관의 변화를 기준으로 수확시기 판단 : 과실의 크기와 형태, 열매꼭지의 탈락 등 ③ 개화기 일자에 따른 수확시기의 판단 {표: 후지사과 - 개화 후 160~170일 경과 / 애호박 - 만개 후 7~10일 경과 / 토마토 - 개화 후 40~50일 경과 / 오이 - 개화 후 10일 경과 / 고추 - 노지 건고추 : 개화 후 45~50일 경과, 시설 풋고추 : 개화 후 15~20일 경과} ④ 클라이맥터릭 : 과실의 호흡량이 최저에 달한 후 약간 증가되는 초기단계에 수확 ⑤ 과실경도 : 과실의 과육이 물러지는 정도에 따라 수확적기 판단 ⑥ 요오드 염색법 : 전분이 요오드와 결합하면 청색으로 변하는 성질을 이용하여 청색의 면적이 작으면 성숙기로 판정

표 내용:

후지사과	개화 후 160~170일 경과
애호박	만개 후 7~10일 경과
토마토	개화 후 40~50일 경과
오이	개화 후 10일 경과
고추	• 노지 건고추 : 개화 후 45~50일 경과 • 시설 풋고추 : 개화 후 15~20일 경과

과실별 수확적기 판정지표	과실 종류	판정지표	과실 종류	판정지표
	사과	전분 함량	복숭아, 참다래	당도
	밀감류	주스 함량	사과, 배	개화 후 경과일수
	감	떫은맛	사과, 멜론류, 감	이층 발달
	배추, 양배추	결구상태	사과, 배	내부 에틸렌 농도
	밀감, 멜론, 키위	산 함량	사과, 배, 옥수수	누적온도(적산온도)

* 이층(離層) : 잎이나 꽃잎, 과실 등이 식물의 몸에서 떨어져 나갈 때, 연결되었던 부분에 생기는 특별한 세포층

수확적기 판정의 중요성	① 수확산물의 품질 결정 ② 적정 수확시기를 경과한 후 수확할 때 저장성 약화 ③ 수확산물의 최대 수확량(생산량) 결정 기준 ④ 수확산물의 가격 결정 ⑤ 수확시기와 상업적 성숙도가 일치할 때 작물의 시장가치를 올릴 수 있음

PART 03

수확방법	손수확	• 기온이 낮은 아침부터 오전 10시경까지 수확 • 익은 과일부터 몇 차례 나누어 수확 • 상처가 나지 않도록 치켜 올려 따거나 가위나 칼을 이용해 수확 • 호흡급등형 과실은 약간 덜 익은 것을 수확 <table><tr><td>단감</td><td>꼭지를 짧게 잘라 수확</td></tr><tr><td>장기저장용 과실</td><td>미성숙 단계에서 수확</td></tr><tr><td>양파</td><td>지상부 도복 정도에 따라 수확</td></tr><tr><td>수박</td><td>시장출하용은 완숙단계에서 수확</td></tr><tr><td>오이</td><td>안토시아닌 함량 증가 시 수확</td></tr></table>
	기계수확	• 생력화(省力化) 수확 : 단시간에 많은 면적을 수확할 수 있음 • 가공용 과실 수확에 많이 이용 • 성숙상태보다 미성숙상태의 수확에 이용
	작물별 수확방법	• 결구배추 : 뿌리를 잘라서 수확 • 방울토마토 : 하나씩 분리하여 수확 • 고추 : 꼭지를 분리하지 않고 함께 수확 • 절화용 장미 : 꽃대를 길게 하여 수확 • 감자, 고구마 : 기계적 손상을 입지 않도록 수확 • 복숭아 : 1일 이상 비가 온 후에는 비 그친 뒤 2~3일 경과 후 수확

03 수확 후의 생리작용

❶ 호흡

호흡작용	① 호흡작용 : 작물이 산소를 흡수하여 탄수화물, 지방, 단백질, 당, 유기산 등의 유기물질을 산화하여 에너지(ATP)를 얻고 체외로 탄산가스와 물을 배출하는 작용 ② 유기호흡과 무기호흡 　– 유기호흡 : 산소를 사용하는 호흡 　– 무기호흡 : 산소를 사용하지 않는 호흡 ③ 호흡열 : 호흡하는 동안 발생하는 열 ④ 수확 후 관리기술 : 호흡열을 줄이기 위하여 외부환경요인을 조절하는 것
호흡과정	포도당($C_6H_{12}O_6$) + 산소($6O_2$) → 이산화탄소($6CO_2$) + 수분($6H_2O$) + 에너지(ATP) 및 호흡열
호흡열과 저장수명	① 작물을 부패시킴 ② 원예작물의 저장수명 단축(당분, 향미 소모) ③ 호흡열이 높은 작물은 저장성이 낮음 ※ 어린 잎채소는 성숙채소에 비해 호흡열이 높음 ④ 호흡 억제 시 상품성이 오래 유지됨 ⑤ 저장고 건축 시 냉각용적 설계에 중요한 참고자료

❷ 호흡에 영향을 미치는 요인

온도	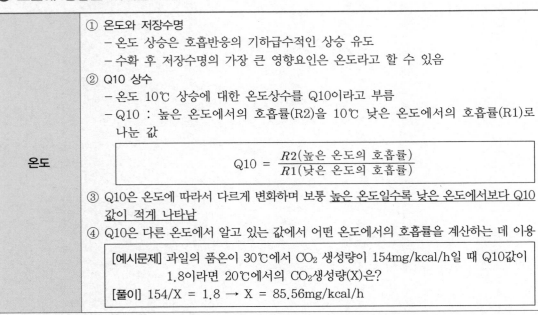

① 온도와 저장수명
　– 온도 상승은 호흡반응의 기하급수적인 상승 유도
　– 수확 후 저장수명의 가장 큰 영향요인은 온도라고 할 수 있음
② Q10 상수
　– 온도 10℃ 상승에 대한 온도상수를 Q10이라고 부름
　– Q10 : 높은 온도에서의 호흡률(R2)을 10℃ 낮은 온도에서의 호흡률(R1)로 나눈 값

$$Q10 = \frac{R2(높은\ 온도의\ 호흡률)}{R1(낮은\ 온도의\ 호흡률)}$$

③ Q10은 온도에 따라서 다르게 변화하며 보통 <u>높은 온도일수록 낮은 온도에서보다 Q10 값이 적게 나타남</u>
④ Q10은 다른 온도에서 알고 있는 값에서 어떤 온도에서의 호흡률을 계산하는 데 이용

[예시문제] 과일의 품온이 30℃에서 CO_2 생성량이 154mg/kcal/h일 때 Q10값이 1.8이라면 20℃에서의 CO_2생성량(X)은?
[풀이] 154/X = 1.8 → X = 85.56mg/kcal/h

132 | Part 03 수확 후 품질관리론

대기조성	① 산소농도와 호흡률
	  - 21% 산소조건에서는 호기성호흡을 하지만 산소농도가 2~3% 떨어지면 호흡률과 대사과정이 감소함
	  - 저장온도가 높을 때는 ATP에 의한 산소 소모로 혐기성 호흡을 함
	② 산소농도와 포장
	  - 포장 시 충분한 산소농도를 감안한 대기조성이 중요, 잘못하면 이취 발생
	  - <u>이산화탄소 농도 증가 시 호흡 감소, 노화 지연, 균 생장 지연</u>
	  - 낮은 산소 조건과 높은 이산화탄소 농도는 발효과정을 촉진할 수 있음

저온스트레스 고온스트레스	① 수확 후 식물이 받는 스트레스는 호흡률에 크게 영향을 받음 ② 일반적으로 식물은 수확 후 <u>저장온도가 낮을수록 호흡률은 떨어짐</u> ③ 온도가 생리적인 범위를 벗어나면 호흡상승률이 떨어짐 ④ 저온스트레스 : 아열대 원산식물은 10~12℃ 이하에서 스트레스를 받음
물리적 스트레스	① 물리적 스트레스 : 호흡 증가, 에틸렌 발생, 페놀물질의 대사 등 생리적 변화 ② 물리적 상처 : 피해 없는 인접조직까지 영향, 에틸렌 발생과 급격한 호흡 증가 ③ 상처는 숙성을 촉진하는 등 지속적인 호흡 증가를 유발하여 에틸렌 발생뿐만 아니라 나머지 저장농산물에도 생리적 변화 유발

❸ 호흡상승과와 비호흡상승과

의의	① 호흡상승과 : 작물이 숙성함에 따라 호흡이 현저히 증가하는 작물 ② 비호흡상승과 : 작물이 숙성하더라도 호흡 상승이 나타나지 않는 작물	
호흡상승과 비호흡상승과	생장 중에 수확된 산물의 호흡률은 높은 편이고, 성숙한 과일 또는 휴면 중인 눈, 저장기관의 호흡률은 낮음	
	호흡상승과 (클라이맥터릭)	• 호흡상승과는 성숙에서 노화로 진행되는 단계상 호흡률이 낮아졌다가 갑자기 상승하는 기간이 있음 • 사과, 바나나, 배, 토마토, 복숭아, 감, 키위, 망고, 참다래, 살구, 멜론, 자두, 수박
	비호흡상승과	고추, 가지, 오이, 딸기, 호박, 감귤, 포도, 오렌지, 파인애플, 레몬, 양앵두 및 대부분의 채소류
호흡률의 변화	수확 후 호흡률은 일반적으로 낮아짐(비호흡상승과는 천천히 낮아지고, 영양조직과 미성숙과는 빠르게 낮아짐) ① 사과의 호흡률 : 조생종 > 만생종 ② 프로필렌, 아세틸렌 처리 → 호흡 증가	
호흡속도	의의	단위시간당 발생하는 이산화탄소의 무게나 부피의 변화로 표시
	호흡속도의 특징	① 해당작물의 온전성 타진 수단 ② 물리·생리적 영향을 받았을 때 증가 ③ 저장가능기간에 영향 ④ 주위 온도가 높아지면 빨라짐 ⑤ 내부성분 변화에 영향 ⑥ 호흡속도 상승 시 저장기간 단축

호흡속도와 저장력	① 미숙식물이나 표면적이 큰 엽채류는 호흡속도가 빠름 ② 저장기관(감자, 양파)이나 성숙한 식물의 호흡속도는 느림
물리적·생리적 장해와 호흡속도	호흡은 해당작물의 온전성 타진 수단으로 이용되고, 호흡측정은 작물의 생리적 변화를 합리적으로 예측가능하게 함
원예생산물별 호흡속도	① 복숭아 > 배 > 감 > 사과 > 포도 > 키위 ② 딸기 > 아스파라거스 > 완두 > 시금치 > 당근 > 오이 > 토마토 > 무 > 수박 > 양파

❹ 에틸렌

에틸렌의 의의	에틸렌은 식물호르몬의 하나로 화학구조가 지극히 간단한 탄화수소임. 다른 대부분의 식물호르몬들과 달리 기체이고, 식물의 여러 기관에서 생성되며 대부분의 조직에서 소량으로 존재하면서 과일의 성숙, 개화, 잎의 탈리 등을 유도하거나 조절함 ① 에틸렌은 기체상태의 호르몬으로, 호흡급등형 과실의 과숙에 작용 ② 에틸렌의 발생 : 대부분의 원예생물은 수확 후 노화진행이나 숙성 중에 에틸렌이 생성되고, 옥신 처리, 스트레스, 상처 등에 의해서도 발생 ③ 일반적으로 조생품종이 만생품종에 비해 발생량이 비교적 많고, 저장성도 낮음 ④ 에세폰은 에틸렌을 발생시키는 기물조절제로 이용
에틸렌의 특성	① 에틸렌은 불포화탄화수소로 상온과 대기압에서 가스로 존재 ② 가연성, 무색, 약간의 단 냄새가 남 ③ 0.1ppm의 낮은 농도만으로 생물학적 영향을 미침 ④ 상품보존성 약화 요인 : 노화, 연화, 부패 촉진 등 ⑤ 일단 생성이 되면 스스로 생합성을 촉진(자기촉매적 성격) ⑥ 엽록소를 분해하는 작용을 함 　- 양배추의 황백화 　- 오이, 수박 : 과피 물러짐
에틸렌의 발생과 저장성	① 에틸렌 다량 발생 품목 : 토마토, 바나나, 복숭아, 사과, 배 등 ② 에틸렌 발생이 미미한 품목 : 포도, 딸기, 귤, 신고배, 엽근채류 등 ③ 에틸렌 피해 　- 상추, 배추 : 조직의 갈변 　- 당근, 고구마 : 쓴맛 　- 오이 : 과피의 황화 ④ 에틸렌 다량 발생 품목과 그렇지 않은 품목은 동일 장소에 보관하는 것을 피해야 함 _표 아래 참조_

에틸렌 발생이 많은 작물	에틸렌 피해가 쉽게 발생하는 작물
사과, 살구, 바나나(완숙과), 멜론, 참외, 복숭아, 감, 자두, 토마토, 모과 등	당근, 고구마, 마늘, 양파, 강낭콩, 완두, 오이, 고추, 풋호박, 가지, 시금치, 상추, 바나나(미숙과), 참대(숙과) 등

에틸렌의 영향	① 과일의 후숙과 연화 촉진 ② 신선채소의 노화 촉진 ③ 수확한 채소의 연화 촉진 ④ 상추의 갈색반점 ⑤ 이층형성을 촉진하여 낙엽 발생 ⑥ 과일이나 구근의 생리적 장해 유발 ⑦ 절화의 노화 촉진 ⑧ 분재식물의 조기 낙엽 촉진 ⑨ 엽록소 함유 엽채류의 황화현상과 잎의 탈리현상 촉진 ⑩ 조기 경도 약화 유발 ⑪ 줄기채소류(아스파라거스)의 섬유질화와 줄기의 경화현상 유발 　 – 에틸렌 처리에 의한 후숙 : 바나나, 떫은 감, 키위 등 　 – 에틸렌 증상 : 결구상추(중륵반점), 브로콜리(황화), 카네이션(꽃잎말림) 　 * 중륵 : 엽신의 중앙기부에서 끝을 향해 있는 커다란 맥
에틸렌의 제거	① 흡착식, 자외선파괴식, 촉매분해식 ② 저장고 내 흡착제 : 과망간산칼륨, 목탄, 활성탄, 오존, 자외선 등 ③ 1-MCP 　 – 식물체의 에틸렌 결합 부위를 차단하는 작용 　 – 과실의 연화나 식물의 노화를 감소시켜 수확 후 저장성의 향상 　 – 1,000ppm의 농도로 12~24시간 처리 : 과일과 채소류의 저장성과 품질 향상 ④ 기타 에틸렌 발생 억제제 : STS(티오황산), NBA, ethanol, 6% 이하의 저농도 산소
에틸렌의 농업적 이용	① 과일의 성숙, 수확 촉진 및 착색 촉진제 ② 파인애플의 개화 유도 ③ 오이, 호박 등의 암꽃 발생 유도 ④ 종자의 발아 촉진 ⑤ 정아우세 타파로 곁눈의 발달 조장 ⑥ 신장생장 억제와 비대생장 촉진 ⑦ 이층형성 촉진에 의한 낙엽이나 낙과 발생 ⑧ 맹아 촉진과 휴면타파
에틸렌 발생의 제거	① 환기 ② 혼합저장 회피 ③ 화학적 제거 : 과망간산 칼리, 활성탄, 백금촉매 처리, 이산화티타늄, 오존 처리 ④ CA저장법 : 에틸렌의 합성을 낮춤

❺ 증산작용

증산작용의 의의	① 증산 : 식물체가 다량 차지하고 있는 수분이 체내에서 빠져나가는 현상 ② 증산작용은 식물체에 중요한 대사작용이긴 하지만, 수확 후의 농산물에는 여러 가지 나쁜 현상을 일으킴 ③ 증산을 조절한다는 것은 농산물의 저장생리에서 매우 중요함

농산물에 미치는 영향	① 증산은 호흡으로 발생된 중량감소의 10배 정도 됨 ② 증산이 많은 경우 5~10%까지 중량이 줄어들며, 상품성이 크게 떨어짐 ③ 증산작용으로 인해 모양, 질감 저하로 등급 저하를 가져와 수입 감소
증산의 증감	① 주위 습도가 낮고, 온도가 높을수록 증가 ② 대기와 식물 내 수증기압 차이가 클 때 증가 ③ 표면적이 클수록 증가 ④ 큐티클 층이 두꺼울수록 감소
증산작용의 억제	① 상대습도를 올림 ② 저장고의 습도 높임(고습도 유지) ③ 저온 유지 ④ 실내 공기 유통 최소화 ⑤ 단열 및 방습 처리 ⑥ 증발기의 코일과 저장고 내 온도 차이를 최소화 ⑦ 유닛쿨러의 표면적 넓힘 　* 유닛쿨러 : 팬 코일 증발기에 팬을 달아서 강제대류를 시키는 것으로, 저장물에 직접 냉풍을 닿게 　　하여 냉각시키는 장치 ⑧ 플라스틱 필름 포장
증산량이 많은 작물	① 채소류 : 파, 쌈채소, 딸기, 버섯, 파슬리, 엽채류 등 ② 과일류 : 살구, 복숭아, 감, 무화과, 포도 등

품질구성과 평가

❶ 품질의 구성요소

품질의 구성요소	외적 요인		• 시각적 요인 : 색깔, 광택, 크기 및 모양, 상처 • 촉각적 요인 : 조직감, 질감 • 후각 및 미각적 요인 : 향기, 맛
	내적 요인		• 영양적 가치 : 비타민, 광물질 등 • 독성 물질 • 안전성 : 농약잔류, HACCP 관리 등
외적 요인	외관	크기	• 작물의 직경, 길이, 무게, 부피 등 • 포장 시 각 작물의 크기는 허용기준 이내의 편차범위 내에 있어야 하며, 고르기 등급 판정의 기준이 됨
		모양과 형태	• 동일 품종 등은 유사형태를 갖춰야 함 • 정상형태와 기형으로 분류하여 품질을 나눔
		숙성 시 색상 발현	• 토마토 : 주황색 색소 리코핀(카로티노이드계 적색) 발현 • 딸기, 사과 : 적색 색소인 안토시아닌 발현 • 바나나 : 주황색 계통의 카로티노이드 발현
	조직감 (질감)	조직감	촉감에 의해 느껴지는 원예산물의 경도의 정도. 조직감은 원예산물의 식미의 가치를 결정하는 중요 요소이며, 수송력에도 관여함
		조직감 관여요소	세포벽의 구조 및 조성, 세포의 팽압, 전분, 프룩탄(과당) 등 ※ 과실의 세포벽을 구성하는 요소에는 펙틴, 셀룰로오스, 헤미셀룰로오스 등이 있으며, 과실의 연화는 이러한 물질을 분해하는 효소가 작용
		경도의 단위	뉴톤(Newton)은 일반적인 질감 평가에 사용되며, 조직의 단단함 정도가 경도를 의미
		원예산물의 조직감	수분, 전분 등의 복합체 및 세포벽을 구성하는 펙틴류와 섬유질의 함량 등의 구성성분에 따라 결정되는데 복합체 등의 함량이 낮을수록 조직은 연함
		질감에 끼치는 요소	세포벽 구성물(전분, 효소, 펙틴)과 이와 결합되는 다당류와 리그닌 등

풍미 (맛과 향기)	풍미	원예산물의 조직을 입에 넣어 씹을 때 입과 코로 인지할 수 있는 맛과 향기를 의미
	맛의 기준 5가지	단맛, 신맛, 짠맛, 쓴맛, 떫은맛 ※ 나린진 : 플라보노이드 색소의 배당체로 플라바논에 람노오스와 글루코오스가 결합한 것. 과실의 쓴맛 성분이지만, 가수분해산물인 프루닌, 나린제닌은 쓴맛을 나타내지 않음
	원예산물의 향기	외적 품질과 관련된 것으로, 실제적으로 맛과 같은 중요한 품질요인으로 취급하지는 않음
	적정산도 (TA)	식품 중의 총 산량을 알칼리 표준용액을 사용하여 적정법으로 구한 값으로, 식품의 신맛의 강도를 나타내는 척도로 사용

〈더 알아보기〉 색상 체계

◦ Munshel 색차계
 – 색의 표기는 색상, 명도, 채도의 순으로, 기호로는 H V/C로 표기
 – 예를 들면, 5R 3/10으로 표기된 색은 색상 5R, 명도 3, 채도 10인 색상
 – 이 색상은 높은 채도와 낮은 명도를 지닌 기본 빨강임을 알 수 있으며, 읽을 때는 5R 3의 10이라고 읽음
◦ CIE 색차계(3차원 변환)
 – CIE L*a*b*: CIE 표색계를 일반적으로 사용되는 먼셀 표색계와 더 가깝게 만들고, 보다 균등한 색공간을 얻고자 하는 노력에서 개발
 – 보색이론을 바탕으로 하며, 의미하는 것은 다음과 같음

> • L*은 명도(0~100흰색)
> • a*는 빨강-초록(녹색안의 적색 정도 -40녹색 ~ +40적색)
> • b*는 노랑-초록(청색에서 황색 정도 -40청색 ~ +40황색)

◦ Hunter 색차계(2차원 변환)
 – L(명도) : 0은 검정, 100은 흰색
 – a(적색도) : -값은 녹색, +값은 적색
 – b(황색도) : -값은 청색, +값은 황색

내적 요인	영양적 가치	• **영양물질의 공급원** : 섬유질, 무기원소, 비타민 등의 공급원 • 비타민 중 수용성 비타민의 중요 공급원 • **중요 무기원소** : Na, K, Ca, Fe, P 등 • 영양적 가치는 소비자가 작물을 선택할 때 비시각적 특성으로 인해 중요시하지 않는 경향
	안전성	• **물리적 요소** : 흙, 돌과 같은 이물질 • **화학적 요소** : 잔류농약, 중금속(수은, 카드뮴, 납) 등의 유독성 화학물질 • **생물학적 요소** : 곰팡이, 박테리아, 바이러스와 같은 미생물 및 그들의 독소, 기생충 등

천연 독성물질	작물	독성물질	작물	독성물질
	오이	쿠쿠르비타신	배추, 무	글루코시놀레이트
	상추	락투세린	옥수수, 땅콩, 보리	아플라톡신
	근대, 토란	수산염	밀, 옥수수	오클라톡신
	감자	솔라닌	옥수수, 맥류	제랄레논
	고구마	이포메아마론	사과주스	파튤린
	병든 작물	진독균, 톡신	수수	청산
	제초제 합성물	파라콰트	살구씨 청매실	아미그달린
미생물 오염	살모넬라, 리스테리아 등			
잔류농약	농산물에는 농약의 잔류허용기준이 정해져 있고, 특히 신선채소의 경우 잔류농약의 안전성이 중요시됨			

❷ 품질평가

품질의 의의	① 원예산물의 품질 결정 요소 : 맛, 조직감, 모양, 형태, 향기, 영양적 가치 및 안전성에 의해 결정 ② 환경친화적 농업의 중요성이 부각되면서 잔류농약 등 식품안전성에 대한 관심의 증가 ③ 품질평가는 합리적 가격 산정, 품질 향상, 우수상품의 유통을 통해 소비자의 신뢰도를 높이는 방향으로 진화
품질평가의 기준	① 외적 요인 : 크기, 부피, 모양, 색깔 등 ② 내적 요인 : 당도, 조직감, 안전성, 영양적 가치 등
품질평가의 방법	① 비파괴적 방법 : 정밀분석기 등 ② 파괴적 방법 : 관능검사법 등

평가항목	평가방법
형상	원형도와 구형도 측정
밀도 또는 비중	• 밀도란 물체의 단위부피당 질량을 나타내는 데 쓰이는 용어 • 과실의 비중을 쉽게 측정할 수 있는 것으로 부력법이 있음
수분함량	105℃ 측정법을 원칙으로 하고 130℃ 건조법, 적외선조사식 수분계, 전기저항식 수분계, 전열건조식 수분계 등이 사용
당도	• 단맛의 정도를 당도라고 하고, 주로 굴절당도계가 사용 • 당도의 측정단위는 브릭스(°Brix)
산도(pH)	유기산이 함유된 정도를 측정하는 것으로 pH계로 측정한 pH값이 곧 산도를 뜻함

관능검사법	① 검사원의 주관적 판단에 의하여 품질을 판단하는 방법 ② 맛, 색깔, 질감, 크기와 모양 등을 보고 상품성 평가
비파괴 검사법	비파괴검사법이란 해당 농산물의 품질평가를 색, 모양, 크기 등의 외양이나 질감과 향미 등을 판단하기 위해 비파괴적 방법을 사용하는 것 ① 비파괴적 품질평가 방법 　－ 근적외선(광학적) 이용방법 　－ X-Ray 이용방법 　－ MRI 이용방법 　－ 경도측정방법 　－ 음향 또는 초음파 이용방법 ※ CCD(Charged coupled device) : 비파괴 당도 측정 영상촬영 장치 ② 비파괴적 이용방법의 장점 　－ 빠르고 신속한 측정 　－ 동일한 시료를 반복해서 사용 가능 　－ 숙련된 검사원이 필요하지 않음

수확 후 처리

제1절 | 세척

❶ 세척과 살균

건식 세척법	① 물을 사용하지 않고 바람 등을 이용한 세척 방법으로 비용은 저렴하지만 재오염 가능성이 높음 ② 건식세척방법 – 체눈의 크기를 이용한 이물질 제거 – 바람에 의한 이물질 제거 – 자석을 이용한 이물질 제거 – 원심력을 이용한 이물질 제거 – 솔을 이용한 이물질 제거 – X선 활용법 – 정전기 활용법
습식 세척법	① 오염물질 제거를 위해 세척제 등 물이 사용되는 세척 방법 ② 세척 후 습기 제거를 하여야 함 ③ 손상이나 변질이 되지 않도록 하여야 함 ④ 습식 세척방법

세척수를 이용한 담금 세척	수확물을 물에 담가서 침전을 이용하여 세척하는 방법
분무에 의한 세척	고압의 분무세척기를 사용하여 수확물에 붙어 있거나 섞여 있는 이물질을 제거하는 방법
부유에 의한 세척	수확물과 수확물에 붙어 있는 이물질의 비중을 이용하여 양 물질의 부력차를 이용한 이물질 제거 방법
초음파를 이용한 세척	초음파를 활용하여 세척수에 담근 상태에서 이물질 제거

살균	① 물을 사용하여 세척한 다음 자외선을 사용하여 세균, 곰팡이, 효모와 같은 미생물을 죽여서 살균효과를 가져옴 ② 자외선 중에서는 파장이 긴 10~400nm인 것이 화학작용이 강함
탈수	① 세척 후 수확물에 남아 있는 수분을 제거하는 방법 ② 회전판 등을 이용하여 수분 제거

원예산물의 세척	근채류	세척시점과 소비시점을 일치시킬 필요가 있음
	엽채류	• 세척 후 곰팡이가 증식할 염려가 있음 • 곰팡이 억제제로 클로린(염소) 100ppm 정도 처리
	과채류	이물질을 제거하기 위해 과일을 닦는 일은 상처를 유발할 수 있고, 손상된 부분에 에틸렌을 발생시킬 수도 있음

❷ 세척수 활용과 처리

처리방법 및 특징	① 수확 후 농산물 세척수는 음용수 기준 이상을 사용하여야 함 ② 폐기물처리시설은 작업장과 멀리 떨어진 곳에 설치·운용하여야 함 ③ 폐처리시설은 작업장과 거리를 유지하여 설치하여야 함. 다만, 단순세척을 하는 경우 폐수처리시설을 갖추지 않아도 됨 ④ 오존세척에 이용된 오존가스는 세척실 밖으로 배출시켜야 함 ⑤ 절단채소의 경우 사용되는 염소수의 농도는 비절단채소에 비해 낮게 처리

제2절 선별

선별의 의의	① 농산물 선별 : 품목별로 객관적인 품질평가기준에 의해 등급을 분류하는 것
	② 선별의 기능
	  – 품목별 등급에 상응하는 품질 보증
	  – 농산물의 균일성을 유지하여 상품가치 향상
	  – 시장 신뢰도를 높여서 공정한 상거래 질서의 유지

선별방법	선별기준	선별방법
	무게	• 작물의 무게 차이를 선별 기준으로 하며 기계식 또는 전자식 자동계측기를 이용 • 크기에 따른 선별이 정확한 장점이 있음
	크기	다단식 회전원통체 선별기나 롤러선별기를 이용하여 크기에 따라 구분하여 선별
	모양	원판분리기를 이용하여 작물의 모양 차이를 구분하여 선별
	색채	농산물은 숙성도에 따라 색채의 차이가 빛의 반사정도나 투과성이 달라지는데 이를 이용하여 색채선별기나 광학선별기로 구분하여 선별

품목별 선별기	① 스프링식 중량선별기 : 과실을 중량에 따라 선별하는 것으로 중량에 오차가 발생할 수 있어 크기가 큰 사과, 토마토, 참외 등의 선별에 이용 ② 전자식 중량선별기 : 중량 측정에 정밀성이 요구되는 과실 선별에 이용되는 것으로 오차가 작은 장점이 있음 ③ 드럼식 형상선별기 : 수확된 과실의 크기 차이를 구멍의 크기가 다른 회전통을 이용하여 선별하는 것으로, 감귤, 방울토마토, 매실 등과 같은 크기가 작은 과실에 이용

④ 광학적 선별기 : 수확된 과실의 숙도, 색깔, 크기에 등급 판별에 이용되는 선별기로 전자적 장치를 이용
⑤ 비파괴 과실당도 측정기 : 수확된 과실을 파괴하지 않고 해당과실의 당도나 산도를 측정하는 측정기
⑥ 절화류 선별기 : CCD카메라나 컴퓨터 등의 영상처리를 이용하여 절화류를 선별하는 것으로 꽃의 크기나 개화상태 등의 선별이 가능

제3절 | 큐어링·예냉·예건·맹아억제

❶ 큐어링

큐어링의 의의		① 농산물의 수확 시 상처난 부분에 병균이 침투하지 못하도록 상처부위를 미리 치료하는 작업이 필요한데, 이를 아물이 또는 큐어링이라 함 → 코르크층이 형성되면 수분손실과 부패균의 침입을 막을 수 있음 ② 대부분의 병균들은 건전한 생물의 조직보다는 주로 상처난 부위의 세포나 조직으로 침투하여 병을 일으킴 ③ 농산물 중 땅속에서 자라는 감자, 고구마, 마늘, 양파 등은 수확할 때 상처가 나기 쉬워 수확 후 빠른 치유가 필요
품목별 처리방법	감자	• 수확 후에 온도 15~20℃, 습도 85~90%의 환경에서 큐어링 후 코르크층을 형성시켜서 수분손실과 부패균의 침입을 막음 • 큐어링 중에는 온습도를 유지하여야 하며, 가급적 환기를 피함 • 온도 22℃ 이상에서는 호흡량과 세균의 감염이 급속도로 증가하므로 주의를 요함
	고구마	• 고구마의 경우 수확 시 상처가 생기게 마련이고, 이를 통하여 병원균이 침투하면서 썩게 됨 • 큐어링은 수확 후 1주일 이내에 실시하는 것이 좋은데, 온도는 30~33℃, 상대습도를 85~90%로 조절한 공간에 4~5일 정도 두면 상처가 쉽게 아물게 됨 • 큐어링이 끝난 고구마는 13℃의 저온상태에 두고 열을 발산시킨 뒤 본 저장에 들어가는 것이 좋음 • 큐어링을 하면 병 발생이 현저히 줄어들 뿐만 아니라 저장 중 수분증발량이 적고 단맛이 좋으며 저장력이 강해짐
	양파 마늘	• 양파와 마늘은 보호엽이 생성되고, 건조가 잘 되어야 저장 중 손실이 적음 • 일반적으로 밭에서 1차 건조 후 저장 전에 선별장에서 완전히 건조시킨 후 입고를 하고 온도를 낮추기 시작함
	생강	부패억제를 위하여 큐어링 처리를 함
※ 슈베린 : 식물세포막에 다량으로 함유되어 있는 wax 물질, 코르크질, 목전질		

❷ 예냉

예냉의 의의	① 예냉 : 수확한 원예생산물을 수송 또는 저장하기 전에 전처리를 통하여 급속히 품온을 낮추는 것 ② 수확 직후 청과물 품질을 유지하기 위하여 포장열을 제거하거나 낮춰줌 ③ 예냉을 하면 작물의 호흡열을 줄일 수가 있어서 저장양분의 소모를 막고 저장력을 증가시킬 수 있음 ④ 수확한 원예산물은 더 이상 양분과 수분을 공급받지 못하지만 생리현상은 계속 진행되므로 원예산물 자체로부터 양분과 수분을 소비하게 되는데 수확 후 온도관리를 통해 이러한 대사작용을 억제시키는 효과가 있음 ⑤ 예냉작업을 통하여 호흡량을 억제하므로 저온 유통체계를 활성화시킴
예냉의 효과	① 작물의 온도를 낮춰서 원예산물의 대사작용을 지연시킴 ② 에틸렌 생성 억제 ③ 병원성, 부패성 미생물의 증식 억제 ④ 노화작용을 억제시켜 산물의 신선도 유지 ⑤ 증산량 감소로 인한 수분의 손실 억제 ⑥ 유통과정에서 산물의 수분 손실을 막아 감모 방지
예냉의 적용품목	① 수확기 기온과 관계없이 호흡작용이 극심한 품목 ② 기온이 높은 여름철에 주로 수확하는 품목 ③ 인공적으로 높은 온도에서 수확하는 품목(하우스재배 시설채소류 등) ④ 절화 또는 선도저하가 빠르면서 부피에 비하여 가격이 비싼 품목 ⑤ 에틸렌 발생량이 많은 품목 ⑥ 증산작용이 심한 품목 ⑦ 세균, 미생물, 곰팡이 발생률이 높은 품목 ⑧ 부패율이 높은 품목
예냉효과의 증진방법	① 작물에 적합한 예냉방식의 선택 ② 적시에 필요한 예냉의 실시 ③ 예냉속도와 목표온도를 정확히 함 ④ 수확 직후 바로 예냉시설로 옮기기 어려운 경우 차광막을 이용하여 그늘에 둠 ⑤ 예냉 후 적절한 처리를 함
예냉의 방식	냉풍냉각식	① 저온저장고의 설비로 냉장기를 사용하는 방식으로, 냉각속도가 느리며 냉각시간은 냉각공기와 접하는 표면적과 산물의 중량에 따라 다름 ② 온도에 따른 품질저하가 작은 산물이나 장기 저장하는 작물(사과, 감자, 고구마, 양파 등)에 사용 ③ 저장고 내에 산물이 적게 보관된 경우 산물이 지나치게 건조되어 상품질이 떨어지기도 함

④ 장점 및 단점

장점	• 일반 저온저장고를 이용하므로 특별한 예냉시설이 필요하지 않음 • 예냉과 저장을 동일한 시설에서 실시하므로 예냉 후 특별한 저장시설이 필요하지 않음 • 냉동기의 최대부하를 작게 할 수 있음
단점	• 급속한 냉각속도가 요구되는 산물에는 적용하기 어려움 • 포장용기와 냉기의 접촉면을 늘리기 위해 적재 시 용기 사이에 공간이 필요하므로 저장고 저장효율이 떨어짐 • 적재 위치에 따라 온도가 균일하지 않을 수 있음 • 외부에 위치한 적재물에 결로가 생길 수 있음(공기흐름에 영향을 받음)

강제통풍식	① 공기를 냉각시키는 냉동장치와 냉기를 적재물 사이로 통과시키는 공기순환장치로 구성 ② 냉기를 강제로 순환시키므로 냉풍냉각 시보다는 냉각속도가 빠름 ③ 예냉에 약 12~20시간이 소요됨 ④ 포장상자의 통기공을 거쳐 산물과 직접 접촉하여 공기가 흐르도록 해야 함 ⑤ 냉품온도가 동결온도보다 낮으면 동해를 입을 수 있으므로 산물의 빙결점보다 1℃ 정도 높은 온도를 유지하도록 하고, 과채류 등 저온장해를 입기 쉬운 품목은 적절한 온도범위를 설정할 것 ⑥ 장점 및 단점 **장점** • 냉풍냉각식보다 예냉속도가 빠름 • 예냉식의 위치별 온도가 비교적 균일 • 기존 저온저장고를 개조하여 설치가 가능하므로 설치비용이 저렴 • 예냉 후 저장고로 사용 가능 • 저온저장고에 비하여 냉각능력과 순환송풍능력을 높일 수 있음 • 시설이 비교적 간단 **단점** • 예냉속도가 비교적 느림 • 가습장치가 없을 경우 과실의 수분손실을 가져올 수 있음 • 냉기의 흐름과 방향에 따라 온도가 불균일해질 수 있음
차압통풍식	① 공기의 압력차를 이용하고 차압팬에 의해 흡기 및 배기가 이뤄지는 예냉방식 ② 예냉시간은 약 2~6시간이 필요함 ③ 강제통풍식에 비해 냉각속도가 빠르고, 냉각불균일도 비교적 적음 ④ 약간의 경비로 저온저장고를 개조하여 활용 가능 ⑤ 포장용기 및 적재방법에 따라 냉각편차가 발생할 수 있음 ⑥ 골판지 상자에는 통기구멍을 내야 함

		⑦ 장점 및 단점

	장점	• 결로현상이 없음(공기가 상층에서 하층으로만 이동) • 냉각 중 변질이 없음 • 거의 모든 작물에 예냉 이용이 가능 • 냉각속도가 빨라 냉각능력이 크고, 예냉 비용을 줄일 수 있음
	단점	• 포장용기 및 적재방법에 따라 냉각편차가 발생할 수 있음 • 골판지 상자에 통기구멍을 내야 하므로 상자의 압축강도가 낮음 • 상자의 적재에 시간이 많이 소요됨 • 공기통로가 필요하므로 적재효율이 낮음 • 풍속이 빨라지면 중량 감소가 증가할 수 있음

진공식

① 증발잠열을 이용한 냉각시설
* 기화열 또는 증발잠열(蒸發潛熱) : 액체가 기화하여 기체로 될 때 흡수하는 열을 말하며, 증발열이 큰 물질일수록 주변의 열을 많이 흡수
② 진공식 예냉은 원예산물의 주변 압력을 낮춰서 산물의 수분 증발을 촉진시켜 증발잠열을 빼앗아 단시간에 냉각하는 방법
③ 진공조, 진공펌프, 콜드트랩, 냉동기, 제어장치로 구성
④ 엽채류의 냉각속도는 빠르지만 토마토, 피망 등에는 부적절함
⑤ 동일품목에서도 크기에 따라 냉각속도가 달라짐
⑥ 냉각속도가 서로 다른 품목의 예냉 시 위조현상 또는 동해가 발생할 수 있음
⑦ 장점 및 단점

장점	• 냉각속도가 빠르고 균일(20~40분 냉각시간 소요) • 출하용기에 포장한 상태로 예냉이 가능 • 높은 선도유지가 가능하고(당일출하 가능) 엽채류에서 효과가 높음
단점	• 설치비와 운영비가 많이 듦 • 예냉 후 저온유통시스템이 필요 • 시설의 대형화가 요구됨 • 수분증발에 따른 중량감소가 발생할 수 있음 • 조작상의 잘못으로 산물에 기계적 장해가 올 수 있음

냉수냉각식

① 냉수샤워 또는 냉수침지 방식으로 냉각작용을 하는 방식
② 30분~1시간 정도의 시간에 세척효과와 냉각효과를 동시에 가질 수 있음
③ 시금치, 브로콜리, 무, 당근 등에 이용
④ 접촉방식에 따른 유형
 - 스프레이식 : 압력을 가한 냉각수 분무방식
 - 침전식 : 냉각수가 담긴 수조에 침전시켜 냉각하는 방식
 - 벌크식 : 대량의 벌크상태 산물을 냉각 초반에 침전식 냉각, 후반에는 살수하여 냉각하는 방식
⑤ 냉각효율은 좋으나 미생물 오염 방지를 위한 조치 필요
⑥ 청과물이 물에 젖게 되므로 사용가능한 작물 선택에 유의해야 함

	⑦ 장점 및 단점	
	장점	• 예냉효과와 세척효과가 가능함 • 냉각부하가 큰 수박이나 근채류(무, 당근) 예냉에 효율적 • 예냉 중에는 감모가 발생하지 않으며 시듦 현상이 방지됨 • 비용이 적게 듦 • 냉각 중 동해 우려가 없음
	단점	• 골판지 상자 등 물에 약한 포장재는 사용할 수 없음 • 예냉 후 물기 제거 작업이 필요함 • 부착수를 제거하여야 하고 냉각수에 의해 미생물 등에 의한 오염 우려가 있음
	빙냉식	① 잘게 부순 얼음을 원예산물 상자에 함께 담아 냉각시키는 방식 ② 얼음과 산물이 직접 접촉하므로 신속한 예냉이 가능 ③ 적용 작물로는 고온적응성이 약하고, 물에 젖어도 변화가 적은 작물에 유용함 ④ 포장재로는 내수성이 강한 것을 사용해야 함

예냉효율과 반감기	① 예냉효율 : 산물의 온도 저하 속도 ② 예냉효율에 영향을 미치는 요인 　– 생산물의 품온 　– 냉매의 온도 차이 　– 냉매의 이동속도 　– 냉매의 물리적 성상 　– 표면적의 기하학적 구조 　– Q10 값이 클수록 예냉효율이 높음 ③ 반감기 : 원예산물의 온도가 목표온도의 절반까지 줄어드는 데 소요되는 시간 　– 반감기가 짧을수록 예냉이 빠르다고 할 수 있음 　– 단감의 경우 품온의 반감기는 50분 정도이고, 목표온도까지 떨어지는 데 6~8시간이 소요됨

품목별 예냉효과	예냉효과가 높음	사과, 포도, 오이, 딸기, 시금치, 브로콜리, 아스파라거스, 상추 등
	예냉효과가 낮음	감귤, 마늘, 양파, 감자, 호박, 수박, 멜론, 만생종 과일류 등

예냉방식별 적용 품목	냉각방식	적용품목
	냉풍냉각식 강제통풍식 차압통풍식	사과, 배, 복숭아, 단감, 감귤, 포도, 키위, 딸기, 양배추, 브로콜리, 오이, 참외, 멜론, 수박, 애호박, 토마토, 고추, 피망, 파프리카, 감자 등
	진공식	결구상추, 배추, 양배추, 시금치, 셀러리, 버섯 등
	냉수냉각식	사과, 배, 수박, 시금치, 브로콜리, 셀러리, 아스파라거스, 파, 무, 당근, 고구마, 멜론, 오이, 참외, 고추, 피망, 파프리카, 단옥수수, 단감 등
	빙냉식	브로콜리, 엽채류, 파, 완두, 단옥수수 등

❸ 예건

예건의 의의	① 예건 : 수확 직후에 과습으로 인한 부패를 방지하기 위해 식물의 외층을 미리 건조시켜서 내부조직의 증산을 억제시키는 방법 ② 수확 시 외피에 수분함량이 많은 경우 호흡이나 증산작용이 왕성하여 그대로 저장하면 미생물의 번식과 부패율이 급속히 증가하기 때문에 건조 후 저장해야 함 ③ 수확 직후 통풍이 잘되고 직사광선이 들지 않는 그늘 등에 야적을 하였다가 습기를 제거한 후 기온이 낮은 아침에 저장고에 입고
품목별 예건방법	<table><tr><td>품목</td><td>예건 방법</td></tr><tr><td>마늘 양파</td><td>마늘과 양파는 수확 직후 수분함량이 85% 정도로 부패하기 쉬우므로 예건을 통해 인편의 수분함량을 약 65%까지 감소시키고, 응애와 선충의 밀도를 낮추어 주면 저장기간을 연장할 수 있음</td></tr><tr><td>단감</td><td>예건을 통해 수확 후 과실의 호흡작용을 안정시키고, 과피의 수분을 제거함으로써 곰팡이 발생 억제와 과피의 탄력성을 유지할 수 있음</td></tr><tr><td>배</td><td>수확 직후 북쪽 그늘이나 통풍이 잘되고 직사광선이 들지 않는 곳을 택하여 예건한 후 기온이 낮은 아침에 저장고에 입고하면 과실의 부패율과 호흡량을 줄이고 신선도를 유지할 수 있음</td></tr></table>

❹ 맹아억제

맹아의 의의	양파, 마늘, 감자 등이 일정 기간이 지나면 휴면이 끝나고 싹이 자라는 현상으로 상품가치를 떨어뜨리게 됨
맹아 억제방법	<table><tr><td>MH처리</td><td>• 양파의 경우 수확 약 2주 전에 0.2~0.25%의 MH를 엽면 살포하면 생장점의 세포분열이 억제되어 맹아의 생장을 막을 수 있음 • 수확 후에 약제처리를 하는 것은 인엽으로 인하여 효과가 없음 • 살포시기가 너무 빠르거나 늦으면 효과가 없음</td></tr><tr><td>방사선 처리</td><td>• 적당량의 방사선 조사(감마선 조사)로 생장점 조직의 세포분열을 저해하여 맹아 억제가 가능(마늘, 양파, 감자 등) • 방사선 조사량이 과다하면 부패량이 증가할 수 있음 • 방사선 조사 후에는 상온에서도 장기간 저장 가능</td></tr><tr><td>생장조절제</td><td>감자 등의 수확 후 저장 시 싹 발생을 지연시킴으로써 품질향상을 기하는 생장조정제로 클로르프로팜유제 등이 있음</td></tr></table>

제4절	포장

❶ 포장의 의의와 기능

포장의 의의	① 적절한 용기나 재료를 사용하여 해당 수확물을 감싸서 외부접촉을 차단하고 위생적으로 장기간 보관할 수 있도록 둘러 싸주는 것 ② 물품을 수송 · 보관함에 있어서 가치 및 상태를 보호하기 위하여 적절한 재료나 용기 등을 물품에 시장(施裝)하는 기술 및 상태
포장의 기능	① 상품의 물리적 충격 방지 ② 병충해나 미생물로부터 보호하는 기능(위생성) ③ 광선, 온도, 습도 등으로부터 변질을 방지하는 기능 ④ 상품의 정보를 전달하는 기능(소비자 구매욕구의 증대) ⑤ 상품의 편리성 증대 ⑥ 상품 배송의 효율성 증대

❷ 포장의 분류

외포장 (겉포장)	① 속포장한 농산물의 운반과 수송 목적으로 행하는 포장 ② 수송포장은 나무상자로부터 급속히 골판지화가 진전되어 경량화 추세
내포장 (속포장)	① 상품을 몇 개씩 용기에 담아 유통단위 또는 소비단위로 만드는 것 ② 낱개 포장된 물품을 상자 등과 같은 용기에 넣는 포장으로 포장된 화물의 안쪽에 위치되는 것
낱개포장 개장(個裝)	① 개장(個裝)이란 물품을 직접 싸기 위한 포장으로서 대개는 제조공정의 마지막 단계에서 제품에 시장 ② 단순히 제품의 보호라는 기술적인 요구만을 충족시키는 것이 아니고, 포장재료 또는 용기에 포장된 것이 상점에 진열되어 구매자의 구매의욕을 자극하는 세련된 디자인이라는 시각적인 목적도 지님 ③ 포장 디자인은 단순히 상품을 표면상 곱게 장식하는 데 그치지 않고 기능적인 면도 고려할 것

❸ 포장재의 조건

외포장재	① 외부충격을 방지할 수 있어야 함 ② 수송 및 취급이 편리해야 함 ③ 상품에 불리한 환경으로부터 내용물을 보호할 수 있어야 함
내포장재	① 상품이 서로 부딪치더라도 물리적 상처가 발생하지 않아야 함 ② 적절한 공간을 확보하고, 충격을 흡수할 수 있어야 함 ③ 포장재질은 부패나 오염의 확산을 막을 수 있는 것이어야 함

구비조건	내용
위생성 안전성	포장재질로부터의 유해물질 전이가 이뤄지지 않아야 함
보존성 보호성	• 적합한 통기구 및 물리적 강도를 갖춰야 함 • 겉포장재는 물리적 강도를 유지하기 위한 방습성과 방수성이 있어야 함 • 속포장재는 냄새의 차단성이 있어야 함
차단성	빛이나 외부열을 차단할 수 있어야 함
비유동성	포장 내에서 상품의 유동이 없어야 함
작업편리성 (기계화)	• 겉포장재는 접은 상태로 보관이 가능해서 점유면적을 최소화할 수 있어야 함 • 포장 설계 시 쉽게 펼치고 모양을 갖출 수 있어야 함 • 포장 봉합이 쉬워야 함
인쇄적정성 정보성	• 인쇄가 적정해야 하고 상품의 특성이 잘 나타나도록 해야 함 • 소비자의 신뢰도를 확보할 수 있는 정보의 제공이나 투명성이 있어야 함
편리성	소비자의 입장에서 해체 및 개봉이 편리해야 함
경제성	포장재의 비용이 경제적이어야 함
친환경성	분해성, 소각성이 좋고, 환경에 미치는 영향을 고려할 것
예냉·내열성	빠른 예냉이 가능하고, 내열성을 갖출 것

위 표의 왼쪽 병합 셀 제목: **포장재의 구비조건**

포장필름과 가스투과성

① 필름 종류에 따른 가스투과성 : 저밀도폴리에틸렌(LDPE) > 폴리스틸렌(PS) > 폴리프로필렌(PP) > 폴리비닐클로라이드(PVC) > 폴리에스터(PET)
② 원예산물 중 이취 발생이 가장 낮은 포장소재 : 저밀도폴리에틸렌(LDPE)
③ 폴리프로필렌(PP)의 특징
 - 연신 등 가공이 쉬움
 - 방습성, 내열·내한성이 높음
 - 산소투과도가 높음
 - 광택 및 투명성이 높음
 - 채소류의 수축포장에 이용
④ 폴리에스터(PET) : 포장재 중 기계적 강도가 높고 산소투과도가 낮음
⑤ 폴리에틸렌(PE) : 가스투과도가 높아서 채소류와 과일 포장의 재료로 사용
⑥ 폴리비닐클로라이드(PVC) : 채소류, 과일, 식품포장에 이용

골판지상자

① 골판지는 물결모양의 골이 진 판지의 한 쪽 또는 양 쪽에 다른 판지를 붙인 것
② 국내에서 가장 많이 사용되는 포장재로 과일류, 채소류, 화훼류의 포장에 이용
③ 골판지는 강도가 강하고, 완충성이 뛰어나며, 무공해 재질이고 개봉이 편리함
④ 장점과 단점

장점	• 대량상품의 포장에 유리 • 대량주문 요구에 응하기 편리 • 운송 및 물류비 절감 • 기계화가 용이해서 작업이 쉽고, 생력화(省力化) 가능 • 제품수요나 조건에 맞는 강도와 형태를 갖출 수 있음(외부충격성 방지)

	단점	• 습기에 약하고, 수분에 의해 강도 저하 • 소(小) 단위 생산 시 비용이 증가할 수 있음 • 취급 시 변형과 파손이 생길 수 있음

⑤ 골판지 상자의 강도 저하 요인
- 과습 또는 저장고 내 흡습에 의한 강도 저하
- 냉수냉각 시 수분 제거가 안된 경우
- 산물이 저온저장고에서 상온으로 출고될 때 결로에 의한 강도 저하
- 골판지에 뚫은 통기공에 의한 강도 저하
- 적재하중에 의한 강도 저하

	방담필름	① 필름에 첨가제를 분사시켜 결로현상을 방지하고, 선도유지를 목적으로 하는 포장재 ② 청과물의 수분 증산 억제
기능성 포장재	항균필름	항균물질을 포장재에 코팅하여 곰팡이 및 유해미생물에 대한 안전성 확보
	고차단성 필름	수분, 산소, 질소, 이산화탄소와 저장산물의 고유한 향을 내는 유기화합물까지도 차단할 수 있는 포장재
	키토산 필름	① 키토산에 있는 유해균의 성장을 억제하는 특성을 이용하여 압축성형하거나 코팅처리하여 만든 필름 ② 200ppm 정도의 농도에서 유해균에 대한 저항성 발휘
	미세공 필름	포장재에 미세한 구멍이 있어 포장 내부의 습도 유지와 수증기의 투과도를 높일 수 있도록 한 포장재

❹ MA포장

MA포장의 의의	① MA포장 : 수확 후 호흡하는 원예산물을 고분자 필름으로 포장하여 포장 내 산소와 이산화탄소의 농도를 바꾸어 주는 포장방법 ② MA포장에서는 플라스틱 필름자루로 청과물을 밀봉포장하면 호흡에 의해 산소가 소비되고 이산화탄소가 발생하는 동시에 플라스틱 필름의 가스 투과성에 의해서 일정량의 가스가 투과되므로 자루 내는 적절한 대기가 형성되도록 하는 것
MA포장의 원리	① 필름 포장 내에 산소 농도를 높이고 이산화탄소의 농도를 낮출 수 있도록 이산화탄소의 투과도를 산소투과도의 3~5배로 높여 줌 ② MA 저장용 필름에는 polyethylene이 사용되지만 필름의 두께나 종류에 따라 가스투과성에 차이가 있어 저장하는 청과물의 호흡량, 저장온도, 필름의 종류, 두께, 면적 등으로 어느 정도 자루 내 가스조성을 제어할 수 있음
필름의 조건	① 투과도 : 필름의 이산화탄소의 투과도가 산소투과도보다 높아야 함 ② 투습도 : 필름에 습기를 통과시킬 수 있는 기능이 있어야 함 ③ 강도 : 필름의 인장강도의 내열강도가 높아야 함 ④ 유해물질 방출능력이 높아야 함 ⑤ 결로현상 억제력이 있어야 함 ⑥ 외부로부터 가스차단성이 높아야 함 ⑦ 접착작업과 상업적 취급이 용이해야 함

MA포장의 고려사항	① 필름의 종류와 두께 및 재질 ② 원예산물의 호흡속도 ③ 원예산물의 호흡량 정도 ④ 원예산물의 에틸렌 발생량 정도 ⑤ 원예산물의 에틸렌 감응도 ※ MA포장 시 저장고의 규모나 냉각방식과는 연관성이 없음
수동적 MA포장	원산물의 자연적 호흡에 의하여 산소 소비와 이산화탄소 방출로 인하여 포장 내 적절한 대기가 조성되도록 하는 포장방식
능동적 MA포장	포장 내부의 대기조성을 인위적인 방법으로 채워주는 포장방식으로 방담필름이나 항균필름이 사용됨
MA포장의 효과	① 숙성 및 노화 지연 ② 수분손실 억제 ③ 에틸렌 발생의 감소 ④ 생리적 장해(저온장해 등)의 억제 ⑤ 병충해 발생 억제 ⑥ 품질을 유지하는 효과 ⑦ 경도변화가 적음

제5절 저장

❶ 저장의 의의

저장의 의의 및 목적	① 저장 : 원예작물이 수확한 후에도 호흡작용을 계속하므로 발생하는 영양분의 소모와 품질의 변질을 막기 위해 행하는 것 ② 저장의 궁극적 목적 : 원예작물의 화학적 성분, 물리적 특성 및 조직적 상태 등의 성상이 변하지 않도록 하는 것
저장의 환경조성	온도, 공기순환, 상대습도 및 대기조성이 될 수 있는 시설을 갖추는 것

❷ 저장력에 미치는 주요 요인

저장 중의 온도	저장 중에 온도가 높아지면 과실의 호흡작용이 증가하고, 과실의 영양소비가 많아지며 부패균의 활동이 왕성해져서 저장력을 저하시키므로 저온상태를 유지하는 것이 중요함
저장 중의 습도	저장 중인 저장고의 습도가 낮아지면 위조현상이 발생하고, 너무 습하면 부패과가 발생하므로 적당한 습도 유지(85~90%)가 중요함
재배 중의 온도와 강우	재배기간 중의 온도와 강우도 저장력에 영향을 미치는데 건조하고 높은 온도조건에서 재배된 산물의 저장력이 강함
재배 중의 토양조건	경사지의 원예산물이 평지에서의 산물보다 저장력이 강함

재배 중의 비료조건	① 질소의 과다 사용은 질병을 발생시키며 저장력을 약화시킴 ② 과다한 칼륨시비는 사과의 과피반점의 원인이 됨 ③ 충분한 칼슘시비는 과실의 경도를 높이고 저장력을 강화시킴
품종과 수확시기	① 일반적으로 만생종이 조생종에 비하여 저장력이 강함 ② 장기저장용으로 수확하려면 적정 수확시기보다 일찍 수확하는 것이 좋음
수분활성도	① 수분활성도 : 미생물의 생육에 필요한 물의 활성 정도 ② 수분활성도는 0~1까지의 범위를 가지며, 1에 가까울수록 미생물 생육에 좋은 조건 이며, 0에 가까울수록 미생물 증식에 나쁜 환경이 됨

❸ 상온저장

의의		① 온도를 높이거나 저온처리함이 없이 저장하는 방법 ② 자연 그대로의 15℃ 정도의 저장
상온저장의 종류	움저장	• 땅에 1~2m의 구덩이를 판 뒤, 그 속에 원예산물을 넣고 그 위에 왕겨나 짚을 덮은 후 다시 흙으로 덮어주는 저장방식 • 움의 온도는 10℃ 내외, 습도는 85% 정도를 유지하는 것이 좋음
	도랑저장	밭에 고랑을 파고 호냉성 채소인 무, 당근, 감자, 배추, 양배추 등을 저장하는 방식으로, 기온의 급격한 하락으로 어는 경우도 있고, 과온이 되기도 하지만 비용이 거의 들지 않는 방식으로 대량저장이 가능함
	환기저장	지상부나 반지하부에 농산물을 보관한 후 외부공기의 저온을 이용해서 저장하는 방식으로, 청과물의 상온저장은 온도변화를 줄이고 통풍설비 가 완비된 시설을 이용하는 것이 좋음
	지하저장고	여름에는 시원하고 겨울에는 따뜻해서 연중 채소저장에 유효하고, 특히 겨울에 고구마, 토란, 생강 등 호온성 채소를 저장하기에 적당함. 다만 환기가 불량하면 과습피해를 입기 쉬움
피막제를 이용한 저장		각종 왁스나 증산억제제를 사용하여 상온에 저장하는 방식
방사선을 이용한 저장		① 감마선이나 베타선을 이용하는 것으로 주로 발아억제 목적으로 사용됨 ② 밤의 저장 중 발아억제 효과가 뛰어나고, 바나나의 숙도 조절이나 감의 탈삽 등에도 이용

❹ 저온저장

저온저장의 의의	① 냉각을 통하여 원예산물의 온도를 일정 온도까지 내린 후 저온상태에서 저장하는 방식 ② 원예산물은 낮은 온도에서 생리적 반응이 느려지고, 온도저하는 미생물의 활성도를 낮춰서 부패발생률이 낮아짐 ③ 공기순환을 위하여 팬을 사용하고, 저장고의 온습도를 제어할 수 있는 정치가 활용됨

저온저장고	① 냉장원리 　– 저장시설 냉매가 기화되면서 주변열을 흡수하여 주변온도를 낮추는 원리를 사용 　– 저온장치 : 압축기, 응축기, 팽창밸브, 냉각기, 제상장치 등 ② 저온저장의 효과 　– 수확 후 원예산물의 호흡작용과 대사작용을 감소시킴 　– 수확한 작물의 저장양분의 소모를 줄임 　– 미생물의 증식과 부패균의 활동을 억제시킴 　– 효소에 의한 산화작용과 갈변현상을 억제시킴 　– 증산작용을 억제하여 수분손실을 줄임 ③ 저장적온

③ 저장적온

저장적온	원예산물
동결점~0℃	브로콜리, 당근, 시금치, 상추, 마늘, 양파, 셀러리 등
0~2℃	아스파라거스, 사과, 배, 복숭아, 포도, 매실, 단감 등
3~6℃	감귤
7~13℃	바나나, 오이, 가지, 수박, 애호박, 감자, 완숙 토마토 등
13℃ 이상	고구마, 생강, 미숙 토마토 등

④ 저온장해 : 저장적온이 높은 채소나 과일을 낮은 온도에 저장할 때 나타나는 장해
⑤ 냉장용량
　– 냉장용량은 저장고에서 발생할 수 있는 모든 열량을 합산하여 구함. 냉장부하라고도 함
　– 온도상승 요인으로는 포장열, 호흡열, 전도열, 대류침투열, 장비열 등이 있고 포장열과 호흡열이 냉장부하의 대부분을 차지함

〈더 알아보기〉 온도상승 요인
　○ 포장열 : 수확한 작물이 지니고 있는 열
　○ 호흡열 : 산물의 호흡에 의해 방출되는 생리대사열이며, 산물의 온도가 낮아질수록 호흡열도 감소
　○ 전도열 : 저장고 외부에서 내부로 전달되는 열이며 내외부의 온도차이와 단열재료에 따라 열량이 달라짐
　○ 대류열 : 외부로부터 내부로 공기가 흡입되면서 일어나는 대류현상에 의한 열
　○ 장비열 : 외부기계나 내부기계 등 저장고 내에서 작동되는 기기에서 발생되는 열
　○ 냉장용량의 계산 : 냉장용량은 위 5가지의 열량 합산치의 1.2~1.3배가 됨

❺ CA저장

CA저장의 개념	① 대기의 가스조성(산소 : 21%, 이산화탄소 : 0.03%)을 인공적으로 조절한 저장환경에서 청과물을 저장하여 품질 보존 효과를 높이는 저장법 ② 조절하는 가스에는 이산화탄소, 일산화탄소, 산소 및 질소가스 등이 있으나, 통상 대기가스에 비해 이산화탄소를 증가시키고 산소의 감소 및 질소를 증대시키고 이것에 의해 청과물의 호흡 작용을 억제하여 저장력을 연장할 수 있음 ③ 산소 농도는 대기보다 약 4~20배(O_2 : 8%) 낮추고, 이산화탄소 농도는 약 30~50배(CO_2 : 1~5%) 높인 조건에서 저장
CA저장의 원리 및 특징	① 원예산물의 호흡을 위해서는 산소가 필수적 ② 호흡으로 원예산물 내 저장양분을 소모시키며, 이산화탄소와 열을 발산하기 위해서는 산소가 필요함 ③ 저장양분의 소모를 줄이기 위해서는 원예산물의 호흡작용을 억제해야 하는데 이를 위해서 산소를 줄이고 이산화탄소를 증가시키는 것이 필요함
이산화탄소 및 에틸렌 농도 제거	① CA저장고 내 이산화탄소의 농도는 일정수준까지 증가시키다가 장해가 발생되는 시점에서 제거해 주어야 하고, 숙성호르몬인 에틸렌 가스의 제거도 수반되어야 함 ② 에틸렌 가스의 제거 : 흡착식, 자외선 파괴식, 촉매분해식으로 제거하고 흡착제로는 과망간산칼륨, 오존, 자외선 등이 사용됨
CA저장의 효과	① 작물의 노화 방지 ② 작물의 저온장해와 같은 생리적 장해 개선 ③ 대기의 조절을 통하여 곰팡이 발생률을 감소시킴 ④ 에틸렌 작용에 대한 작물의 민감도를 감소시킴 ⑤ 저장기간 증대 ⑥ 발근 등 생리적 현상 억제 및 엽록소 분해 억제
CA저장의 위험요소 및 문제점	① 토마토 등 일부작물에서는 고르지 못한 숙성을 야기할 수 있음 ② 감자의 흑색심부, 상추의 갈색반점과 같은 생리적 장해를 가져올 수 있음 ③ 낮은 산소농도에서 혐기적 호흡을 일으켜 이취를 발생시키거나 변색, 조직붕괴 등 생리적 장해가 나타날 수 있음 ④ 시설비와 유지비가 많이 듦 ⑤ 저장고를 자주 열 수가 없어서 저장물의 상태를 파악하기 어려움

❻ MA저장

MA저장의 원리	① MA저장의 기본적 원리는 필름이나 피막제를 이용하여 산물을 낱개 또는 소량포장하여 외부와 차단한 후 포장 내 호흡에 의한 산소 농도 저하와 이산화탄소의 농도 증가로 생성된 대기조성을 통해 품질변화를 억제하는 방법 ② 필름의 기체투과성과 산물로부터 발생한 기체의 양과 종류를 이용하여 포장내부의 기체조성이 대기와 현저히 달라지는 점을 활용한 저장방법 ③ MA저장 시 적정 가스농도 - 사과 : 산소 2~3%, 이산화탄소 2~3% - 감 : 산소 1~2%, 이산화탄소 5~8% - 배 : 산소 4%, 이산화탄소 5% ④ 필름의 특성으로 수분투과성 및 산소와 이산화탄소 등의 기체투과성이 중요함

MA저장의 효과	① 유통기간의 연장수단으로 활용 ② 증산량이 감소 ③ 온도에 민감한 산물의 생리적 장해발생 억제에 효과적 ④ 낱개 포장 시 물리적 손상을 방지할 수 있음 ⑤ 과육의 연화현상과 노화현상을 지연시킬 수 있음

MA저장의 고려사항과 필름의 종류

① MA저장 시 과습으로 인한 부패, 내부 부적합한 가스조성에 의한 생리장해가 초래될 수 있으므로 산물, 필름재의 종류 선택에 유의하여야 함

② 고려사항
- 작물의 종류
- 산물의 호흡속도
- 에틸렌의 발생량과 감응도
- 필름의 두께
- 가스투과성 정도
- 피막제의 특성

③ 필름 종류별 투과성의 정도

필름 종류		가스투과성 (ml/m^2 · 0.025mm · 1day)		포장내부
		CO_2	O_2	CO_2 : O_2
1순위	저밀도폴리에틸렌(LDPE)	7,700~77,000	3,900~13,000	2.0 : 5.9
2순위	폴리스틸렌(PS)	10,000~26,000	2,600~2,700	3.4 : 5.8
3순위	폴리프로필렌(PP)	7,700~21,000	1,300~6,400	3.3 : 5.9
4순위	폴리비닐클로라이드(PVC)	4,263~8,138	620~2,248	3.6 : 6.9
5순위	폴리에스터(PET)	180~390	52~130	3.0 : 3.5

MA저장의 이용

필름포장

① 엽채류와 비급등형 작물의 경우 수분 손실 억제, 생리적 장해 및 노화 지연
② 호흡급등형 작물의 경우 포장 내 가스조성을 통한 저장효과 증진
③ 흡착물질 첨가를 통해 품질유지 효과
④ 단감 : 저밀도 PE 필름 사용으로 4~5개월의 장기저장 가능
⑤ 주의할 점
- 지나친 차단성은 이산화탄소 축적을 야기하고 생리적 장해와 결로현상이나 미생물 증식의 위험이 있음
- 속포장에 필름을 사용할 경우 저산소 장해, 이산화탄소 장해, 과습에 의한 부패 위험이 있음

피막제

① 왁스나 동식물성 유지를 코팅하여 산물의 저장, 수송, 유통 중 품질 유지 효과
② 피막제를 도포함으로써 경도와 색택을 유지하고, 산 함량 감소를 방지하는 효과
③ 과일의 색감 증가나 표면의 광택 증진 등 외관 향상
④ 주의할 점
- 부분적 위축이나 상처 및 장해현상을 일으키기도 함
- 작물 종류에 따른 적절한 피막제 사용이 필요함

	기능성 포장재 결합	① 에틸렌 흡착필름 : 제올라이트나 활성탄을 도포하여 에틸렌에 의한 노화현상 억제 ② 방담필름 : 포장 내부표면에 발생하는 결로현상 억제 ③ 항균필름 : 키토산 등을 도포하여 포장 내 세균 억제와 과습에 의한 부패 방지
수동적 MA저장		① 포장 내 적절한 기체조성을 위해 자연적으로 가스를 조절하는 저장방식 ② 포장에 사용되는 필름은 가스 확산을 막을 수 있는 제한적인 투과성이 있어야 함
능동적 MA저장		① 포장 내부의 기체조성을 원하는 농도의 가스로 바꿔주는 저장방식 ② 능동적 MA저장 필름재료로 방담필름과 항균필름이 대부분 사용됨

PART 03

수확 후의 장해

❶ 생리적 장해

온도장해	동해장해	① 원예산물은 물이 어는 온도보다 약간 저온에서 작물의 조직 내에 결빙현상이 나타남 ② 동해의 증상은 결빙 중인 때보다는 해동 후에 나타남 ③ 동해를 입은 작물은 호흡이 증가하고, 병원균에 쉽게 감염되어 부패성이 증가함 ④ 동해장해의 특징 : 수침현상이 대표적이며, 사과 등의 과피함몰, 갈변 등과 배의 과육동공이 발생함
	저온장해	① 작물의 생육적온보다 낮은 온도(빙점 이하의 저온)에 장기간 저장하면서 발생하는 장해 ② 저온장해의 특징 : 과육변색, 토마토·고추의 함몰, 세포조직의 수침현상, 사과의 과육변색, 복숭아 과육의 섬유질화 또는 스폰지화
	고온장해	① 대부분의 작물은 40~60℃의 고온에서 불활성화되고 대사작용의 불균형을 유발함 ② 작물의 생육적온보다 높은 온도에 저장하거나 노출될 때 발생하는 장해 ③ 고온장해의 특징 : 사과·배의 껍질덴병, 토마토의 착색불량과 과육의 연화 지연 등

가스장해	이산화탄소 장해	① 고농도의 탄산가스에 작물이 노출될 때 갈색의 함몰이 발생
		② 외관에 나타나지는 않고 내부의 중심조직에 장해가 발생
		③ 작물별 장해 유형
		  – 배 : 이산화탄소 장해로 인해 저장기간의 영향
		  – 후지사과 : 이산화탄소 3% 이상의 조건에서 과육의 갈변현상
		  – 토마토 : 이산화탄소 5% 조건에서 1주일간 저장할 때 성숙이 비정상적으로 지연되고, 착색불량, 악취 및 부패과의 발생이 증가함
		  – 감귤류 : 과피함몰
		  – 양배추, 결구상추 : 조직의 갈변현상

	저산소 장해	① 정상적인 호흡이 곤란한 낮은 농도의 산소 조건에서 나타나는 생리적 장해 ② 세포막의 파괴, 알코올발효의 진행(독특한 냄새와 맛) ③ 표피에 진한 갈색의 수침현상이 나타나고, 심한 경우 과심부에도 갈색수침현상이 나타남 ④ 왁스처리를 한 경우에도 온도가 높거나 왁스층이 두꺼우면 나타날 수 있음
	에틸렌가스 노출 장해	① 저장 중 에틸렌 농도가 높으면 노화촉진 등의 장해가 나타남 ② 감귤류 : 껍질에 회갈색이나 자줏빛 함몰형 반점이 발생하고 심하면 이취가 발생

영양장해	칼슘 부족으로 일어나는 저장 중인 사과의 고두병, 토마토의 배꼽썩음병, 양배추의 흑심병, 배의 코르크스폿 등이 있음

❷ 기계적 장해

의의	작물에 물리적 힘이 가해질 때 발생하는 장해로 에틸렌 발생이 증가하고 부패가 나타남
종류	① 마찰에 의한 장해 ② 압축에 의한 장해 ③ 진동에 의한 장해 ④ 기계적 장해 회피방법 　– 포장용기의 규격화 　– 포장박스 내 적재물량 조절 　– 정확한 선별 후 저온수송 컨테이너 이용 　– 골판지 격자 또는 스티로폼 그물망 사용

❸ 병리적 장해

의의	① 작물의 병해에 의한 피해 ② 병리적 장해로 나타나는 부패율을 줄이기 위해서는 수송 및 저장 중 약제처리, 환경요인의 조절 등이 필요함
영향을 미치는 요소	성숙도, 온도, 습도

❹ 수확 후 과실별 중요 장해

갈변현상	① 과일 내부가 갈색으로 변하는 현상 ② 사과 : 탄산가스의 축적으로 인해 내부갈변현상이 나타남 ③ 배 : 고온에 장기간 노출되거나 장기저장하면 과심갈변현상이 나타남 ④ 단감 : 저온저장 중 산소농도의 저하나 이산화탄소의 증가로 과육갈변현상이 나타남
과피흑변	① 배 : 과피에 짙은 흑색의 반점이 나타남 ② 단감 : 과피가 검게 변하는 현상
고두병	사과의 경우 칼슘 결핍으로 인하여 갈색반점이 생기고 껍질을 벗기면 스폰지 모양이 되는 현상
껍질덴병	사과의 껍질이 불규칙하게 갈변되어 건조되는 증상
밀병	사과의 솔비톨이라는 당류가 과육에 축적되면 과육의 일부가 투명해지는 현상
단감 초코과	단감의 과경부에 둥글게 과육이 수침현상으로 갈변되는 현상
포도 탈립	송이로부터 포도알이 떨어지는 증상
감귤 장해	꼭지썩음병, 검은썩음병, 검은무늬병 등

수송기능	① 생산자와 소비자 간 장소적 격리와 시간적 불일치를 조절하는 기능 ② 시장의 개발 확장에 기여 ③ 신속한 수송을 통하여 농산물의 신선도 유지 ④ 산물의 재고 조정과 저장비용 절감		

수송방법	① 운송수단에 의한 분류
	   - 육로수송(자동차수송) : 단거리 수송수단으로 운송비가 적게 들며, 기동성, 접근성이 용이하며 소량 수송이 가능
	   - 해상수송 : 정확성과 안전성이 우수하지만 융통성(접근성)이 적으며, 장거리 수송 효율성(수송비용이 적게 들고 대량수송이 가능)은 높지만 단거리 수송에는 효율성이 떨어짐
	   - 항공수송 : 고가의 신선 농산물에 이용되고 비용이 많이 들며 융통성은 떨어짐
	② 수송기간별 분류
	   - 장기수송 : 해상수송과 같이 운송기간이 긴 수송
	   - 단기수송 : 자동차, 항공기 등의 수송기간이 짧은 수송
	③ 수송기능의 발전
	   - 저온 일관수송체제의 발전으로 농산물의 신선도 유지가 가능해짐
	   - 표준 펠릿 또는 저온 콘테이너의 일상화로 산물의 파손을 줄이고 신속한 거래를 가능하게 하여 농산물 시장의 신뢰도가 증가하고 있음		

일관운송 체계	의의	수확된 농산물이 생산지에서 소비지에 도착할 때까지 유통과정에서 해체하거나 옮겨 쌓지 않고 펠릿에 적재한 상태에서 이송되는 것	
	일관운송 시스템	① 단위화물적재시스템(ULS : Unit Load System) : 규격에 맞게 포장된 농산물을 생산지에서 하역, 운송에 적합한 단위로 조작한 후 소비까지 해체하거나 재포장함이 없이 하역, 운송, 보관 등이 기계화되어 진행되는 시스템 ② 펠릿공용시스템 : 단위화물적재시스템의 근간은 표준화된 펠릿을 사용하는 것인데, 이 펠릿을 각 사업장에서 공동으로 사용함으로써 운송비용의 절감에 기여함	
	일관운송 체계의 이점	① 기계화, 생력화 시스템으로 인력비용 절감 ② 운송단계에서 파손 방지 ③ 상하차 작업의 신속성으로 경비 절감 ④ 유통과정에서 발생하는 쓰레기의 감소	

콜드체인(저온유통)시스템

의의	① 콜드체인시스템이란 작물의 수확 직후 산물의 품온을 낮춰 유통과정 동안 적정 저온이 유지되도록 관리하는 체계 ② 산물의 신선도 및 품질 유지를 위하여 유통의 전과정에서 적정 저온으로 냉각시켜서 일관성 있게 관리하는 것
저온유통의 관리방법	① 산지에 저온저장고를 설치하여 수확시기에 따라 생산지 예냉이 필요함 ② 운송단계에서 저온유지가 가능한 운송차량의 구비 ③ 소비지 판매처에 냉장시설 설치 ④ 상온유통에 비해 압축강도가 큰 포장상자를 이용함 ⑤ 장기수송 시를 대비하기 위하여 농산물의 혼합적재 가능성을 고려함
저온유통의 장점	① 산물의 호흡을 억제시켜 증산량을 감소시킬 수 있음 ② 작물의 연화를 저지할 수 있음 ③ 미생물 증식을 억제시킬 수 있음 ④ 작물의 상처발생과 파괴를 막을 수 있음 ⑤ 부패성과 감모를 줄일 수 있음
저온유통 체계의 도입효과	① 작물의 신선도 유지 － 저온상태에서 유통이 이뤄짐으로써 작물의 호흡속도 억제, 에틸렌 발생속도 억제, 갈변반응 억제, 증산작용 억제 및 부패성을 방지할 수 있어 생산물의 품질 유지에 기여함 － 산물의 생화학반응을 저온상태에서 억제할 수 있음 － 저온상태에서 유통기한이 연장될 수 있음 ② 유통체계의 안정화 － 장기간 신선도를 유지할 수 있으므로 농산물의 출하시기를 조절하고, 안정된 유통체계를 구축할 수 있어서 산지 중심 유통체계를 갖출 수 있음 － 저온유통체계는 홍수출하를 막을 수 있고, 과잉생산의 문제를 해결해 줌 － 가격의 폭등, 폭락을 막는 완충 역할을 함
관련 기술	① 저온유통의 핵심기술은 예냉시스템 ② 운영과 관련된 직접적 기술 － 산지예냉 － 저온수송과 배송 － 저온보관 및 저장 － 소비지 판매처의 저온시설 판매대 ③ 산물의 전처리 기술, 안전성 유지 기술, 선별, 규격화, 표준화 기술 ④ 소포장 기술 및 친환경 유통 기술

CHAPTER 09

안전성과 HACCP

❶ 안전성

의의	① 농산물에 대한 소비환경의 변화로 인하여 생산단계로부터 최종소비단계에 이르기까지 안전성확보가 중요한 과제로 대두됨 ② 농산물의 품질향상과 더불어 안전성의 확보는 향후 농산물 시장의 신뢰성과 시장확대를 위한 기초적 과제로 기능하게 됨
관련 제도	① **농산물우수관리제도(GAP)** : 농산물의 안전성을 확보하기 위하여 농산물의 생산단계로부터 수확 후 포장단계까지 위해요소를 관리하는 제도 ② **농산물이력추적관리제도** : 농산물의 안전성에 문제가 발생할 경우 해당 농산물을 추적하여 원인을 규명하고 필요한 조치를 할 수 있도록 농산물의 생산단계로부터 판매단계까지 각 단계별로 정보를 기록하고 관리하는 제도 ③ 유해물질의 관리제도 ④ 위험성 평가제도
식품의 위험 요소	① **미생물 독소** : 아플라톡신, 오크라톡신, 제랄레논, 파튤린 등 ② 식중독균 ③ 중금속, 농약 ④ 환경유해물질 ⑤ 병원성 미생물

❷ HACCP(위해요소중점관리기준)

의의	① **HACCP** : 식품의 원재료 생산에서부터 최종소비자가 섭취하기 전까지 각 단계에서 생물학적, 화학적, 물리적 위해요소가 해당식품에 혼입되거나 오염되는 것을 방지하기 위한 위생관리 시스템 ② '해썹' 또는 '해십'이라 부르며 우리나라에서는 1995년 12월에 도입되었고, 식품위생법에서는 '식품안전관리인증기준'이라 함 ③ HACCP은 최종 제품을 검사하여 안전성을 확보하는 개념이 아니라 식품의 생산 유통 소비의 전 과정을 통하여 지속적으로 관리함으로써 제품 또는 식품의 안전성(Safety)을 확보하고 보증하는 예방차원의 개념. 따라서 HACCP은 식중독을 예방하기 위한 감시활동으로 식품의 안전성, 건전성 및 품질을 확보하기 위한 계획적 관리시스템이라 할 수 있음 ④ **HACCP 구성** : 위해분석(HA ; Hazard Analysis), 중요관리점(CCP ; Critical Control Point) 　－ HA는 위해 가능성이 있는 요소를 전공정의 흐름에 따라 분석·평가하는 것 　－ CCP는 확인된 위해 중에서 중점적으로 다루어야 할 위해요소를 의미 ⑤ HACCP은 전 공정에서 CCP를 설정하여 각 CCP의 지점에서 설정된 기준에 따라 이를 관리하여 해당 위해를 사전에 예방하며 식품의 안전성을 확보함

HACCP 7원칙 12절차	절차 1		HACCP 팀 구성
	절차 2		제품설명서 작성
	절차 3		용도확인
	절차 4		공정흐름도 작성
	절차 5		공정흐름도 현장 확인
	절차 6	제1원칙	위해요소(HA) 분석
	절차 7	제2원칙	중요관리점(CCP) 결정
	절차 8	제3원칙	CCP 한계기준 설정
	절차 9	제4원칙	CCP 모니터링 체계 확립
	절차10	제5원칙	개선조치방법 수립
	절차11	제6원칙	검증절차 및 방법 수립
	절차12	제7원칙	문서화, 기록 유지 설정

중요관리점
(CCP)결정
	① 위해요소 분석이 끝나면 해당 제품의 원료나 공정에 존재하는 잠재적인 위해요소를 관리하기 위한 중요관리점을 결정해야 함
	② 중요관리점이란 원칙 1에서 파악된 위해요소를 예방, 제거 또는 허용 가능한 수준까지 감소시킬 수 있는 최종 단계 또는 공정을 말함
	
	〈더 알아보기〉 식품의 제조 · 가공 · 조리공정에서 중요관리점이 될 수 있는 사례
	동일한 식품을 생산하는 경우에도 제조 · 설비 등 작업장 환경이 다를 경우에는 서로 상이할 수 있음
	  ○ 미생물 성장을 최소화할 수 있는 냉각공정
	  ○ 병원성 미생물을 사멸시키기 위하여 특정 시간 및 온도에서 가열처리
	  ○ pH 및 수분활성도의 조절 또는 배지 첨가 같은 제품성분 배합
	  ○ 캔의 충전 및 밀봉 같은 가공처리
	  ○ 금속검출기에 의한 금속이물 검출공정 등
	
	③ CCP를 결정하는 하나의 좋은 방법은 중요관리점 결정도를 이용하는 것으로 이 결정도는 원칙 1의 위해 평가 결과 중요위해(확인대상)로 선정된 위해요소에 대하여 적용함

HACCP의 중요성	① 원예산물을 가공하고 포장하는 동안 발생할 수 있는 물리적 · 화학적 오염과 미생물 등에 의한 오염을 방지하는 일은 안전한 농산물 생산에 필수적 ② HACCP은 자주적이고 체계적이며 효율적인 관리를 통해 식품의 안전성을 확보하기 위한 과학적인 위생관리체계라고 할 수 있음
HACCP 절차의 효과	① HACCP 적용업소와 적용제품에는 인증마크를 부여하여 상품의 이미지 고양 ② 제품의 경쟁력과 차별성 및 시장성을 확보할 수 있음 ③ 기업의 비용이 궁극적으로 절감됨(관리요소의 절감, 제품 피드백 등) ④ 체계적이고 자주적이며 효율적인 위생관리체계를 수립할 수 있음 ⑤ 농식품의 안전성이 제고됨 ⑥ 부패성을 저하시키고 수확 후 신선도 유지기간이 증가하게 됨

신선편이 농산물

❶ 신선편이 농산물의 의의

정의	신선편이 농산물이란 수확한 농산물의 세척·절단·표피제거·다듬기 등을 미리 전처리 해서 소비자가 별도의 처리과정 없이 조리하여 먹을 수 있도록 한 농산물
특징	① 최종 소비자가 직접 구입해서 바로 소비가 가능할 수 있도록 소포장 중심의 유통이 일반화되고 있음 ② 물리적인 변화로 인해 원료가 변형되어 원물과 다르지만 신선한 상태를 유지하고 있는 것이 특징 ③ 소비자에게 높은 편이성과 영양가를 제공할 수 있음

❷ 특성과 주의사항

특성	① 소비자는 산물을 전처리 상태에서 구입하여 바로 먹거나 조리할 수 있음 ② 장단점
	<table><tr><td>장점</td><td>단점</td></tr><tr><td>• 요리시간의 절약 • 균질한 상품의 공급 • 건강식품 제공 • 저장공간의 절약 • 포장한 상태로 저장 가능 • 감모율의 감소</td><td>• 호흡열이 높음 • 에틸렌 발생이 높음 • 미생물 침입이 쉬움 • 증산량이 증가함 • 펙틴량이 감소함 • 스트레스를 받기 쉬움</td></tr></table>
주의사항	① 일반적으로 전처리과정을 거치면 산물은 호흡열이 높고 에틸렌 발생량이 많으므로 유통기간을 조절하거나 안전성 확보를 기본조건으로 하여야 함 ② 표피제거 등으로 노출된 표면이 넓고, 취급단계가 복잡하여 산물에 미치는 스트레스가 많으며 가공작업 중에 물리적 상처가 날 수도 있음

❸ 상품화 공정

세척 살균 소독 탈수	세척	3차로 실시하는 것이 일반적이며 음용수 기준의 오염되지 않은 물을 사용하고 선도유지를 위해 3~5℃ 정도로 냉각하여 세척함 ① 1차 세척 : 산물에 묻어 있는 이물질, 벌레 등을 제거 ② 2차 세척 : 염소수를 사용하여 미생물 제거 ③ 3차 세척 : 음용수를 사용하여 행굼
	염소 세척	① 비용이 적게 듦 ② 살균효과를 얻을 수 있음 ③ pH6.5~7 정도의 염소수를 사용함 ④ 염소계 살균소독제 : 차아염소산나트륨($NaClO$), 차아염소산칼슘($Ca(ClO)_2$)

오존수 세척	① 산화력이 높고 낮은 온도에서도 사용 가능 ② 미생물 사멸 속도가 빠름 ③ 과채류의 부패방지 효과가 있음 ④ 초기시설에 들어가는 경비가 많은 단점이 있음 ⑤ 오존가스는 인체에 독성이 있어 작업장 내에 오존가스 관리가 필요함
전해수 세척	① 전해수 : 식염이나 염화가리 등에 전기적인 힘을 가해서 얻어지는 차아염소산, 차아염소나트륨 등을 함유한 수용액으로 pH에 따라 강산성, 약산성, 약알칼리성으로 구분함 ② 신선편이 농산물이나 단체급식업체의 세척수로 사용됨
열처리 살균과 소독	① 산물의 신선도 유지를 위해 냉각수나 저온수를 사용하는 것이 원칙이지만 살균소독제 사용 시 냄새 등을 피하기 위하여 열처리 과정을 거치기도 함 ② 세척 품목에 따라서 열처리 온도 및 시간을 결정해야 함 ③ 가능한 짧은 시간 동안의 열처리로 미생물 감소효과를 가질 수 있음
탈수	① 세척 후 산물 표면에 남아 있는 수분을 제거하기 위한 작업 ② 건조과정을 통해 수분을 제거할 수 있음 ③ 탈수방법으로 원심분리식 탈수(엽채류), 강제통풍식 탈수(과채류) 활용
박피 절단	① 박피 : 채소류나 과채류의 껍질을 제거해 주는 작업(양파, 감자, 오렌지류, 밤 등) ② 절단 : 결구상추나 양배추 등은 자동절단기를 사용하고, 감자, 피망, 단호박, 파 등은 수작업으로 절단 ③ 칼날 사용 ④ 칼날 소독을 통해 교차오염이 발생하지 않도록 함
선별	사물의 전처리가 끝나면 크기, 모양, 무게 등에 따라 분류
포장	① MA포장, 용기포장, 진공포장 등을 통해 내부의 수분, 가스, 오염, 이취 등 차단 ② MA포장 – 선택적 가스투과성을 가진 필름을 이용하여 포장내부의 산소 농도는 낮추고 이산화탄소의 농도는 높여주는 포장방식 – 산물에 맞춰진 필름을 사용하는 것이 중요함 – MAP(가스치환포장)포장은 이산화탄소를 충전하여 호흡을 억제시킴 ③ 용기포장 – 그릇과 같은 용기를 사용하여 포장하면 압상피해를 회피할 수 있음 – 판매 시 진열이 용이하고 외관이 뛰어나 소비자의 구매욕구를 불러일으킬 수 있음 – 필름에 비하여 단가가 비쌈 – 밀봉조치에 주의를 기울여야 함(부패, 갈변, 이취 억제) ④ 진공포장 – 필름이나 용기 속을 진공상태로 보존하여 식품의 산화나 변질 방지 가능 – 부피 등을 줄일 수 있음(수송 편이성 증진) – 저온유통과 결합하여 이취나 부패성을 막아야 함 – 심한 진공상태 포장은 압상을 가져올 수 있고, 급격한 기압의 변화로 시듦현상이 나타날 수 있음

❹ 원료의 품질유지 필요성

품질유지의 어려움	신선편이 농산물은 원 산물의 품질이 좋아야 하고 그렇지 않은 경우 원료의 신선도를 유지하기 힘듦
품질유지 방법	① 산물의 수확시기나 재배환경이 신선편이 농산물의 품질에 영향을 미침 ② 온도관리 ③ 취급장비관리 ④ 운반상자의 위생관리 ⑤ 가공시설의 위생관리 ⑥ 시설 주변의 위생관리 ⑦ 작업자의 위생관리

※ 신선편이 농산물 표준규격(농산물의 표준규격 제11조의 ②관련 [별표7])

1. **적용범위** : 본 규격은 국내에서 생산된 농산물에 적용되며, 포장 단위별로 적용함
2. **적용대상**
   농산물을 편리하게 조리할 수 있도록 세척, 박피, 다듬기 또는 절단과정을 거쳐 포장되어 유통되는 채소류, 서류, 버섯류 등의 농산물을 대상으로 함
3. **품질(적합) 규격**
   가. 색깔
   ① 농산물 품목별 고유의 색을 유지하여야 함
   ② 절단된 농산물을 육안으로 판정하여 다음과 같은 변색이 나타나지 않아야 함
      - 엽채류는 핑크색 또는 갈색이 잎의 중앙부(엽맥)까지 확산되지 않아야 함
      - 엽경채류는 육안으로 판정하여 심한 황색 또는 갈색이 나타나지 않아야 함
      - 근채류 중 당근은 표면에 백화현상이 심하지 않아야 하고, 무·당근·연근·우엉 등은 절단면에서 갈변이 심하지 않아야 함
      - 마늘은 녹변 또는 핑크색이 나타나지 않아야 하며, 양파는 색이 검게 나타나지 않고, 파는 황색으로 변하지 않아야 함
      - 감자·고구마는 갈변과 녹변이 심하지 않아야 함
   나. 외관
   ① 병충해, 상해 등의 피해가 발견되지 않아야 함
   ② 엽채류 잎에 검은 반점 또는 물에 잠긴(수침) 증상이 포장된 상태에서 육안으로 발견되지 않아야 함
   ③ 엽경채류, 근채류, 버섯류 등이 짓물려 있거나 점액물질이 심하게 발견되지 않아야 함
   ④ 과채류가 지나치게 물러져 주스가 흘러내리지 않아야 함
   ⑤ 서류는 지나치게 전분질이 나와 표면에 묻어 있지 않아야 함
   다. 이물질
   ① 포장된 신선편이 농산물의 원료 이외에 이물질이 없어야 함
   라. 신선도
   ① 표면이 건조되어 마른 증상이 없어야 하며, 부패된 것이 나타나지 않아야 함
   ② 물러지거나 부러짐이 심하지 않아야 함
   마. 포장상태
   ① 유통 중 포장재에 핀홀(구멍)이 발생하거나 진공포장의 밀봉이 풀리지 않아야 함

바. 이취
　① 포장재 개봉 직후 심한 이취가 나지 않아야 하며, 이취가 발생하여도 약간만 느끼어 품목 고유의 향에 영향을 미치지 않아야 함

4. 포장규격
　가. 포장재료는 식품위생법에 따른 기구 및 용기 포장의 기준 및 규격과 폐기물관리법 등 관계 법령에 적합하여야 함
　나. 포장치수의 길이, 너비는 한국산업규격(KS T 1002)에서 정한 수송포장계열치수 69개 및 40개 모듈, 또는 표준펠릿(KS T 0006)의 적재효율이 90% 이상인 것으로 함(단, 5kg 미만 소포장 및 속포장 치수는 별도로 제한하지 않음)
　다. 거래단위는 거래 당사자 간의 협의 또는 시장 유통여건에 따라 자율적으로 정하여 사용할 수 있음

5. 표시사항
　출하하는 자가 표준규격품임을 표시할 경우 해당 물품의 포장표면에 "표준규격품"이라는 문구와 함께 품목·산지·품종·등급·무게·생산자 또는 생산자단체 명칭(판매자 명칭으로 갈음할 수 있음) 및 전화번호를 표시하여야 함(다만, 품종·등급은 생략할 수 있음)

※ 용어의 정의

① 신선편이 농산물이란 농산물을 편리하게 조리할 수 있도록 세척, 박피, 다듬기 또는 절단과정을 거쳐 포장되어 유통되는 조리용 채소류, 서류 및 버섯류 등의 농산물을 말함
② 신선편이 농산물에 사용되는 원료 농산물의 분류는 다음과 같음
　㉠ 채소류 : 엽채류, 엽경채류, 근채류, 과채류
　　 － 엽채류 : 상추, 양상추, 배추, 양배추, 치커리, 시금치 등
　　 － 엽경채류 : 파, 미나리, 아스파라거스, 부추 등
　　 － 근채류 : 무, 양파, 마늘, 당근, 연근, 우엉 등
　　 － 과채류 : 오이, 호박, 토마토, 고추, 피망, 수박 등
　㉡ 서류 : 감자, 고구마
　㉢ 버섯류 : 느타리버섯, 새송이버섯, 팽이버섯, 양송이버섯 등
③ 변색이란 육안으로도 쉽게 식별할 수 있을 정도로 농산물 고유의 색이 다른 색으로 변한 것을 말함
④ 백화현상(white blush)이란 당근 절단면이 주로 건조되면서 나타나는 것으로 고유의 색이 하얗게 변하는 것을 말함
⑤ 갈변이란 절단된 신선편이 농산물이 주로 효소작용에 의해 육안으로 판정하여 고유의 색이 아닌 붉은 색 또는 갈색을 띄는 것을 말함
⑥ 녹변이란 마늘, 감자의 색이 육안으로 판정하여 구별될 수 있을 정도로 녹색으로 변한 것을 말함

품목별 수확 후 품질관리기술

❶ 사과

수확	① 사과 주요 품종의 숙기표 활용 ② 적숙기 판정 : 최종 수확 시기는 저장계획과 저장기간 등을 고려한 수확 후 출하프로그램에 따라 결정 　– 수확 즉시 출하용 : 품종 고유의 풍미가 날 때 수확 　– 저장용 : 저장기간에 따라 7~15일 정도 빨리 수확
수확 후 처리	① 수확 후 품질 저하 요인 　– 수확 후 생리적 특성 : 과실은 수확 후에도 증산작용과 대사작용이 계속됨 　– 증산작용에 의한 수분손실로 중량이 감소하고 위축증상이 나타나며 조직감이 저하 　– 호흡작용 : 산함량이 감소하고, 당함량이 저하 　– 숙성호르몬 에틸렌에 의한 노화작용 ② 수확 후 관리기술 　– 온도관리 : 저온유지를 통해 호흡·증산·효소활동, 미생물 증식을 억제하고 부패성을 방지할 수 있음 　– 습도관리 : 수분탈취 방지 　– 기체조성관리 : CA환경을 조성하여 호흡 억제, 에틸렌 합성 억제 및 에틸렌 분해 및 제거를 해줌 ③ 선별, 세척 및 등급화 포장 ④ 저장기술 　– 온도관리 : 수확 후에 바로 입고하여 최단시간 내 0℃에 도달 　– 습도관리 : 90~95% 정도의 습도를 유지하고 필요시에 분무를 통해 가습해 줌 　– CA저장 조건 | 품종	CA환경		
	적정 CA 범위(%) O₂ + CO₂	산소 한계농도	이산화탄소 한계농도
후지사과	1~3 + ≥1.0%	≥ 0.5%	1.0%
일반 품종	1~3 + 1~5	≥ 1.5%	≥ 5.0%	

※ 위 표의 CA저장 조건 표기를 정리하면 다음과 같다.

품종	CA환경		
	적정 CA 범위(%) $O_2 + CO_2$	산소 한계농도	이산화탄소 한계농도
후지사과	1~3 + ≥1.0%	≥ 0.5%	1.0%
일반 품종	1~3 + 1~5	≥ 1.5%	≥ 5.0%

❷ 배

수확	① 수확기 결정 : 품종별 개화 후 성숙까지의 일수를 고려하여 과점상태, 과실자루의 이층 형성 정도 등을 참고하여 수확기 결정 [국내 주요 배품종의 성숙기]

[국내 주요 배품종의 성숙기]

품종	숙기	품종	숙기
신고	9월 말(나주) 10월 초(수원)	추황	10.26(나주)
황금배	9.20(수원) 9.10(나주)	원황	9.12(나주)

	② 수확방법 　– 수확은 2~3회로 나누어 적숙기에 도달한 과실부터 수확 　– 지베렐린 처리된 과실부터 수확 　– 수확 시 과실을 가볍게 들어 올렸을 때 쉽게 떨어지면 적숙기로 볼 수 있음 　– 과실에 무리한 힘을 가하여 수확하지 않도록 함 　– 비가 온 직후에는 수확하지 않고, 2~3일 지난 후 과실이 마르면 수확 　– 과실 봉지가 젖은 상태에서 수확하지 않음(전처리 시 부패균 증식 우려 있음)	
수확 후 처리 (예건)	예건 처리	① 신고배, 추황배, 영산배 등은 수확 후 곧바로 저온저장할 경우 "과피흑변" 장해가 올 수 있음 ② 이들 품종은 수확 후 곧장 저온저장고로 입고하지 말고 그늘지고 통풍이 잘되는 곳에 7~10일이 경과한 후 저장
	예건 처리 방법	① 야적이 필요한 경우 이슬을 맞지 않도록 야간에는 비닐 천으로 덮어주고 낮에는 걷어줌 ② 그늘진 장소가 여의치 않으면 차광막을 설치하여 과실의 직사광 노출을 막아줌 ③ 처리 중 비에 젖지 않도록 유의 ④ 산간지대에서는 급격한 온도강하가 있을 수 있으므로 노지 야적은 피함
	저장고 온도 관리	① 저장고 온도는 서서히 낮추어 줌 ② 1일에 1~2℃ 정도 낮추어서 1주일 정도에 정상적인 관리온도에 도달하도 록 관리함 ③ 과피흑변은 수확기에 강우가 많았던 해에 심하기 때문에 온도관리가 더욱 중요함 ④ 외기온이 너무 낮아 야적하기 어려운 경우에는 일단 저장고에 두되 냉동기 를 가동하지 말고 1주일 정도 환기시킨 후 저장고 온도를 낮춰줌 ※ 저장고 입고를 너무 늦추는 경우 과피가 얼룩지는 피해를 당할 수 있음
선별·포장	① 선별과정 　– 봉지 벗기기 → 과실자루 제거 → 기형과 등 제거 → 선별라인 투입 → 이물질 또는 해충 제거 → 당도 선별 및 무게 선별 → 등급별 분리 　– 선별 등급별로 포장장으로 이동해서 포장작업 개시 　– 배는 과피가 얇아서 선별라인에서 상처를 받기 쉬움 ② 포장 　– 겉포장 재료(골판지) : 파열강도(내수용) $26kg/cm^2$, (수출용)$35kg/cm^2$ 　– 낱개포장 시 발포스티로폼 사용	
저장기술	① 저장고 입고 　– 과실 수송 시 흔들림에 의해 손상이 올 수 있으므로 특히 상단에 적재하는 과실의 경우 완충재를 사용하는 것이 중요함 　– 압상방지를 위해 파렛트를 사용하는 것이 좋음 ② 온도 　– 품종별 수확시기를 감안하여 조생종(8~9월 수확)은 온도 관리가 필요하지만, 중만 생종의 경우 저장고 온도를 빠르게 냉각시킬 필요가 없음 　– 저온실 냉각법을 사용하는 경우 별도의 예냉설비가 필요하지 않음	

	– 저장고의 온도가 높은 경우 팬을 설치하여 공기를 강제로 순환시켜 줌 – 배의 저장 온도 : 0~1℃가 적당하지만 단기저장 시에는 약 4~5℃로 관리
적재	① 저장고 적재 – 파렛트를 사용하고, 바닥에 포장이 직접 닿지 않도록 함 – 저장고 벽면과 포장 사이에는 약 30cm의 공간을 둠(찬공기 순환) ② 저장고 설계 – 공기순환 공간을 확보하기 위하여 걸레받이를 둠 – 파렛트 사이에도 일정한 공간 확보(파렛트 간격 약 15cm) – 저장고 상단부에도 충분한 공간을 두고, 저장상태를 확인할 수 있는 공간을 설계함
습도관리	① 배 저장고 습도(90% 내외) – 저장고 온도 편차가 크지 않도록 유지해야 습도관리 용이 – 저장고 온도가 높아지면 습도가 낮아져 증산이 많아짐 – 낮은 저장고 온도에서 수증기가 응축하고 결로를 발생시킴 ② 증발기에서 나오는 공기온도가 설정온도보다 낮을 때 코일에 성에가 끼고 자주 제상을 해주어야 함 ③ 습도관리 시 주요사항 – 냉각코일과 저장온도 사이의 편차를 줄임 – 공기순환 및 환기량 조절 – 저장고 바닥 적시기 – 건조가 심한 위치에 적재한 상자는 비닐필름으로 보호 – 가습장치 활용
출하	① 배의 적정 저장기간을 고려하여 최종 출하시기 결정 ② 선별과 포장을 거친 과실은 소비지 수송을 준비해야 함 ③ 장기간 저장된 과실을 처리할 경우 특히 과실온도가 올라가지 않도록 함

❸ 단감

수확적기	① 수확적기 판정 기준 : 당도, 과색, 크기, 과육경도 등 ② 부유품종의 수확기 착색 정도 : 단감 색도계 4 이상 ③ 된서리를 맞은 단감의 경우 저장 중 연화되기 쉬우므로 출하를 빨리 함 ④ 과실표면에 수분이 있을 때 수확한 과실에는 오·손과의 발생이 많음 ⑤ 장기저장용 단감은 완숙되기 전에 수확 ⑥ 미숙과 수확 : 호흡량이 높고 갈변과 또는 얼룩과가 되기 쉽고 당도가 떨어짐
수확방법	감의 표피는 큐티클층으로 되어 있어 상처나기 쉬움. 수확, 운반, 선과 작업 시 발생한 상처는 치유가 불가능하므로 장기저장을 목적으로 하는 과실은 상처가 나지 않도록 해야 함(상처난 과실은 저장 시 곰팡이 등 저장병을 일으키거나 흑점을 발생시켜 상품성을 떨어뜨림) ① 수확가위를 이용하여 과실을 하나씩 수확 ② 수확 시 꼭지나 주두는 짧게 잘라 줌 ③ 운반 시 압상이나 상처가 나지 않도록 함 ④ 피해과의 경우 장기저장을 피함

수확 후 처리	예건	① 예건 효과 　- 수확 후 과실의 호흡작용을 안정시킴 　- 과피에 탄력이 생겨 상처발생이 적음 　- 과피의 수분이 제거되어 곰팡이와 과피흑변 및 갈변과 방지 　- 저장하기 전에 저장력이 약한 과실을 골라낼 수 있음 ② 예건 기간 　- 상온에서 3일 정도 　- 강우량이 많았거나, 미숙과실인 경우 저장기간은 4~6일 정도 　- 지나치게 긴 예건 기간은 연화가 발생하고 중량 손실이 발생 ③ 예건 기간 중 강우가 있거나 일교차가 심한 경우 과실표면에 수분이 응결되어 　과피흑변이 발생할 수 있음 ④ 예건 장소 　- 통풍이 잘 되고 온도변화가 적은 상온저장고 이용 　- 수확된 과실은 노지에 방치하지 말고, 습도가 많은 창고 등은 피함
	예냉	① 예냉 효과 　- 저온저장 중 생리장해의 발생량을 줄여 줌 　- 과실표면에 수분 맺힘 현상을 줄여 주어 흑점, 부패 등을 방지 　- 수확 즉시 일시 저온창고에 저장 후 출하가 가능하므로 노동력 분산효과가 　　있음 　- 수확 후 품질을 유지시켜 줌 　- 저장 중 장해과 발생을 억제 ② 반감기 : 저온처리 시 반감시간은 50분 정도이며, 목표온도까지 도달하는 데 　약 6~8시간 소요 ③ 저온처리 시 저장고의 온도가 올라가지 않도록 주의할 것(흑변과, 부패과 피해) ④ 선과장의 온도 역시 저온이 유지되도록 함 ⑤ 저온처리 시간 : 0℃에서 20일간 실시 　- 단감은 5℃의 저장에서 가장 저온장해가 많이 발생 　- 저온처리된 단감은 상온에 노출되면 급격히 연화되므로 저온처리 후 출하되 　　는 단감은 반드시 저밀도폴리에틸렌 필름으로 밀봉포장 후에 출하
선별 (선과)		① 선과 　- 이병과, 기형과, 상처과, 생리장해과의 선별 후 제거 　- 색도와 무게별로 선별 　- 장기저장을 위한 단감의 경우 중간정도의 크기 또는 미숙하지 않은 과실이 저장력이 　　좋음 　- 수확 시 상처과는 조기 출하 ② 선과방법 　- 선과기 : 일반적으로 기계식 선과기 사용 　- 비파괴 당도분석기의 경우 단감에는 실효성이 낮음 　- 색채선과기를 사용하면 당도분석을 대신할 수 있음

포장	① 외포장 　– 포장상자로 골판지 상자가 유용함 　– 내수용과 수출용을 구분하여 수출용의 경우 포장박스 강도를 높여야 함 ② 내포장(MA포장) 　– 단감은 다른 과실에 비하여 저장력이 약한데, 이를 보완하고자 LDPE 포장방법이 　　널리 일반화됨 　– LDPE 포장방식은 과실의 급속한 증산작용을 억제 　– 호흡에 의한 봉지 내 기체조성이 가능 　– 포장 시 부주의한 취급을 방지할 것 　– 최근 낱개 포장방식이 등장하면서 연화과나 생리장해과 문제를 해결하고 있음
저장기술	① 저온저장고 내 온도 분포 　– 냉각기의 찬 공기가 저장고 전체에 고루 퍼져나가도록 할 것 　– 저장고 내에 공기통로 확보 　– 적재 파렛트 사이와 벽면 공간은 충분히 확보할 것 　– 일반적으로 중앙통로 50cm, 파렛트 사이, 벽면은 30cm, 천장은 50cm 공간을 둠 ② 온도 설정 　– 단감의 저장 중 발생하는 연화는 온도 상승이 원인 　– 저장고 내에 온도계를 설치하고 출입구에 샘플을 두고 수시로 확인 　– 저장고 내 온도는 설정온도에서 ±0.5℃를 벗어나지 않도록 할 것 　– 적정온도보다 낮은 온도는 저온장해를 유발하고, 높은 온도는 저장기간을 단축시킴

수확 후 손실	과피 흑변	① 발생원인 　– 과실표면의 상처나 후기 비대기의 급격한 비대성장에 의한 큐티클층의 　　균열 부분에 곰팡이 감염 　– 과실표면의 수분 과다 　– 저장봉지의 부주의한 취급 및 포장재의 규격 미달로 산소투과도가 증가하 　　여 과실 내 폴리페놀물질의 산화 　– 수확기에 석회보르도액과 같은 동제 살포 ② 방지대책 　– 수확기 지나친 관수를 피하여 급격한 비대 억제 　– 9월 이후 동제 살포 자제 　– 수확 후 예건의 실시로 수분을 건조시킴 　– 상처과 등은 반드시 골라 냄 　– 예건장소는 통풍이 잘되고 온도변화가 적은 상온저장고 활용 　– 필름포장 시 상처가 나지 않도록 주의 　– 필름포장 시 열접착이 잘되도록 함
	갈변과 (초코과)	장해원인 ① 단감의 과정부에 원형으로 과피뿐만 아니라 과육까지 갈변이 되는 장해 ② 저온저장 중 조장지 내 산소 농도가 너무 낮거나 이산화탄소 급격한 증가로 　무기호흡에 의한 과육 내 아세트알데하이드, 알콜 등의 유해성분이 축적되어 　발생

		③ 저장고의 높은 온도, 심한 온도변화 등에 의한 호흡량 증가, 필름이 지나치게 두꺼워서 발생하거나 병충해를 심하게 입은 과원의 과실, 배수불량인 과원의 과실, 미숙과, 상처과 등의 잘못된 재배관리로 인한 갈변 유발 ④ 수확 후 충분한 예냉, 예건의 부족
	저온 장해 (연화)	① 장해원인 　- 5℃ 정도의 온도에서 장기 보관하거나 0℃ 정도의 저온에서 보관 후 상온에서 유통된 경우 과숙으로 인한 연화와 구별되는 젤리화 연화가 발생 　- 저온 저장 후 상온 또는 고온에 유통 시 발생하는 생리적 장해 ② 방지대책 　- 고온에 유통되는 단감의 경우 저밀도폴리에틸렌필름을 사용 　- 에틸렌 작용 억제제 처리
	저장병 (곰팡이, 연화)	① 장해원인 　- 장기 저온저장 시 발생(저온성 곰팡이에 노출) 　- 감의 상처난 틈을 타고 발생하므로 큐티클층이 파괴되지 않도록 함 ② 방지대책 　- 저장고의 온도와 습도를 낮춰 줌 　- 표피에 상처가 나지 않도록 함 　- 저장고 내 기체조성이 적절하도록 관리 　- 저장고 내 온도가 높을수록, 포장지 내 산소농도가 높고 이산화탄소 농도가 낮을수록 곰팡이와 연화과 발생이 많음 　- 병충해 또는 상처난 과실의 경우 장기저장을 피함

❹ 감자

수확	수확적기	① 감자 지상부의 경엽이 건조하면서 괴경이 완숙하여 전분의 축적이 최고에 달했을 때 ② 표피가 완전히 코르크화 되어 껍질이 잘 벗겨지지 않을 때
	수확방법	① 토양이 건조한 맑은 날을 선택하여 수확 ② 강우 등 토양이 다습할 경우에는 수확 하루 전에 비닐을 제거하여 토양을 건조시킨 후 수확 ③ 예정보다 조기수확하고자 할 경우에는 수확 10일 전 바람이 없는 날에 건조 고사제를 살포함 ④ 병원균에 감염된 경엽은 수확 시 제거할 것(감자 부패의 원인) ⑤ 감자의 손상을 최소화하고, 직사광이나 고온 및 저온에 주의 ⑥ 수확된 감자밭에 자투리 감자가 남아 있지 않도록 해야 이듬해 병해잠복 및 전염 등에 저항할 수 있음
수확 후 처리 (큐어링)	큐어링	① 저온 큐어링이 고온에서보다 더 효과적 ② 90%의 습도와 18℃에서 6일간, 15℃에서 10일간, 13℃에서 12일간의 큐어링 기간이 소요 ③ 20℃ 이상에서의 큐어링은 세균이나 곰팡이류의 활동이 왕성하므로 피해야 함

	실시요령	① 산지 큐어링 : 산지에서 9~10월 중 수확한 감자를 상자에 담아서 태양광 차단막, 보온덮개, 비닐 등으로 덮은 후 공기유통이 잘 되는 냉암소에 4~5일간 보관 후에 저장고에 입고 ② 저온저장고 겸용 큐어링의 경우 수확된 감자를 <u>저장고 온도 15℃, 습도 90~95%</u> 정도에서 입고한 후 8일 정도 처리하면 상처조직이 치유됨
	건조	① 감자를 세척한 경우 건조는 통풍이 되는 정도의 바람으로 실시 ② 건조실 온도는 약 20~25℃ 유지
선별		① 수확과 동시에 육안 선별 ② 컨베이어벨트를 이용할 경우 1차 육안으로 결점과를 제거하고 2차로 무게 기준으로 선별 ③ 선별 시 제거 대상 　– 불균형과 　– 껍질이 벗겨졌거나 손상을 입은 것 　– 박피의 피해를 입은 것 　– 표피색이 감자 고유색을 갖추지 못한 것 　– 동해를 입었거나 햇빛에 그을린 것 　– 병해 증상이 있는 것 ④ 용도에 따른 선별 기준 　– 가공용 감자 : 적합한 크기(80~250g), 비중이 높고, 칩 컬러가 양호하며 병해 또는 결함이 없는 것 　– 소비자용 감자 : 껍질을 제거한 청결감자, 세척감자를 소포장한 것
저장기술	적재방법	① 저장고의 벽, 천장, 바닥에 단열재 사용 ② 저장고 높이의 80% 내외까지 일정하게 적재 ③ 환기가 지나치게 잘 될 경우 탈수가 되어 수축될 우려가 있음 ④ 천장과 감자의 상층 간격은 1.5m 정도 유지
	저장관리	① 부패한 감자가 발생하는 경우 신속히 제거 ② 가능한 건조한 상태로 저장 ③ 저장 후 가능한 빨리 환기시켜 감자를 말려 줌 ④ 표피가 상하지 않도록 함 ⑤ 상처치유와 껍질이 잘 형성되도록 함
유통		① 박스 포장 : 수송 시 고단 적재에 견딜 수 있는 강도를 갖춰야 함 ② 비닐 소포장 : 플라스틱필름을 이용하고 MA포장
수확 후 손실		① 곰팡이병(역병 및 검은무늬썩음병) : 저온다습한 환경에서 발생되므로 저장고 내 온습도 관리를 잘해야 함 ② 세균병(무름병 및 풋마름병) : 고온다습한 환경에서 주로 발생하므로 저장기간 중 건조와 통기를 잘해야 하며, 저장 시 이병식물체와 병든 괴경을 제거함 ③ 생리장해 및 물리장해 : 압상, 맹아, 수분손실, 부패 등의 손실

❺ 고구마

수확	① 평지보다 경사지 재배 고구마의 저장력이 좋음 ② 4월 중에 삽식하여 8월 이전에 수확하는 고구마는 저온저장을 거치지 않고 조기 소비됨 ③ 수확적기 　－4월 이전에 삽식하는 고구마 : 8월 이전 수확 　－5월에 삽식된 고구마 : 추석 전후에 수확 　－6월에 삽식된 고구마 : 10월에 수확 ④ 수확하기 전 2~3주 전에 관개를 중단하여 표피의 잔뿌리가 건조되게 함 ⑤ 종자용 고구마나 이듬해 판매되는 고구마는 10℃ 이하의 저온에 노출되면 냉해가 발생하므로 일찍 수확한 후 큐어링 처리하고 저장할 것 ⑥ 수확 시 물리적 손상을 입지 않도록 주의
수확 후 처리	① 그늘 건조 또는 큐어링을 실시하여 호흡을 저하시킴 ② 적절한 환기를 통해 호흡과다를 막아 저장물질의 소모 억제 ③ 저장 전처리로 예비저장이나 큐어링 실시 ④ 큐어링 : 고습조건에서 실시하고, 실시 후 환기를 하여 <u>고구마 내부 온도가 12~14℃가 되도록 함</u>
선별 · 포장	① 저장 중 2차 감염을 막기 위해 병충해과, 냉해과 등을 제거 ② 판매용이나 종자용으로 저장할 고구마는 흙을 제거하고, 줄기나 잔뿌리를 다소 길게 붙여서 다듬은 후 저장장소로 수송할 때 상처가 나지 않도록 함 ③ 수확한 고구마를 밭에 방치하는 경우 냉해를 입을 수 있음 ④ 수확한 고구마는 바람이 잘 통하는 옥내로 옮겨 예비저장을 하거나 큐어링을 함 ⑤ 포장박스는 공기순환이 원활한 플라스틱 박스나 규격화된 종이박스 사용
저장기술	**온도관리** ① **고구마 저장 가능 온도 : 10~17℃** ② <u>저장 적온 : 12~15℃</u> ③ 10℃ 이하 온도에 저장하면 과육이 변하여 식감이 나빠지고, 부패성이 높아짐 ④ 저온장해를 입은 고구마는 색이 변하고 광택이 없어짐 ⑤ 고온에서는 호흡작용이 왕성해져서 고구마의 양분 소모가 많고 맹아신장이 이루어져서 품질이 떨어짐 ⑥ 냉동해를 입는 온도 : 0℃ 24시간, −5℃ 18시간, −15℃ 3시간 ⑦ 고구마가 어는 온도 : −1.3℃ **습도관리** ① 고구마의 수분함량 : 60~70% ② 저장장소가 건조하면 수분 손실, 껍질 경화, 코르크층 형성이 나빠지고 부패하게 되며 싹과 뿌리의 발생이 어려움 ③ 저온고습 환경에서 고구마 표피에 물이 맺히고 부패하기 쉬움 ④ <u>저장 중 적정 습도 : 85~90%</u> **저장방법** ① 굴 저장법, 옥외 움 저장법, 옥내 움 저장법, 옥외 간이 움 저장법, 온돌 저장법, 가열식 저장법 및 왕겨 충진 저장법이 있음 ② 일반적으로 가열식 저장고나 온도의 변화가 적은 지하굴이 적절함

농산물품질관리사
1차 한권으로 합격하기

PART

04

농산물유통론

CHAPTER 01 총론

❶ 농산물 유통의 개념

유통의 의의	① 유통(流通, distribution) : 마케팅 활동의 일환으로 자사의 제품이나 서비스를 어떤 유통 경로를 통해 표적 시장이나 고객에게 제공할 것인가를 결정하고 새로운 시장기회와 고객 가치를 창출하는 일련의 활동 ② 유통은 생산과 소비를 잇는 경제활동으로 공급업체로부터 최종 소비자로 이어지는 하나의 유통시스템(유통경로시스템)은 제조업체가 생산한 제품이나 서비스가 흘러가는 단순한 경로가 아니라 새로운 가치와 소비를 창출하는 토대가 됨 ③ 유통은 생산물의 이동을 목적으로 하는 교섭인 거래활동(교환)과, 그 결과로서 나타나는 생산물의 이동(수송활동) 그 자체를 포함. 이러한 유통을 가능하게 해주는 기관을 유통기구라고 함
농산물 유통	① 농산물 유통은 농산물이 생산자인 농업인으로부터 소비자나 사용자에게 이르기까지의 모든 경제활동을 의미함 ② 농산물의 생산과정은 일반적으로 유통과정에 종속되어 있음 ③ 농산물 유통은 생산과 소비를 연결하여 효용을 증대시킴 ④ 농업인과 상인 간의 관계는 경쟁적이면서 동시에 보완적인 관계 ⑤ 다수의 비조직적인 생산자와 소비자가 분산적이며 유통과정이 복잡하고 경로가 긴 편 ⑥ 농산물 유통은 생산자와 소비자 간에 존재하는 시간적, 공간적, 소유권적 간격을 좁혀주는 역할 수행

❷ 농산물의 특성

계절적 편재성	① 농산물은 자연적 영향으로 인해 계절에 따라 수확기가 제한적 ② 계절적 편재성으로 인해 일시출하 또는 홍수출하 발생 ③ 출하시기 조절을 위한 기술적, 자본적 비용이 소요됨
부피와 중량성	① 농산물은 가격에 비해 부피와 중량이 큼 ② 부피와 중량성은 수송비용의 과다 발생 원인이 되므로 유통거리를 짧게 함
부패성	① 일반적인 농산물은 수분을 함유하고 있어서 부패의 위험성을 가짐 ② 농산물의 부패성을 막고 신선도를 유지하기 위한 비용 발생 ③ 부패성으로 인해 유통거리 및 유통경로를 단축할 필요 있음
용도의 다양성	① 동일한 농산물이라 하더라도 식용, 공업용 원료, 사료용 등 그 용도가 다양 ② 용도의 다양성은 출하시기, 수용처에 따라 품목의 대체가 가능하게 함 ③ 용도의 다양성은 상품가격의 예측을 어렵게 함

양과 질의 불균일성	① 농산물은 생산자가 동일하고 동일한 품목, 품종이라고 하더라도 생산량과 품질이 균일하지 못함 ② 농산물의 불균일성은 농산물의 표준화, 등급화를 어렵게 만듦
수요와 공급의 비탄력성	① 생산자는 생산기간을 조절할 수 없고, 소비자에게 농산물은 필수재적 성격을 가지고 있어 공급과 수요를 조절할 수 없으므로 비탄력적 ② 생산자는 파종기에 미래시장의 가격에 맞춰 공급량을 결정하지만 소비자는 소비시점에서 가격에 맞춰 수요량을 결정하는 시간 간격 발생
유통경로의 복잡성	① 다수의 비조직적 생산자가 분산되어 농산물 출하 ② 공산품에 비하여 중계단계에 많은 수의 유통기구(상인)가 개입함 ③ 농산물의 특성(신선도 유지 등)이 품목마다 다르므로 중계유형도 다양함

❸ 농산물의 생산과 소비의 특성

생산의 특성	① 농산물의 생산은 자연적 영향(기후, 토질 등)을 받음 ② 계절적 편재성으로 인해 출하시기가 제한됨 ③ 수확체감의 현상이 발생함 ④ 자본의 유동성이 느림(파종기에서 출하기까지 시간적 거리 존재) ⑤ 아직 기계화, 전문화가 미약하고, 노동집약적이어서 생산성이 낮고 영세적
소비의 특성	① 자연적 요인 : 지리적, 풍토적, 생물학적 영향 ② 사회적 요인 : 인구구성, 관습, 기호에 따라 소비성향이 다름 ③ 경제적 요인 : 인구수, 소득, 가격 등에 따라 소비형태가 다양함 ④ 수요의 가격탄력성이 비탄력적 ⑤ 농산물의 한계소비성향이 고소득사회보다 저소득사회가 더 높음
현대사회의 소비 변화	① 친환경농산물 등 건강과 관련된 농산물의 소비 증가 ② 가공식품, 소포장 간편식품의 소비 증가나 외식문화 정착 ③ 대형마트나 창고형 할인점 등의 등장으로 유통구조 변화 ④ 식품의 소비구조가 고급화, 다양화 ⑤ 곡류 소비의 감소와 육류나 수산물 소비 증가

농산물 유통의 기능

❶ 농산물 유통의 3대 기능

소유권이전 기능 (소유효용)	구매(수집)기능	① 교환기능으로 물건의 소유권이 생산자로부터 상인을 거쳐 소비자에게 이전하는 기능 ② 산지수집상, 중개인의 위탁대리인, 산지조합, 유통업체의 바이어 등이 수행하는 기능
	판매(분배)기능	① 가격별 판매단위의 결정 : 상품의 규격과 포장단위 결정 ② 유통경로의 결정 : 입지선정 활동을 통하여 소비자와 만나는 접점 결정 ③ 판매시점과 가격의 결정 : 재고관리, 일시적 저장 등을 통하여 판매시점을 결정하고 최종소비자의 적정가격을 결정하는 기능 ④ 상품의 진열, 광고, 관계마케팅 등 소비자의 구매의욕을 자극하는 역할을 함
물적유통기능	수송 (장소효용)	① 소비자가 원하는 장소까지 생산물을 이동시켜주는 장소적 효용가치의 창조 ② 생산자와 소비자 사이에 존재하는 장소적 불일치 해소 ③ 수송수단별 운송비용 단위당 수송비용 C B D A T_a T_c T_b T_d o　　수송거리 A : 국내우편요금, B : 철도, C : 자동차, D : 선박
	저장 (시간효용)	① 가격조절기능 : 농산물의 계절적 편재성을 극복하기 위한 수단으로서 농산물의 홍수출하 등으로 인한 가격폭락의 위험을 조절하는 기능 ② 부패성 방지 : 저장을 통해 수확과 판매시기 조절 ③ 수요 조절 : 소비자의 연중 소비를 가능하게 함 ④ 저장의 유형 : 운영적 저장, 계절적 저장, 비축적 저장, 투기적 저장 등

	가공 (형태효용)	① 장소적 효용의 지원 : 농산물의 부피와 중량성 보완 ② 시간적 효용의 지원 : 저장기간의 연장 ③ 기능성 지원 : 형태변경을 통해 새로운 기능의 추가		
유통조성기능	표준화	① **물류표준화** : 농수산물의 운송·보관·하역·포장 등 물류의 각 단계에서 사용되는 기기·용기·설비·정보 등을 규격화하여 호환성과 연계성을 원활히 하는 것 ② 표준화는 유통시장에서 공정한 거래 형성 지원		
	등급화	① **등급화** : 상품의 크기나 품질, 상태 등의 기준에 따라서 상품을 분류하는 것 ② **농산물 등급규격** : 품목 또는 품종별로 그 특성에 따라 고르기, 크기, 형태, 색깔, 신선도, 건조도, 결점, 숙도(熟度) 및 선별 상태 등		
	유통금융 지원	유통기구에 참여하는 자에게 자금을 조달해주는 것		
	위험부담 전가	① 농산물 유통과정 중에 발생할 수 있는 손실을 제3자(보험자)가 보전해 주는 것 ② **농산물 위험**		
			물적 위험	농산물의 물적 유통과정 중 발생하는 손실(부패, 파손, 감모, 열상, 동해, 풍수해, 화재 등)
			경제적 위험	시장가격의 하락으로 인한 손실(소비자 기호의 변화, 시장 축소, 대체상품, 농산물 가치의 하락 등)
	유통정보 제공	① 유통과정 중 각 유통기구에 제공되는 정보의 수집, 분석, 분배활동으로 유통주체의 의사결정 지원 ② **유통정보의 조건**		
			완전성	필요한 정보가 빠짐없이 구비되어야 함
			종합성	개개의 정보가 개념적으로 연결되어 의미 있게 구현된 것
			실용성	정보는 활용이 가능하여야 함
			신뢰성	정보는 믿을 수 있어야 함
			적시성	정보는 적기에 제공되어야 함
			접근성	정보는 원하는 주체에게 제공될 수 있어야 함

❷ 농산물 유통정보

유통정보의 의의	① 농산물 유통과 관련된 데이터(data)의 의미 있는 결합으로 제공된 자료 ② 농산물 유통시장에서 활동하는 주체들의 의사결정을 도와주는 자료 ③ 농산물 유통시장의 각 주체들이 보유하고 있는 유통지식 ④ 정보를 획득개념으로 본다면 정보의 비대칭성을 활용한 이윤추구를 위한 자료 ⑤ 관찰이나 측정을 통하여 수집한 자료가 시장에서 활용될 수 있도록 가공된 지식

유통정보의 역할	① 농산물의 적정가격 제시 ② 유통비용을 감소시켜 줌 ③ 시장 내에서 효율적인 유통기구를 발견해 줌 ④ 생산계획과 관련된 의사결정 지원 ⑤ 유통업자의 의사결정 지원 ⑥ 소비자의 합리적 소비 지원 ⑦ 농산물 유통정책을 입안하는 데 도움을 줌
유통정보화 기술	① POS 시스템(Point of Sales System, 판매시점정보관리 시스템) : 팔린 상품에 대한 정보를 판매시점에서 즉시 기록함으로써 판매정보를 집중적으로 관리하는 체계 ② EDI(Electronic Data Interchange) 　－ 기업 간 거래에 관한 데이터와 문서를 표준화하여 컴퓨터 통신망으로 거래 당사자가 직접 전송·수신하는 정보전달 시스템 　－ 주문서·납품서·청구서 등 무역에 필요한 각종 서류를 표준화된 상거래서식 또는 공공서식을 통해 서로 합의된 전자신호로 바꾸어 컴퓨터 통신망을 이용하여 거래처에 전송 　－ 데이터를 교환하기 위해서는 표준 포맷으로 공유 프로토콜이 필요함 ③ RFID(Radio Frequency Identification, 무선식별시스템) : 생산에서 판매에 이르는 전과정의 정보를 초소형칩(IC칩)에 내장시켜 이를 무선주파수로 추적할 수 있도록 한 기술로서, '전자태그' 혹은 '스마트 태그', '전자 라벨', '무선식별' 등으로 불림 ④ 로지스틱스(logistics) : 유통 합리화의 수단으로 채택되어 원료준비, 생산, 보관, 판매에 이르기까지의 과정에서 물적유통을 가장 효율적으로 수행하는 종합적 시스템 ⑤ EOS(Electronic Ordering System, 자동발주시스템) : 판매에 따라 재고량이 재주문점에 도달하게 되면 컴퓨터에 의해 자동발주가 이루어지는 시스템으로서, 도·소매업자 모두에게 효과가 있음

❸ 전자상거래

전자상거래의 의의	① 전자상거래 : 인터넷이나 PC통신을 이용해 상품을 사고 파는 행위 ② 재화 또는 용역의 거래에 있어서 그 전부 또는 일부가 전자문서에 의하여 처리되는 방법으로 이루어지는 상행위
전자상거래의 특징	① 유통거리가 짧음 ② 거래대상지역에 제한이 없음 ③ 시간제약 없음 ④ 고객정보수집이 쉬움 ⑤ 소자본창업이 가능함 ⑥ 장소의 제약이 없음 ⑦ 거래인증·거래보안·대금결재 등의 제도보완이 필요함
전자상거래의 유형	① B2C(Business to Customer) : 기업과 소비자 간의 거래 ② B2G(Business to Government) : 기업과 정부 간의 거래 ③ B2B(Business to Business) : 기업들 간의 거래 ④ B2E(Business to Employee) : 기업 내에서의 전자상거래 ⑤ G2C(Government to Customer) : 정부와 소비자 간의 거래

	⑥ G2B(Government to Business) : 정부와 기업 간의 전자상거래 ⑦ C2C(Customer to Customer) : 소비자와 소비자 간의 거래 ⑧ C2B(Customer to Business) : 소비자와 기업 간의 전자상거래 ⑨ P2P(Peer to Peer) : 개인 간의 전자상거래
농산물 전자상거래의 한계	① 거래품목의 제한과 생산 및 가격의 불안전성 　- 농산물은 표준화, 등급화가 어렵고 부패성과 중량성 등으로 인하여 품질의 유지 　　및 유통비용 감소가 어려움 　- 단순한 상품구성과 물류부족으로 거래품목이 제한적이며 생산량의 적절한 조정과 　　가격의 안정을 유지하기가 어려움 ② 생산 농가의 고령화 및 인터넷 이용층의 저연령화 ③ 공급주체가 분산적이고 비조직적이라 체계적 유통활동에 제약을 받음

CHAPTER 03 농산물 유통기구

제1절 농산물 유통기구의 개념

유통기구, 유통기관		① 유통기구 : 상품이 생산자에서 소비자에게 가기까지 거치는 수단이나 기구를 통틀어 이르는 말 → 유통기구는 유통기관과 유통경로로 구성 ② 유통기관 : 유통경로상에서 유통기능을 담당하는 주체를 말하며 생산자, 집하상, 산지 중도매업자, 중간단계 중개업자, 소비지 중도매업자 등과 같은 유통의 주체적인 사람들을 포함하고 도매시장, 소매시장, 상품거래소와 같이 거래 촉진을 위해 설치된 기관도 포함
유통기구의 구분	수집기구	산지유통기관[수집상(蒐集商)·반출상(搬出商)·농업협동조합과 수집행상이나 장터수집상]이 농산물을 대량화, 상품화하여 도매시장이나 가공공장 등에 반출하는 기구
	중계기구	수집 및 분산의 양 기구를 연결시키는 조직으로서 수집기구의 종점인 동시에 분산기구의 시발점이 되는 기구(도매시장, 공판장)
	분산기구	중계기구로 반입되어 온 대량의 농산물은 도매상이나 가공공장으로 분배되어 최종 소비자에게 전달하는 역할을 함(도매상, 소매상)

제2절 유통기구의 특화와 통합

유통기구의 특화 (전문화)		① 유통기구의 특화(전문화) : 유통기관이 수행하는 기능을 하나 또는 몇 개의 기능만으로 전문화하는 것 ② 특화의 형태 : 상품특화(가구, 유기농산물), 기능특화(수송, 저장 전문업), 기관특화(도매전문)
유통기구의 통합 (다변화)		① 유통기구의 통합(다변화) : 생산자나 중간상 또는 소매상 등의 단일 유통기관이 여러 종류의 유통기능을 담당하여 사업분야를 확장하는 것 ② 통합(다변화)의 형태 　– 기능다변화 : 잡화점, 식품도매상, 슈퍼마켓, 편의점 등 　– 기관다변화 : 도소매상의 병합 ③ 수직적 통합과 수평적 통합
	수직적 통합	유통기관 상하 간의 통합으로 생산자 → 도매상 → 소매상 → 소비자 유통경로의 통합 • 전방통합 : 상위 유통기관이 하위 유통기관을 통합(제조업체가 유통업에 진출) • 후방통합 : 하위 유통기관이 상위 유통기관을 통합(유통업체가 원재료를 직접 생산)

	수평적 통합	방계적(傍系的) 유통기관 간의 통합으로 생산자조직이 수송물류 역할까지 담당하거나 유통업체가 금융업에 진출하는 경우
집중화와 분산화	집중화	농산물이 일정 장소에 집중되었다가 분산되는 형태로서 산지수집단계, 집산지수집단계, 중계시장(도매시장)의 수집단계가 있음
	분산화	농산물이 생산자로부터 출발하여 중앙도매시장을 경유하지 않고 도매상, 소매상 또는 가공업자 등의 실수요자 수중에 직접 들어가는 유통현상을 말함

제3절 농산물 유통경로

유통경로의 의의	① 유통경로 : 상품이 생산자로부터 소비자 또는 최종수요자의 손에 이르기까지 거치게 되는 과정이나 통로 ② 유통경로상에 유통기관이 존재함 ③ 유통경로의 예 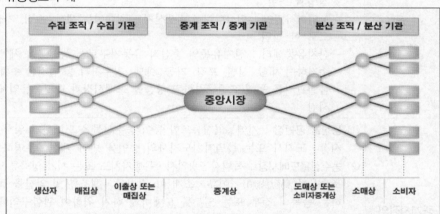
유통경로의 형태	① 시장경로 : 중계기구를 통한 경로 ② 시장 외 경로 : 중계기구를 거치지 않고 직접 분산기구나 소비자에게 도달하는 형태
농산물 유통경로의 특성	① 유통경로가 길고 복잡함. 다양한 형태의 중간상들이 유통경로상에 개입 ② 영세한 유통기관이 많아 유통비용과 유통마진의 상승 원인이 됨 ③ 대형유통업체의 등장으로 중계기구를 거치지 않은 직접거래가 늘고 있음 ④ 유통경로를 단축시키기 위한 소비자협동조합의 결성, 대형 슈퍼마켓의 출현 등과 영세 유통업자 등의 협업화가 진행 중

제4절	유통기관의 유형과 종사자 등

산지시장	① 산지시장의 종사자

① 산지시장의 종사자

산지수집상	산지의 재래시장이나 정기시장 또는 개별농가를 방문하여 직접 구매한 후 반출상이나 도매상에게 판매하거나 도매시장에 직접 상장하기도 함
산지위탁상	생산자로부터 위탁받아 도매상이나 반출상에게 판매
위탁대리인	중계시장의 유통상인으로부터 위탁을 받아 산지에서 농산물을 수집하는 상인
반출상	산지수집상으로부터 농산물을 구입하여 대량화한 후 도매상이나 위탁상에게 반출하는 기능 담당

산지시장

② 산지시장의 조직
- 작목반 등 기초생산자조직
- 영농조합법인 : 농산물의 생산, 수집, 가공, 수출 등을 목적으로 생산자 중심으로 결성된 조합
- 농업회사법인 : 회사형태로 비생산자도 참여하는 생산, 수집, 가공, 수출 등을 목적으로 한 법인
- 산지유통센터 : 산지유통의 중심적 유통기구로서 농산물을 체계적으로 생산 또는 수집하여 세척, 선별, 포장, 가공, 예냉, 저온처리 등 철저한 수확 후 관리와 엄격한 품질관리를 통해 표준규격화된 상품을 도매시장과 대형유통업체 등에 출하·유통시킴

중계시장의 종사자

① 농산물 공판장 : 지역농업협동조합 등이 농수산물을 도매하기 위하여 특별시장·광역시장·도지사 또는 특별자치도지사의 승인을 받아 개설·운영하는 사업장
② 농수산물도매시장 : 특별시·광역시·특별자치도 또는 시가 양곡류·청과류·화훼류·조수육류(鳥獸肉類)·어류·조개류·갑각류·해조류 및 임산물 등 대통령령으로 정하는 품목의 전부 또는 일부를 도매하게 하기 위하여 관할구역에 개설하는 시장
③ 도매시장법인 및 시장도매인 : 개설권자의 지정을 받아 도매시장을 운영하는 법인
④ 중도매인 : 개설권자로부터 지정 또는 허가를 받아 상장(비상장)된 농산물을 구매한 후 중개해 주는 상인
⑤ 매매참가인 : 중도매인이 아닌 자로서 경매에 참여하여 농수산물을 구매하는 가공업자, 소비자단체, 소매업자, 대형유통업체의 바이어 등
⑥ 경매사 : 도매시장법인의 임명을 받아 경매를 주관하는 자

소비지시장의 종류

① 일반시장 : 재래시장과 매일시장 등 소매기능을 중심으로 일용식품을 공급하는 시장
② 소매기관 : 잡화점, 전문점, 편의점, 할인점, 슈퍼마켓, SSM, 백화점 등
③ 통신판매 : 통신매체를 통한 직거래 판매
④ 방문판매 : 판매원이 직접 소비자를 방문하여 판매

제5절 농산물 거래

❶ 도매시장 거래

도매시장의 의의	수집시장과 분산시장의 중간형태의 시장(중계시장)으로서 수집시장에서 수집된 농산물을 대량으로 보관하고 가격안정을 도모하며, 나아가서 수급불균형을 조절하는 시장	
도매시장의 기능	① 가격형성기능 : 경매를 통하여 도매시장에 입고된 상품의 가격형성 ② 수급조절기능 : 경매시장에서 형성된 가격이 높을 때 공급량은 늘고, 가격이 낮을 때 공급량은 감소함 ③ 분산기능 : 경매를 통하여 낙찰된 상품은 도매상이나 소매상으로 배분됨 ④ 유통경비의 절약기능 : 대다수 판매자와 구매자가 한 장소에서 모여 여러 종류의 상품을 거래하는 등의 일괄대량출하가 가능함으로써 운임 및 기타 경비를 절감(거래총수 최소화의 원리, 대량준비의 원리) ⑤ 위험전가기능 : 도매시장 경매에 참가한 중도매인 등은 상품을 출하한 생산자나 수집상 등이 가진 상품가격 하락위험(경제적 위험)을 인수함	
도매시장의 종류	법정도매시장	중앙도매시장, 지방도매시장, 공판장 등
	민영도매시장	법정도매시장 외 민간인이 개설한 도매시장
	유사도매시장	소매시장 허가를 받아 개설한 시장이지만 도매시장 기능을 수행하는 도매시장

❷ 소매시장 거래

소매시장의 의의	① 최종소비자를 대상으로 하여 거래가 이루어지는 시장 ② 특정지역 인구에 비례하여 분포되어 있으며, 비교적 거래 단위가 적음
소매시장의 기능	소매시장에서 소매상은 상품의 구매, 보관, 판매기능을 수행함 ① 상품선택에 필요한 소비자의 비용과 시간을 절감시킴 ② 소비자들에게 필요한 상품정보 제공 ③ 자체 신용(외상거래, 할부판매)을 통해 소비자의 금융부담을 덜어줌 ④ 소비자에게 서비스 제공(배달, 설치, 상품교육 등)
농산물 소매방법	소매점 판매, 통신판매, 방문판매, 무점포 판매 등
소매상의 종류	① 잡화점(general store) : 식료품과 각종 생필품, 일용잡화를 취급하는 소규모 소매상 ② 백화점(department store) : 도시의 번화가에 대규모 점포를 가지고 선매품을 중심으로 고가의 생활용품을 취급하는 곳 ③ 대중양판점(general merchandise store; GMS) : 의류 및 생활용품 중심으로 다품종 대량 판매하는 체인형 대형소매점으로 대량매입과 다점포화, 유통업자 상표(Private Brand)개발 등으로 백화점보다 저렴하게 판매하는 대형마트 ④ 슈퍼마켓(supermarket) : 편의품 중심의 각종 생활용품을 셀프서비스하는 방식으로 판매하는 소매상

	⑤ 하이퍼마켓(hypermarket) : 교외에 위치해 대형슈퍼마켓과 할인점을 혼합한 형태로 프랑스에서 처음 등장하였으며 일괄구매(one-stop shopping)가 가능한 초대형 슈퍼마켓. 영국, 프랑스, 네덜란드 등 유럽 지역에서 급속하게 발달한 슈퍼마켓 ⑥ 전문점(speciality store) : 카테고리 킬러(category killer)와 같이 특정 상품군만을 집약하여 판매하는 소매업 〈더 알아보기〉 **카테고리 킬러(category killer)** 상품 분야별로 전문매장을 특화해 상품을 판매하는 소매점(예 하이마트 등) ◦ 체인화를 통한 현금 매입과 대량 매입 ◦ 목표 고객을 통한 차별화된 서비스 제공 ◦ 체계적인 고객 관리 ◦ 셀프 서비스와 낮은 가격 ⑦ 편의점(convenience store; CVS) : 편리함(convenience)을 개념으로 도입된 소형소매점포 ⑧ 회원제 창고형 도·소매점(membership wholesale club; MWC) : 회원제로 운영하며 제품을 창고형 매장에 박스로 진열하여 저렴한 가격에 제품을 판매하는 할인업태 ⑨ 아웃렛스토어(outlet store) : 제품을 염가로 판매하는 상설 소매점포 자사 제품이나 매입 제품을 아주 싼 가격으로 처리하기 위한 소매점. 일반적으로 백화점이나 제조업체에서 판매하고 남은 재고상품이나 비인기상품, 하자상품 등을 정상가격보다 훨씬 싼 가격으로 판매하는 형태의 영업방식 ⑩ 전문양판점(category killer; CK) : 특정 상품 부문을 전문화하여 다양하고 풍부한 상품구색을 갖춘 할인소매점 ⑪ SSM(Super Supermarket, 기업형 슈퍼마켓) : 대형 유통업체들이 운영하는 슈퍼마켓으로, 일반 슈퍼마켓보다는 크고 대형마트보다는 작은 규모

❸ 시장 외 거래

의의	① 시장 외 거래 : 농산물을 도매시장 등의 중계시장을 거치지 않고 거래하는 형태로 산지직거래와 계약생산거래의 두 가지 형태로 나뉨 ② 시장 외 거래의 특징 　- 가격결정과정에 생산자 참여 　- 거래규격의 간략화 　- 유통비용의 절감에 의한 생산자와 소비자의 이익 증대
산지직거래	주말 농산물 도매시장, 농산물 직판장, 산지유통센터, 농협조합의 산지직거래, 우편주문판매제도 등
계약재배	생산물을 일정한 조건으로 인수하는 계약을 맺고 행하는 농산물 재배
농업협동조합 유통의 기능	① 영세 사업자의 위험 분산 ② 공동구매를 통한 생산비 절감 ③ 조합원 생산성 증가 ④ 선별, 가공, 포장 등의 사업을 통한 농산물 부가가치의 증대 ⑤ 공동물류작업을 통해 개별농가가 부담하는 상·하차비, 포장재비, 운송비, 선별비, 쓰레기유발부담금, 청소비용 등 절감

⑥ 규모의 경제가 실현되므로 거래교섭력을 증대하여 생산자의 수취가를 올릴 수 있음
⑦ 노동집약형에서 자본집약형으로 전환되므로 안정적인 시장개척이 가능해짐
⑧ 농산물시장이 불완전시장일 경우 민간유통업자들의 시장지배력과 초과이윤 견제

❹ 선물거래

선물거래의 개념	선물(futures)거래란 장래 일정 시점에 미리 정한 가격으로 매매할 것을 현재 시점에서 약정하는 거래로, 미래의 가치를 사고파는 것
선도거래	① 선도거래도 선물거래의 한 방식이지만 선물거래가 거래방식이 일정하게 고정되어 있는 반면에 선도거래는 거래기간, 금액 등 거래방법을 자유롭게 정할 수 있는 주문자 생산 형태이며 장외거래라고 부름 ② 당사자 간 합의된 가격으로 미래시점에 자산을 매매하는 거래. 미래에 자산을 매매해야 하는 사람들은 항상 자산 가격 변동의 위험에 직면
포전매매 (밭떼기거래)	① 포전매매 : 수확 전에 밭에 심겨 있는 상태로 작물 전체를 사고파는 일 ② 포전매매의 특징 　– 밭떼기거래 상품은 단기간에 수확해서 출하하는 품목들이 주류 　– 인력 확보나 출하시기를 맞추기 어려운 농촌에서는 손해를 보더라도 손쉽게 대규모 농산물을 판매할 수 있는 밭떼기 선호 　– 밭떼기 거래는 70% 이상이 구두계약에 의존하며, 농산품 가격이 하락할 경우 농민이 산지유통인의 가격 조정의 요구를 받게 되는 문제점이 있음

선물거래와 선도거래	구분	선물거래	선도거래
	거래조건	표준화	비표준화
	거래장소	선물거래소	없음
	위험	보증제도 있음	보증제도 없음
	가격	경쟁호가방식	협상
	증거금	있음	없음(개별적 보증 설정)
	중도청산	가능	제한적
	실물인도	중도청산 혹은 만기인도	실제 인수도가 이루어지는 것이 일반적
	가격변동	변동 폭 제한	변동 폭 없음

| 선물거래의 경제적 기능 | ① **위험전가의 기능** : 미래의 현물가격 위험을 회피하고자 하는 헤저(hedger)는 선물시장에서 위험을 상쇄시키기 위해 현물포지션과 상반된 포지션을 취하게 됨. 미래의 시장에서 받게 될 가격위험을 현재의 현물시장에 전가하는 기능
② **가격예시의 기능** : 선물가격은 현재시장에 제공된 각종 정보의 집약된 결과로서 미래시장에서 현물의 가격을 예측한다는 점에서 가격예시기능이 있음
③ **자본형성의 기능** : 선물시장은 헤저나 투기거래자(speculator)가 현물시장에 선납한 자본을 증거금으로 운용되는데 이렇게 형성된 자본은 생산자시장에 유입됨
④ **자원배분의 기능** : 선물시장은 월단위의 만기일을 형성하며 선물투자자 간에 연간 배분된 물건의 인수일은 생산자에게 자원을 기간별로 배분할 수 있도록 함 |

PART 04

농산물 선물거래 조건	① 품목은 절대 거래량이 많고 생산 및 수요의 잠재력이 커야 함 ② 장기간 저장이 가능하여야 함 ③ 가격등락폭이 큰 농산물이어야 함 ④ 농산물에 대한 가격정보가 투자자에게 제공될 수 있어야 함 ⑤ 대량 생산자와 대량의 수요자 및 전문취급상이 많은 품목이어야 함 ⑥ 표준규격화가 용이하고 등급이 단순한 품목으로서 품위측정의 객관성이 높아야 함 ⑦ 국제거래장벽과 정부의 통제가 없어야 함

❺ 공동계산제

의의	생산자가 조직을 결성하여 공동수집, 공동수송, 공동판매 등을 통하여 물류비용을 낮추고 영세한 생산자의 약점을 규모의 경제로서 극복하려는 것	

공동판매	① 공동판매 : 동일한 종류의 상품을 생산하는 제조업자들이 그 상품을 공동으로 판매할 것을 협정한 것
	② 공동판매의 3원칙
	  - 무조건 위탁 : 개별 농가의 조건별 위탁을 금지
	  - 평균판매 : 생산자의 개별적 품질특성을 무시하고 일괄 등급별 판매 후 수취가격을 평준화하는 방식
	  - 공동계산 : 평균판매 가격을 기준으로 일정 시점에서 공동계산	

공동판매의 장단점	장점	① 우량품의 생산지도와 브랜드화, 조직력을 통한 집하(集荷) → 출하조절 가능, 시장교섭력 증대, 노동력의 절감 ② 계통융자의 편의 ③ 집하 창고의 정비와 근대화 ④ 수송체제의 정비 ⑤ 평균판매에 의한 가격변동의 일원화 → 가격위험의 분산 ⑥ 정보망의 정비 ⑦ 금후의 농정기능(農政機能)의 증대
	단점	① 판매가격 결정의 합의제 → 신속성의 결여 ② 대금결제의 지연(자금유동성 약화) ③ 풀 계산과 특종품 경시(特種品輕視), 개별생산자의 개성 무시 ④ 사무절차의 복잡
공동판매의 유형	① 선별, 등급화, 포장 및 저장의 공동화 ② 공동수송 ③ 시장개척의 공동화	

농산물 경제이론

제1절 농산물의 수요와 공급

❶ 농산물의 수요

수요와 수요량	① 농산물 수요 : 일정 기간 동안에 소비자가 농산물을 구매하려는 욕구 ② 수요량 : 일정 기간 동안에 소비자가 주어진 가격수준으로 소비하고자 하는 최대 수요량
유효수요	농산물 수요는 단순히 농산물을 구입하고자 하는 의사만을 뜻하는 것이 아니라 구입에 필요한 비용을 지불할 수 있는 구매력이 있는 유효수요 개념
수요의 법칙	① 어떤 재화의 가격이 상승(하락)하면 수요량이 감소(증가)하는 관계, 즉 가격과 수요량 사이에 성립하는 반비례의 관계를 가리킴 ② 수요의 법칙에 의거하여 수요곡선은 일반적으로 우하향하는 형태
수요함수	농산물의 수요량에 영향을 미치는 것은 가격만이 아니라 소비자의 소득과 기호, 연관상품의 가격, 소비자의 예상, 소비자의 수 등 다양함
수요량의 변화	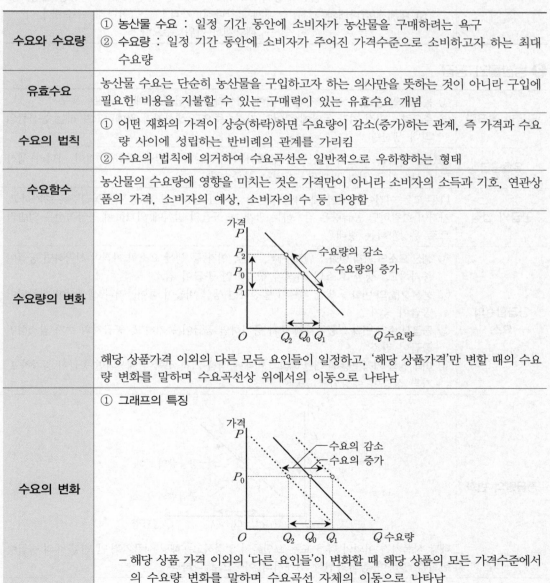해당 상품가격 이외의 다른 모든 요인들이 일정하고, '해당 상품가격'만 변할 때의 수요량 변화를 말하며 수요곡선상 위에서의 이동으로 나타남
수요의 변화	① 그래프의 특징 – 해당 상품 가격 이외의 '다른 요인들'이 변화할 때 해당 상품의 모든 가격수준에서의 수요량 변화를 말하며 수요곡선 자체의 이동으로 나타남

	– 가격의 변화는 없지만 소득의 증가 또는 감소가 일어나면 동일 가격에서 수요량의 변화가 발생하는데 이것은 수요곡선상의 이동이 아니라 수요곡선 자체를 좌우로 이동시키게 됨 ② 수요곡선의 자체의 좌측 이동 또는 우측 이동 요인 – 좌측 이동 요인 : 소득의 감소, 대체재 가격 하락, 보완재 가격 상승, 인구의 감소, 소비자 선호도 감소 등 예 보완재(배추김치) : 보완재(고추가루) 가격↑ → 고추가루 수요량↓ → 해당재화(배추) 수요량↓ – 우측 이동 요인 : 소득의 증가, 대체재 가격 상승, 보완재 가격 하락, 인구의 증가, 소비자 선호도 증가, 가수요(가격상승 예상) 등 예 대체재(참다래와 키위) : 대체재(참다래) 가격↑ → (참다래) 수요량↓ → 해당재화(키위) 수요량↑

❷ 농산물의 공급

공급과 공급량	① 농산물의 공급 : 일정 기간 동안에 생산자가 농산물을 매도하려는 욕구 ② 수요량 : 일정 기간 동안에 주어진 가격수준으로 생산자가 판매하고자 하는 농산물의 최대 생산량
유효공급	농산물 공급은 단순히 농산물을 판매하고자 하는 의사만을 뜻하는 것이 아니라 생산 또는 보유하고 있어 판매할 수 있는 상품수량
공급의 법칙	다른 모든 여건이 일정할 때 어떤 상품의 가격이 상승하면 그 상품의 공급량은 증가하고, 가격이 하락하면 공급량은 감소하는 관계 → 공급의 법칙에 의거하여 공급곡선은 일반적으로 우상향하는 형태
공급함수의 요소	① 생산 요소의 가격 변화 : 원료 가격, 임금, 이자 등 생산 요소의 가격이 하락하면 공급이 증가하고, 생산 요소의 가격이 상승하면 공급이 감소 ② 생산 기술의 변화 : 생산 기술이 발전하면 생산 비용이 줄어들거나 생산성이 향상되어 공급이 증가 ③ 공급자 수의 변화 : 공급자의 수가 증가하면 공급이 증가하고, 공급자의 수가 감소하면 공급이 감소 ④ 미래 상품 가격 변동에 대한 예상 : 미래에 상품 가격 하락이 예상되면 공급이 증가하고, 가격 상승이 예상되면 공급이 감소
공급량의 변화	 해당 상품가격 이외의 다른 모든 요인들이 일정하고, '해당 상품가격'만 변할 때의 공급량 변화를 말하며 공급곡선상 위에서의 이동으로 나타남

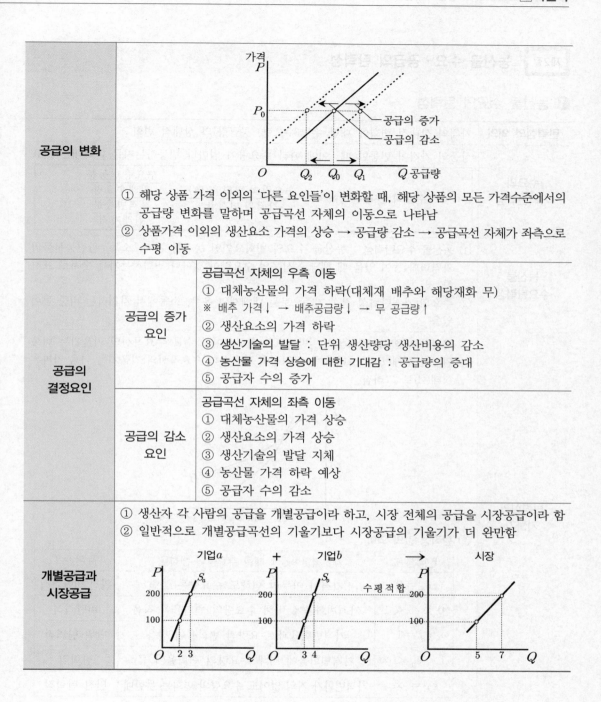

공급의 변화	① 해당 상품 가격 이외의 '다른 요인들'이 변화할 때, 해당 상품의 모든 가격수준에서의 공급량 변화를 말하며 공급곡선 자체의 이동으로 나타남
	② 상품가격 이외의 생산요소 가격의 상승 → 공급량 감소 → 공급곡선 자체가 좌측으로 수평 이동

공급의 변화
① 해당 상품 가격 이외의 '다른 요인들'이 변화할 때, 해당 상품의 모든 가격수준에서의 공급량 변화를 말하며 공급곡선 자체의 이동으로 나타남
② 상품가격 이외의 생산요소 가격의 상승 → 공급량 감소 → 공급곡선 자체가 좌측으로 수평 이동

공급의 결정요인

공급의 증가 요인
공급곡선 자체의 우측 이동
① 대체농산물의 가격 하락(대체재 배추와 해당재화 무)
※ 배추 가격↓ → 배추공급량↓ → 무 공급량↑
② 생산요소의 가격 하락
③ 생산기술의 발달 : 단위 생산량당 생산비용의 감소
④ 농산물 가격 상승에 대한 기대감 : 공급량의 증대
⑤ 공급자 수의 증가

공급의 감소 요인
공급곡선 자체의 좌측 이동
① 대체농산물의 가격 상승
② 생산요소의 가격 상승
③ 생산기술의 발달 지체
④ 농산물 가격 하락 예상
⑤ 공급자 수의 감소

개별공급과 시장공급
① 생산자 각 사람의 공급을 개별공급이라 하고, 시장 전체의 공급을 시장공급이라 함
② 일반적으로 개별공급곡선의 기울기보다 시장공급의 기울기가 더 완만함

제2절 | 농산물 수요 · 공급의 탄력성

❶ 농산물 수요의 탄력성

탄력성의 의의	가격의 상대적 변화에 대한 수량(수요량, 공급량)의 상대적 변화
수요의 가격탄력성	상품의 가격이 변동할 때, 이에 따라 수요량이 얼마나 변동하는지를 나타내는 지표 $$수요의\ 가격탄력성 = -\frac{수요량의\ 변화율(\%)}{가격의\ 변화율} = \frac{\dfrac{수요량\ 변동분}{원래수요량}}{\dfrac{가격변동분}{원래가격}}$$
농산물 수요탄력성	① 농산물 수요탄력성 : 농산물 수요의 변화요인인 농산물 가격, 소득, 관련농산물의 가격변화 등이 있을 때 해당 농산물의 수요량이 얼마나 변화하는가를 숫자로 표시한 것 ② 수요의 가격탄력성 결정 기준으로는 대체재의 유무, 소득에서 차지하는 비중 등이 있음
탄력성과 기울기	① 곡선의 기울기와 탄력성 : 일반적으로 탄력성이 클수록 수요곡선의 기울기는 더욱 완만한 형태(B)로 그려지며, 탄력성이 작을수록 수요곡선의 기울기는 더욱 가파른 형태(A)로 그려짐 ② 탄력성 값의 의미 {{TABLE2}}

Table for 탄력성 값의 의미:

탄력성 값	가격변화율에 대한 수요량의 변화율	표현방법
$\epsilon_d = 0$	가격이 아무리 변해도 수요량은 불변	완전 비탄력적
$0 < \epsilon_d < 1$	가격변화율에 비해 수요량의 변화율이 작음	비탄력적
$\epsilon_d = 1$	가격변화율과 수요량의 변화율이 같음	단위 탄력적
$1 < \epsilon_d < \infty$	가격변화율에 비해 수요량의 변화율이 큼	탄력적
$\epsilon_d = \infty$	가격변화가 거의 없어도 수요량의 변화는 무한대	완전 탄력적

③ 탄력성에 따른 수요곡선의 형태

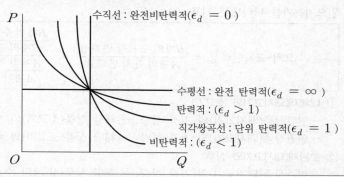

농산물 수요탄력성의 특징	① 농산물은 인간의 필요재이므로 일반재화에 비해 상대적으로 비탄력적 ② 대체재 유무 : 대체재 존재(해당재화 탄력적) ③ 용도의 다양성 : 다양성 존재(해당재화 탄력적) ④ 수요기간의 장·단기 : 단기보다 장기에서 더 탄력적(장기에서 대체 농산물의 시장 공급이 가능하기 때문) ⑤ 소득에서 차지하는 농산물 지출액의 비중 : 일반적으로 농산물은 가계지출액 비중이 크지 않아서 가격변화에 따른 수요량의 변화가 적어 비탄력적

가격변화와 생산자 총수입	A	$\epsilon_d > 1$인 상품	가격 상승 → 기업의 총판매 수입 감소 가격 하락 → 기업의 총판매 수입 증가
	B	$\epsilon_d = \infty$ 인 상품	가격 등락과 상관없이 총판매 수입은 일정
	C	$\epsilon_d < 1$인 상품	가격 상승 → 기업의 총판매 수입 증가 가격 하락 → 기업의 총판매 수입 감소

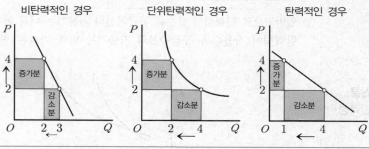

수요의 소득탄력성	소비자의 소득(독립변수)이 변할 때 해당 농산물에 대한 수요량(종속변수)이 얼마만큼 민감하게 반응하는가를 나타내는 지표
	$$수요의 \ 소득탄력성 = \frac{수요량의 \ 변화율(\%)}{소득의 \ 변화율} = \frac{\dfrac{수요량 \ 변동분}{원래수요량}}{\dfrac{소득변동분}{원래소득}}$$

수요의 교차탄력성	어떤 재화 A(연관상품)의 가격변화가 다른 재화 B(해당상품)의 수요량에 어떤 변화를 일으키는가를 나타내는 지표 $$수요의\ 교차탄력성 = \frac{B재의\ 수요량\ 변화율}{A재의\ 가격\ 변화율} = \frac{\dfrac{B재의\ 수요량\ 변동분}{B재의\ 원래\ 수요량}}{\dfrac{A재의\ 가격\ 변동분}{A재의\ 원래가격}}$$ ① 대체재(돼지고기와 소고기) 　– 연관상품(돼지고기)의 가격 상승 → 해당 상품(소고기)의 수요 증가 　– 연관상품(돼지고기)의 가격 하락 → 해당 상품(소고기)의 수요 감소 ② 보완재(돼지고기와 상추) 　– 연관상품(돼지고기)의 가격 상승 → 해당 상품(상추)의 수요 감소 　– 연관상품(돼지고기)의 가격 하락 → 해당 상품(상추)의 수요 증가

❷ 농산물 공급의 탄력성

공급의 가격탄력성	① 농산물의 가격(독립변수)이 변할 때 해당 농산물에 대한 공급량(종속변수)이 얼마만큼 민감하게 반응하는가를 나타내는 지표 ② 공급의 가격탄력성은 생산 기간에 따라 다르게 나타남 　– 생산 기간이 짧은 상품은 가격 변동에 탄력적으로 대응할 수 있으므로 공급의 탄력성이 큼 　– 일반적으로 공산품의 공급은 탄력적이며, 농산물의 공급은 비탄력적 $$공급의\ 가격탄력성 = \frac{공급의\ 변화율}{가격의\ 변화율} = \frac{\dfrac{공급량\ 변동분}{원래의\ 공급량}}{\dfrac{가격변동분}{원래의\ 가격}}$$
농산물 공급탄력성	① 일반적으로 탄력성이 클수록 공급곡선의 기울기는 더욱 완만한 형태(B)로 그려지며, 탄력성이 작을수록 공급곡선의 기울기는 더욱 가파른 형태(A)로 그려짐 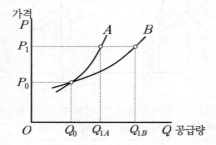

② 공급의 가격탄력성 크기

탄력성 값	가격변화율에 대한 공급량의 변화율	표현방법
$\epsilon_s = 0$	가격이 아무리 변해도 공급량은 불변	완전 비탄력적
$0 < \epsilon_s < 1$	가격변화율에 비해 공급량의 변화율이 작음	비탄력적
$\epsilon_s = 1$	가격변화율과 공급량의 변화율이 같음	단위 탄력적
$1 < \epsilon_s < \infty$	가격변화율에 비해 공급량의 변화율이 큼	탄력적
$\epsilon_s = \infty$	가격변화가 거의 없어도 공급량의 변화는 무한대	완전 탄력적

③ 탄력성에 따른 수요곡선의 형태

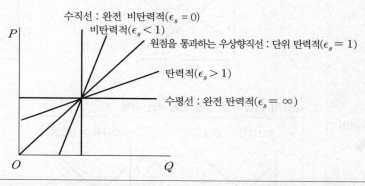

수직선 : 완전 비탄력적($\epsilon_s = 0$)
비탄력적($\epsilon_s < 1$)
원점을 통과하는 우상향직선 : 단위 탄력적($\epsilon_s = 1$)
탄력적($\epsilon_s > 1$)
수평선 : 완전 탄력적($\epsilon_s = \infty$)

농산물 공급탄력성의 특징

① 생산기간의 존재 : 농산물은 일반재화와 달리 농산물 가격변화에 따른 공급이 즉각적으로 이루어지지 않아 시차가 존재하기 때문에 일반재화에 비해 상대적으로 비탄력적
② 농업기술의 발달 : 농산물 공급량을 능동적으로 대처할 수 있어 탄력적
③ 부패성의 정도 : 농산물의 부패성이 작거나 저장 가능성이 높을수록 농산물 가격에 대한 공급물량의 변화를 크게 할 수 있어 보다 탄력적
④ 장기적 공급량의 변화 : 단기보다 장기에 더 탄력적

제3절 균형가격

균형가격

경쟁시장에서 어떤 상품의 가격이 그 상품의 수요와 공급의 일치점에서 결정되는 가격(P_0)

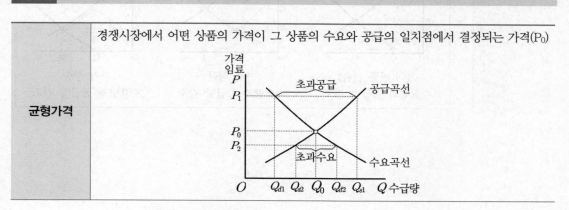

① 수요와 공급의 변동

수요의 증가

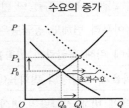

수요의 감소

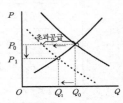

공급의 증가

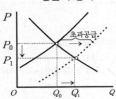

공급의 감소

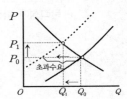

② 수요와 공급이 동시에 변동하는 경우

시장균형의 변동

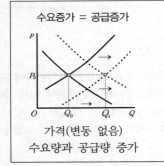

수요증가 = 공급증가
가격(변동 없음)
수요량과 공급량 증가

수요증가 > 공급증가
가격 상승
수요량과 공급량 증가

수요증가 < 공급증가
가격 하락
수요량과 공급량 증가

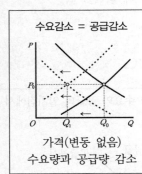

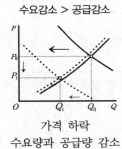

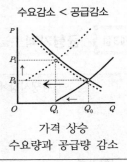

수요감소 = 공급감소
가격(변동 없음)
수요량과 공급량 감소

수요감소 > 공급감소
가격 하락
수요량과 공급량 감소

수요감소 < 공급감소
가격 상승
수요량과 공급량 감소

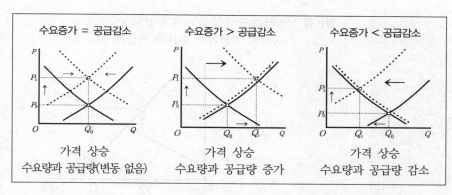

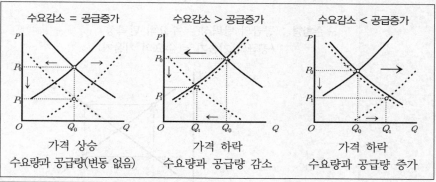

농산물 가격의 특징	① 자연적 영향에 따라 변동성이 큼 ② 용도의 다양성 : 가격 예측이 어려움 ③ 가격의 지속성 : 한 번 형성된 가격은 일정기간 계속됨 ④ 가격의 폭등과 폭락(거미집 이론) : 생산자는 전기(前期)의 가격을 기준으로 생산량을 결정하지만 수요자는 금기(今期)의 가격에 맞춰 수요량을 결정하므로 가격이 등락하는 경향이 있음
거미집 이론	① 거미집 이론 : 가격변동에 대해 수요와 공급이 시간차를 가지고 대응하는 과정을 규명한 이론 ② 수렴·발산·순환 　－수렴형 : 공급의 탄력성 < 수요의 탄력성 　　　　　　(공급의 기울기 > 수요의 기울기) 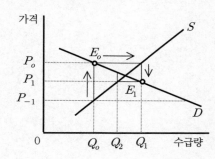

- 발산형 : 공급의 탄력성 > 수요의 탄력성
　　　　(공급의 기울기 < 수요의 기울기)

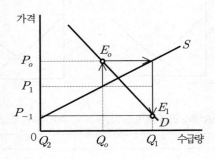

- 순환형 : 공급의 탄력성 = 수요의 탄력성
　　　　(공급의 기울기 = 수요의 기울기)

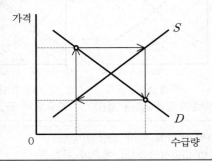

농산물의 유통비용

유통비용의 개념	유통비용		상품의 원가와 판매가격의 차액
	협의의 유통비용		유통마진에서 상업이윤을 제외한 비용
	광의의 유통비용		유통비용과 상업이윤을 합산한 비용
	유통비용의 구성	직접비용	수송비, 포장비, 하역비, 저장비, 가공비 등
		간접비용	점포임대료, 자본이자, 통신비, 제세공과금, 감가상각비 등

※ 상품가격(판매가격) = 원가 + 유통마진(유통비용 + 상업이윤)

유통마진

① **유통마진** : 매매 차익금 또는 이윤을 뜻함. 유통업자가 구입업자로부터 일정한 가격으로 상품을 매입하고, 거기에 자사의 필요한 경비와 이익을 견주어 가격을 설정하고 재판매할 때 '판매가격에서 구입원가를 뺀 매매차익'을 마진이라고 함

$$\text{유통마진} = \text{최종소비자 지불가격} - \text{생산농가의 수취가격}$$

② **마진율** : 판매금액에서 유통마진이 차지하는 비율

$$\text{유통마진율} = \frac{\text{판매가격} - \text{매입가격}}{\text{판매가격}}$$

③ **농산물 유통마진**
  - 보관·수송이 용이하고 부패성이 적은 농산물은 유통마진이 낮고, 부피가 크고 저장·수송이 어려운 농산물은 유통마진이 높음
  - 농산물은 공산품에 비해 유통경로가 복잡하고 길어서 유통마진이 높음
  - 계절적 편재성 : 출하시기 조절을 위한 비용 발생
  - 농산물시장 경쟁구조의 불완전성, 농업인과 일반소비자의 낮은 거래교섭력, 농산물 가격의 불안정성에 따른 위험부담 등에 의해 중간상인의 유통이윤이 많음

④ **유통단계별 유통마진**
  - 농산물의 유통단계를 수집·도매·소매단계로 구분하면 각 단계별로 유통마진이 구성되고, 각 단계별 마진은 유통업자의 구입가격과 판매가격과의 차액을 말함
  - 대부분의 농산물은 소매단계에서 유통마진이 가장 높은 것으로 나타나고 있음

- 단계별 마진율

- $$수집단계마진율 = \frac{위탁상가격 - 농가수취가격}{위탁상가격} = \frac{b-a}{b}$$

- $$도매단계마진율 = \frac{도매가격 - 위탁상가격}{도매가격} = \frac{c-b}{c}$$

- $$소매단계마진율 = \frac{소비자가격 - 도매가격}{소비자가격} = \frac{d-c}{d}$$

- $$총단계마진율 = \frac{소비자가격 - 농가수취가격}{소비자가격} = \frac{d-a}{d}$$

농산물 시장

의의	농산물 시장 : 농산물의 생산자와 소비자가 거래하는 장소 또는 관계(구체적 시장+추상적 시장)로 농산물 시장은 비조직화된 다수의 생산자와 소비자가 존재하므로 완전경쟁시장으로 분류

<table>
<tr><td rowspan="15">시장의 형태</td><td colspan="5">
<table>
<tr><td rowspan="2">구분</td><td colspan="2">경쟁적 시장</td><td colspan="2">독과점 시장</td></tr>
<tr><td>완전 경쟁</td><td>독점적 경쟁</td><td>독점</td><td>과점</td></tr>
<tr><td>공급자의 수</td><td>다수</td><td>다수</td><td>하나</td><td>소수</td></tr>
<tr><td>상품의 질</td><td>동질</td><td>이질</td><td>동질</td><td>동질 또는 이질</td></tr>
<tr><td>진입장벽</td><td>없음</td><td>없음</td><td>있음</td><td>있음</td></tr>
<tr><td rowspan="2">사례</td><td>증권 시장
농산물 시장</td><td>미용실, 주유소
상품차별화</td><td>전기, 철도, 수도</td><td>휴대폰, 자동차,
가전제품</td></tr>
<tr><td>개별기업이
가격에 영향을
미칠 수 없는
것(가격 순응자)</td><td>단기적
초과이윤이지만
유사상품
등장으로 장기적
초과이윤 상실</td><td>자원의 효율적
배분을 저해함</td><td>소수의 공급자가
시장을 지배하기
위해 담합,
카르텔 형성</td></tr>
</table>
</td></tr>
</table>

완전경쟁시장	① 완전경쟁시장 : 시장참가자가 많고 자본·노동 등의 이동을 방해하는 인위적 제약이 없으며, 수요자 측과 공급자 측이 각기 최대의 경제적 성과를 얻으려고 행동하는 경우의 경쟁 ② 완정경쟁시장의 성립요건 　－ 수요자와 공급자가 다수 존재 : 개개의 참가자는 시장가격에 영향을 미칠 수 없음 　－ 시장참가자에게 완전한 정보의 제공 　－ 시장에 제공되는 상품의 동질성 　－ 시장참가자의 진퇴 : 기업의 참여나 퇴거 및 자원의 이동이 자유로움
불완전경쟁 시장	① 독점적 경쟁시장 : 판매자가 생산물격차(제품의 품질·가격의 차이)를 통하여 독점적 입장의 강화를 꾀하면서도, 그 생산물격차 때문에 경쟁이 벌어지는 상태 ② 독점시장 : 한 상품의 공급이 하나의 기업에 의해서만 이루어지는 시장 형태 ③ 과점시장 : 소수의 생산자, 기업이 시장을 장악하고 비슷한 상품을 생산하며 같은 시장에서 경쟁하는 시장 형태. 가격이 잘 변하지 않는다는 특징이 있음

농산물 마케팅

마케팅 일반

마케팅의 개념	① 생산자가 상품 또는 서비스를 소비자에게 유통시키는 데 관련된 모든 체계적 경영 활동 ② 기업이 고객을 위하여 가치를 창출하고 고객관계를 구축하여 고객들로부터 그 대가를 얻는 과정	
마케팅의 기능	제품관계	신제품 개발, 제품의 개량, 포장, 디자인
	시장거래관계	시장조사, 수요예측활동, 판매경로의 설정, 가격전략
	판매관계	판매원 인사, 동기부여, 판매활동
	판매촉진관계	광고, 선전, 판촉, 관계유지
	조정	마케팅 관련 활동의 종합적 조정
마케팅 조사 (시장조사)	① 시장조사(marketing research) : 상품 및 마케팅에 관련되는 문제에 관한 자료를 계통적으로 수집·기록·분석하여 과학적으로 해명하는 일 ② 시장조사의 내용 : 상품조사·판매조사·소비자조사·광고조사·잠재수요자조사· 판로조사 등 각 분야를 포괄함 ③ 시장조사의 절차 문제제기(설정) → 조사계획 수립 → 자료 수집 → 시장 분석(결과 해석) → 문제 해결	
마케팅 환경	정의	마케팅 환경은 환경과 목표고객 사이에서 마케팅 목표실현을 위해 수행되는 관리활동에 영향을 미치는 여러 행위주체와 영향요인
	미시적 환경	마케팅 활동에 직접 참여하고 있는 각 주체(기업, 원료공급자, 고객, 공공, 경쟁기업, 중간상 등)
	거시적 환경	사회, 경제, 자연, 기술, 정치, 문화적 환경 등
마케팅 관리	정의	이윤, 매출성장, 시장점유율 등 조직목표를 효과적으로 달성하기 위하여 고객과의 유익한 교환관계를 개발하고 유지하기 위한 프로그램을 계획, 실행, 통제, 보고하는 경영관리 활동
	마케팅 관리의 목표	매출 극대화, 이윤 극대화, 성장의 지속

제2절 마케팅 조사(시장조사)

❶ 시장조사의 분류

경제연구	상품이나 서비스 유통에 관한 경제적·사회적 제 조건의 조사로, 주로 외부자료의 해석에 의해 이루어짐
관리계수연구	주로 내외의 기업회계기록을 자료로 하는 것으로, 과거의 판매실적, 판매경비의 예산실적 차이분석, 제품별·지역별·판매점별·판매원별·기간별 판매분석, 재고회전의 분석 등
소비자 표본추출조사	시장조사의 대표적인 것으로, 소비자를 추출 조사하여 수요를 추계함
퍼스널스터디 (personal study)	심리학적 조사에 의하여 판매원의 선택·배치·훈련 등에 관한 자료 수집
메서드스터디 (method study)	판매활동에 관한 작업연구로, 판매원에 대한 판매할당의 자료가 됨

❷ 시장조사의 절차

문제제기	조사를 통해 해결해야 할 문제 자체와 그 문제들이 야기된 배경에 대한 분석
시장조사 설계	① 조사하는 목적이 무엇인지, 현재 봉착한 문제가 무엇인지, 현재 시점에서 세울 수 있는 가설은 어떠한지 등에 대한 검토 ② 이용될 조사 방법을 제시하고, 조사 시 따라야 할 전반적인 틀을 설정하며, 자료 수집절차와 자료분석 기법을 선택 ③ 예산을 편성하고 조사일정을 작성하고, 소요될 인원, 시간 및 비용 고려 ④ 시장조사 설계를 평가하고 여러 대안 중 필요한 정보를 제공할 수 있는 방법 채택
자료수집	① 1차 자료 : 자신이 직접 수집하는 자료(직접 질문, 전화, 설문조사, 면접 등) ② 2차 자료 : 기존에 생산된 각종 문헌, 신문이나 잡지, 인터넷 검색엔진 이용
자료의 분석	수집된 자료에 대한 해석과 분석
문제해결 및 보고	제기된 문제에 대한 최종적 대안을 결정하고 전략보완과 수정 후 보고

❸ 시장조사의 기법

관찰법	① 직접 관찰을 통해 정보를 수집하는 방법 ② 정확한 정보를 수집할 수 있다는 장점을 지니나, 정보 수집과정에 많은 시간과 비용이 소요되며, 관찰 대상자가 관찰을 의식해 평소와 다른 반응을 보이거나 불안을 느끼게 되는 등의 단점을 지님 ③ 관찰법의 종류 : 자연적 관찰법, 실험적 관찰법

서베이조사법	① 다수의 응답자들을 대상으로 설문조사에 의해 자료를 수집하는 방법 ② 서베이조사법은 보통 조사 문제가 명확히 정의된 경우에 이용되며 정형화된 설문지 사용 ③ 서베이조사법의 장단점 _아래 표 참조_

장점	단점
• 큰 규모의 표본과 일반화 가능성 • 자료수집의 용이 • 객관적 해석의 용이	• 설문지 개발의 어려움 • 시간과 비용이 많이 듦 • 응답의 정확성에 대한 문제점

표적집단 면접법	① 면접진행자가 소수(6~12인)의 응답자들을 한 장소에 모이게 한 후, 자연스러운 분위기 속에서 조사목적과 관련된 대화를 유도하고 응답자들이 의견을 표시하는 과정을 통해서 자료를 수집하는 조사방법 ② 1:1 심층면접법, 집단면접법(4~8인이 자유로운 토론)
CLT(Central Locaion Test) 조사	응답자를 일정한 장소에 모이게 한 후 다양한 시제품, 광고카피 등을 제시하고 소비자 반응을 조사하여 이를 제품개발이나 광고에 활용하는 방법
HUT(Home Usage Tests) 조사	응답자가 실제상황하에서 제품을 장기간 사용하여 보게 한 후, 소비자반응을 조사하는 방법
패널조사	동일표본의 응답자에게 일정 기간 동안 반복적으로 자료를 수집하여 특정구매나 소비 행동의 변화를 추적하는 마케팅 조사방법
시험시장조사	상품의 전국적인 출시에 앞서 일부지역에 먼저 제품을 출시하여 소비자들의 반응을 검토하는 시장조사기법
델파이조사	① 면밀하게 계획된 익명의 반복적 질문지 조사를 실시함으로써, 조사 참가자들이 직접 한데 모여서 논쟁을 하지 않고서도 집단구성원의 합의를 유도해 낼 수 있는 일종의 집단협의 방식에 대한 대안적 조사방법 ② 정리된 자료가 별로 없고 통계모형을 통한 분석을 하기 어려울 때 관련 전문가들을 모아 의견을 구하고 종합적인 방향을 전망해 보는 기법으로 미래 과학기술 방향을 예측하거나 신제품 수요예측을 위한 사회과학 분야의 대표적인 분석방법 중 하나 ③ 동일한 전문가 집단에게 수차례 설문조사를 실시하여 집단의 의견을 종합하고 정리하는 연구 기법
고객의견조사	잠재고객들에게 실제 제품이나 제품개념 기술서 혹은 광고 등을 보여주고 구매의사를 물어보는 방법
실험조사	신제품에 대한 광고시안을 몇 개의 소비자 집단에 보여주고 그중에서 소비자의 선호정도 및 기억정도가 가장 높은 광고를 선정하고자 할 때 적합한 마케팅 조사방법
모의시장시험법	신제품의 수요예측이나 기존제품을 새로운 유통경로나 지역에 진출하는 경우 적절한 마케팅 조사방법
회귀분석법	과거의 상황이 미래에도 비슷하게 되풀이 된다는 가정하에 불확실한 미래의 의사결정에 과거의 확실한 데이터를 이용하는 기법

SWOT분석법	강점(strength), 약점(weakness), 기회(opportunity), 위기(threat)의 앞글자를 따서 SWOT 분석이라 하며 기업의 강점과 약점, 환경적 기회와 위기를 열거하여 효과적인 기업 경영전략을 수립하기 위한 분석방법

제3절 소비자 시장과 소비자 구매행동

소비자의 개념	소비자 : 사업자가 제공하는 상품과 서비스를 소비생활을 위하여 구입하거나 사용하는 사람	
소비자 구분	가계소비자	자신이나 가족구성원을 위해 소비할 목적으로 소매상이나 농산물생산자로부터 구입하는 소비자
	기관소비자	호텔, 식당 등 대량소비기관으로 구매량이 다량이고 도매상이나 산지에서 구입하는 소비자
	산업소비자	농산품을 제조·가공하기 위하여 원료로서 구매하는 소비자
소비자 구매행동과 관여도	① 소비자 구매행동 : 상품 또는 생산재, 중간재 등을 구입하는 구매자의 의사결정행동 ② 관여도 : 소비자가 재화나 서비스를 구매할 때 정보 탐색에 시간과 노력을 기울이는 정도로 고관여와 저관여로 구분	
	고관여	제품을 선택할 때 제품정보를 충분히 탐색, 평가하고 그 제품에 대하여 보다 많은 노력을 기울이는 것
	저관여	상품(상표)선택 시 제품정보처리에 수동적이며 주의도가 낮은 것
소비자 구매동기	① 구매동기 : 동기(어떻게 해서 구입했는가)란 상품에서 볼 수 있는 특징과 소비자 측의 필요 또는 욕구와의 접점으로 파악할 수 있음 ② 제품동기와 애고동기	
	제품동기	소비자가 개인적 욕망을 충족시키기 위하여 특정 제품을 구매하게 되는 동기로서 농산물구매의 경우에는 합리성, 편의성, 농산물의 균일성, 가격의 저렴성 등이 있음
	애고동기	소비자가 제품을 구매 시 어느 기업제품을 선택하느냐의 동기로서 구매요인은 판매점의 명성과 신용, 가격, 품질, 편리한 위치, 서비스, 광범위한 상품의 구비 등이 있음
소비자 구매관습	구매관습 : 소비자가 어떠한 구매방법, 장소 및 시기와 관련하여 개인적인 고정된 행동 내지 의식형태로서의 구매행위	
	충동구매	소비자가 사전계획이나 준비 없이 상품을 보고 즉각적인 결심에 의해 구매하는 행위
	회상구매	계획에는 없지만 구매시점에서 필요한 물건을 생각해 내거나 과거에 본 광고를 떠올려 구매하는 형태
	암시구매	진열상품을 보고 이에 대한 필요성이 구체화되었을 경우에 나타나는 구매

	일용구매	소비자가 어떤 상품 구매에 있어서 최소의 노력으로 가장 편리한 지점에서 하는 구매
	선정구매	소비자가 구매노력을 최소화하기보다는 상품을 구매할 의도로 품질, 형상 및 가격 등의 조건에 대하여 여러 점포에서 구입대상 상품을 서로 비교·검토하여 가장 유리한 조건으로 구매하는 것
소비자 구매의사 결정		문제인식 → 정보탐색 → 대안평가 → 구매 → 구매 후 평가

제4절 상권과 시장진입전략

❶ 상권의 유형

상권의 의의		상권(商圈) : 일정한 지역을 중심으로 재화와 용역의 유통이 이루어지는 공간적 범위
규모에 따른 상권의 분류	지역상권	대도시 규모로 분류하며 특정지역 전체가 가지는 상권으로 도시의 행정구역 개념과 거의 일치
	지구상권	상업이 집중된 상권으로서 특정입지(백화점, 유명전문점, 음식점 등)에 속하는 상업집적이 이루어지는 상권. 하나의 지역상권 내에는 여러 개의 지구상권이 있음
	지점상권	특정입지의 점포가 갖는 상권의 범위
	개별 점포상권	지역상권과 지구상권 내의 개별점포들이 가지는 상권으로 1, 2차 상권에 속하지 않는 나머지 고객을 흡수할 수 있는 상권
고객흡인율에 따른 상권의 분류	1차 상권	점포고객의 60~70%를 포괄하는 상권범위로 도보로 10~30분 정도 소요되는 반경 2~3km지역
	2차 상권	점포고객의 15~20%를 포함하는 상권으로 1차 상권 외곽에 위치하여 고객분산도가 매우 높으며, 1차 상권에 비해 지역적으로 넓게 분산되어 있음
	3차 상권	1·2차 상권에 속해 있지 않은 고객을 포함하는 지역으로 점포고객의 5~10%를 점유하며, 고객의 분포가 매우 넓음

❷ 시장진입전략

시장침투전략	① 초기에 낮은 가격을 책정하여 가격에 민감한 고객을 흡수하는 전략 ② 기존제품을 기존시장 내에서 보다 많이 판매하여 성장을 추구하는 전략
제품개발전략	고객의 Needs & Wants를 파악하고 소비자에게 새로운 가치를 제공하는 제품을 필요로 하는 시기와 필요로 하는 사람에게 적절한 가격으로 생산판매하여, '이익의 창출과 사용자의 만족'을 통해 '고객 및 기업의 경쟁력을 확보'해 나가는 전략
시장개발전략	① 기존제품을 새로운 시장에 판매함으로써 성장을 추구하는 전략 ② 맥도날드, 코카콜라 등이 세계적으로 사업영역을 확대하거나 유아용품 전문회사가 성인용품 시장으로 사업영역을 확대하는 것

제5절 | 마케팅전략

❶ 마케팅전략의 관점

시장점유 마케팅	① 공급자 중심의 전략으로 표적시장을 선점하거나 틈새시장을 점유하는 방식 ② 주요 전략 : 4PMIX와 STP전략 등
고객점유 마케팅	① 소비자 행동 차원의 접근법으로 소비자의 형태나 심리적 측면에서 시장을 점유하는 방식 ② 소비자의 지향점, 소비자의 구매패턴, 소비자의 소비심리에 이르기까지 소비자와의 접점을 창출하려는 고객지향중심의 전략 ③ 주요 전략 : AIDA, AIDMA 등 〈더 알아보기〉 AIDA 원칙 소비자의 구매심리과정을 요약한 것으로, Attention, Interest, Desire, Action의 앞글자로 이뤄져 있음. 이 원칙과 함께 AIDMA와 AIDCA도 널리 주장되고 있는데 M은 기억(memory), C는 확신(conviction)을 뜻함
관계 마케팅	생산자(판매자)와 소비자(구매자)의 지속적인 관계를 통해 상호 이익을 극대화할 수 있도록 하는 관점의 마케팅전략으로 기업과 고객 간 인간적인 관계에 중점을 두고 있음

❷ STP전략(Segmentation, Targeting, Positioning)

시장세분화 (Segmentation)	시장세분화의 개념	마케팅전략상 동일한 마케팅 믹스가 통용될 수 있는 시장들로 전체 시장을 세분화하여 제품을 생산하고 마케팅하는 전략
	시장세분화전략	가치관의 다양화, 소비의 다양화라는 현대의 마케팅 환경에 적응하기 위하여 수요의 이질성을 존중하고 소비자·수요자의 필요와 욕구를 정확하게 충족시킴으로써 경쟁상의 우위를 획득·유지하려는 경쟁전략
	시장세분화의 기준	① 사회경제적 변수 : 연령·성별·소득별·가족수별·가족의 라이프사이클별·직업별·사회계층별 등 ② 지리적 변수 : 국내 각 지역, 도시와 지방, 해외의 각 시장지역 ③ 심리적 욕구변수 : 자기현시욕·기호 ④ 구매동기 : 경제성·품질·안전성·편리성 등
	시장집중주와 종합주의	① 시장집중전략 : 시장세분화에 의한 각 세분시장의 수요의 크기, 성장성·수익성을 예측하고 그중에서 가장 유리한 세분시장을 선택하여 시장표적(市場標的)으로 하고, 그것에 대해 제품전략에서 촉진적 전략에 이르는 마케팅전략에 집중(신생기업, 저자본 중소기업 등) ② 종합주의전략 : 대기업에서 채택되는 일이 많으며, 각 세분시장을 각기 시장표적으로 하여 각 시장표적의 고객이 정확하게 만족할 제품을 설계·개발하고, 다시 각 시장표적을 향한 촉진적 전략을 전개함

표적시장 (Targeting)	의의	① 특정한 고객이나 집단을 대상으로 하는 시장 ② 시장세분화로 구분된 시장 중에서 표적이 될 시장을 선별하고 그곳을 대상으로 마케팅 활동을 진행하는 것
	비차별화 전략	① 각 세분시장의 차이를 무시하고 하나의 제품으로 전체 시장을 향해 마케팅 활동을 전개해 나가는 전략 ② 세분시장 간의 차이를 무시하고 하나의 제품으로 전체시장 공략 ③ 소비자들의 차이보다는 공통점에 집중하며 대량유통과 대량광고 방식을 취함 ④ 소비자들의 욕구 차이가 크지 않을 때 유용함 ⑤ 장점 : 단일 마케팅믹스를 사용하므로 비용절감의 효과가 있음 ⑥ 단점 : 소비자 욕구의 다양화에 대한 대처가 취약하고 소비자를 빼앗길 위험이 있음
	차별화 전략	① 복수 세분시장전략이라고 하는데, 이질적인 전체시장을 세분화한 다음 2개 이상의 세분시장을 표적시장으로 삼고 각 세분시장의 상이한 욕구에 대응할 수 있는 마케팅 믹스를 개발하여 적용함으로써 기업의 마케팅 목표를 달성하고자 하는 전략 ② 각 시장마다 다른 제품개발, 관리, 마케팅조사 비용 발생 ③ 각 시장마다 다른 고객의 욕구를 충족시키기 위하여 다양한 제품계열, 다양한 유통경로, 다양한 광고매체를 통하여 판매하기 때문에 총매출액이 증대될 수 있음

	집중화
	전략
		① 차별화전략과는 다르게 단일 세분시장전략이라고 하며, 여러 세분시장 중에서 하나의 세분시장만을 표적으로 삼고 기업의 마케팅 노력을 집중화하는 전략
		② 기업의 자원이 제한되어 있는 경우 하나 혹은 소수의 작은 시장에서 높은 시장점유율을 누리기 위한 전략
		③ 많은 세분시장들 중에서 단일 시장에 기업의 집중된 역량을 투입할 수 있으므로 마케팅 비용이 절약되고, 기업의 자원이 한정된 중소기업에서 주로 선호되는 전략
		④ 집중화전략의 장단점
		  – 특정시장에 대한 독점적 위치 획득 가능
		  – 한정된 자원으로 기업 마케팅전략을 집중하여 낮은 비용(생산, 유통, 촉진 면에서 전문화로 운영상의 경제성)으로 높은 수익률을 올릴 수 있음
		  – 시장의 기호변화나 강력한 경쟁사의 등장으로 위기에 빠질 수 있음

포지셔닝 (Positioning)		① 고객들의 마음속에 경쟁 제품과 대비되는 자사의 특정 제품 컨셉을 개발하고 유지시키고자 하는 마케팅 관리자의 결정이나 활동 ② 자사의 제품 혹은 경쟁적 위상(포지션)을 고객들의 머릿속에 인식시키는 것

❸ 마케팅 믹스

의의	마케팅 목표의 효과적인 달성을 위하여 마케팅 활동에서 사용되는 여러 가지 마케팅 구성요소를 전체적으로 균형이 잡히도록 조정·구성하는 일		
마케팅 믹스 구성요소 (4P MIX)	유통경로(Place)	상품이 생산자로부터 소비자에게 전달되는 경로에 대한 계획 수립과 선택(유통경로, 재고, 운송 등)	
	상품전략(Products)	상품, 서비스, 포장, 디자인(크기, 색상), 브랜드, 품질 등	
	가격전략(Price)	가격결정, 할인, 신용판매, 할부 등	
	촉진전략(Promotion)	판매촉진, 광고, PR, 인적판매, DM 등	
4P와 4C	4C : 상품에 대한 공급자 관점이 아니라 고객의 관점에서 4P를 해석한 것		
	4P (기업관점)		4C (고객관점)
	유통경로(Place)	⇔	편리성(Convenience)
	상품전략(Products)	⇔	고객가치(Customer value)
	가격전략(Price)	⇔	고객측 비용(Cost to the Customer)
	촉진전략(Promotion)	⇔	의사소통(Communication)
유통경로	사업대상지역의 선정, 즉 입지 선정		
상품전략	① 상품계획에서 고려할 사항 : 상품의 품질, 설계, 입지조건, 상표 등 ② 상품개발전략 : 공업화와 규격표준화, 상품의 차별화, 시장의 세분화, 상품의 다양화, 상품의 고급화 등		
가격전략	① 가격수준정책(시가, 저가 또는 고가정책 등) ② 가격신축정책(단일가격정책 또는 신축가격정책 등) ③ 할인 및 할부정책 등		
촉진전략	① 협의의 판매촉진 : 광고, 홍보 및 인적판매와 같은 범주에 포함되지 않는 모든 촉진활동 ② 판매촉진수단 : 가격할인, 쿠폰, 리베이트, 경품제공, 상품제공, 견본제공 등 ③ 의사소통(Communication) 전략 : 홍보, 광고, 인적 판매, 판매촉진 등		

제6절 포장과 상표화

❶ 포장

포장의 의의	제품을 보호하기 위해 상자나 그 밖의 포장재를 사용해 제품을 보호하는 것	
포장의 구분	겉포장	농산물 또는 속포장한 농산물의 수송을 주목적으로 한 포장
	속포장	소비자가 구매하기 편리하도록 겉포장 속에 들어 있는 포장
	낱개포장	개개의 물품을 직접 싸기 위한 포장

포장의 기능	① 가격전달기능 ② 내용물의 원형 보존 기능 ③ 중·대포장의 경우 소비촉진 기능 ④ 내용물에 대한 정보 제공과 광고 및 촉진 수단 ⑤ 노동력 절감 및 비용 감소 효과
포장의 원칙	① 제품보호 ② 경제성 ③ 제품인식 ④ 편리성 및 유용성 ⑤ 내용 일치
포장정보	가격과 양(무게), 유효기간(유통기간 등), 사용정보, 품질보증, 성분표시, 환경효과

❷ 상표화

상표의 의의	사업자가 자기 상품에 대하여, 경쟁업체의 것과 구별하기 위하여 사용하는 기호·문자·도형 따위의 일정한 표지
상표명의 특징	① 상표명은 그 제품이 주는 이점을 표현할 수 있어야 함 ② 상표명은 실제적이고, 분명하고, 기억하기 쉬워야 함 ③ 상표명은 제품이나 기업의 이미지와 일치해야 함 ④ 상표명은 법적으로 보호를 받을 수 있어야 함
상표의 기능	① 상품식별기능 ② 출처표시기능(제조, 가공, 증명, 판매업자와 관계 등) ③ 품질보증기능 ④ 광고선전기능
상표충성도	① **상표충성도(Brand Royalty)** : 동일한 제품군에서 특정 상표의 제품을 반복적으로 구매하는 상황이나 정도. 상표충성도는 제품에 대한 높은 관여도를 보이고, 상대적으로 복잡하지 않은 의사결정을 하는 경우에 나타나며, 소비자가 특정 상표에 대한 몰입과 더불어 심리적 태도를 포함하고 있다는 점에서 단순한 재구매 행위와 구별 ② **상표충성도의 특징** – 소비자는 편향된 태도와 행동을 보임 – 구매와 같은 실제적인 행동이 나타남 – 시간이 지나도 구매행동이 지속적으로 나타남 – 전체 브랜드 중 하나 또는 하나 이상의 대안적 브랜드에 나타날 수 있음 – 의사결정 과정이나 평가 과정과 같은 심리적 과정을 거침
브랜드파워	① 기업 브랜드에 대한 소비자의 인지도를 1백점 만점을 기준으로 수치화한 것 ② 소비자들이 자주 접할수록, 상품의 품질이나 평판이 좋을수록 높게 나타남

| 제7절 | **가격전략** |

❶ 가격의 개념

가격의 의의	① 재화의 가치를 화폐 단위로 표시한 것 ② 가격의 개념은 교환을 주요 수단으로 함. 보통 일상생활에서 가격은 상품 1단위를 구입할 때 지불하는 화폐의 수량으로 표시함 ③ 절대가격과 상대가격 　– 절대가격 : 화폐단위로 표시되는 일상생활적인 뜻의 가격 　– 상대가격 : 상품 간의 교환비율을 나타내는 넓은 뜻의 가격	
가격결정자, 가격순응자	가격결정자 (가격모색자)	시장지배력을 통해 생산하는 재화 가격을 스스로 결정할 수 있는 기업 또는 개인을 의미
	가격순응자	시장의 원리에 따라 결정된 가격을 주어진 것으로 받아들이는 자로서 주어진 시장가격에 종속되어 있는 자(농산물 생산자)

❷ 가격결정

가격결정의 개념	① 가격결정 : 이윤을 목적으로 하는 가격형성의 원리 ② 경제학의 가격이론경제 : 한계수입과 한계비용이 같을 때 최대이윤이 달성되고 기업은 이 지점에서 가격 결정 ③ 실질적인 가격결정(full-cost principle) : 실제의 기업은 가격을 평균적 비용(원가)에 일정한 이윤(마크업)을 더하여 가격을 설정한다는 주장 ④ 마케팅이론의 가격결정 : 가격은 재화 그 자체의 가치로만 구성되는 것이 아니라, 여기에 서비스·조언(助言)·발송·신용공여(信用供與)·애프터케어 등이 부가된 것으로 봄
가격결정과정	① 가격설정의 목적 : 기업이 시장에 제공하는 제품이나 서비스의 가격을 통해서 얻고자 하는 목적에 부합하는 가격을 설정하는 것으로 존속, 단기이익의 극대화, 시장점유율의 극대화 등 ② 수요결정 : 각각의 가격은 다른 정도의 수요를 이끌어 냄 ③ 원가측정 　– 가격을 결정하기에 앞서 기업은 제품이나 서비스를 생산하는 데 쓰인 원가를 측정함 　– 가격은 이렇게 측정된 원가에 이윤을 더한 값을 하한선으로 설정할 수 있으며 제품에 대한 수요 및 소비자의 지불 의사 등을 고려하여 상한선을 설정 ④ 경쟁자 분석 : 경쟁자의 원가, 가격, 해당 가격에 대한 소비자의 반응 등을 고려하여 가격설정을 해야 함 ⑤ 가격설정방법의 선택 : 가격을 설정하는 방법에는 목표수익률 가격결정법, 가치 가격 결정법 등이 있음 ⑥ 최종 가격 선택 　– 기업은 기업 내 일관된 가격 정책과 마케팅 활동을 고려하여 가격을 설정하여야 함 　– 기업은 보통 단일의 가격을 설정하지 않고 가격 구조를 세워 다양한 변수들(지리적 수요, 구매 시기, 품질 보증 기간 등)을 고려하여 가격을 설정

❸ 가격결정방법

원가기준가격 결정법	원가가산가격결정법	제품의 단위원가에 일정비율의 금액을 가산하여 가격을 결정하는 방법
	목표가격결정법	예측된 표준생산량을 전제로 한 총원가에 대하여 목표이익률을 실현시켜 줄 수 있도록 가격을 결정하는 방법
수요기준가격 결정법	원가차별법	특정제품의 고객별·시기별 등으로 수요의 탄력성을 기준으로 하 여 둘 혹은 그 이상의 가격을 결정하여 제시하는 방법
	명성가격결정법	소비자가 가격에 의해서 품질을 평가하는 경향이 특히 강하여 비 교적 고급품질이 선호되는 상품에 설정되는 가격
	단수가격결정법	상품의 판매가격에 구태여 단수를 붙이는 것으로 판매가에 대한 고객의 수용도를 높이고자 하는 것(예 9,900원)
경쟁기준가격 결정법	경쟁수준가격결정법	우세한 관습적 가격에 따름(예 라면, 담배, 짜장면 등)
	경쟁수준이하 가격결정법	우세한 관습적 가격보다 낮은 가격으로 설정
	경쟁수준이상 가격결정법	고소득층을 흡수하기 위해 사용하는 방법(예 고가품, 사치품 등)

❹ 가격전략

가격전략의 개념	기업이 생산하는 상품을 판매하여 얻을 수 있는 이윤의 범위에서 가격결정. 이 선택을 어떻게 할 것인지가 기업의 가격정책

가격전략의
유형
	① 단일가격정책과 탄력가격정책
	   – 단일가격정책 : 동일한 수량의 제품을 동일한 조건으로 구매하는 모든 고객에게
	     동일한 가격으로 판매하는 가격정책
	   – 탄력가격정책 : 동일한 상품, 동일한 수량을 다른 가격으로 다른 고객에게 판매하는
	     것(학생가격, 단체할인, 조조할인 등)
	② 단일제품가격정책과 계열가격정책
	   – 단일제품가격정책 : 각 품목별로 따로따로 검토하여 가격을 결정하는 정책
	   – 계열가격정책 : 한 기업의 제품이 단일품목이 아니고 많은 제품계열을 포함하는
	     경우에 규격·품질·기능·스타일 등이 다른 각 제품계열마다 가격을 결정하는 정책
	③ 상층흡수가격정책과 시장침투가격정책
	   – 상층흡수가격정책 : 신제품을 시장에 도입하는 초기 고가격정책으로, 가격에 크게
	     민감한 반응을 보이지 않는 고소득층을 흡수하고 그 뒤에 가격을 인하시킴으로써
	     저소득층에게 판매하고자 하는 정책
	   – 시장침투가격정책 : 급속하게 시장에 침투하기 위하여 저가격으로 시장을 확보하고
	     자 하는 정책으로 대중적인 상품이나 수요의 가격탄력성이 큰 상품에 유효함
	④ 생산지점가격정책과 인도지점가격정책
	   – 생산지점가격정책 : 판매자가 모든 구매자에 대하여 균일한 공장도가격을 적용하는
	     정책

		– 인도지점가격정책 : 공장도가격에 계산상의 운임을 가산한 금액을 판매가격으로 하는 정책 ⑤ 재판매가격유지정책 제조업자가 자신의 제품이 소매되는 가격을 통제하기 위하여 권장소비자가격이나 희망소비자가격을 중간상인들에게 제시하고 이를 근거로 하여 할인과 공제 적용
심리적 가격전략	단수가격	단위가격을 10,000원 등이 아닌 9,900원 등으로 설정해서 소비자들이 심리적으로 저렴하다고 하는 인식을 심는 방법
	관습가격	소비자들이 관습적으로 느끼는 가격으로서 소비자들은 이러한 가격수준을 당연하게 생각하는 경향이 있음(예 라면, 짜장면 등)
	명성가격	가격이 높을수록 품질이 좋고 제품가격과 자신의 명성이 비례한다고 느끼게 되는 고급제품의 경우에 주로 적용
	개수가격	고급품질 이미지를 통해 구매를 자극하기 위해 우수리가 없는 개수가격을 설정하는 방식

제8절 상품수명주기(제품라이프사이클)

의의	하나의 제품이 시장에 도입되어 폐기되기까지의 과정. 이 수명의 장단(長短)은 제품의 성격에 따라 다르지만 대체로 도입기·성장기·성숙기·쇠퇴기의 과정으로 나눌 수 있음
제품 라이프사이클	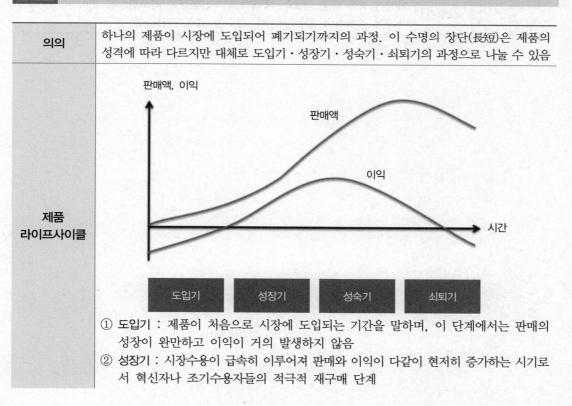 ① 도입기 : 제품이 처음으로 시장에 도입되는 기간을 말하며, 이 단계에서는 판매의 성장이 완만하고 이익이 거의 발생하지 않음 ② 성장기 : 시장수용이 급속히 이루어져 판매와 이익이 다같이 현저히 증가하는 시기로서 혁신자나 조기수용자들의 적극적 재구매 단계

	③ 성숙기 : 경쟁사들 간의 시장경쟁이 심화되는 단계로서 판매의 성장률이 차츰 감소하는데, 대부분의 잠재구매자들이 그 제품을 수용함으로 인해 성장기회가 거의 소진되었기 때문임 ④ 쇠퇴기 : 판매가 급격히 감소하고 이익이 0에 가깝게 되면서 결국 시장으로부터 완전히 철수하는 단계	
단계별 마케팅전략	도입기	제품의 다양화와 경로다각화의 필요성은 높지 않으나 마케팅 촉진에는 많은 투자가 필요
	성장기	① 새로운 경쟁사에 대응하기 위해서 다른 업체 제품·서비스와 차별화된 전략을 내세워야 함 ② 판매가는 도입기의 수준을 유지하거나 약간 인하함으로써 경쟁에서 유리한 위치를 차지하는 전략도 필요 ③ 새로운 특성이나 모델을 추가하고 새로운 유통채널을 뚫음으로써 제품의 노출을 확대해야 함
	성숙기	① 방어전략이 아닌 공격전략으로 대응해야 하는데, 타겟을 수정하거나 제품을 개선 또는 마케팅 믹스 전략을 변경해야 함 ② 마케팅관리도 대부분 성숙기에 집중 ③ 여유 있는 기업은 이때 연구개발비를 과감히 투자함
	쇠퇴기	이익이 적은 유통 경로는 폐쇄하고 촉진활동은 최소한으로 해야 하며, 때에 따라서 경쟁력이 없는 제품은 철수를 결정하기도 함

2019년 제16회 농산물품질관리사 제1차 시험 기출문제

각 문제에서 요구하는 가장 적합하거나 가까운 답 1개만을 고르시오.

관계 법령

001 농수산물 품질관리법령상 유전자변형농수산물의 표시 등에 관한 설명으로 옳지 않은 것은?

① 유전자변형농수산물을 판매하는 자는 대통령령으로 정하는 바에 따라 해당 농수산물에 유전자변형농수산물임을 표시하여야 한다.

② 농림축산식품부장관은 유전자변형농수산물인지를 판정하기 위하여 필요한 경우 시료의 검정기관을 지정하여 고시하여야 하다.

③ 유전자변형농수산물의 표시기준 및 표시방법에 관한 세부사항은 식품의약품안전처장이 정하여 고시한다.

④ 유전자변형농수산물의 표시대상품목, 표시기준 및 표시방법 등에 필요한 사항은 대통령령으로 정한다.

해설

법률상 시료의 검정기관 지정 고시 내용은 존재하지 않음

002 농수산물 품질관리법상 지리적표시에 관한 정의이다. ( )에 들어갈 내용으로 옳은 것은?

지리적표시란 농수산물 또는 농수산가공품의 ( )·품질, 그 밖의 특징이 본질적으로 특정 지역의 지리적 특성에 기인하는 경우 해당 농수산물 또는 농수산가공품이 그 특정 지역에서 생산·제조 및 가공되었음을 나타내는 표시를 말한다.

① 포장   ② 무게
③ 생산자   ④ 명성

해설

법 제2조(정의) ① 이 법에서 사용하는 용어의 뜻은 다음과 같다. 〈개정 2023.8.16.〉
8. "지리적표시"란 농수산물 또는 제13호에 따른 농수산가공품의 명성·품질, 그 밖의 특징이 본질적으로 특정 지역의 지리적 특성에 기인하는 경우 해당 농수산물 또는 농수산가공품에 표시하는 다음 각 목의 것을 말한다.

가. 농수산물의 경우 해당 농수산물이 그 특정 지역에서 생산되었음을 나타내는 표시

나. 농수산가공품의 경우 다음의 구분에 따른 사실을 나타내는 표시

    1)「수산업법」제40조에 따라 어업허가를 받은 자가 어획한 어류를 원료로 하는 수산가공품
      : 그 특정 지역에서 제조 및 가공된 사실

    2) 그 외의 농수산가공품: 그 특정 지역에서 생산된 농수산물로 제조 및 가공된 사실

003 농수산물 품질관리법상 농수산물품질관리심의회의 심의 사항이 아닌 것은?

① 표준규격 및 물류표준화에 관한 사항

② 지리적표시에 관한 사항

③ 유전자변형농수산물의 표시에 관한 사항

④ 유기가공식품의 수입 및 통관에 관한 사항

해설

법 제4조(심의회의 직무) 심의회는 다음 각 호의 사항을 심의한다.

1. 표준규격 및 물류표준화에 관한 사항
2. 농산물우수관리 · 수산물품질인증 및 이력추적관리에 관한 사항
3. 지리적표시에 관한 사항
4. 유전자변형농수산물의 표시에 관한 사항
5. 농수산물(축산물은 제외한다)의 안전성조사 및 그 결과에 대한 조치에 관한 사항
6. 농수산물(축산물은 제외한다) 및 수산가공품의 검사에 관한 사항
7. 농수산물의 안전 및 품질관리에 관한 정보의 제공에 관하여 총리령, 농림축산식품부령 또는 해양수산부령으로 정하는 사항
8. 수출을 목적으로 하는 수산물의 생산 · 가공시설 및 해역(海域)의 위생관리기준에 관한 사항
9. 수산물 및 수산가공품의 제70조에 따른 위해요소중점관리기준에 관한 사항
10. 지정해역의 지정에 관한 사항
11. 다른 법령에서 심의회의 심의사항으로 정하고 있는 사항
12. 그 밖에 농수산물 및 수산가공품의 품질관리 등에 관하여 위원장이 심의에 부치는 사항

004 농수산물 품질관리법령상 농산물 생산자(단순가공을 하는 자를 포함)의 이력추적 관리 등록사항이 아닌 것은?

① 재배면적

② 재배지의 주소

③ 구매자의 내역

④ 생산자의 성명, 주소 및 전화번호

해설

시행규칙 제46조(이력추적관리의 대상품목 및 등록사항)

1. 생산자(단순가공을 하는 자를 포함한다)
    가. 생산자의 성명, 주소 및 전화번호

정답 001 ② 002 ④ 003 ④ 004 ③

나. 이력추적관리 대상품목명
다. 재배면적
라. 생산계획량
마. 재배지의 주소

005 농수산물의 원산지 표시에 관한 법령상 일반음식점 영업을 하는 자가 농산물을 조리하여 판매하는 경우 원산지 표시 대상이 아닌 것은?

① 죽에 사용하는 쌀
② 콩국수에 사용하는 콩
③ 동치미에 사용하는 무
④ 배추김치의 원료인 배추와 고춧가루

해설

'무'는 표시대상이 아니다.

006 농수산물 품질관리법령상 농산물우수관리인증의 유효기간 연장신청은 인증의 유효 기간이 끝나기 몇 개월 전까지 어디에 제출해야 하는가?

① 1개월, 농림축산식품부
② 1개월, 우수관리인증기관
③ 2개월, 국립농산물품질관리원
④ 2개월, 한국농수산식품유통공사

해설

시행규칙 제16조(우수관리인증의 유효기간 연장) ① 우수관리인증을 받은 자가 법 제7조 제3항에 따라 우수관리인증의 유효기간을 연장하려는 경우에는 별지 제4호서식의 농산물우수관리인증 유효기간 연장신청서를 그 유효기간이 끝나기 1개월 전까지 우수관리인증기관에 제출하여야 한다.

007 농수산물의 원산지 표시에 관한 법령상 일반음식점 영업을 하는 자가 농산물을 조리하여 판매하는 경우 원산지 표시를 하지 않아 1차 위반행위로 부과되는 과태료 기준 금액이 다른 것은? (단, 가중 및 경감사유는 고려하지 않음)

① 쇠고기
② 양고기
③ 돼지고기
④ 오리고기

해설

쇠고기는 100만원, 나머지는 30만원

008 농수산물 품질관리법령상 이력추적관리 등록기관의 장은 이력추적관리 등록의 유효기간이 끝나기 얼마 전까지 신청인에게 갱신절차와 갱신신청 기간을 미리 알려야 하는가?

① 7일
② 15일
③ 1개월
④ 2개월

해설

시행규칙 제51조(이력추적관리 등록의 갱신) ① 이력추적관리 등록을 받은 자가 법 제25조 제2항에 따라 이력추적관리 등록을 갱신하려는 경우에는 별지 제23호서식의 이력추적관리 등록(신규·갱신)신청서와 제47조 제1항 각 호에 따른 서류 중 변경사항이 있는 서류를 해당 등록의 유효기간이 끝나기 1개월 전까지 등록기관의 장에게 제출하여야 한다.
③ 등록기관의 장은 유효기간이 끝나기 2개월 전까지 신청인에게 갱신절차와 갱신신청 기간을 미리 알려야 한다. 이 경우 통지는 휴대전화 문자메시지, 전자우편, 팩스, 전화 또는 문서 등으로 할 수 있다.

009 농수산물의 원산지 표시에 관한 법령상 원산지 표시위반 신고 포상금의 최대 지급 금액은?

① 200만원
② 500만원
③ 1,000만원
④ 2,000만원

해설

시행령 제8조(포상금) ① 법 제12조 제1항에 따른 포상금은 1천만원의 범위에서 지급할 수 있다.

010 농수산물 품질관리법령상 지리적표시의 심의·공고·열람 및 이의신청 절차에 관한 규정이다. (   )에 들어갈 내용은?

> 농림축산식품부장관은 지리적표시 분과위원회에서 지리적표시의 등록 또는 중요 사항의 변경등록을 하기에 부적합한 것으로 의결되면 지체 없이 그 사유를 구체적으로 밝혀 신청인에게 알려야 한다. 다만, 부적합한 사항이 (   ) 이내에 보완될 수 있다고 인정되면 일정 기간을 정하여 신청인에게 보완하도록 할 수 있다.

① 30일
② 40일
③ 50일
④ 60일

해설

시행령 제14조(지리적표시의 심의·공고·열람 및 이의신청 절차) ③ 농림축산식품부장관 또는 해양수산부장관은 지리적표시 분과위원회에서 지리적표시의 등록 또는 중요 사항의 변경등록을 하기에 부적합한 것으로 의결되면 지체 없이 그 사유를 구체적으로 밝혀 신청인에게 알려야 한다. 다만, 부적합한 사항이 30일 이내에 보완될 수 있다고 인정되면 일정 기간을 정하여 신청인에게 보완하도록 할 수 있다.

정답 **005** ③ **006** ② **007** ① **008** ④ **009** ③ **010** ①

011 농수산물 품질관리법상 권장품질표시에 관한 내용으로 옳지 않은 것은?

① 농림축산식품부장관은 표준규격품의 표시를 하지 아니한 농산물의 포장 겉면에 등급·당도 등 품질을 표시하는 기준을 따로 정할 수 있다.

② 농산물을 유통·판매하는 자는 표준규격품의 표시를 하지 아니한 경우 포장 겉면에 권장품질표시를 할 수 있다.

③ 권장품질표시의 기준 및 방법 등에 필요한 사항은 국립농산물품질관리원장이 정하여 고시한다.

④ 농림축산식품부장관은 관계 공무원에게 권장품질표시를 한 농산물의 시료를 수거하여 조사하게 할 수 있다.

> **해설**
>
> 법 제5조의2(권장품질표시) ③ 권장품질표시의 기준 및 방법 등에 필요한 사항은 농림축산식품부령으로 정한다.

012 농수산물 품질관리법령상 농산물 검사에서 농림축산식품부장관의 검사를 받아야 하는 농산물이 아닌 것은?

① 정부가 수매하거나 수출 또는 수입하는 농산물

② 정부가 수매하는 누에씨 및 누에고치

③ 생산자단체 등이 정부를 대행하여 수출하는 농산물

④ 정부가 수입하여 가공한 농산물

> **해설**
>
> 누에씨 및 누에고치의 검사 : 시·도지사

013 농수산물 품질관리법령상 우수관리인증기관이 우수관리인증을 한 후 조사, 점검 등의 과정에서 위반행위가 확인되는 경우 1차 위반 시 그 인증을 취소해야 하는 사유가 아닌 것은?

① 우수관리인증의 표시정지 기간 중에 우수관리인증의 표시를 한 경우

② 거짓이나 그 밖의 부정한 방법으로 우수관리인증을 받은 경우

③ 전업(轉業)·폐업 등으로 우수관리인증농산물을 생산하기 어렵다고 판단되는 경우

④ 우수관리인증을 받은 자가 정당한 사유 없이 조사·점검 또는 자료제출 요청에 응하지 아니한 경우

해설

④ 1차 위반 시 표시정지 1개월

시행규칙 [별표 2] 우수관리인증의 취소 및 표시정지에 관한 처분기준

위반행위	위반횟수별 처분기준		
	1차 위반	2차 위반	3차 위반
가. 거짓이나 그 밖의 부정한 방법으로 우수관리인증을 받은 경우	인증취소	–	–
나. 우수관리기준을 지키지 않은 경우	표시정지 1개월	표시정지 3개월	인증취소
다. 전업(轉業)·폐업 등으로 우수관리인증농산물을 생산하기 어렵다고 판단되는 경우	인증취소	–	–
라. 우수관리인증을 받은 자가 정당한 사유 없이 조사·점검 또는 자료제출 요청에 응하지 않은 경우	표시정지 1개월	표시정지 3개월	인증취소
마. 우수관리인증을 받은 자가 법 제6조 제7항에 따른 우수관리인증의 표시방법을 위반한 경우	시정명령	표시정지 1개월	표시정지 3개월
바. 법 제7조 제4항에 따른 우수관리인증의 변경승인을 받지 않고 중요 사항을 변경한 경우	표시정지 1개월	표시정지 3개월	인증취소
사. 우수관리인증의 표시정지기간 중에 우수관리인증의 표시를 한 경우	인증취소	–	–

014 농수산물 품질관리법령상 농산물품질관리사의 업무가 아닌 것은?

① 농산물의 선별·저장 및 포장 시설 등의 운용·관리
② 농산물의 선별·포장 및 브랜드 개발 등 상품성 향상 지도
③ 농산물의 판매가격 결정
④ 포장농산물의 표시사항 준수에 관한 지도

해설

법 제106조(농산물품질관리사 또는 수산물품질관리사의 직무) ① 농산물품질관리사는 다음 각 호의 직무를 수행한다.
1. 농산물의 등급 판정
2. 농산물의 생산 및 수확 후 품질관리기술 지도
3. 농산물의 출하 시기 조절, 품질관리기술에 관한 조언
4. 그 밖에 농산물의 품질 향상과 유통 효율화에 필요한 업무로서 농림축산식품부령으로 정하는 업무

정답 011 ③ 012 ② 013 ④ 014 ③

015 **농수산물 품질관리법상 안전관리계획 및 안전성조사에 관한 설명으로 옳은 것은?**

① 농산물 또는 농산물의 생산에 이용·사용하는 농지·용수(用水)·자재 등은 안전성 조사 대상이다.

② 농림축산식품부장관은 안전관리계획을 10년마다 수립·시행하여야 한다.

③ 국립농산물품질관리원장은 안전관리계획에 따라 5년마다 세부추진계획을 수립·시행하여야 한다.

④ 농산물의 안전성 조사는 수입통관단계 및 사후관리단계로 구분하여 조사한다.

> **해설**
>
> **법 제60조(안전관리계획)** ① 식품의약품안전처장은 농수산물(축산물은 제외한다. 이하 이 장에서 같다)의 품질 향상과 안전한 농수산물의 생산·공급을 위한 안전관리계획을 매년 수립·시행하여야 한다.
> ② 시·도지사 및 시장·군수·구청장은 관할 지역에서 생산·유통되는 농수산물의 안전성을 확보하기 위한 세부추진계획을 수립·시행하여야 한다.
> ③ 제1항에 따른 안전관리계획 및 제2항에 따른 세부추진계획에는 제61조에 따른 안전성조사, 제68조에 따른 위험평가 및 잔류조사, 농어업인에 대한 교육, 그 밖에 총리령으로 정하는 사항을 포함하여야 한다.
> ④ 삭제 〈2013.3.23.〉
> ⑤ 식품의약품안전처장은 시·도지사 및 시장·군수·구청장에게 제2항에 따른 세부추진계획 및 그 시행 결과를 보고하게 할 수 있다.
>
> **법 제61조(안전성조사)**
> ① 식품의약품안전처장이나 시·도지사는 농수산물의 안전관리를 위하여 농수산물 또는 농수산물의 생산에 이용·사용하는 농지·어장·용수(用水)·자재 등에 대하여 다음 각 호의 조사(이하 "안전성조사"라 한다)를 하여야 한다.
> 1. 농산물
>   가. 생산단계 : 총리령으로 정하는 안전기준에의 적합 여부
>   나. 유통·판매 단계 : 「식품위생법」 등 관계 법령에 따른 유해물질의 잔류허용기준 등의 초과 여부

016 **농수산물 품질관리법령상 지리적표시품의 표시방법으로 옳지 않은 것은?**

① 포장하지 아니하고 판매하는 경우에는 대상품목에 스티커를 부착하여 표시할 수 있다.

② 표지도형의 한글 및 영문 글자는 고딕체로 하고, 글자 크기는 표지도형의 크기에 따라 조정한다.

③ 표지도형의 색상은 파란색을 기본색상으로 하고, 포장재의 색깔 등을 고려하여 검정색으로 한다.

④ 지리적표시의 포장·용기의 겉면 등에 등록 명칭을 표시하여야 한다.

> **해설**
>
> 표지도형의 색상은 녹색을 기본색상으로 하고, 포장재의 색깔 등을 고려하여 파란색 또는 빨간색으로 할 수 있다.

017 농수산물 유통 및 가격안정에 관한 법률상 산지유통인의 등록에 관한 설명으로 옳지 않은 것은?

① 농산물을 수집하여 도매시장에 출하하려는 자는 대통령령이 정하는 바에 따라 품목별로 농림축산식품부장관에게 등록하여야 한다.

② 국가나 지방자치단체는 산지유통인의 공정한 거래를 촉진하기 위하여 필요한 지원을 할 수 있다.

③ 산지유통인은 등록된 도매시장에서 농산물의 출하업무 외의 판매·매수 또는 중개업무를 하여서는 아니 된다.

④ 도매시장법인의 임직원은 해당 도매시장에서 산지유통인의 업무를 하여서는 아니 된다.

해설

법 제29조(산지유통인의 등록) ① 농수산물을 수집하여 도매시장에 출하하려는 자는 농림축산식품부령 또는 해양수산부령으로 정하는 바에 따라 부류별로 도매시장 개설자에게 등록하여야 한다.

018 농수산물 유통 및 가격안정에 관한 법령상 표준정산서에 포함되어야 할 사항이 아닌 것은?

① 출하자 주소 ② 정산금액
③ 표준정산서의 발행일 및 발행자명 ④ 경락 예정가격

해설

시행규칙 제38조(표준정산서) 법 제41조 제3항에 따른 도매시장법인·시장도매인 또는 공판장 개설자가 사용하는 표준정산서에는 다음 각 호의 사항이 포함되어야 한다.
1. 표준정산서의 발행일 및 발행자명
2. 출하자명
3. 출하자 주소
4. 거래형태(매수·위탁·중개) 및 매매방법(경매·입찰, 정가·수의매매)
5. 판매 명세(품목·품종·등급별 수량·단가 및 거래단위당 수량 또는 무게), 판매대금총액 및 매수인
6. 공제 명세(위탁수수료, 운송료 선급금, 하역비, 선별비 등 비용) 및 공제금액 총액
7. 정산금액
8. 송금 명세(은행명·계좌번호·예금주)

019 농수산물 유통 및 가격안정에 관한 법령상 도매시장 개설자가 도매시장법인으로 하여금 우선적으로 판매하게 할 수 있는 품목이 아닌 것은?

① 대량 입하품
② 최소출하기준 이하 출하품
③ 예약 출하품
④ 도매시장 개설자가 선정하는 우수출하주의 출하품

해설

최소출하기준 이하의 품목은 도매시장에 출하될 수 없다.

020 농수산물 유통 및 가격안정에 관한 법령상 주산지 지정 등에 관한 설명으로 옳지 않은 것은?

① 해당 시·도 소속 공무원은 주산지협의체의 위원이 될 수 있다.
② 주산지의 지정은 읍·면·동 또는 시·군·구 단위로 한다.
③ 주산지의 지정 및 해제는 국립농산물품질관리원장이 한다.
④ 시·도지사는 지정된 주산지에서 주요 농산물을 생산하는 자에 대하여 생산자금의 융자 및 기술지도 등 필요한 지원을 할 수 있다.

해설

주산지의 지정 및 해제 : 시·도지사

021 농수산물 유통 및 가격안정에 관한 법령상 농림축산식품부장관이 농산물 전자거래를 촉진하기 위하여 한국농수산식품유통공사에게 수행하게 할 수 있는 업무가 아닌 것은?

① 도매시장법인이 전자거래를 하기 위하여 구축한 전자거래시스템의 승인
② 전자거래 분쟁조정위원회에 대한 운영 지원
③ 전자거래에 관한 유통정보 서비스 제공
④ 대금결제 지원을 위한 정산소(精算所)의 운영·관리

해설

법 제70조의2(농수산물 전자거래의 촉진 등) ① 농림축산식품부장관 또는 해양수산부장관은 농수산물 전자거래를 촉진하기 위하여 한국농수산식품유통공사 및 농수산물 거래와 관련된 업무경험 및 전문성을 갖춘 기관으로서 대통령령으로 정하는 기관에 다음 각 호의 업무를 수행하게 할 수 있다.
1. 농수산물 전자거래소(농수산물 전자거래장치와 그에 수반되는 물류센터 등의 부대시설을 포함한다)의 설치 및 운영·관리
2. 농수산물 전자거래 참여 판매자 및 구매자의 등록·심사 및 관리

022 농수산물 유통 및 가격안정에 관한 법률상 민영도매시장의 개설 운영 등에 관한 내용으로 옳지 않은 것은?

① 민영도매시장의 개설자는 중도매인, 매매참가인, 산지유통인 및 경매사를 두어 직접 운영하거나 시장도매인을 두어 이를 운영하게 할 수 있다.

② 민영도매시장을 개설하려는 장소가 교통체증을 유발할 수 있는 위치에 있는 경우에는 허가하지 않는다.

③ 민간인이 광역시에 민영도매시장을 개설하려면 농림축산식품부장관의 허가를 받아야 한다.

④ 민영도매시장의 중도매인은 민영도매시장의 개설자가 지정한다.

> **해설**
>
> 법 제47조(민영도매시장의 개설) ① 민간인 등이 특별시·광역시·특별자치시·특별자치도 또는 시 지역에 민영도매시장을 개설하려면 시·도지사의 허가를 받아야 한다.

023 농수산물 유통 및 가격안정에 관한 법령상 중앙도매시장이 아닌 것은?

① 인천광역시 삼산 농산물도매시장　　② 부산광역시 반여 농산물도매시장
③ 광주광역시 각화동 농산물도매시장　④ 대전광역시 노은 농산물도매시장

> **해설**
>
> 시행규칙 제3조(중앙도매시장)
> 1. 서울특별시 가락동 농수산물도매시장　　2. 서울특별시 노량진 수산물도매시장
> 3. 부산광역시 엄궁동 농산물도매시장　　　4. 부산광역시 국제 수산물도매시장
> 5. 대구광역시 북부 농수산물도매시장　　　6. 인천광역시 구월동 농산물도매시장
> 7. 인천광역시 삼산 농산물도매시장　　　　8. 광주광역시 각화동 농산물도매시장
> 9. 대전광역시 오정 농수산물도매시장　　　10. 대전광역시 노은 농수산물도매시장
> 11. 울산광역시 농수산물도매시장

024 농수산물 유통 및 가격안정에 관한 법률상 시장관리운영위원회의 심의사항으로 옳지 않은 것은?

① 도매시장의 거래제도 및 거래방법의 선택에 관한 사항
② 수수료, 시장 사용료, 하역비 등 각종 비용의 결정에 관한 사항
③ 도매시장의 거래질서 확립에 관한 사항
④ 시장관리자의 지정에 관한 사항

정답　019 ②　020 ③　021 ①　022 ③　023 ②　024 ④

해설

법 제78조(시장관리운영위원회의 설치)
③ 위원회는 다음 각 호의 사항을 심의한다.
1. 도매시장의 거래제도 및 거래방법의 선택에 관한 사항
2. 수수료, 시장 사용료, 하역비 등 각종 비용의 결정에 관한 사항
3. 도매시장 출하품의 안전성 향상 및 규격화의 촉진에 관한 사항
4. 도매시장의 거래질서 확립에 관한 사항
5. 정가매매·수의매매 등 거래 농수산물의 매매방법 운용기준에 관한 사항
6. 최소출하량 기준의 결정에 관한 사항
7. 그 밖에 도매시장 개설자가 특히 필요하다고 인정하는 사항

025 농수산물 유통 및 가격안정에 관한 법률 제22조(도매시장의 운영 등)에 관한 내용이다. ( )에 들어갈 내용은?

> 도매시장 개설자는 도매시장에 그 (ㄱ) 등을 고려하여 적정 수의 도매시장 법인·시장도
> 매인 또는 (ㄴ)을/를 두어 이를 운영하게 하여야 한다.

① ㄱ : 시설규모·거래액   ㄴ : 중도매인
② ㄱ : 취급부류·거래물량   ㄴ : 매매참가인
③ ㄱ : 시설규모·거래물량   ㄴ : 산지유통인
④ ㄱ : 취급품목·거래액   ㄴ : 경매사

해설

법 제22조(도매시장의 운영 등) 도매시장 개설자는 도매시장에 그 시설규모·거래액 등을 고려하여 적정 수의 도매시장법인·시장도매인 또는 중도매인을 두어 이를 운영하게 하여야 한다. 다만, 중앙도매시장의 개설자는 농림축산식품부령 또는 해양수산부령으로 정하는 부류에 대하여는 도매시장법인을 두어야 한다.

원예작물학

026 우리나라에서 가장 넓은 재배면적을 차지하는 채소류는?

① 조미채소류   ② 엽채류
③ 양채류   ④ 근채류

해설

우리나라 채소류 재배면적 크기 : 조미채소류 > 과채류 > 엽채류 > 근채류
• 조미채소류 : 마늘, 양파, 고추 등
• 과채류 : 오이·참외·호박 등 박과의 채소, 토마토·가지·고추·풋콩·피망 등 박과 이외의 채소 등이 이에 속한다.

027 채소의 식품적 가치에 관한 일반적인 특징으로 옳지 않은 것은?

① 대부분 산성 식품이다.
② 약리적·기능성 식품이다.
③ 각종 무기질이 풍부하다.
④ 각종 비타민이 풍부하다.

해설

채소작물은 체액의 산성화를 방지하는 Na, K, Mg, Ca, Fe 등을 포함하고 있는 알칼리성이다.

028 북주기[배토(培土)]를 하여 연백(軟白) 재배하는 작물을 모두 고른 것은?

ㄱ. 시금치	ㄴ. 대파
ㄷ. 아스파라거스	ㄹ. 오이

① ㄱ, ㄴ
③ ㄴ, ㄷ
② ㄱ, ㄹ
④ ㄷ, ㄹ

해설

배토는 파, 셀러리, 아스파라거스 등의 연백화를 유도한다.

029 비대근의 바람들이 현상은?

① 표피가 세로로 갈라지는 현상
② 조직이 갈변하고 표피가 거칠어지는 현상
③ 뿌리가 여러 개로 갈라지는 현상
④ 조직 내 공극이 커져 속이 비는 현상

해설

바람들이는 일종의 노화현상으로 뿌리의 비대가 왕성한 시기에 잎에서 생산된 동화양분이 적어 뿌리의 중심부까지 충분한 양분을 공급하지 못해 세포조직이 노화되어 세포가 텅 비고, 세포막이 찢어지거나 구멍이 생기는 현상이다.

정답 025 ① 026 ① 027 ① 028 ③ 029 ④

030 채소 작물의 식물학적 분류에서 같은 과(科)로 나열되지 않은 것은?

① 우엉, 상추, 쑥갓　　　　　　　② 가지, 감자, 고추

③ 무, 양배추, 브로콜리　　　　　④ 당근, 근대, 셀러리

원예작물의 식물학적 분류 – 쌍떡잎식물

가지과	고추, 가지, 토마토, 감자	박과	참외, 호박, 수박, 오이
국화과	상추, 쑥갓, 우엉	배추과	배추, 양배추, 순무, 브로콜리
명아주과	시금치, 근대	장미과	사과, 딸기, 자두, 복숭아, 매실
메꽃과	고구마, 나팔꽃	콩과	콩, 완두, 등나무
미나리과	당근, 셀러리, 파슬리	꿀풀과	들깨, 로즈마리

031 해충에 의한 피해를 감소시키기 위한 생물적 방제법은?

① 천적곤충 이용　　　　　　　　② 토양 가열

③ 유황 훈증　　　　　　　　　　④ 작부체계 개선

진딧물의 천적인 무당벌레를 이용하여 생물적 방제법을 실시한다.
② 토양 가열 : 물리적 방제법
③ 유황 훈증 : 화학적 방제법
④ 작부체계 개선 : 경종적 방제법

032 작물별 단일조건에서 촉진되지 않는 것은?

① 마늘의 인경 비대　　　　　　　② 오이의 암꽃 착생

③ 가을 배추의 엽구 형성　　　　④ 감자의 괴경 형성

해설

마늘은 겨울의 저온, 단일기를 지나 봄이 되면(고온, 장일조건) 인경의 비대가 촉진된다.

033 광합성 과정에서 명반응에 관한 설명으로 옳은 것은?

① 스트로마에서 일어난다.

② 캘빈회로라고 부른다.

③ 틸라코이드에서 일어난다.

④ CO_2와 ATP를 이용하여 당을 생성한다.

해설

① 스트로마에서 일어나는 것은 암반응이다.
② 캘빈회로 : 광합성의 암반응에서 이산화탄소가 유기화합물로 동화되는 순환 과정이다.
③ 명반응은 틸라코이드에서 일어난다.
④ 포도당 합성은 암반응이다.

$$12H_2O + 12NADP^+ \xrightarrow[18ADP \to 18ATP]{빛에너지} 6O_2 + 12NADPH_2$$

▲ 명반응

$$6CO_2 + 12NADPH \xrightarrow[18ATP \to 18ADP]{} C_6H_{12}O_6 + 6H_2O + 12NADP^+$$

▲ 암반응

034 화훼 분류에서 구근류로 나열된 것은?

① 백합, 거베라, 장미
② 국화, 거베라, 장미
③ 국화, 글라디올러스, 칸나
④ 백합, 글라디올러스, 칸나

해설

구근류

튤립, 백합, 아이리스, 글라디올러스, 프리지어, 칸나 등

035 여름철에 암막(단일)재배를 하여 개화를 촉진할 수 있는 화훼 작물은?

① 추국(秋菊)
② 페튜니아
③ 금잔화
④ 아이리스

해설

국화는 단일처리하면 촉성재배되고, 장일처리하면 억제재배된다.

036 DIF에 관한 설명으로 옳은 것은?

① 낮 온도에서 밤 온도를 뺀 값으로 주야간 온도 차이를 의미한다.
② 짧은 초장 유도를 위해 정(+)의 DIF 처리를 한다.
③ 국화, 장미 등은 DIF에 대한 반응이 작다.
④ 튤립, 수선화 등은 DIF에 대한 반응이 크다.

정답 030 ④ 031 ① 032 ① 033 ③ 034 ④ 035 ① 036 ①

> **해설**
> ② 짧은 초장 유도를 위해 부(-)의 DIF 처리를 한다.
> ③ 국화, 장미 등은 DIF에 대한 반응이 크다.
> ④ 튤립, 수선화 등은 DIF에 대한 반응이 작다.

037 화훼 작물별 주된 번식방법으로 옳지 않은 것은?

① 시클라멘 - 괴경 번식
② 아마릴리스 - 주아(珠芽) 번식
③ 달리아 - 괴근 번식
④ 수선화 - 인경 번식

> **해설**
> 아마릴리스 : 인경 번식

038 식물의 춘화에 관한 설명으로 옳지 않은 것은?

① 저온에 의해 개화가 촉진되는 현상이다.
② 구근류에 냉장 처리를 하면 개화 시기를 앞당길 수 있다.
③ 종자춘화형에는 스위트피, 스타티스 등이 있다.
④ 식물이 저온에 감응하는 부위는 잎이다.

> **해설**
> 춘화처리의 자극 감응부위는 생장점이다.

039 화훼류의 줄기 신장 촉진 방법이 아닌 것은?

① 지베렐린을 처리한다.
② Paclobutrazol을 처리한다.
③ 질소 시비량을 늘린다.
④ 재배환경을 개선하여 수광량을 늘린다.

> **해설**
> **파클로부트라졸(Paclobutrazol)**
> 지베렐린 생합성 조절제로 지베렐린 함량을 낮춰주며, 엽면적과 초장을 감소시킨다. 화곡류 절간신장을 억제하므로 도복방지제로 이용된다.

040 다음 설명에 모두 해당하는 해충은?

> • 난, 선인장, 관엽류, 장미 등에 피해를 준다.
> • 노린재목에 속하는 Pseudococcus comstocki 등이 있다.
> • 식물의 수액을 흡즙하며 당이 함유된 왁스층을 분비한다.

① 깍지벌레   ② 도둑나방
③ 콩풍뎅이   ④ 총채벌레

해설

가루깍지벌레
따뜻하고 습한 환경에 서식하는 껍데기가 없는 곤충이다. 대부분의 종들이 온실의 식물, 가정의 식물, 아열대 지방의 나무를 빨아먹고 살기 때문에 해충으로 간주되며 몇 가지 식물 질병의 벡터로 작용한다. 가장자리에는 17쌍의 백색 왁스 분비 돌기가 있다.

041 에틸렌의 생성이나 작용을 억제하여 절화수명을 연장하는 물질이 아닌 것은?

① STS   ② AVG
③ Sucrose   ④ AOA

해설

수크로스(Sucrose)
• 포도당과 과당으로 구성된 비환원 이당류이다.
• 포도 단아삽에서 6% 자당액에 60시간 침지를 하면 발근이 촉진된다.

042 화훼류의 블라인드 현상에 관한 설명으로 옳지 않은 것은?

① 일조량이 부족하면 발생한다.
② 일반적으로 야간 온도가 높은 경우 발생한다.
③ 장미에서 주로 발생한다.
④ 꽃눈이 꽃으로 발육하지 못하는 현상이다.

해설

블라인드 현상
생리조건과 환경조건의 부조화로 영양생장이 역전되는 현상. 주로 광부족과 저온으로 발생한다.

정답   **037** ②   **038** ④   **039** ②   **040** ①   **041** ③   **042** ②

043 자동적 단위결과 작물로 나열된 것은?

① 체리, 키위
② 바나나, 배
③ 감, 무화과
④ 복숭아, 블루베리

자동적 단위결과 작물
고추, 토마토, 감귤류, 바나나, 오이, 호박, 포도, 오렌지, 감, 무화과 등

044 개화기가 빨라 늦서리의 피해를 받을 우려가 큰 과수는?

① 복숭아나무
② 대추나무
③ 감나무
④ 포도나무

해설

복숭아는 꽃이 4~5월에 피는데 초봄 늦서리의 피해를 자주 입는다.

045 과수의 가지(枝)에 관한 설명으로 옳지 않은 것은?

① 곁가지 : 열매가지 또는 열매어미가지가 붙어 있어 결실 부위의 중심을 이루는 가지
② 덧가지 : 새가지의 곁눈이 그 해에 자라서 된 가지
③ 흡지 : 지하부에서 발생한 가지
④ 자람가지 : 과실이 직접 달리거나 달릴 가지

해설

자람가지
영양가지, 과수의 생육을 돕기 위한 가지로 열매를 맺지는 않는다.

046 과수 작물 중 장미과에 속하는 것을 모두 고른 것은?

| ㄱ. 비파 | ㄴ. 올리브 | ㄷ. 블루베리 |
| ㄹ. 매실 | ㅁ. 산딸기 | ㅂ. 포도 |

① ㄱ, ㄴ, ㄷ
② ㄱ, ㄹ, ㅁ
③ ㄴ, ㄷ, ㅂ
④ ㄹ, ㅁ, ㅂ

해설

장미과
장미, 사과, 배, 딸기, 산딸기, 매실, 자두, 복숭아, 비파, 모과 등

047 종자 발아를 촉진하기 위한 파종 전 처리 방법이 아닌 것은?

① 온탕침지법　　　　　　　　② 환상박피법
③ 약제처리법　　　　　　　　④ 핵층파쇄법

해설

환상박피법
줄기나 가지의 껍질을 둥글게 도려내는 것

핵층파쇄법
핵과류 파종 시 종자의 핵층을 파괴하여 파종하는 방법

048 국내에서 육성된 과수 품종은?

① 신고　　　　　　　　　　　② 거봉
③ 홍로　　　　　　　　　　　④ 부유

해설

홍로
1980년 우리나라 원예연구소에서 교잡을 통해 탄생한 사과 품종

049 과수의 휴면과 함께 수체 내에 증가하는 호르몬은?

① 지베렐린　　　　　　　　　② 옥신
③ 아브시스산　　　　　　　　④ 시토키닌

해설

아브시스산(ABA)
휴면 중의 종자·나무눈·알뿌리 등에 많이 들어 있으며, 보통 발아되면서 함량이 감소한다. 식물의 수분결핍 시 ABA가 많이 합성되고 기공이 닫혀 식물의 수분을 보호한다. 또, 식물이 스트레스를 받을 때 ABA의 함량이 증가하는 것으로 보아 ABA는 스트레스에 대한 식물의 반응을 조절하는 것으로 생각되고 있다.
• 잎의 노화 및 낙엽 촉진
• 휴면 유도
• 발아 억제
• 장일조건에서 단일식물의 화성 유도
• ABA가 증가하면 기공이 닫혀 위조저항성이 증가한다.
• 목본류의 내한성 증대

정답 043 ③ 044 ① 045 ④ 046 ② 047 ② 048 ③ 049 ③

050 늦서리 피해 경감 대책에 관한 설명으로 옳지 않은 것은?

① 스프링클러를 이용하여 수상 살수를 실시한다.

② 과수원 선정 시 분지와 상로(霜路)가 되는 경사지를 피한다.

③ 빙핵 세균을 살포한다.

④ 왕겨·톱밥·등유 등을 태워 과수원의 기온 저하를 막아준다.

> **해설**
>
> 빙핵활성세균
> 결빙을 촉진하는 미생물

수확 후 품질관리론

051 원예산물의 품질요소 중 이화학적 특성이 아닌 것은?

① 경도 　　　　　　　　　② 모양

③ 당도 　　　　　　　　　④ 영양성분

> **해설**
>
> "모양"은 물리적 특성이다.

052 Hunter 'b' 값이 +40일 때 측정된 부위의 과색은?

① 노란색 　　　　　　　　② 빨간색

③ 초록색 　　　　　　　　④ 파란색

> **해설**
>
> Hunter 색차계 (2차원 변환)
> • L(명도) : 0은 검정, 100은 흰색
> • a(적색도) : −값은 녹색, +값은 적색
> • b(황색도) : −값은 청색, +값은 황색

053 원예산물의 형상선별기의 구동방식이 아닌 것은?

① 스프링식 　　　　　　　② 벨트식

③ 롤러식 　　　　　　　　④ 드럼식

> **해설**
>
> "스프링식"은 무게를 측정하는 기기이다.

054 성숙 시 사과(후지) 과피의 주요 색소의 변화는?

① 엽록소 감소, 안토시아닌 감소

② 엽록소 감소, 안토시아닌 증가

③ 엽록소 증가, 카로티노이드 감소

④ 엽록소 증가, 카로티노이드 증가

 해설

사과 성숙 시 과피가 붉은색을 띠는 이유 : 녹색계통의 엽록소 감소, 붉은색 계열의 안토시아닌 발현

055 과실의 연화와 경도 변화에 관여하는 주된 물질은?

① 아미노산 ② 비타민

③ 펙틴 ④ 유기산

 해설

과실의 연화

세포의 중층에서 펙틴질이 가용성 펙틴으로 변화

056 수분손실이 원예산물의 생리에 미치는 영향으로 옳은 것은?

① ABA 함량의 감소 ② 팽압의 증가

③ 세포막 구조의 유지 ④ 폴리갈락투로나아제의 활성 증가

해설

폴리갈락투로나아제는 펙틴의 분해효소이다. 수분손실이 증가함에 따라 폴리갈락투로나아제가 활성화 되어 펙틴분해가 촉진되고, 세포벽이 분해되어 조직이 연화된다.

057 원예산물의 저장 전처리 방법으로 옳은 것은?

① 마늘의 수확 후 줄기를 제거한 후 바로 저장고에 입고한다.

② 양파는 수확 후 녹변발생 억제를 위해 햇빛에 노출시킨다.

③ 고구마는 온도 30℃, 상대습도 35~50%에서 큐어링한다.

④ 감자는 온도 15℃, 상대습도 85~90%에서 큐어링한다.

정답 050 ③ 051 ② 052 ① 053 ① 054 ② 055 ③ 056 ④ 057 ④

① 마늘 : 큐어링 후 저장창고에 입고
② 양파 : 햇빛에 노출시키면 녹변이 발생한다.
③ 고구마 : 수확 후 1주일 내에 온도 30~33℃, 습도 85~90%에서 4~5일간 큐어링

058 사과 수확기 판정을 위한 요오드 반응 검사에 관한 설명으로 옳지 않은 것은?

① 성숙 중 전분 함량 감소 원리를 이용한다.
② 성숙할수록 요오드반응 착색 면적이 줄어든다.
③ 종자 단면의 색깔 변화를 기준으로 판단한다.
④ 수확기 보름 전부터 2~3일 간격으로 실시한다.

사과 요오드 반응 검사
전분이 요오드와 결합하면 청색으로 변하는 성질을 이용하여 청색의 면적이 작으면 성숙기로 판정한다.

059 신선편이(Fresh cut) 농산물의 특징으로 옳은 것은?

① 저온유통이 권장된다.　　　　　② 에틸렌의 발생량이 적다.
③ 물리적 상처가 없다.　　　　　④ 호흡률이 낮다.

신선편이(Fresh cut) 농산물이란 수확한 농산물의 세척·절단·표피제거·다듬기 등을 미리 전처리해서 소비자가 별도의 처리과정 없이 조리하여 먹을 수 있도록 한 농산물을 말한다.
전처리 과정에서 에틸렌 발생, 물리적 상처, 호흡률 증가 등이 나타난다.

060 다음 ( )에 들어갈 품목을 순서대로 옳게 나열한 것은?

> 원예산물의 저장 전처리에 있어 ( )은(는) 차압통풍식으로 예냉을 하고, ( )은(는) 예건을 주로 실시한다.

① 당근, 근대　　　　　　　　② 딸기, 마늘
③ 배추, 상추　　　　　　　　④ 수박, 오이

• 예냉 작물 : 사과, 포도, 오이, 딸기, 시금치, 브로콜리, 아스파라거스, 상추 등
• 예건 작물 : 마늘, 양파, 단감, 배, 감자 등

061 원예산물의 수확에 관한 설명으로 옳은 것은?

① 마늘은 추대가 되기 직전에 수확한다.
② 포도는 열과를 방지하기 위해 비가 온 후 수확한다.
③ 양파는 수량 확보를 위해 잎이 도복되기 전에 수확한다.
④ 후지 사과는 만개 후 일수를 기준으로 수확한다.

① 마늘 수확기 : 마늘잎이 1/2~2/3 정도 마를 때 수확한다.
② 포도는 비를 맞으면 수분 증가로 열과가 발생한다.
③ 양파 수확기 : 도복이 80% 정도 진행된 시기에 수확한다.
④ 후지 사과는 만개 후 170일 경과시점이 수확기이다.

062 GMO 농산물에 관한 설명으로 옳지 않은 것은?

① 유전자변형 농산물을 말한다.
② 우리나라는 GMO 표시제를 시행하고 있다.
③ GMO 표시를 한 농산물에 다른 농산물을 혼합하여 판매할 수 있다.
④ GMO 표시대상이 아닌 농산물에 비(非)유전자변형 식품임을 표시할 수 있다.

해설

GMO 표시대상이 아닌 농산물은 특별한 표시를 할 필요가 없다.

063 국내 표준 파렛트 규격은?

① 1,100mm × 1,000mm ② 1,100mm × 1,100mm
③ 1,200mm × 1,100mm ④ 1,200mm × 1,200mm

해설

파렛트 표준규격 2가지
T-11형 1,100mm × 1,100mm, T-12형 1,200mm × 1,000mm

정답 058 ③ 059 ① 060 ② 061 ④ 062 ④ 063 ②

064 다음 (   )에 들어갈 알맞은 내용을 순서대로 옳게 나열한 것은? (단, 5℃ 동일조건으로 저장한다.)

> • 호흡속도가 (   ) 사과와 양파는 저장력이 강하다.
> • 호흡속도가 (   ) 아스파라거스와 브로콜리는 중량 감소가 빠르다.

① 낮은, 낮은
② 낮은, 높은
③ 높은, 낮은
④ 높은, 높은

해설

호흡속도가 빠른 농산물은 저장양분의 소모 속도가 빠르므로 저장력이 약화된다.
원예생산물별 호흡속도
① 복숭아 > 배 > 감 > 사과 > 포도 > 키위
② 딸기 > 아스파라거스 > 완두 > 시금치 > 당근 > 오이 > 토마토 > 무 > 수박 > 양파

065 포장재의 구비 조건에 관한 설명으로 옳지 않은 것은?

① 겉포장재는 취급과 수송 중 내용물을 보호할 수 있는 물리적 강도를 유지해야 한다.
② 겉포장재는 수분, 습기에 영향을 받지 않도록 방수성과 방습성이 우수해야 한다.
③ 속포장재는 상품이 서로 부딪히지 않게 적절한 공간을 확보해야 한다.
④ 속포장재는 호흡가스의 투과를 차단할 수 있어야 한다.

해설

속포장재는 이산화탄소의 배출이 필요하므로 가스투과율이 좋아야 한다.

066 저장 중 원예산물에서 에틸렌에 의해 나타나는 증상을 모두 고른 것은?

> ㄱ. 아스파라거스 줄기의 경화
> ㄴ. 브로콜리의 황화
> ㄷ. 떫은 감의 탈삽
> ㄹ. 오이의 피팅
> ㅁ. 복숭아 과육의 스펀지화

① ㄱ, ㄴ, ㄷ
② ㄱ, ㄹ, ㅁ
③ ㄴ, ㄷ, ㄹ
④ ㄷ, ㄹ, ㅁ

해설

에틸렌
• 상품보존성 약화 요인 : 노화, 연화, 부패촉진 등
• 엽록소를 분해하는 작용(양배추의 황백화)
• 떫은 감의 탄닌성분의 탈삽과정에 관여
• 줄기채소류(아스파라거스)의 섬유질화와 줄기의 경화현상 유발

067 HACCP에 관한 설명으로 옳은 것은?

① 식품에 문제가 발생한 후에 대처하기 위한 관리기준이다.
② 식품의 유통단계부터 위해요소를 관리한다.
③ 7원칙에 따라 위해요소를 관리한다.
④ 중요관리점을 결정한 후에 위해요소를 분석한다.

HACCP
• HACCP이란 식품의 원재료 생산에서부터 최종소비자가 섭취하기 전까지 각 단계에서 생물학적, 화학적, 물리적 위해요소가 해당 식품에 혼입되거나 오염되는 것을 방지하기 위한 사전적 위생관리 시스템이다.
• 위해요소 분석(HA)이 끝나면 해당 제품의 원료나 공정에 존재하는 잠재적인 위해요소를 관리하기 위한 중요관리점(CCP)을 결정해야 한다.

068 포장치수 중 길이의 허용 범위(%)가 다른 포장재는?

① 골판지상자　　　　　　　② 그물망
③ 직물제포대(PP대)　　　　④ 폴리에틸렌대(PE대)

농산물표준규격
① 골판지 상자 길이 규격 : ± 2.5%
②, ③, ④ 길이의 ± 10%

069 저장고의 냉장용량을 결정할 때 고려하지 않아도 되는 것은?

① 대류열　　　　　　　　　② 장비열
③ 전도열　　　　　　　　　④ 복사열

복사열은 태양에서 방출하거나 지구에 반사된 전자기파 형태로 직접 전달되는 열이므로 저장고 내에 도달하지 못한다.

070 원예산물의 저장 시 상품성 유지를 위한 허용 수분손실 최대치(%)가 큰 것부터 순서대로 나열한 것은?

ㄱ. 양파	ㄴ. 양배추	ㄷ. 시금치

① ㄱ > ㄴ > ㄷ   ② ㄱ > ㄷ > ㄴ
③ ㄴ > ㄱ > ㄷ   ④ ㄴ > ㄷ > ㄱ

> **해설**
>
> 수분손실은 잎의 엽면적이 클수록 크다.

071 원예산물별 저온장해 증상이 아닌 것은?

① 수박 – 수침현상   ② 토마토 – 후숙불량
③ 바나나 – 갈변현상   ④ 참외 – 과숙(過熟)현상

> **해설**
>
> **저온장해**
>
> 작물의 최저유효온도보다 낮은 상태에서 노출되는 장해로 내부갈변, 고추함몰, 복숭아 섬유질화, 토마토 후숙불량 등이 나타난다.

072 CA 저장고의 특성으로 옳지 않은 것은?

① 시설비와 유지관리비가 높다.
② 작업자가 위험에 노출될 우려가 있다.
③ 저장산물의 품질분석이 용이하다.
④ 가스 조성농도를 유지하기 위해서는 밀폐가 중요하다.

> **해설**
>
> CA 저장고는 폐쇄된 상태에서 최적 가스 상태가 유지되어야 하므로 관리자가 저장고 안으로 자주 들어갈 수가 없다.

073 원예산물의 예냉에 관한 설명으로 옳지 않은 것은?

① 원예산물의 품온을 단시간 내 낮추는 처리이다.
② 냉매의 이동속도가 빠를수록 예냉효율이 높다.
③ 냉매는 액체보다 기체의 예냉효율이 높다.
④ 냉매와 접촉 면적이 넓을수록 예냉효율이 높다.

> **해설**
>
> 예냉효과가 가장 높은 것은 냉수냉각식이며 이는 기체보다 액체가 냉매 효과가 높기 때문이다.

074 사과 밀증상의 주요 원인물질은?

① 구연산
② 솔비톨
③ 메티오닌
④ 솔라닌

 해설

밀증상

밀증상은 만생종 품종에서는 과실 성숙의 판단기준인 동시에 생리장해의 한 종류로 당이 솔비톨 (solbitol) 상태로 세포 간극에 집중되면서 나타나는 현상이며, '후지'와 '델리셔스' 품종에서 많이 발생한다

075 원예산물별 신선편이 농산물의 품질변화 현상으로 옳지 않은 것은?

① 당근 - 백화현상
② 감자 - 갈변현상
③ 양배추 - 황반현상
④ 마늘 - 녹변현상

 해설

양배추 : 갈변현상

농산물유통론

076 산지 농산물의 공동판매 원칙은?

① 조건부 위탁 원칙
② 평균판매 원칙
③ 개별출하 원칙
④ 최고가 구매 원칙

해설

공동판매의 3원칙

1. 무조건 위탁 : 개별 농가의 조건별 위탁을 금지
2. 평균판매 : 생산자의 개별적 품질특성을 무시하고 일괄 등급별 판매 후 수취가격을 평준화하는 방식
3. 공동계산 : 평균판매 가격을 기준으로 일정 시점에서 공동계산

정답 070 ① 071 ④ 072 ③ 073 ③ 074 ② 075 ③ 076 ②

077 농산물 도매유통의 조성기능이 아닌 것은?

① 상장하여 경매한다.　　　　② 경락대금을 정산·결제한다.
③ 경락가격을 공표한다.　　　　④ 도매시장 반입물량을 공지한다.

> **해설**
> 상장경매(매매)는 소유권 이전 기능

078 우리나라 협동조합 유통 사업에 관한 설명으로 옳은 것은?

① 시장교섭력을 저하시킨다.
② 생산자의 수취가격을 낮춘다.
③ 규모의 경제를 실현할 수 있다.
④ 공동계산으로 농가별 판매결정권을 갖는다.

> **해설**
> ① 시장교섭력의 강화 ② 생산자 수취가격의 제고 ④ 판매결정권은 협동조합이 가진다.

079 농산물 산지유통의 거래유형을 모두 고른 것은?

ㄱ. 정전거래	ㄴ. 산지공판	ㄷ. 계약재배

① ㄱ, ㄴ　　　　　　　　　　② ㄱ, ㄷ
③ ㄴ, ㄷ　　　　　　　　　　④ ㄱ, ㄴ, ㄷ

> **해설**
> • 정전거래 : 산지 농가에서 직접 거래(대문 앞 거래)
> • 계약재배 : 생산자와 계약재배한 작물은 산지에서 직접 상인에게 양도된다.

080 우리나라 농산물 유통의 일반적 특징으로 옳은 것은?

① 표준화·등급화가 용이하다.
② 운반과 보관비용이 적게 소요된다.
③ 수요의 가격탄력성이 높다.
④ 생산은 계절적이나 소비는 연중 발생한다.

> **해설**
> ① 표준화·등급화가 어렵다.
> ② 가격대비 중량(부피)이 많아 운반과 보관비용이 많이 든다.
> ③ 농산물은 필수재로서 수요의 가격탄력성이 낮다.

081 항상 낮은 가격으로 상품을 판매하는 소매업체의 가격전략은?

① High - Low가격전략   ② 명성가격전략

③ EDLP전략   ④ 초기저가전략

> **해설**
>
> EDLP 전략
> EDLP(Every Day Low Price)의 약자로 모든 상품을 언제나 싸게 파는 것

082 5kg들이 참외 1상자의 유통단계별 판매 가격이 생산자 30,000원, 산지공판장 32,000원, 도매상 36,000원, 소매상 40,000원일 때 소매상의 유통마진율(%)은?

① 10   ② 20

③ 25   ④ 30

> **해설**
>
> 소매상의 유통마진 $= \dfrac{40,000 - 36,000}{40,000} \times 100 = 10\%$

083 거미집이론에서 균형가격에 수렴하는 조건에 관한 내용이다. ( )에 들어갈 내용을 순서 대로 나열한 것은?

> 수요곡선의 기울기가 공급곡선의 기울기보다 (   ), 수요의 가격탄력성이 공급의 가격탄 력성보다 (   ).

① 작고, 작다   ② 작고, 크다

③ 크고, 작다   ④ 크고, 크다

> **해설**
>
> 거미집이론의 균형가격 수렴 조건
> 수요의 가격탄력성 > 공급의 가격탄력성 → 가격탄력성과 기울기는 역의 관계에 있다.

084 선물거래에 관한 설명으로 옳은 것은?

① 헤저(hedger)는 위험 회피를 목적으로 한다.

② 거래당사자 간에 직접 거래한다.

③ 포전거래는 선물거래에 해당한다.

④ 정부의 시장개입을 전제로 한다.

> **해설**
>
> ② 선물거래소를 통한 거래 ③ 포전거래는 거래자 간 직접거래 ④ 정부는 시장개입을 안 함

085 시장도매인제에 관한 설명으로 옳지 않은 것은?

① 상장경매를 원칙으로 한다.
② 도매시장법인과 중도매인의 역할을 겸할 수 있다.
③ 농가의 출하선택권을 확대한다.
④ 도매시장 내 유통주체 간 경쟁을 촉진한다.

> **해설**
>
> 시장도매인제는 상장경매를 할 수도 있지만 특성상 비상장경매(중개계약)가 주로 이루어진다. 도매시장법인제에서 상장경매가 원칙이고, 시장도매인제에서는 최소출하량 제한이 완화되므로 농가의 출하선택권을 확대한다.

086 농가가 엽근채소류의 포전거래에 참여하는 이유가 아닌 것은?

① 생산량 및 수확기의 가격 예측이 곤란하기 때문이다.
② 계약금을 받아서 부족한 현금 수요를 충당할 수 있기 때문이다.
③ 채소가격안정제사업 참여가 불가능하기 때문이다.
④ 수확 및 상품화에 필요한 노동력이 부족하기 때문이다.

> **해설**
>
> 포전거래의 특징
> ① 농가는 생산량 및 가격을 예측하기 어렵기 때문에 미리 판매가격을 고정시키고자 한다.
> ② 계약체결 시 받는 계약보증금으로 영농자재 등의 구입에 필요한 현금수요를 충당할 수 있다.
> ④ 농가의 노동력 및 저장시설 부족으로 농작물 수확 및 저장관리의 부담을 덜고자 한다.

087 정가·수의매매에 관한 설명으로 옳지 않은 것은?

① 경매사가 출하자와 중도매인 간의 거래를 주관한다.
② 출하자가 시장도매인에게 거래가격을 제시할 수 없다.
③ 단기 수급상황 변화에 따른 급격한 가격변동을 완화할 수 있다.
④ 출하자의 가격 예측 가능성을 제고한다.

> **해설**
>
> 출하자는 시장도매인에게 적정가격(최소가격)을 제시하고 그 이하의 거래는 거부할 수 있다.

088 농산물 표준규격화에 관한 설명으로 옳지 않은 것은?

① 유통비용의 증가를 초래한다.
② 견본거래, 전자상거래 등을 촉진한다.
③ 품질에 따른 공정한 거래를 할 수 있다.
④ 브랜드화가 용이하다.

해설

표준규격화를 통해 유통비용(운송, 저장, 보관)을 절감할 수 있다.

089 농산물 산지유통조직의 통합마케팅사업에 관한 설명으로 옳은 것을 모두 고른 것은?

ㄱ. 유통계열화 촉진	ㄴ. 공동브랜드 육성
ㄷ. 농가 조직화·규모화	ㄹ. 참여조직 간 과열경쟁 억제

① ㄱ, ㄴ
② ㄷ, ㄹ
③ ㄱ, ㄷ, ㄹ
④ ㄱ, ㄴ, ㄷ, ㄹ

해설

통합마케팅
사용 가능한 자원의 조직화, 계열화, 공동브랜드화 등을 통한 전사적 경제활동

090 농산물 수급불안 시 비상품(非商品)의 유통을 규제하거나 출하량을 조절하는 등의 수급안 정정책은?

① 수매비축
② 직접지불제
③ 유통조절명령
④ 출하약정

해설

유통조절명령제
• 농수산물의 가격 폭등이나 폭락을 막기 위해 정부가 유통에 개입하여 해당 농수산물의 출하량을 조절하거나 최저가(최고가)를 임의 결정하는 제도
• 농수산물 유통(조절)명령제는 농수산물의 과잉생산으로 가격폭락 등이 예상될 때 농가와 생산자단체가 협의하여 생산량·출하량 조절 등 필요한 부분에 대하여 정부에 강제적인 규제명령 요청을 하면 정부에서는 소비시장 여건 등 유통명령의 불가피성을 검토한 후 농림수산식품부장관이 이에 대한 명령을 발하는 제도이다.

정답 **085** ① **086** ③ **087** ② **088** ① **089** ④ **090** ③

091 농산물 생산과 소비의 시간적 간격을 극복하기 위한 물적 유통기능은?

① 수송　　　　　　　　　　　② 저장
③ 가공　　　　　　　　　　　④ 포장

저장
생산물의 일시적 저장 후 출하시기를 결정하므로 저장기간이 시간적 갭이 된다.

092 단위화물적재시스템(ULS)에 관한 설명으로 옳은 것을 모두 고른 것은?

　ㄱ. 상·하역 작업의 기계화
　ㄴ. 수송 서비스의 효율성 증대
　ㄷ. 공영도매시장의 규격품 출하 유도
　ㄹ. 파렛트나 컨테이너를 이용한 화물 규격화

① ㄱ, ㄴ　　　　　　　　　　② ㄷ, ㄹ
③ ㄱ, ㄷ, ㄹ　　　　　　　　④ ㄱ, ㄴ, ㄷ, ㄹ

단위화물적재시스템(ULS)
산지에서부터 파렛트 적재, 하역작업을 기계화할 수 있는 일괄 수송체계시스템

093 제품수명주기상 대량생산이 본격화되고 원가 하락으로 단위당 이익이 최고점에 달하는
시기는?

① 성숙기　　　　　　　　　　② 도입기
③ 성장기　　　　　　　　　　④ 쇠퇴기

제품수명주기
도입기-성장기-성숙기(가장 안정적)-쇠퇴기

094 소비자의 구매의사결정 순서를 옳게 나열한 것은?

| ㄱ. 필요의 인식 | ㄴ. 정보의 탐색 |
| ㄷ. 대안의 평가 | ㄹ. 구매의사결정 |

① ㄱ → ㄴ → ㄷ → ㄹ   ② ㄴ → ㄱ → ㄷ → ㄹ
③ ㄷ → ㄱ → ㄴ → ㄹ   ④ ㄷ → ㄴ → ㄱ → ㄹ

095 농산물의 촉진가격 전략이 아닌 것은?

① 고객유인 가격전략   ② 특별염가 전략
③ 미끼가격 전략   ④ 개수가격 전략

해설
개수가격정책
고급품질의 가격 이미지를 형성하여 구매를 자극하기 위하여 우수리가 없는 개수의 가격을 제시하는 정책 ⇔ 단수가격정책

096 소비자의 식생활 변화에 따라 1인당 쌀 소비량이 지속적으로 감소하는 경향과 같은 변동 형태는?

① 순환변동   ② 추세변동
③ 계절변동   ④ 주기변동

해설
추세변동
경제변동 중에서 장기간에 걸친 성장·정체·후퇴 등 변동경향을 나타내는 움직임

097 설문지를 이용하여 표본조사를 실시하는 방법은?

① 실험조사   ② 심층면접법
③ 서베이조사   ④ 관찰법

해설
서베이조사
설문지에 질문 항목을 정하고 조사 대상과 직접 접촉하여 조사하는 일

정답 091 ② 092 ④ 093 ① 094 ① 095 ④ 096 ② 097 ③

098 정부가 농산물의 목표가격과 시장가격 간의 차액을 직접 지불하는 정책은?

① 공공비축제도
② 부족불제도
③ 이중곡가제도
④ 생산조정제도

해설

부족불제도(Deficiency Payment)
EU의 CAP와 미국의 농업정책하에서 정부가 생각하는 적정 농가수취가격과 실제시장가격과의 차이를 세수를 통한 공공재정 또는 소비자의 높은 가격부담 등의 형태로 보전하는 것

099 농산물의 공급이 변동할 때 공급량의 변동폭보다 가격의 변동폭이 훨씬 더 크게 나타나는 현상과 관련된 것을 모두 고른 것은?

ㄱ. 공급의 가격탄력성이 작다.   ㄴ. 공급의 가격신축성이 크다.
ㄷ. 킹(G. King)의 법칙이 적용된다.   ㄹ. 공급의 교차탄력성이 크다.

① ㄱ, ㄴ
② ㄴ, ㄷ
③ ㄱ, ㄴ, ㄷ
④ ㄱ, ㄷ, ㄹ

해설

• 가격신축성 : 수요가 공급을 초과하면 가격은 상승하고 공급이 수요를 초과하면 가격이 하락하는데, 이러한 수요와 공급의 변화가 가격의 변동을 초래하는 정도를 가격신축성이라 한다.
• King의 법칙 : 곡물 수확고의 산술급수적 변동과 곡물가격의 기하급수적 변동에 관한 법칙으로 밀의 수확량 감소와 가격의 관계에 대하여 밝힌 법칙이다.
• 밀 수확이 10, 20, 30, 40, 50% 감소하면 가격은 30, 80, 160, 280, 450% 오른다고 조사되었다. 즉 산술등급이 아닌 기하급수로 가격이 상승한다는 원칙이다.

100 광고와 홍보에 관한 설명으로 옳지 않은 것은?

① 광고는 광고주가 비용을 지불하는 비(非) 인적 판매활동이다.
② 기업광고는 기업에 대하여 호의적인 이미지를 형성시킨다.
③ 카피라이터는 고객이 공감할 수 있는 언어로 메시지를 만든다.
④ 홍보는 비용을 지불하는 상업적 활동이다.

해설

광고와 달리 홍보는 기업 내에서 기획되고 대외에 실행되는 형태로서 비용이 발생하지만, 대외에 비용을 지불하지는 않는다.

정답 **098** ②   **099** ③   **100** ④

2020년 제17회 농산물품질관리사 제1차 시험 기출문제

각 문제에서 요구하는 가장 적합하거나 가까운 답 1개만을 고르시오.

관계 법령

001 농수산물 품질관리법령상 이력추적관리 농산물의 표시에 관한 내용으로 옳지 않은 것은?

① 글자는 고딕체로 한다.
② 산지는 시·군·구 단위까지 적는다.
③ 쌀만 생산연도를 표시한다.
④ 소포장의 경우 표시항목만을 표시할 수 있다.

> **해설**
> 시행규칙 [별표 12] 표지와 표시항목은 인쇄하거나 스티커로 포장재에서 떨어지지 않도록 부착하여야
> 한다. 다만 포장하지 아니하고 낱개로 판매하는 경우나 소포장의 경우에는 표지만을 표시할 수 있다.

002 농수산물 품질관리법령상 표준규격품의 포장 겉면에 표시하여야 하는 사항 중 국립농산물품질관리원장이 고시하여 생략할 수 있는 것은?

① 품목   ② 산지   ③ 품종   ④ 등급

> **해설**
> 시행규칙 제7조(표준규격품의 출하 및 표시방법 등) 제2항 제3호 품종을 표시하기 어려운 품목은
> 국립농산물품질관리원장, 국립수산물품질관리원장 또는 산림청장이 정하여 고시하는 바에 따라 품종
> 의 표시를 생략할 수 있다.

003 농수산물 품질관리법령상 등록된 지리적표시의 무효심판 청구사유에 해당하지 않는 것은?

① 먼저 등록된 타인의 지리적표시와 비슷한 경우
② 상표법에 따라 먼저 등록된 타인의 상표와 같은 경우
③ 지리적표시 등록이 된 후에 그 지리적표시가 원산지 국가에서 보호가 중단된 경우
④ 지리적표시 등록 단체의 소속 단체원이 지리적표시를 잘못 사용하여 수요자가 상품의 품질에 대하여 오인한 경우

정답 001 ④   002 ③   003 ④

법 제43조(지리적표시의 무효심판) 제1항

1. 제32조 제9항에 따른 등록거절 사유에 해당하는 경우에도 불구하고 등록된 경우
2. 제32조에 따라 지리적표시 등록이 된 후에 그 지리적표시가 원산지 국가에서 보호가 중단되거나 사용되지 아니하게 된 경우

법 제44조(지리적표시의 취소심판) 제1항

1. 지리적표시 등록을 한 후 지리적표시의 등록을 한 자가 그 지리적표시를 사용할 수 있는 농수산물 또는 농수산가공품을 생산 또는 제조·가공하는 것을 업으로 하는 자에 대하여 단체의 가입을 금지하거나 어려운 가입조건을 규정하는 등 단체의 가입을 실질적으로 허용하지 아니한 경우 또는 그 지리적표시를 사용할 수 없는 자에 대하여 등록 단체의 가입을 허용한 경우
2. 지리적표시 등록 단체 또는 그 소속 단체원이 지리적표시를 잘못 사용함으로써 수요자로 하여금 상품의 품질에 대하여 오인하게 하거나 지리적 출처에 대하여 혼동하게 한 경우

004 농수산물 품질관리법령상 검사대상 농산물 중 생산자단체 등이 정부를 대행하여 수매하는 농산물에 해당하지 않는 것을 모두 고른 것은?

ㄱ. 땅콩　　　　　　　　　　　ㄴ. 현미
ㄷ. 녹두　　　　　　　　　　　ㄹ. 양파

① ㄱ, ㄴ　　　　　　　　② ㄱ, ㄷ
③ ㄴ, ㄷ　　　　　　　　④ ㄴ, ㄹ

시행령 [별표 3] 검사대상 농산물의 종류별 품목

1. 정부가 수매하거나 생산자단체 등이 정부를 대행하여 수매하는 농산물
   가. 곡류 : 벼·겉보리·쌀보리·콩
   나. 특용작물류 : 참깨·땅콩
   다. 과실류 : 사과·배·단감·감귤
   라. 채소류 : 마늘·고추·양파
   마. 잠사류 : 누에씨·누에고치
2. 정부가 수출·수입하거나 생산자단체 등이 정부를 대행하여 수출·수입하는 농산물
   가. 곡류
    1) 조곡(粗穀) : 콩·팥·녹두
    2) 정곡(精穀) : 현미·쌀
   나. 특용작물류 : 참깨·땅콩
   다. 채소류 : 마늘·고추·양파
3. 정부가 수매 또는 수입하여 가공한 농산물
   곡류 : 현미·쌀·보리쌀

005 농수산물 품질관리법령상 유전자변형농산물 표시의 조사에 관한 설명으로 옳은 것은?

① 농림축산식품부장관은 표시위반 여부의 확인을 위해 관계 공무원에게 매년 1회 이상 유전자변형표시 대상 농산물을 조사하게 하여야 한다.

② 우수관리인증기관, 우수관리시설을 운영하는 자 및 우수관리인증을 받은 자는 정당한 사유 없이 조사를 거부하거나 기피해서는 아니 된다.

③ 조사 공무원은 조사대상자가 요구하는 경우에 한하여 그 권한을 표시하는 증표를 보여주어야 한다.

④ 조사 공무원은 조사대상자가 요구하는 경우에 한하여 성명·출입시간·출입목적 등이 표시된 문서를 내주어야 한다.

해설

① 법 제58조(유전자변형농수산물 표시의 조사) ① 식품의약품안전처장은 제56조 및 제57조에 따른 유전자변형농수산물의 표시 여부, 표시사항 및 표시방법 등의 적정성과 그 위반 여부를 확인하기 위하여 대통령령으로 정하는 바에 따라 관계 공무원에게 유전자변형표시 대상 농수산물을 수거하거나 조사하게 하여야 한다. 다만, 농수산물의 유통량이 현저하게 증가하는 시기 등 필요할 때에는 수시로 수거하거나 조사하게 할 수 있다.

시행령 제21조(유전자변형농수산물의 표시 등의 조사) ① 법 제58조 제1항 본문에 따른 유전자변형표시 대상 농수산물의 수거·조사는 업종·규모·거래품목 및 거래형태 등을 고려하여 식품의약품안전처장이 정하는 기준에 해당하는 영업소에 대하여 매년 1회 실시한다.

③, ④ 법 제13조(농산물우수관리 관련 보고 및 점검 등) ④ 제1항에 따라 점검이나 조사를 하는 관계 공무원은 그 권한을 표시하는 증표를 지니고 이를 관계인에게 보여주어야 하며, 성명·출입시간·출입목적 등이 표시된 문서를 관계인에게 내주어야 한다.

006 농수산물 품질관리법령상 농산물품질관리사가 수행하는 직무로 옳지 않은 것은?

① 농산물의 규격출하 지도

② 농산물의 생산 및 수확 후 품질관리기술 지도

③ 농산물의 선별 및 포장 시설 등의 운용·관리

④ 유전자변형표시 대상 농산물의 검사 및 조사

해설

법 제106조(농산물품질관리사의 직무)

1. 농산물의 등급 판정
2. 농산물의 생산 및 수확 후 품질관리기술 지도
3. 농산물의 출하 시기 조절, 품질관리기술에 관한 조언
4. 그 밖에 농산물의 품질 향상과 유통 효율화에 필요한 업무로서 농림축산식품부령으로 정하는 업무

정답 004 ③ 005 ② 006 ④

시행규칙 제134조(농산물품질관리사의 업무) 법 제106조 제1항 제4호에서 "농림축산식품부령으로 정하는 업무"란 다음 각 호의 업무를 말한다.
1. 농산물의 생산 및 수확 후의 품질관리기술 지도
2. 농산물의 선별·저장 및 포장 시설 등의 운용·관리
3. 농산물의 선별·포장 및 브랜드 개발 등 상품성 향상 지도
4. 포장농산물의 표시사항 준수에 관한 지도
5. 농산물의 규격출하 지도

007 농수산물 품질관리법상 안전성검사기관에 대한 지정을 취소해야 하는 사유를 모두 고른 것은? (단, 감경 사유는 고려하지 않음)

> ㄱ. 거짓으로 지정을 받은 경우
> ㄴ. 검사성적서를 거짓으로 내준 경우
> ㄷ. 업무의 정지명령을 위반하여 계속 안전성조사 및 시험분석 업무를 한 경우
> ㄹ. 부정한 방법으로 지정을 받은 경우

① ㄱ, ㄴ, ㄷ   ② ㄱ, ㄴ, ㄹ
③ ㄱ, ㄷ, ㄹ   ④ ㄴ, ㄷ, ㄹ

해설

검사성적서를 거짓으로 내준 경우는 지정을 취소하거나 6개월 이내의 업무정지를 명할 수 있는 사유이다.

008 농수산물 품질관리법상 농산물의 권장품질표시에 관한 설명으로 옳지 않은 것은?

① 농산물 생산자는 권장품질표시를 할 수 있지만 유통·판매자는 표시할 수 없다.
② 농림축산식품부장관은 권장품질표시를 장려하기 위하여 이에 필요한 지원을 할 수 있다.
③ 권장품질표시는 상품성을 높이고 공정한 거래를 실현하기 위함이다.
④ 농림축산식품부장관은 권장품질표시를 한 농산물이 권장품질표시 기준에 적합하지 아니한 경우 그 시정을 권고할 수 있다.

해설

법 제5조의2(권장품질표시) ① 농림축산식품부장관은 포장재 또는 용기로 포장된 농산물(축산물은 제외한다)의 상품성을 높이고 공정한 거래를 실현하기 위하여 제5조에 따른 표준규격품의 표시를 하지 아니한 농산물의 포장 겉면에 등급·당도 등 품질을 표시(이하 "권장품질표시"라 한다)하는 기준을 따로 정할 수 있다.
② 농산물을 유통·판매하는 자는 제5조에 따른 표준규격품의 표시를 하지 아니한 경우 포장 겉면에 권장품질표시를 할 수 있다.
③ 권장품질표시의 기준 및 방법 등에 필요한 사항은 농림축산식품부령으로 정한다.

009 농수산물 품질관리법령상 생산자단체의 농산물우수관리인증에 관한 내용으로 옳지 않은 것은?

① 생산자단체는 신청서에 사업운영계획서를 첨부하여야 한다.
② 우수관리인증기관은 제출받은 서류를 심사한 후에 현지심사를 하여야 한다.
③ 우수관리인증기관은 원칙적으로 전체 구성원에 대하여 각각 심사를 하여야 한다.
④ 거짓으로 우수관리인증을 받아 우수관리인증이 취소된 후 1년이 지난 생산자단체는 우수관리인증을 신청할 수 있다.

시행규칙 제11조(우수관리인증의 심사 등) ① 우수관리인증기관은 제10조 제1항에 따라 우수관리인증 신청을 받은 경우에는 제8조에 따른 우수관리인증의 기준에 적합한지를 심사하여야 하며, 필요한 경우에는 현지심사를 할 수 있다.

010 농수산물 품질관리법령상 농산물우수관리인증의 유효기간 연장기간에 관한 설명이다.
(   )에 들어갈 내용은? (단, 인삼류, 약용작물은 제외함)

> 우수관리인증기관이 농산물우수관리인증 유효기간을 연장해 주는 경우 그 유효기간 연장기간은 (   )을 초과할 수 없다.

① 1년   ② 2년
③ 3년   ④ 4년

해설

시행규칙 제16조(우수관리인증의 유효기간 연장) 유효기간 연장기간은 법 제7조 제1항에 따른 우수관리인증의 유효기간(2년)을 초과할 수 없다.

011 농수산물 품질관리법상 3년 이하의 징역 또는 3천만원 이하의 벌금에 처해지는 위반행위를 한 자는?

① 농산물의 검사증명서 및 검정증명서를 변조한 자
② 검사 대상 농산물에 대하여 검사를 받지 아니한 자
③ 다른 사람에게 농산물품질관리사의 명의를 사용하게 한 자
④ 재검사 대상 농산물의 재검사를 받지 아니하고 해당 농산물을 판매한 자

해설

②, ③, ④ 1년 이하의 징역 또는 1천만원 이하의 벌금

정답 **007** ③   **008** ①   **009** ②   **010** ②   **011** ①

012 농수산물 품질관리법상 안전성조사 결과 생산단계 안전기준을 위반한 농산물에 대한 시
· 도지사의 조치방법으로 옳지 않은 것은?

① 몰수 ② 폐기
③ 출하 연기 ④ 용도 전환

해설

법 제63조(안전성조사 결과에 따른 조치) ① 식품의약품안전처장이나 시·도지사는 생산과정에 있는
농수산물 또는 농수산물의 생산을 위하여 이용·사용하는 농지·어장·용수·자재 등에 대하여 안전
성조사를 한 결과 생산단계 안전기준을 위반하였거나 유해물질에 오염되어 인체의 건강을 해칠 우려가
있는 경우에는 해당 농수산물을 생산한 자 또는 소유한 자에게 다음 각 호의 조치를 하게 할 수 있다.
〈개정 2022.2.3.〉
1. 해당 농수산물의 폐기, 용도 전환, 출하 연기 등의 처리
2. 해당 농수산물의 생산에 이용·사용한 농지·어장·용수·자재 등의 개량 또는 이용·사용의 금지
2의2. 해당 양식장의 수산물에 대한 일시적 출하 정지 등의 처리
3. 그 밖에 총리령으로 정하는 조치

013 농수산물 품질관리법령상 농산물의 지리적표시 등록을 결정한 경우 공고하지 않아도 되
는 사항은?

① 지리적표시 대상지역의 범위
② 지리적표시 등록 생산제품 출하가격
③ 지리적표시 등록 대상품목 및 등록명칭
④ 등록자의 자체품질기준 및 품질관리계획서

해설

시행규칙 제58조(지리적표시의 등록공고 등) ① 국립농산물품질관리원장, 국립수산물품질관리원장
또는 산림청장은 법 제32조 제7항에 따라 지리적표시의 등록을 결정한 경우에는 다음 각 호의 사항을
공고하여야 한다.
1. 등록일 및 등록번호
2. 지리적표시 등록자의 성명, 주소(법인의 경우에는 그 명칭 및 영업소의 소재지를 말한다) 및
   전화번호
3. 지리적표시 등록 대상품목 및 등록명칭
4. 지리적표시 대상지역의 범위
5. 품질의 특성과 지리적 요인의 관계
6. 등록자의 자체품질기준 및 품질관리계획서

014 농수산물 품질관리법령상 지리적표시품의 사후관리 사항으로 옳지 않은 것은?

① 지리적표시품의 등록유효기간 조사
② 지리적표시품의 소유자의 관계 장부의 열람
③ 지리적표시품의 시료를 수거하여 조사하거나 전문시험기관 등에 시험 의뢰
④ 지리적표시품의 등록기준에의 적합성 조사

 해설

법 제39조(지리적표시품의 사후관리) ① 농림축산식품부장관 또는 해양수산부장관은 지리적표시품의 품질수준 유지와 소비자 보호를 위하여 관계 공무원에게 다음 각 호의 사항을 지시할 수 있다.
1. 지리적표시품의 등록기준에의 적합성 조사
2. 지리적표시품의 소유자·점유자 또는 관리인 등의 관계 장부 또는 서류의 열람
3. 지리적표시품의 시료를 수거하여 조사하거나 전문시험기관 등에 시험 의뢰

015 농수산물의 원산지 표시에 관한 법령상 정당한 사유 없이 원산지 조사를 거부하거나 방해한 경우 과태료 부과금액은? (단, 2차 위반의 경우이며, 감경 사유는 고려하지 않음)

① 50만원
② 100만원
③ 200만원
④ 300만원

해설

시행령 [별표 2] 과태료의 부과기준

위반행위	근거 법조문	과태료 금액			
		1차 위반	2차 위반	3차 위반	4차 이상 위반
바. 법 제7조 제3항을 위반하여 수거·조사·열람을 거부·방해하거나 기피한 경우	법 제18조 제1항 제4호	100만원	300만원	500만원	500만원

016 농수산물의 원산지 표시에 관한 법령상 원산지표시 적정성 여부를 관계 공무원에게 조사하게 하여야 하는 자가 아닌 것은?

① 농림축산식품부장관
② 관세청장
③ 식품의약품안전처장
④ 시·도지사

해설

법 제7조(원산지 표시 등의 조사) ① 농림축산식품부장관, 해양수산부장관, 관세청장, 시·도지사 또는 시장·군수·구청장은 제5조에 따른 원산지의 표시 여부·표시사항과 표시방법 등의 적정성을 확인하기 위하여 대통령령으로 정하는 바에 따라 관계 공무원으로 하여금 원산지 표시대상 농수산물이나 그 가공품을 수거하거나 조사하게 하여야 한다. 이 경우 관세청장의 수거 또는 조사 업무는 제5조 제1항의 원산지 표시 대상 중 수입하는 농수산물이나 농수산물 가공품(국내에서 가공한 가공품은 제외한다)에 한정한다.

정답 012 ①   013 ②   014 ①   015 ④   016 ③

017 농수산물 유통 및 가격안정에 관한 법령상 농림업관측에 관한 설명으로 옳지 않은 것은?

① 농림축산식품부장관은 가격의 등락 폭이 큰 주요 농산물에 대하여 농림업관측을 실시하고 그 결과를 공표하여야 한다.

② 농림축산식품부장관은 주요 곡물의 수급안정을 위하여 국제곡물관측을 별도로 실시하고 그 결과를 공표하여야 한다.

③ 농림축산식품부장관이 지정한 농업관측 전담기관은 한국농수산식품유통공사이다.

④ 농림축산식품부장관은 품목을 지정하여 농업협동조합중앙회로 하여금 농림업관측을 실시하게 할 수 있다.

> **해설**
> 시행규칙 제7조(농림업관측 전담기관의 지정) ① 법 제5조 제4항에 따른 농업관측 전담기관은 한국농촌경제연구원으로 한다.

018 농수산물 유통 및 가격안정에 관한 법령상 출하자 신고에 관한 내용으로 옳지 않은 것은?

① 도매시장에 농산물을 출하하려는 자는 농림축산식품부령으로 정하는 바에 따라 해당 도매시장의 개설자에게 신고하여야 한다.

② 도매시장법인은 출하자 신고를 한 출하자가 출하 예약을 하고 농산물을 출하하는 경우 경매의 우선 실시 등 우대조치를 할 수 있다.

③ 도매시장 개설자는 전자적 방법으로 출하자 신고서를 접수할 수 있다.

④ 법인인 출하자는 출하자 신고서를 도매시장법인에게 제출하여야 한다.

> **해설**
> 법 제30조(출하자 신고) ① 도매시장에 농수산물을 출하하려는 생산자 및 생산자단체 등은 농수산물의 거래질서 확립과 수급안정을 위하여 농림축산식품부령 또는 해양수산부령으로 정하는 바에 따라 해당 도매시장의 개설자에게 신고하여야 한다.

019 농수산물 유통 및 가격안정에 관한 법령상 출하자에 대한 대금결제에 관한 설명으로 옳지 않은 것은? (단, 특약은 고려하지 않음)

① 도매시장법인은 출하자로부터 위탁받은 농산물이 매매되었을 경우 그 대금의 전부를 출하자에게 즉시 결제하여야 한다.

② 시장도매인은 표준정산서를 출하자와 정산 조직에 각각 발급하고, 정산 조직에 대금결제를 의뢰하여 정산 조직에서 출하자에게 대금을 지급하는 방법으로 하여야 한다.

③ 도매시장 개설자가 업무규정으로 정하는 출하대금결제용 보증금을 납부하고 운전자금을 확보한 도매시장법인은 출하자에게 출하대금을 직접 결제할 수 있다.

④ 출하대금결제에 따른 표준송품장, 대금결제의 방법 및 절차 등에 관하여 필요한 사항은 도매시장 개설자가 정한다.

해설

법 제41조(출하자에 대한 대금결제) ③ 제2항에 따른 표준송품장, 판매원표, 표준정산서, 대금결제의 방법 및 절차 등에 관하여 필요한 사항은 농림축산식품부령 또는 해양수산부령으로 정한다.

---

020 농수산물 유통 및 가격안정에 관한 법령상 중도매인에 대한 1차 행정처분기준이 허가취소 사유에 해당하는 것은?

① 업무정지 처분을 받고 그 업무정지 기간 중에 업무를 한 경우
② 다른 사람에게 자기의 성명이나 상호를 사용하여 중도매업을 하게 하거나 그 허가증을 빌려준 경우
③ 다른 사람에게 시설을 재임대하는 등 중대한 시설물의 사용기준을 위반한 경우
④ 다른 중도매인 또는 매매참가인의 거래참가를 방해한 주동자의 경우

해설

시행규칙 [별표 4] 중도매인에 대한 행정처분

위반행위	1차 위반	2차 위반	3차 위반
다른 사람에게 자기의 성명이나 상호를 사용하여 중도매업을 하게 하거나 그 허가증을 빌려준 경우	업무정지 3개월	허가 취소	
다른 사람에게 시설을 재임대하는 등 중대한 시설물의 사용기준을 위반한 경우	업무정지 3개월	허가 취소	
다른 중도매인 또는 매매참가인의 거래참가를 방해한 주동자의 경우	업무정지 3개월	허가 취소	

---

021 농수산물 유통 및 가격안정에 관한 법령상 중앙도매시장에 관한 설명으로 옳지 않은 것은?

① 중앙도매시장이란 특별시·광역시·특별자치시 또는 특별자치도가 개설한 농수산물도매시장 중 해당 관할구역 및 그 인접지역에서 도매의 중심이 되는 농수산물도매시장으로서 농림축산식품부령 또는 해양수산부령으로 정하는 것을 말한다.
② 개설자는 청과부류와 축산부류에 대하여는 도매시장법인을 두어야 한다.
③ 개설자가 업무규정을 변경하는 때에는 농림축산식품부장관 또는 해양수산부장관의 승인을 받아야 한다.
④ 개설자가 도매시장법인을 지정하는 경우 농림축산식품부장관 또는 해양수산부장관과 협의하여 지정한다.

시행규칙 제18조의2(도매시장법인을 두어야 하는 부류) 개설자는 청과부류와 수산부류에 대하여는 도매시장법인을 두어야 한다.

022 농수산물 유통 및 가격안정에 관한 법령상 농수산물도매시장의 거래품목 중에서 양곡부류에 해당하는 것은?

① 과실류
② 옥수수
③ 채소류
④ 수삼

시행령 제2조(농수산물도매시장의 거래품목) 「농수산물 유통 및 가격안정에 관한 법률」(이하 "법"이라 한다) 제2조 제2호에 따라 농수산물도매시장(이하 "도매시장"이라 한다)에서 거래하는 품목은 다음 각 호와 같다.

1. 양곡부류 : 미곡·맥류·두류·조·좁쌀·수수·수수쌀·옥수수·메밀·참깨 및 땅콩
2. 청과부류 : 과실류·채소류·산나물류·목과류(木果類)·버섯류·서류(薯類)·인삼류 중 수삼 및 유지작물류와 두류 및 잡곡 중 신선한 것
3. 축산부류 : 조수육류(鳥獸肉類) 및 난류
4. 수산부류 : 생선어류·건어류·염(鹽)건어류·염장어류(鹽藏魚類)·조개류·갑각류·해조류 및 젓갈류
5. 화훼부류 : 절화(折花)·절지(折枝)·절엽(切葉) 및 분화(盆花)
6. 약용작물부류 : 한약재용 약용작물(야생물이나 그 밖에 재배에 의하지 아니한 것을 포함한다). 다만, 「약사법」 제2조 제5호에 따른 한약은 같은 법에 따라 의약품판매업의 허가를 받은 것으로 한정한다.
7. 그 밖에 농어업인이 생산한 농수산물과 이를 단순가공한 물품으로서 개설자가 지정하는 품목

023 농수산물 유통 및 가격안정에 관한 법령상 농림축산식품부장관이 도매시장, 농수산물공판장 및 민영농수산물도매시장의 통합·이전 또는 폐쇄를 명령하는 경우 비교·검토하여야 하는 사항으로 옳지 않은 것은?

① 최근 1년간 유통종사자 수의 증감
② 입지조건
③ 시설현황
④ 통합·이전 또는 폐쇄로 인하여 당사자가 입게 될 손실의 정도

시행령 제33조(시장의 정비명령) ① 농림축산식품부장관 또는 해양수산부장관이 법 제65조 제1항에 따라 도매시장, 농수산물공판장(이하 "공판장"이라 한다) 및 민영농수산물도매시장(이하 "민영도매시장"이라 한다)의 통합·이전 또는 폐쇄를 명령하려는 경우에는 그에 필요한 적정한 기간을 두어야 하며, 다음 각 호의 사항을 비교·검토하여 조건이 불리한 시장을 통합·이전 또는 폐쇄하도록 해야 한다.

1. 최근 2년간의 거래 실적과 거래 추세
2. 입지조건
3. 시설현황
4. 통합·이전 또는 폐쇄로 인하여 당사자가 입게 될 손실의 정도

024 농수산물 유통 및 가격안정에 관한 법령상 농림축산식품부장관이 농산물전자거래분쟁조정위원회 위원을 해임 또는 해촉할 수 있는 사유를 모두 고른 것은?

> ㄱ. 자격정지 이상의 형을 선고받은 경우
> ㄴ. 심신장애로 직무를 수행할 수 없게 된 경우
> ㄷ. 위원 스스로 직무를 수행하기 어렵다는 의사를 밝히는 경우

① ㄱ, ㄴ
② ㄱ, ㄷ
③ ㄴ, ㄷ
④ ㄱ, ㄴ, ㄷ

해설

시행령 제35조의3(위원의 해임 등) 농림축산식품부장관 또는 해양수산부장관은 위원이 다음 각 호의 어느 하나에 해당하는 경우에는 해당 위원을 해임 또는 해촉(解囑)할 수 있다.
1. 자격정지 이상의 형을 선고받은 경우
2. 심신장애로 직무를 수행할 수 없게 된 경우
3. 직무와 관련된 비위사실이 있는 경우
4. 직무태만, 품위손상이나 그 밖의 사유로 위원으로 적합하지 아니하다고 인정되는 경우
5. 제35조의2 제1항 각 호의 어느 하나에 해당하는데도 불구하고 회피하지 아니한 경우
6. 위원 스스로 직무를 수행하기 어렵다는 의사를 밝히는 경우

025 농수산물 유통 및 가격안정에 관한 법령상 공판장의 개설에 관한 설명이다. (   )에 들어갈 내용은?

> 농림수협 등 생산자단체 또는 공익법인이 공판장의 개설승인을 받으려면 공판장 개설승인 신청서에 업무규정과 운영관리계획서 등 승인에 필요한 서류를 첨부하여 (   )에게 제출하여야 한다.

① 농림축산식품부장관
② 농업협동조합중앙회의 장
③ 시·도지사
④ 한국농수산식품유통공사의 장

정답 022 ② 023 ① 024 ④ 025 ③

> **해설**
>
> **법 제43조(공판장의 개설)** ① 농림수협 등, 생산자단체 또는 공익법인이 공판장을 개설하려면 시·도지사의 승인을 받아야 한다.
>
> ② 농림수협 등, 생산자단체 또는 공익법인이 제1항에 따라 공판장의 개설승인을 받으려면 농림축산식품부령 또는 해양수산부령으로 정하는 바에 따라 공판장 개설승인 신청서에 업무규정과 운영관리계획서 등 승인에 필요한 서류를 첨부하여 시·도지사에게 제출하여야 한다.

원예작물학

026 무토양재배에 관한 설명으로 옳지 않은 것은?

① 작물선택이 제한적이다.

② 주년재배의 제약이 크다.

③ 연작재배가 가능하다.

④ 초기 투자 자본이 크다.

> **해설**
>
> • 무토양재배 : 흙을 사용하지 않고 인공배지나 무배지 상태에 작물을 심고 물과 양액을 공급하여 재배하는 것
>
> • 주년재배 : 사계절이 구분되는 지역에서, 봄과 여름에만 생산되는 작물을 고온기인 여름이나 저온기인 겨울에도 시설을 이용하여 일 년 내내 계절에 구애받지 않고 작물을 재배하는 일

027 조직배양을 통한 무병주 생산이 상업화되지 않은 작물을 모두 고른 것은?

ㄱ. 마늘	ㄴ. 딸기
ㄷ. 고추	ㄹ. 무

① ㄱ, ㄴ ② ㄱ, ㄷ

③ ㄴ, ㄹ ④ ㄷ, ㄹ

> **해설**
>
> **무병주**
>
> • 병에 걸리지 않은 건전한 식물체. 생장점 배양으로 얻을 수 있는 영양 번식체로서, 조직 특히 도관 내에 있던 바이러스 따위의 병원체가 제거된 것이다.
>
> • 딸기 : 여름딸기 신품종 "고하"는 무병묘로 공급되고 있다.

028 다음 ( )에 들어갈 내용은?

> 동절기 토마토 시설재배에서 착과촉진을 위해 (ㄱ) 계열의 4-CPA를 처리한다. 그러나 연속사용 시 (ㄴ)가 발생할 수 있어 (ㄴ)의 발생이 우려될 경우 (ㄷ)을/를 사용하면 효과적이다.

① ㄱ : 시토키닌, ㄴ : 공동과, ㄷ : ABA
② ㄱ : 옥신, ㄴ : 기형과, ㄷ : ABA
③ ㄱ : 옥신, ㄴ : 공동과, ㄷ : 지베렐린
④ ㄱ : 시토키닌, ㄴ : 기형과, ㄷ : 지베렐린

해설

토마토톤

옥신계 식물생장 촉진제. 4-시피에이(4-CPA)라고도 알려져 있다. 물에 잘 녹으며 녹는점은 157~158℃ 이다. 식물체 내에 침투하여 식물세포의 활력을 높여 주며, 낙과방지(落果防止) 및 과실비대(果實肥大) 효과도 있으나 어린 싹에 잘못 사용하면 약해의 위험성이 있다.

029 다음 ( )에 들어갈 내용은?

> 백다다기 오이를 재배하는 하우스농가에서 암꽃의 수를 증가시키고자, 재배환경을 (ㄱ) 및 (ㄴ)조건으로 관리하여 수확량이 많아졌다.

① ㄱ : 고온, ㄴ : 단일
② ㄱ : 저온, ㄴ : 장일
③ ㄱ : 저온, ㄴ : 단일
④ ㄱ : 고온, ㄴ : 장일

해설

단일처리
• 식물의 단일성을 이용하여 인공적으로 일조 시간을 단축하여 개화나 결실을 촉진하는 방법
• 단일성 식물 : 일조량이 12시간 이하가 되어야 개화하는 식물(오이, 별꽃, 토마토, 담배)
• 오이 암꽃 착생촉진 : 저온단일, 에틸렌, 옥신 처리
• 오이 수꽃 착생촉진 : 고온장일, 지베렐린 처리

정답 **026** ② **027** ④ **028** ③ **029** ③

030 다음 ( )에 들어갈 내용은?

> A : 토마토를 먹었더니 플라보노이드계통의 기능성 물질인 (ㄱ)이 들어 있어서 혈압이
> 내려간 듯해.
> B : 그래? 나는 상추에 진통효과가 있는 (ㄴ)이 있다고 해서 먹었더니 많이 졸려.

① ㄱ : 루틴(rutin),　　　　　ㄴ : 락투신(lactucin)
② ㄱ : 라이코펜(lycopene), ㄴ : 락투신(lactucin)
③ ㄱ : 루틴(rutin),　　　　　ㄴ : 시니그린(sinigrin)
④ ㄱ : 라이코펜(lycopene), ㄴ : 시니그린(sinigrin)

해설

루틴
플라보노이드계 배당체(글리코시드)의 하나로 연한 노란색의 바늘 모양 결정이다. 뇌출혈·방사선
장애·출혈성 질병 예방에 효과가 있다.

031 하우스피복재로서 물방울이 맺히지 않도록 제작된 것은?

① 무적필름　　　　　　　　　② 산광필름
③ 내후성강화필름　　　　　　④ 반사필름

해설

• 무적(無滴)필름 : 필름에 부착된 물이 응축 등에 의하여 물방울이 되어 떨어져 작물에 피해를 주는
것을 막도록 필름표면을 따라 흘러내리기 쉽게 개량한 하우스용 필름
• 산광(散光)필름 : 빛을 사방으로 흩어지게 만드는 기능성 피복 필름. 시설 내부의 광 분포를 고르게
할 목적으로 이용한다.

032 채소재배에서 실용화된 천적이 아닌 것은?

① 무당벌레　　　　　　　　　② 칠레이리응애
③ 마일스응애　　　　　　　　④ 점박이응애

해설

천적
• 진딧물 – 무당벌레
• 점박이응애 – 칠레이리응애
• 응애류 – 칠레이리응애
• 점박이응애 : 한 해에 10회 이상 발생하며 각종 과수·채소에 기생하여 살면서 해를 끼치는 잡식성
해충

033 다음 ( )에 들어갈 내용은?

> A농산물품질관리사가 수박 종자를 저장고에 장기저장을 하기 위한 저장환경을 조사한 결과, 저장에 적합하지 않음을 알고 저장고를 (ㄱ), (ㄴ), 저산소 조건이 되도록 설정하였다.

① ㄱ : 저온, ㄴ : 저습   ② ㄱ : 고온, ㄴ : 저습
③ ㄱ : 저온, ㄴ : 고습   ④ ㄱ : 고온, ㄴ : 고습

해설

수박의 저장온도 및 저장기간
10~15℃ 저온 저장 시 15℃에서 14일, 7~10℃에서 21일까지 저장

034 에틸렌의 생리작용이 아닌 것은?

① 꽃의 노화 촉진   ② 줄기신장 촉진
③ 꽃잎말림 촉진   ④ 잎의 황화 촉진

해설

에틸렌은 식물의 여러 기관에서 생성되고, 대부분의 조직에서 소량으로 존재하면서 과일의 성숙, 개화, 잎의 탈리 등을 유도하거나 조절한다.

035 원예학적 분류를 통해 화훼류를 진열·판매하고 있는 A마트에서, 정원에 심을 튤립을 소비자가 구매하고자 할 경우 가야 할 화훼류의 구획은?

① 구근류   ② 일년초
③ 다육식물   ④ 관엽식물

해설

구근류 식물
땅속에 구형의 저장기관을 형성하는 마늘, 양파, 튤립, 글라디올러스 등의 작물

036 화훼작물과 주된 영양번식 방법의 연결이 옳지 않은 것은?

① 국화 - 분구   ② 수국 - 삽목
③ 접란 - 분주   ④ 개나리 - 취목

정답 030 ① 031 ① 032 ④ 033 ① 034 ② 035 ① 036 ①

해설

국화의 영양번식
포기나누기 또는 경삽(줄기삽목)

037 A농산물품질관리사가 국화농가를 방문했더니 로제트로 피해를 입고 있어, 이에 대한 조언으로 옳지 않은 것은?

① 가을에 15℃ 이하의 저온을 받으면 일어난다.
② 근군의 생육이 불량하여 일어난다.
③ 정식 전에 삽수를 냉장하여 예방한다.
④ 동지아에 지베렐린 처리를 하여 예방한다.

해설

로제트현상
화훼작물의 절간이 신장하지 못하고 짧게 되는 현상

038 가로등이 밤에 켜져 있어 주변 화훼작물의 개화가 늦어졌다. 이에 해당하지 않는 작물은?

① 국화   ② 장미
③ 칼랑코에   ④ 포인세티아

해설

장미는 광을 좋아하는 식물로서 장일처리하면 개화한다.

039 절화류에서 블라인드 현상의 원인이 아닌 것은?

① 엽수 부족   ② 높은 C/N율
③ 일조량 부족   ④ 낮은 야간온도

해설

블라인드 현상
화훼 분화는 체내 생리조건과 환경조건이 맞아야 순조롭게 진행되는데 이때 양자 중 어느 하나가 부적당할 때 분화가 중단되고 영양생장으로 역전되는 현상

040 장미 재배 시 벤치를 높이고 줄기를 휘거나 꺾어 재배하는 방법은?

① 매트재배   ② 암면재배
③ 아칭재배   ④ 사경재배

해설

- 암면재배 : 암면재배는 무균상태의 암면배지를 이용하여 작물을 재배하는 양액재배 시스템으로 장기 재배하는 과채류와 화훼류 재배에 적합함
- 사경재배(砂耕栽培, sand culture) : 모래에 양액을 공급하면서 작물을 재배하는 것
- 매트재배 : 수경재배 시 바닥에 매트를 깔아 주는 방식

041 다음 ( )에 들어갈 과실은?

> (ㄱ) : 씨방 하위로 씨방과 더불어 꽃받기가 유합하여 과실로 발달한 위과
> (ㄴ) : 씨방 상위로 씨방이 과실로 발달한 진과

① ㄱ : 사과, ㄴ : 배
② ㄱ : 사과, ㄴ : 복숭아
③ ㄱ : 복숭아, ㄴ : 포도
④ ㄱ : 배, ㄴ : 포도

해설

- 씨방상위과 : 포도, 감귤, 참다래
- 씨방중위과 : 복숭아, 양앵두
- 씨방하위과 : 사과, 배, 블루베리, 바나나
- 진과와 위과 : 채소의 과실은 순수하게 자방이 비대한 진과와 자방의 일부와 기타 기관이 비대하여 만들어진 위과로 구분한다.
- 진과(眞果) : 포도, 복숭아, 단감, 감귤
- 위과(僞果) : 사과, 배, 딸기, 오이

042 국내 육성 과수 품종이 아닌 것은?

① 황금배
② 홍로
③ 거봉
④ 유명

해설

- 황금배 : 신고에 이십세기를 교배하여 개발한 배 품종으로 과실이 크고 과즙이 풍부하다. 국내 육성품종으로 중생종이다.
- 홍로 : 우리 나라 원예연구소에서 1980년에 스퍼어리 블레이즈에 스퍼 골든 딜리셔스를 교배하여 개발한 사과 품종. 1988년 홍로라는 이름으로 결정되었다. 신맛이 거의 없이 당도가 높다.
- 유명 : 1966년 농촌진흥청 원예시험장에서 대화조생에 포목조생을 교배해 얻은 것을 1977년에 명명한 복숭아 품종이다.
- 거봉 : 1942년 일본에서 개발한 포도 품종이다.

정답 037 ② 038 ② 039 ② 040 ③ 041 ④ 042 ③

043 과수의 일소 현상에 관한 설명으로 옳지 않은 것은?

① 강한 햇빛에 의한 데임 현상이다.

② 토양 수분이 부족하면 발생이 많다.

③ 남서향의 과원에서 발생이 많다.

④ 모래토양보다 점질토양 과원에서 발생이 많다.

점질토양에서는 보수성이 좋아 모래토양보다 일소피해에 강하다.

044 다음이 설명하는 것은?

> • 꽃눈보다 잎눈의 요구도가 높다.
> • 자연상태에서 낙엽과수 눈의 자발휴면 타파에 필요하다.

① 질소 요구도
② 이산화탄소 요구도
③ 고온 요구도
④ 저온 요구도

저온 요구도
동아(冬芽)를 휴면에서 깨어나게 할 수 있는 저온은 일반적으로 0~10℃라고 하지만 온도 그 자체뿐만 아니라 저온 계속 시간과의 관계, 즉 동아의 휴면간섭에 대한 필요한 저온 계속 시간의 장단을 말한다.

045 자웅이주(암수 딴그루)인 과수는?

① 밤
② 호두
③ 참다래
④ 블루베리

해설

참다래, 은행나무, 삼, 뽕나무, 시금치, 초피나무 등이 암나무와 수나무가 구분된 자웅이주에 속한다.

046 상업적 재배를 위해 수분수가 필요 없는 과수 품종은?

① 신고배
② 후지사과
③ 캠벨얼리포도
④ 미백도복숭아

해설

수분수

• 과수에서 화분(花粉)이 불완전하거나 전혀 없을 때, 자가불화합성(自家不和合性)인 경우에 화분을 공급하기 위하여 섞어 심는 나무
• 복숭아나무를 심을 때는 친화성(親和性)이 있고, 화분이 풍부한 수분수(授粉樹)를 25% 정도 심는다.

047 다음이 설명하는 생리장해는?

> • 과심부와 유관속 주변의 과육에 꿀과 같은 액체가 함유된 수침상의 조직이 생긴다.
> • 사과나 배 과실에서 나타나는데 질소 시비량이 많을수록 많이 발생한다.

① 고두병
② 축과병
③ 밀증상
④ 바람들이

 해설

밀증상

사과 과실의 과심과 과육의 일부가 물이 스며든 것처럼 나타나는 증상이다. 딜리셔스계, 후지, 홍옥, 인도 따위의 품종에서 많이 발생하며, 심하면 과육이 무르고 썩는다. 과실 내 솔비톨의 축적이 이 증상에 관여하는 것으로 알려져 있다.

048 곰팡이에 의한 병이 아닌 것은?

① 감귤 역병
② 사과 화상병
③ 포도 노균병
④ 복숭아 탄저병

해설

과수 화상병(세균성)

과수 화상병은 주로 사과나 배 등에서 발생한다. 감염되면 잎과 꽃, 가지, 줄기, 과일 등이 마치 불에 탄 것처럼 붉은 갈색 또는 검은색으로 변하며 말라 죽는다. 현재 정확한 발생원인이 밝혀지지 않았다. 치료제도 아직 없다. 나무에 잠복된 균이 적정 기후를 만나 발현되거나, 균이 비바람, 벌, 전정가위 등을 통해 번지는 것으로 추정될 뿐이다.

정답 043 ④ 044 ④ 045 ③ 046 ③ 047 ③ 048 ②

049 다음의 효과를 볼 수 있는 비료는?

> • 산성토양의 중화 • 토양의 입단화
> • 유용 미생물 활성화

① 요소 ② 황산암모늄
③ 염화칼륨 ④ 소석회

 해설

석회질비료
토양의 산도(酸度)를 교정하기 위하여 쓰이는 칼슘을 주성분으로 하는 비료

050 과수의 병해충 종합 관리체계는?

① IFP ② INM
③ IPM ④ IAA

 해설

IPM(integrated pest management) : 육종적·재배적·생물적 방제법을 동원하여 농약의 사용량을 줄이면서 병해충이나 잡초를 방제하는 것을 종합적 방제(intergrated control)라고 하고, 환경친화적인 방법으로 경제적 피해수준 이하로 관리하는 농업경영의 개념에서 '종합적 관리'라고 한다.

수확 후 품질관리론

051 적색 방울토마토 과실에서 숙성과정 중 일어나는 현상이 아닌 것은?

① 세포벽 분해 ② 정단조직 분열
③ 라이코펜 합성 ④ 환원당 축적

해설

정단조직 분열은 영양생장기에 나타나며 과실 숙성과는 무관하다.

052 사과 세포막에 있는 에틸렌 수용체와 결합하여 에틸렌 발생을 억제하는 물질은?

① 1-MCP ② 과망간산칼륨
③ 활성탄 ④ AVG

해설

1-MCP(1-Methylcyclopropene)
식물 생장조절제로서 식물체의 에틸렌 결합부위를 차단하여 에틸렌 작용을 무력화하는 특성이 있다. 과실의 연화, 식물의 노화 등을 감소시키는 작용을 한다.

053 원예산물의 호흡에 관한 설명으로 옳지 않은 것은?

① 당과 유기산은 호흡기질로 이용된다.
② 딸기와 포도는 호흡 비급등형에 속한다.
③ 산소가 없거나 부족하면 무기호흡이 일어난다.
④ 당의 호흡계수는 1.33이고, 유기산의 호흡계수는 1이다.

해설

• 당의 호흡계수는 1이고, 유기산의 호흡계수는 1.33이다.
• 비호흡상승과 : 고추, 가지, 오이, 딸기, 호박, 감귤, 포도, 오렌지, 파인애플, 레몬, 양앵두 및 대부분의 채소류

054 원예산물의 종류와 주요 항산화 물질의 연결이 옳지 않은 것은?

① 사과 – 에톡시퀸(ethoxyquin) ② 포도 – 폴리페놀(polyphenol)
③ 양파 – 케르세틴(quercetin) ④ 마늘 – 알리신(allicin)

해설

에톡시퀸(ethoxyquin)
식품의 방부제, 산화방지제

055 과수작물의 성숙기 판단 지표를 모두 고른 것은?

| ㄱ. 만개 후 일수 | ㄴ. 포장열 |
| ㄷ. 대기조성비 | ㄹ. 성분의 변화 |

① ㄱ, ㄴ ② ㄱ, ㄹ
③ ㄴ, ㄷ ④ ㄷ, ㄹ

해설

수확적기 판정
• 수확기 결정 요인 : 작물의 발육정도, 재배조건, 시장조건, 기상조건 등
• 외관의 변화를 기준으로 수확시기 판단 : 과실의 크기와 형태, 열매꼭지의 탈락 등
• 개화기 일자에 따른 수확시기 판단
• 클라이맥터릭 : 과실의 호흡량이 최저에 달한 후 약간 증가되는 초기단계에 수확
• 과실경도 : 과실의 과육이 물러지는 정도에 따라 수확적기 판단

정답 **049** ④ **050** ③ **051** ② **052** ① **053** ④ **054** ① **055** ②

056 이산화탄소 1%는 몇 ppm인가?

① 10   ② 100

③ 1,000   ④ 10,000

> **해설**
>
> 1% = 1/100
>
> 1ppm = 1/1,000,000
>
> 1% = (1/100) × 1,000,000 = 10,000ppm

057 상온에서 호흡률이 가장 높은 원예산물은?

① 사과   ② 마늘

③ 시금치   ④ 당근

> **해설**
>
> • 채소류 중 호흡속도가 높은 품목이 호흡률도 높다. 성숙한 과일, 휴면 중인 눈, 저장기관은 호흡률이 상대적으로 낮다.
>
> • 호흡속도 : 시금치 > 당근 > 오이 > 토마토 > 무 > 수박 > 양파

058 포도와 딸기의 주요 유기산을 순서대로 옳게 나열한 것은?

① 구연산, 주석산   ② 옥살산, 사과산

③ 주석산, 구연산   ④ 사과산, 옥살산

> **해설**
>
> • 사과, 배 : 능금산
>
> • 포도 : 주석산
>
> • 딸기, 오렌지, 감귤류 : 구연산

059 사과 저장 중 과피에 위조현상이 나타나는 주된 원인은?

① 저농도 산소   ② 과도한 증산

③ 고농도 이산화탄소   ④ 고농도 질소

> **해설**
>
> 위조현상
>
> 식물체가 수분부족으로 마르는 현상

060 오존수 세척에 관한 설명으로 옳은 것은?

① 오존은 상온에서 무색, 무취의 기체이다.
② 오존은 강력한 환원력을 가져 살균효과가 있다.
③ 오존수는 오존가스를 물에 혼입하여 제조한다.
④ 오존은 친환경물질로 작업자에게 위해하지 않다.

해설

① O₃ / Ozone : 상온 대기압에서 파란빛을 띤다.
② 오존은 강력한 산화력을 가져 살균효과가 있다.
④ 오존가스는 인체에 독성을 가진다.

061 진공식 예냉의 효율성이 떨어지는 원예산물은?

① 사과　　　　　　② 시금치
③ 양상추　　　　　④ 미나리

해설

진공식 예냉
진공식 예냉은 원예산물의 주변 압력을 낮춰서 산물의 수분 증발을 촉진시켜 증발잠열을 빼앗아 단시간에 냉각하는 방법이다.
높은 선도유지가 가능하고(당일출하 가능) 엽채류에서 효과가 높다.

062 수확 후 예건이 필요한 품목을 모두 고른 것은?

ㄱ. 마늘　　　　　　ㄴ. 복숭아
ㄷ. 당근　　　　　　ㄹ. 양배추

① ㄱ, ㄴ　　　　　② ㄱ, ㄹ
③ ㄴ, ㄷ　　　　　④ ㄷ, ㄹ

해설

• 예건 : 수확 직후에 과습으로 인한 부패를 방지하기 위해 식물의 외층을 미리 건조시켜서 내부조직의 증산을 억제시키는 방법
• 예건 적용품목 : 마늘, 양파, 단감, 배, 양배추 등

정답　056 ④　057 ③　058 ③　059 ②　060 ③　061 ①　062 ②

063 신선편이에 관한 설명으로 옳지 않은 것은?

① 절단, 세척, 포장 처리된다.   ② 첨가물을 사용할 수 없다.

③ 가공 전 예냉처리가 권장된다.   ④ 취급장비는 오염되지 않아야 한다.

 해설

항산화제 등 첨가물질을 사용한다.

064 배의 장기저장을 위한 저장고 관리로 옳지 않은 것은?

① 공기통로가 확보되도록 적재한다.

② 배의 품온을 고려하여 관리한다.

③ 온도편차가 최소화되게 관리한다.

④ 냉각기에서 나오는 송풍 온도는 배의 동결점보다 낮게 유지한다.

 해설

배의 동결점보다 낮게 유지할 경우 동해가 발생한다.

065 다음의 저장 방법은?

> • 인위적 공기조성 효과를 낼 수 있다.
> • 필름이나 피막제를 이용하여 원예산물을 외부공기와 차단한다.

① 저온저장   ② CA저장

③ MA저장   ④ 상온저장

 해설

MA저장

• MA저장의 기본적 원리는 필름이나 피막제를 이용하여 산물을 낱개 또는 소량포장하여 외부와 차단한 후 포장 내 호흡에 의한 산소 농도 저하와 이산화탄소의 농도 증가로 생성된 대기조성을 통해 품질변화를 억제하는 방법이다.

• 필름의 기체투과성과 산물로부터 발생한 기체의 양과 종류를 이용하여 포장내부의 기체조성이 대기와 현저히 달라지는 점을 활용한 저장방법이다.

066 4℃ 저장 시 저온장해가 발생하지 않는 품목은? (단, 온도 조건만 고려함)

① 양파   ② 고구마

③ 생강   ④ 애호박

 해설

양파 적정 저장온도 : −0.5 ~ 0℃

067 A농산물품질관리사가 아래 품종의 배를 상온에서 동일조건하에 저장하였다. 상대적으로 저장기간이 가장 짧은 품종은?

① 신고
② 감천
③ 장십랑
④ 만삼길

해설

장십랑 : 숙기가 9월 중하순으로 중생종이며 저장력이 약하다.

상온저장 시 저장기간

① 신고(90일) ② 감천(120일) ③ 장십랑(30일)

④ 만삼길 : 숙기는 10월 하순~11월 상순이며 다음해 5월까지도 선도 유지

068 원예산물의 수확 후 손실을 줄이기 위한 방법으로 옳지 않은 것은?

① 마늘 장기저장 시 90% ~ 95% 습도로 유지한다.
② 복숭아 유통 시 에틸렌 흡착제를 사용한다.
③ 단감은 PE필름으로 밀봉하여 저장한다.
④ 고구마는 수확 직후 30℃, 85% 습도로 큐어링한다.

해설

마늘의 장기저장 조건

온도 -1.5~0.5℃, 습도 70~80%

069 다음 ( )에 들어갈 내용은?

> 절화는 수확 후 바로 (ㄱ)을 실시해야 하는데 이때 8-HQS를 사용하여 물을 (ㄴ)시켜 미생물오염을 억제할 수 있다.

① ㄱ : 물세척, ㄴ : 염기성화
② ㄱ : 물올림, ㄴ : 산성화
③ ㄱ : 물세척, ㄴ : 산성화
④ ㄱ : 물올림, ㄴ : 염기성화

해설

물올림 시 pH3~4로 산성화시켜 미생물을 억제한다.

070 원예산물의 원거리운송 시 겉포장재에 관한 설명으로 옳지 않은 것은?

① 방습, 방수성을 갖추어야 한다.
② 원예산물과 반응하여 유해물질이 생기지 않아야 한다.
③ 원예산물을 물리적 충격으로부터 보호해야 한다.
④ 오염확산을 막기 위해 완벽한 밀폐를 실시한다.

> **해설**

완벽한 밀폐 시 이산화탄소 장해가 발생할 수 있어 적당한 통기구를 갖춰야 한다.

071 원예산물에 있어서 PLS(Positive List System)는?

① 식물호르몬 사용품목 관리제도
② 능동적 MA포장 필름목록 관리제도
③ 농약 허용물질목록 관리제도
④ 식품위해요소 중점 관리제도

> **해설**

PLS(Positive List System)
농약 허용물질 관리제도로 국내에서 사용되거나 수입식품에 사용되는 농약성분 등록과 잔류허용기준이 설정된 농약을 제외한 기타 농약에 대하여 잔류허용기준을 0.01mg/kg(ppm)으로 일률적 관리하는 제도

072 5℃로 냉각된 원예산물이 25℃ 외기에 노출된 직후 나타나는 현상은?

① 동해
② 결로
③ 부패
④ 숙성

> **해설**

결로
외부온도와 식품의 내부온도 사이에 차이가 있을 경우 대기의 수증기가 응결하여 식물체 등에 부착되어 물방울이 형성되는 것

073 원예산물의 GAP관리 시 생물학적 위해 요인을 모두 고른 것은?

ㄱ. 곰팡이독소	ㄴ. 기생충
ㄷ. 병원성 대장균	ㄹ. 바이러스

① ㄱ, ㄴ
② ㄴ, ㄷ
③ ㄱ, ㄷ, ㄹ
④ ㄴ, ㄷ, ㄹ

> **해설**

곰팡이독소 : 화학적 위해요소

074 원예산물별 저장 중 발생하는 부패를 방지하는 방법으로 옳지 않은 것은?

① 딸기 - 열수세척
② 양파 - 큐어링
③ 포도 - 아황산가스 훈증
④ 복숭아 - 고농도 이산화탄소 처리

 해설

딸기는 신선도 유지가 필요하다. 이산화탄소 처리를 하면 경도와 선도를 유지할 수 있다.

075 절화수명 연장을 위해 자당을 사용하는 주된 이유는?

① 미생물 억제
② 에틸렌 작용 억제
③ pH 조절
④ 영양분 공급

 해설

자당은 절화에 영양분을 공급하는 역할을 한다.

농산물유통론

076 농산물 유통구조의 특성으로 옳지 않은 것은?

① 계절적 편재성 존재
② 표준화·등급화 제약
③ 탄력적인 수요와 공급
④ 가치 대비 큰 부피와 중량

해설

농산물 수요와 공급은 비탄력적이다.

077 농산업에 관한 설명으로 옳은 것을 모두 고른 것은?

ㄱ. 농산물 생산은 1차 산업이다.	ㄴ. 농산물 가공은 2차 산업이다.
ㄷ. 농촌체험 및 관광은 3차 산업이다.	ㄹ. 6차 산업은 1·2·3차의 융·복합산업이다.

① ㄱ, ㄴ
② ㄷ, ㄹ
③ ㄱ, ㄴ, ㄷ
④ ㄱ, ㄴ, ㄷ, ㄹ

해설

6차 산업
1차 산업인 농업을 2차 가공산업 및 3차 서비스업과 융합하여 농촌에 새로운 가치와 일자리를 창출하는 산업이다. 농업의 종합산업화(1차 × 2차 × 3차 = 6차)를 지향한다.

정답 070 ④ 071 ③ 072 ② 073 ④ 074 ① 075 ④ 076 ③ 077 ④

078 A농업인은 배추 산지수집상 B에게 1,000포기를 100만원에 판매하였다. B는 유통과정 중 20%가 부패하여 폐기하고 800포기를 포기당 2,500원씩 200만원에 판매하였다. B의 유통마진율(%)은?

① 40
② 50
③ 60
④ 65

 해설

$$유통마진 = \frac{B\,판매액 - A\,판매액}{B\,판매액} = \frac{200만원 - 100만원}{200만원} = 50\%$$

079 농업협동조합의 역할로 옳지 않은 것은?

① 거래교섭력 강화
② 규모의 경제 실현
③ 대형유통업체 견제
④ 농가별 개별출하 유도

해설

농가별로 분산된 생산량을 협동조합으로 집산하여 공동판매를 실현한다.

080 공동계산제의 장점으로 옳지 않은 것은?

① 체계적 품질관리
② 농가의 위험분산
③ 대량거래의 유리성
④ 농가의 차별성 확대

해설

공동계산제는 농가의 개별성을 희생하고 차별성을 배제한다.

081 유닛로드시스템(Unit Load System)에 관한 설명으로 옳지 않은 것은?

① 규격품 출하를 유도한다.
② 초기 투자비용이 많이 소요된다.
③ 하역과 수송의 다양화를 가져온다.
④ 일정한 중량과 부피로 단위화할 수 있다.

해설

유닛로드시스템(Unit Load System)은 하역과 수송이 일원화된 일관유통체제이다.

082 농산물 소매상에 관한 내용으로 옳은 것은?

① 중개기능 담당　　　　　　　② 소비자 정보제공
③ 생산물 수급조절　　　　　　④ 유통경로상 중간단계

해설

①, ④ 소매상은 최종 판매자이다.
② 소매상은 소비자의 소비정보를 수집하여 생산자에게 제공한다.
③ 생산물 수급조절은 중개기능(도매시장)이 담당한다.

083 유통마진에 관한 설명으로 옳지 않은 것은?

① 수집, 도매, 소매단계로 구분된다.
② 유통경로가 길수록 유통마진은 낮다.
③ 유통마진이 클수록 농가수취가격이 낮다.
④ 소비자 지불가격에서 농가수취가격을 뺀 것이다.

해설

유통경로가 길어질수록 유통마진은 늘어난다.

084 농산물 종합유통센터에 관한 내용으로 옳은 것은?

① 소포장, 가공기능 수행　　　　② 출하물량 사후발주 원칙
③ 전자식 경매를 통한 도매거래　④ 수지식 경매를 통한 소매거래

해설

종합유통센터의 기능 : 수집, 가공, 포장, 유통
출하물량은 사전발주를 원칙으로 하고, 경매는 하지 않는다.

085 경매에 참여하는 가공업체, 대형유통업체 등의 대량수요자에 해당되는 유통주체는?

① 직판상　　　　　　　　　　② 중도매인
③ 매매참가인　　　　　　　　④ 도매시장법인

해설

매매참가인

"매매참가인"이란 농수산물도매시장·농수산물공판장 또는 민영농수산물도매시장의 개설자에게 신고를 하고, 농수산물도매시장·농수산물공판장 또는 민영농수산물도매시장에 상장된 농수산물을 직접 매수하는 자로서 중도매인이 아닌 가공업자·소매업자·수출업자 및 소비자단체 등 농수산물의 수요자를 말한다.

정답　078 ②　079 ④　080 ④　081 ③　082 ②　083 ②　084 ①　085 ③

086 농산물 산지유통의 기능으로 옳은 것을 모두 고른 것은?

ㄱ. 중개 및 분산	ㄴ. 생산공급량 조절
ㄷ. 1차 교환	ㄹ. 상품구색 제공

① ㄱ, ㄴ ② ㄴ, ㄷ
③ ㄱ, ㄷ, ㄹ ④ ㄱ, ㄴ, ㄷ, ㄹ

해설

중개 및 분산기능은 도매시장, 상품구색을 제공하는 것은 판매상이다.

087 농산물 포전거래가 발생하는 이유로 옳지 않은 것은?

① 농가의 위험선호적 성향
② 개별농가의 가격예측 어려움
③ 노동력 부족으로 적기수확의 어려움
④ 영농자금 마련과 거래의 편의성 증대

해설

• 농가는 수확기의 가격 폭락(하락)의 위험을 피하고자 작물의 재배 중에 최소이윤을 보장받고 거래하려고 하는 위험회피적 성향으로 포전거래를 선택한다.
• 포전거래 : 밭에서 재배하는 작물을 밭에 있는 채로 몽땅 사고파는 일

088 농산물 수송비를 결정하는 요인으로 옳은 것을 모두 고른 것은?

ㄱ. 중량과 부피	ㄴ. 수송거리
ㄷ. 수송수단	ㄹ. 수송량

① ㄱ, ㄴ ② ㄱ, ㄷ, ㄹ
③ ㄴ, ㄷ, ㄹ ④ ㄱ, ㄴ, ㄷ, ㄹ

089 농산물의 제도권 유통금융에 해당되는 것은?

① 선대자금 ② 밭떼기자금
③ 도·소매상의 사채 ④ 저온창고시설자금 융자

해설

①, ②, ③은 비제도권(개인 또는 비금융권) 자금이다.

090 농산물 유통에서 위험부담기능에 관한 설명으로 옳지 않은 것은?

① 가격변동은 경제적 위험에 해당된다.
② 소비자 선호의 변화는 경제적 위험에 해당된다.
③ 수송 중 발생하는 파손은 물리적 위험에 해당된다.
④ 간접유통경로상의 모든 피해는 생산자가 부담한다.

> **해설**
> 간접유통경로상의 모든 피해는 유통업자가 부담한다.

091 농산물 소매유통에 관한 설명으로 옳은 것은?

① 비대면거래가 불가하다.
② 카테고리 킬러는 소매유통업태에 해당된다.
③ 수집기능을 주로 담당한다.
④ 전통시장은 소매유통업태로 볼 수 없다.

> **해설**
> ① 우편판매 등 비대면거래가 증가하고 있다.
> ③ 소매유통은 분산기능을 담당한다. 수집기능은 산지유통인의 주요 기능이다.
> ④ 전통시장은 소매유통이다.

092 정부의 농산물 수급안정정책으로 옳은 것을 모두 고른 것은?

ㄱ. 채소 수급안정사업	ㄴ. 자조금 지원
ㄷ. 정부비축사업	ㄹ. 농산물우수관리제도(GAP)

① ㄱ, ㄴ ② ㄱ, ㄹ
③ ㄱ, ㄴ, ㄷ ④ ㄴ, ㄷ, ㄹ

> **해설**
> 농산물우수관리제도(GAP)는 농산물의 안전성을 확보하고 농업환경을 보전하기 위하여 농산물의 생산, 수확 후 관리(농산물의 저장·세척·건조·선별·박피·절단·조제·포장 등을 포함한다) 및 유통의 각 단계에서 작물이 재배되는 농경지 및 농업용수 등의 농업환경과 농산물에 잔류할 수 있는 농약, 중금속, 잔류성 유기오염물질 또는 유해생물 등의 위해요소를 적절하게 관리하는 것을 말한다.

정답 086 ② 087 ① 088 ④ 089 ④ 090 ④ 091 ② 092 ③

093 배추 가격의 상승에 따른 무의 수요량 변화를 나타내는 것은?

① 수요의 교차탄력성　　　　　　　② 수요의 가격변동률
③ 수요의 가격탄력성　　　　　　　④ 수요의 소득탄력성

수요의 교차탄력성
어떤 재화의 가격 변화가 다른 재화의 수요에 미치는 영향을 나타내는 지표이며, 식으로 나타내면
(X, Y 2재의 경우) Y재의 X재 가격에 대한 수요의 교차탄력성 = Y재수요량변화율 ÷ X재가격변화율
이다.

094 채소류 가격이 10% 인상되었을 경우 매출액의 변화를 조사하는 방법으로 옳은 것은?

① 사례조사　　　　　　　　　　　　② 델파이법
③ 심층면접법　　　　　　　　　　　④ 인과관계조사

인과관계조사
어떤 원인(가격의 인상 등)이 결과(매출액)에 어떤 영향을 미쳤는지 조사하는 것

095 농산물에 대한 소비자의 구매 후 행동이 아닌 것은?

① 대안평가　　　　　　　　　　　　② 반복구매
③ 부정적 구전　　　　　　　　　　④ 경쟁농산물 구매

대안평가는 선택 가능한 구매 대안 중에서 소비자가 구매를 결정하기 전에 행하는 사전적 행동이다.

096 시장세분화의 장점으로 옳지 않은 것은?

① 무차별적 마케팅　　　　　　　　② 틈새시장 포착
③ 효율적 자원배분　　　　　　　　④ 라이프스타일 반영

해설

차별적 마케팅
- 전체시장을 여러 개의 세분시장으로 나누고 이들 모두를 목표시장으로 삼아 각기 다른 세분시장의
  상이한 욕구에 부응할 수 있는 마케팅믹스를 개발하여 적용함으로써 기업의 마케팅 목표를 달성하고
  자 하는 고객 지향적 전략이다.
- 이러한 마케팅전략을 채택하는 기업은 주로 업계에서 선도적인 위치에 있는 기업이다. 그들은 제품
  및 서비스 마케팅 활동상 다양성을 제시함으로써 각 세분시장에 있어서의 지위를 강화하고 자사제품
  및 서비스에 대한 고객의 식별 정도를 높이며 반복 구매를 유도해 내려는 것이다.

097 농산물 브랜드에 관한 설명으로 옳지 않은 것은?

① 차별화를 통한 브랜드 충성도를 형성한다.
② 규모화·조직화로 브랜드 효과가 높아진다.
③ 내셔널 브랜드(NB)는 유통업자 브랜드이다.
④ 브랜드명, 등록상표, 트레이드마크 등이 해당된다.

> **해설**

내셔널 브랜드(NB)
원칙적으로 전국적인 규모로 판매되고 있는 의류업체 브랜드를 말한다. 또 규모가 큰 소매업자가 개발한 오리지널 제품, 즉 스토어 브랜드라 할지라도 그 판매가 전국적으로 확대되어 있는 브랜드면 이 부류에 속한다.

098 유통비용 중 직접비용에 해당되는 항목의 총 금액은?

• 수송비 20,000원
• 제세공과금 1,000원
• 포장비 3,000원

• 통신비 2,000원
• 하역비 5,000원

① 27,000원
③ 30,000원

② 28,000원
④ 31,000원

> **해설**

생산에 직접 필요한 원자재비·노임 등을 직접비(용), 동력비·감가상각비 등 직접 생산에 관여하지 않는 종업원의 급여 등을 간접비(용)라고 한다.
통신비와 제세공과금은 간접비용이다.

099 농산물의 가격을 높게 설정하여 상품의 차별화와 고품질의 이미지를 유도하는 가격전략은?

① 명성가격전략
③ 침투가격전략

② 탄력가격전략
④ 단수가격전략

> **해설**

명성가격전략(Prestige pricing)
가격 결정 시 해당 제품군의 주 소비자층이 지불할 수 있는 가장 높은 가격이나 시장에서 제시된 가격 중 가장 높은 가격을 설정하는 전략으로 주로 제품에 고급 이미지를 부여하기 위해 사용된다. 해당 제품군의 주 소비자층이 지불할 수 있는 가장 높은 가격, 혹은 시장에서 제시된 가격 중 가장 높은 가격을 설정하는 전략으로 할증가격전략(Premium pricing)이라고도 한다.

정답 093 ① 094 ④ 095 ① 096 ① 097 ③ 098 ② 099 ①

100 경품 및 할인쿠폰 등을 통한 촉진활동의 효과로 옳지 않은 것은?

① 상품정보 전달   ② 장기적 상품홍보

③ 상품에 대한 기억상기   ④ 가시적, 단기적 성과창출

경품 및 할인쿠폰 제공을 통한 판매촉진전략은 제품의 초기 단기적 판매촉진전략이다.

정답 **100** ②

2021년 제18회 농산물품질관리사 제1차 시험 기출문제

각 문제에서 요구하는 가장 적합하거나 가까운 답 1개만을 고르시오.

관계 법령

001 농수산물 품질관리법상 용어의 정의로 옳지 않은 것은?

① "생산자단체"란 「농수산물 품질관리법」의 생산자단체와 그 밖에 농림축산식품부령으로 정하는 단체를 말한다.

② "유전자변형농산물"이란 인공적으로 유전자를 분리하거나 재조합하여 의도한 특성을 갖도록 한 농산물을 말한다.

③ "물류표준화"란 농산물의 운송·보관 등 물류의 각 단계에서 사용되는 기기·용기 등을 규격화하여 호환성과 연계성을 원활히 하는 것을 말한다.

④ "유해물질"이란 농약, 중금속 등 식품에 잔류하거나 오염되어 사람의 건강에 해를 끼칠 수 있는 물질로서 총리령으로 정하는 것을 말한다.

해설

법 제2조(정의) "생산자단체"란 「농업·농촌 및 식품산업 기본법」 제3조 제4호, 「수산업·어촌 발전 기본법」 제3조 제5호의 생산자단체와 그 밖에 농림축산식품부령 또는 해양수산부령으로 정하는 단체를 말한다.

002 농수산물의 원산지 표시에 관한 법령상 농산물과 수입 농산물(가공품 포함)의 원산지 표시기준으로 옳지 않은 것은?

① 수입 농산물과 그 가공품은 「식품위생법」에 따른 원산지를 표시한다.

② 국산 농산물로서 그 생산 등을 한 지역이 각각 다른 동일 품목의 농산물을 혼합한 경우에는 혼합 비율이 높은 순서로 3개 지역까지의 시·도명 또는 시·군·구명과 그 혼합 비율을 표시한다.

③ 국산 농산물은 "국산"이나 "국내산" 또는 그 농산물을 생산·채취·사육한 지역의 시·도명이나 시·군·구명을 표시한다.

④ 동일 품목의 국산 농산물과 국산 외의 농산물을 혼합한 경우에는 혼합비율이 높은 순서로 3개 국가(지역 등)까지의 원산지와 그 혼합비율을 표시한다.

정답 **001** ① **002** ①

> **해설**

시행령 제3조(원산지의 표시대상) ① 법 제5조 제1항 각 호 외의 부분에서 "대통령령으로 정하는 농수산물 또는 그 가공품"이란 다음 각 호의 농수산물 또는 그 가공품을 말한다.

1. 유통질서의 확립과 소비자의 올바른 선택을 위하여 필요하다고 인정하여 농림축산식품부장관과 해양수산부장관이 공동으로 고시한 농수산물 또는 그 가공품
2. 「대외무역법」 제33조에 따라 산업통상자원부장관이 공고한 수입 농수산물 또는 그 가공품. 다만, 「대외무역법 시행령」 제56조 제2항에 따라 원산지 표시를 생략할 수 있는 수입 농수산물 또는 그 가공품은 제외한다.

003 농수산물의 원산지 표시에 관한 법령상 과징금의 최고 금액은?

① 1억원
② 2억원
③ 3억원
④ 4억원

> **해설**

법 제6조의2(과징금)

위반금액	과징금의 금액
100만원 이하	위반금액 × 0.5
100만원 초과 500만원 이하	위반금액 × 0.7
500만원 초과 1,000만원 이하	위반금액 × 1.0
1,000만원 초과 2,000만원 이하	위반금액 × 1.5
2,000만원 초과 3,000만원 이하	위반금액 × 2.0
3,000만원 초과 4,500만원 이하	위반금액 × 2.5
4,500만원 초과 6,000만원 이하	위반금액 × 3.0
6,000만원 초과	위반금액 × 4.0(최고 3억원)

004 농수산물 품질관리법령상 정부가 수출·수입하는 농산물로 농림축산식품부장관의 검사를 받지 않아도 되는 것은?

① 콩
② 사과
③ 참깨
④ 쌀

> **해설**

시행령 [별표 3] 검사대상 농산물의 종류별 품목

1. 정부가 수매하거나 생산자단체 등이 정부를 대행하여 수매하는 농산물
   가. 곡류 : 벼·겉보리·쌀보리·콩
   나. 특용작물류 : 참깨·땅콩
   다. 과실류 : 사과·배·단감·감귤
   라. 채소류 : 마늘·고추·양파
   마. 잠사류 : 누에씨·누에고치

2. 정부가 수출·수입하거나 생산자단체 등이 정부를 대행하여 수출·수입하는 농산물
   가. 곡류
      1) 조곡(粗穀) : 콩·팥·녹두
      2) 정곡(精穀) : 현미·쌀
   나. 특용작물류 : 참깨·땅콩
   다. 채소류 : 마늘·고추·양파
3. 정부가 수매 또는 수입하여 가공한 농산물
   곡류 : 현미·쌀·보리쌀

005 농수산물 품질관리법상 농산물품질관리사가 수행하는 직무에 해당하지 않는 것은?

① 농산물의 등급 판정
② 농산물의 생산 및 수확 후 품질관리기술 지도
③ 농산물의 출하 시기 조절, 품질관리기술에 관한 조언
④ 안전성 위반 농산물에 대한 조치

해설

법 제106조(농산물품질관리사 또는 수산물품질관리사의 직무) ① 농산물품질관리사는 다음 각 호의 직무를 수행한다.
1. 농산물의 등급 판정
2. 농산물의 생산 및 수확 후 품질관리기술 지도
3. 농산물의 출하 시기 조절, 품질관리기술에 관한 조언
4. 그 밖에 농산물의 품질 향상과 유통 효율화에 필요한 업무로서 농림축산식품부령으로 정하는 업무

시행규칙 제134조(농산물품질관리사의 업무) 법 제106조 제1항 제4호에서 "농림축산식품부령으로 정하는 업무"란 다음 각 호의 업무를 말한다.
1. 농산물의 생산 및 수확 후의 품질관리기술 지도
2. 농산물의 선별·저장 및 포장 시설 등의 운용·관리
3. 농산물의 선별·포장 및 브랜드 개발 등 상품성 향상 지도
4. 포장농산물의 표시사항 준수에 관한 지도
5. 농산물의 규격출하 지도

정답 **003** ③ **004** ② **005** ④

006 농수산물 품질관리법령상 우수관리인증의 취소 및 표시정지에 해당하는 위반사항이다. 최근 1년간 같은 행위로 3차 위반 시 '인증취소' 행정처분을 받는 경우를 모두 고른 것은? (단, 경감 및 가중사유는 고려하지 않음)

> ㄱ. 우수관리기준을 지키지 않은 경우
> ㄴ. 정당한 사유 없이 조사·점검 요청에 응하지 않은 경우
> ㄷ. 우수관리인증의 표시방법을 위반한 경우
> ㄹ. 변경승인을 받지 않고 중요 사항을 변경한 경우

① ㄱ, ㄷ   ② ㄴ, ㄹ
③ ㄱ, ㄴ, ㄹ   ④ ㄴ, ㄷ, ㄹ

해설

시행규칙 [별표 2] 우수관리인증의 취소 및 표시정지에 관한 처분

위반행위	위반횟수별 처분기준		
	1차 위반	2차 위반	3차 위반
가. 거짓이나 그 밖의 부정한 방법으로 우수관리인증을 받은 경우	인증취소	–	–
나. 우수관리기준을 지키지 않은 경우	표시정지 1개월	표시정지 3개월	인증취소
다. 전업(轉業)·폐업 등으로 우수관리인증농산물을 생산하기 어렵다고 판단되는 경우	인증취소	–	–
라. 우수관리인증을 받은 자가 정당한 사유 없이 조사·점검 또는 자료제출 요청에 응하지 않은 경우	표시정지 1개월	표시정지 3개월	인증취소
마. 우수관리인증을 받은 자가 법 제6조 제7항에 따른 우수관리인증의 표시방법을 위반한 경우	시정명령	표시정지 1개월	표시정지 3개월
바. 법 제7조 제4항에 따른 우수관리인증의 변경승인을 받지 않고 중요 사항을 변경한 경우	표시정지 1개월	표시정지 3개월	인증취소
사. 우수관리인증의 표시정지기간 중에 우수관리인증의 표시를 한 경우	인증취소	–	–

007 농수산물 품질관리법령상 우수관리인증농산물의 표시방법에 관한 설명으로 옳지 않은 것은?

① 포장재의 크기에 따라 표지의 크기를 키우거나 줄일 수 있다.
② 포장재 주 표시면의 옆면에 표시하며 위치를 변경할 수 없다.
③ 표지 및 표시사항은 소비자가 쉽게 알아볼 수 있도록 인쇄하거나 스티커로 포장재에서 떨어지지 않도록 부착하여야 한다.
④ 수출용의 경우에는 해당 국가의 요구에 따라 표시할 수 있다.

해설

시행규칙 [별표 1] 우수관리인증농산물의 표시

4. 표시방법

　가. 크기 : 포장재의 크기에 따라 표지의 크기를 키우거나 줄일 수 있다.

　나. 위치 : 포장재 주 표시면의 옆면에 표시하되, 포장재 구조상 옆면에 표시하기 어려울 경우에는 표시위치를 변경할 수 있다.

　다. 표지 및 표시사항은 소비자가 쉽게 알아볼 수 있도록 인쇄하거나 스티커로 포장재에서 떨어지지 않도록 부착하여야 한다.

　라. 포장하지 않고 낱개로 판매하는 경우나 소포장 등으로 우수관리인증농산물의 표지와 표시사항을 인쇄하거나 부착하기에 부적합한 경우에는 농산물우수관리의 표지만 표시할 수 있다.

　마. 수출용의 경우에는 해당 국가의 요구에 따라 표시할 수 있다.

　바. 제3호 나목의 표시항목 중 표준규격, 지리적표시 등 다른 규정에 따라 표시하고 있는 사항은 그 표시를 생략할 수 있다.

008 농수산물 품질관리법령상 농산물 명예감시원에 관한 설명으로 옳지 않은 것은?

① 농촌진흥청장, 농수산식품유통공사는 명예감시원을 위촉한다.

② 명예감시원의 주요 임무는 농산물의 표준규격화, 농산물우수관리 등에 관한 지도·홍보이다.

③ 시·도지사는 명예감시원에게 예산의 범위에서 감시활동에 필요한 경비를 지급할 수 있다.

④ 시·도지사는 소비자단체의 회원 등을 명예감시원으로 위촉하여 농산물의 유통질서에 대한 감시·지도를 하게 할 수 있다.

해설

법 제104조(농수산물 명예감시원) ① 농림축산식품부장관 또는 해양수산부장관이나 시·도지사는 농수산물의 공정한 유통질서를 확립하기 위하여 소비자단체 또는 생산자단체의 회원·직원 등을 농수산물 명예감시원으로 위촉하여 농수산물의 유통질서에 대한 감시·지도·계몽을 하게 할 수 있다.
② 농림축산식품부장관 또는 해양수산부장관이나 시·도지사는 농수산물 명예감시원에게 예산의 범위에서 감시활동에 필요한 경비를 지급할 수 있다.
③ 제1항에 따른 농수산물 명예감시원의 자격, 위촉방법, 임무 등에 필요한 사항은 농림축산식품부령 또는 해양수산부령으로 정한다.

시행규칙 제133조(농수산물 명예감시원의 자격 및 위촉방법 등) ① 국립농산물품질관리원장, 국립수산물품질관리원장, 산림청장 또는 시·도지사는 법 제104조 제1항에 따라 다음 각 호의 어느 하나에 해당하는 사람 중에서 농수산물 명예감시원(이하 "명예감시원"이라 한다)을 위촉한다.
　1. 생산자단체, 소비자단체 등의 회원이나 직원 중에서 해당 단체의 장이 추천하는 사람

    2. 농수산물의 유통에 관심이 있고 명예감시원의 임무를 성실히 수행할 수 있는 사람
② 명예감시원의 임무는 다음 각 호와 같다.
    1. 농수산물의 표준규격화, 농산물우수관리, 품질인증, 친환경수산물인증, 농수산물 이력추적관리,
       지리적표시, 원산지표시에 관한 지도·홍보 및 위반사항의 감시·신고
    2. 그 밖에 농수산물의 유통질서 확립과 관련하여 국립농산물품질관리원장, 국립수산물품질관리원
       장, 산림청장 또는 시·도지사가 부여하는 임무
③ 명예감시원의 운영에 관한 세부 사항은 국립농산물품질관리원장, 국립수산물품질관리원장, 산림청
장 또는 시·도지사가 정하여 고시한다.

009 농수산물 품질관리법령상 과태료 부과기준이다. ( )에 들어갈 내용으로 옳은 것은?

> 위반행위의 횟수에 따른 과태료의 가중된 부과기준은 최근 1년간 같은 위반행위로 과태료
> 부과처분을 받은 경우에 적용한다. 이 경우 기간의 계산은 위반행위에 대하여 (ㄱ)과
> 그 처분 후 다시 같은 위반행위를 하여 (ㄴ)을 기준으로 한다.
> * A : 적발된 날, B : 과태료 부과처분을 받은 날

① ㄱ : A, ㄴ : A   ② ㄱ : A, ㄴ : B
③ ㄱ : B, ㄴ : A   ④ ㄱ : B, ㄴ : B

시행령 [별표 4] 과태료의 부과기준

1. 일반기준
  가. 위반행위의 횟수에 따른 과태료의 가중된 부과기준(제2호 바목 및 사목의 경우는 제외한다)은
     최근 1년간 같은 위반행위로 과태료 부과처분을 받은 경우에 적용한다. 이 경우 기간의 계산은
     위반행위에 대하여 과태료 부과처분을 받은 날과 그 처분 후 다시 같은 위반행위를 하여 적발된
     날을 기준으로 한다.
  나. 가목에 따라 가중된 부과처분을 하는 경우 가중처분의 적용 차수는 그 위반행위 전 부과처분
     차수(가목에 따른 기간 내에 과태료 부과 처분이 둘 이상 있었던 경우에는 높은 차수를 말한다)의
     다음 차수로 한다.
  다. 위반행위가 둘 이상인 경우로서 그에 해당하는 각각의 처분기준이 다른 경우에는 그중 무거운
     처분기준에 따른다.
  라. 부과권자는 다음의 어느 하나에 해당하는 경우에 제2호에 따른 과태료 금액을 2분의 1의 범위에
     서 감경할 수 있다. 다만, 과태료를 체납하고 있는 위반행위자의 경우에는 그러하지 아니하다.
     1) 위반행위자가 「질서위반행위규제법 시행령」 제2조의2 제1항 각 호의 어느 하나에 해당하는
        경우
     2) 위반행위자가 자연재해·화재 등으로 재산에 현저한 손실이 발생했거나 사업여건의 악화로
        중대한 위기에 처하는 등의 사정이 있는 경우
     3) 위반행위가 고의나 중대한 과실이 아닌 사소한 부주의나 오류로 인한 것으로 인정되는 경우
     4) 그 밖에 위반행위의 정도, 위반행위의 동기와 그 결과 등을 고려하여 감경할 필요가 있다고
        인정되는 경우

010 농수산물 품질관리법령상 표준규격품임을 표시하기 위하여 해당 물품의 포장 겉면에 "표준규격품"이라는 문구와 함께 의무적으로 표시하여야 하는 사항을 모두 고른 것은?

ㄱ. 품목	ㄴ. 등급
ㄷ. 선별상태	ㄹ. 산지

① ㄱ, ㄴ   ② ㄷ, ㄹ

③ ㄱ, ㄴ, ㄷ   ④ ㄱ, ㄴ, ㄹ

해설

시행규칙 제7조(표준규격품의 출하 및 표시방법 등) ① 농림축산식품부장관, 해양수산부장관, 특별시장·광역시장·도지사·특별자치도지사(이하 "시·도지사"라 한다)는 농수산물을 생산, 출하, 유통 또는 판매하는 자에게 표준규격에 따라 생산, 출하, 유통 또는 판매하도록 권장할 수 있다.

② 법 제5조 제2항에 따라 표준규격품을 출하하는 자가 표준규격품임을 표시하려면 해당 물품의 포장 겉면에 "표준규격품"이라는 문구와 함께 다음 각 호의 사항을 표시하여야 한다.

1. 품목
2. 산지
3. 품종. 다만, 품종을 표시하기 어려운 품목은 국립농산물품질관리원장, 국립수산물품질관리원장 또는 산림청장이 정하여 고시하는 바에 따라 품종의 표시를 생략할 수 있다.
4. 생산 연도(곡류만 해당한다)
5. 등급
6. 무게(실중량). 다만, 품목 특성상 무게를 표시하기 어려운 품목은 국립농산물품질관리원장, 국립수산물품질관리원장 또는 산림청장이 정하여 고시하는 바에 따라 개수(마릿수) 등의 표시를 단일하게 할 수 있다.
7. 생산자 또는 생산자단체의 명칭 및 전화번호

011 농수산물 품질관리법령상 이력추적관리의 등록사항이 아닌 것은?

① 생산자 재배지의 주소
② 유통자의 성명, 주소 및 전화번호
③ 유통자의 유통업체명, 수확 후 관리시설의 소재지
④ 판매자의 포장·가공시설 주소 및 브랜드명

해설

시행규칙 제46조(이력추적관리의 대상품목 및 등록사항) ① 법 제24조 제1항에 따른 이력추적관리 등록 대상품목은 법 제2조 제1항 제1호 가목의 농산물(축산물은 제외한다. 이하 이 절에서 같다) 중 식용을 목적으로 생산하는 농산물로 한다.

정답   **009** ③   **010** ④   **011** ④

② 법 제24조 제1항에 따른 이력추적관리의 등록사항은 다음 각 호와 같다.
1. 생산자(단순가공을 하는 자를 포함한다)
가. 생산자의 성명, 주소 및 전화번호
나. 이력추적관리 대상품목명
다. 재배면적
라. 생산계획량
마. 재배지의 주소
2. 유통자
가. 유통업체의 명칭 또는 유통자의 성명, 주소 및 전화번호
나. 삭제 〈2016.4.6.〉
다. 수확 후 관리시설이 있는 경우 관리시설의 소재지
3. 판매자 : 판매업체의 명칭 또는 판매자의 성명, 주소 및 전화번호

012 농수산물 품질관리법령상 3년 이하의 징역 또는 3천만원 이하의 벌금에 해당하지 않는 경우는?

① 우수표시품이 아닌 농산물에 우수표시품의 표시를 한 자
② 유전자변형농산물의 표시를 거짓으로 한 유전자변형농산물 표시의무자
③ 지리적표시품이 아닌 농산물의 포장·용기·선전물 및 관련 서류에 지리적표시를 한 자
④ 표준규격품의 표시를 한 농산물에 표준규격품이 아닌 농산물을 혼합하여 판매하는 행위를 한 자

해설

법 제117조(벌칙) 7년 이하의 징역 또는 1억원 이하의 벌금 다음 각 호의 어느 하나에 해당하는 자는 7년 이하의 징역 또는 1억원 이하의 벌금에 처한다. 이 경우 징역과 벌금은 병과(倂科)할 수 있다.
1. 제57조 제1호를 위반하여 유전자변형농수산물의 표시를 거짓으로 하거나 이를 혼동하게 할 우려가 있는 표시를 한 유전자변형농수산물 표시의무자
2. 제57조 제2호를 위반하여 유전자변형농수산물의 표시를 혼동하게 할 목적으로 그 표시를 손상·변경한 유전자변형농수산물 표시의무자
3. 제57조 제3호를 위반하여 유전자변형농수산물의 표시를 한 농수산물에 다른 농수산물을 혼합하여 판매하거나 혼합하여 판매할 목적으로 보관 또는 진열한 유전자변형농수산물 표시의무자

법 제119조(벌칙) 3년 이하의 징역 또는 3천만원 이하의 벌금 다음 각 호의 어느 하나에 해당하는 자는 3년 이하의 징역 또는 3천만원 이하의 벌금에 처한다.
1. 제29조 제1항 제1호를 위반하여 우수표시품이 아닌 농수산물(우수관리인증농산물이 아닌 농산물의 경우에는 제7조 제4항에 따른 승인을 받지 아니한 농산물을 포함한다) 또는 농수산가공품에 우수표시품의 표시를 하거나 이와 비슷한 표시를 한 자
1의2. 제29조 제1항 제2호를 위반하여 우수표시품이 아닌 농수산물(우수관리인증농산물이 아닌 농산물의 경우에는 제7조 제4항에 따른 승인을 받지 아니한 농산물을 포함한다) 또는 농수산가공품을 우수표시품으로 광고하거나 우수표시품으로 잘못 인식할 수 있도록 광고한 자

2. 제29조 제2항을 위반하여 다음 각 목의 어느 하나에 해당하는 행위를 한 자

   가. 제5조 제2항에 따라 표준규격품의 표시를 한 농수산물에 표준규격품이 아닌 농수산물 또는 농수산가공품을 혼합하여 판매하거나 혼합하여 판매할 목적으로 보관하거나 진열하는 행위

   나. 제6조 제6항에 따라 우수관리인증의 표시를 한 농산물에 우수관리인증농산물이 아닌 농산물(제7조 제4항에 따른 승인을 받지 아니한 농산물을 포함한다) 또는 농산가공품을 혼합하여 판매하거나 혼합하여 판매할 목적으로 보관하거나 진열하는 행위

   다. 제14조 제3항에 따라 품질인증품의 표시를 한 수산물에 품질인증품이 아닌 수산물을 혼합하여 판매하거나 혼합하여 판매할 목적으로 보관 또는 진열하는 행위

   라. 삭제 〈2012.6.1.〉

   마. 제24조 제6항에 따라 이력추적관리의 표시를 한 농산물에 이력추적관리의 등록을 하지 아니한 농산물 또는 농산가공품을 혼합하여 판매하거나 혼합하여 판매할 목적으로 보관하거나 진열하는 행위

3. 제38조 제1항을 위반하여 지리적표시품이 아닌 농수산물 또는 농수산가공품의 포장·용기·선전물 및 관련 서류에 지리적표시나 이와 비슷한 표시를 한 자

4. 제38조 제2항을 위반하여 지리적표시품에 지리적표시품이 아닌 농수산물 또는 농수산가공품을 혼합하여 판매하거나 혼합하여 판매할 목적으로 보관 또는 진열한 자

5. 제73조 제1항 제1호 또는 제2호를 위반하여 「해양환경관리법」 제2조 제4호에 따른 폐기물, 같은 조 제7호에 따른 유해액체물질 또는 같은 조 제8호에 따른 포장유해물질을 배출한 자

6. 제101조 제1호를 위반하여 거짓이나 그 밖의 부정한 방법으로 제79조에 따른 농산물의 검사, 제85조에 따른 농산물의 재검사, 제88조에 따른 수산물 및 수산가공품의 검사, 제96조에 따른 수산물 및 수산가공품의 재검사 및 제98조에 따른 검정을 받은 자

7. 제101조 제2호를 위반하여 검사를 받아야 하는 수산물 및 수산가공품에 대하여 검사를 받지 아니한 자

8. 제101조 제3호를 위반하여 검사 및 검정 결과의 표시, 검사증명서 및 검정증명서를 위조하거나 변조한 자

9. 제101조 제5호를 위반하여 검정 결과에 대하여 거짓광고나 과대광고를 한 자

013 농수산물 품질관리법령상 지리적표시 등록 신청서에 첨부·표시해야 하는 것으로 옳지 않은 것은?

① 해당 특산품의 유명성과 시·도지사의 추천서

② 자체품질기준

③ 품질관리계획서

④ 생산계획서(법인의 경우 각 구성원별 생산계획을 포함한다)

해설

시행규칙 제56조(지리적표시의 등록 및 변경) ① 법 제32조 제3항 전단에 따라 지리적표시의 등록을 받으려는 자는 별지 제30호서식의 지리적표시 등록(변경) 신청서에 다음 각 호의 서류를 첨부하여 농산물(임산물은 제외한다. 이하 이 장에서 같다)은 국립농산물품질관리원장, 임산물은 산림청장, 수산물은 국립수산물품질관리원장에게 각각 제출하여야 한다. 다만, 지리적표시의 등록을 받으려는 자가 「상표법 시행령」 제5조 제1호부터 제3호까지의 서류를 특허청장에게 제출한 경우(2011년 1월 1일 이후에 제출한 경우만 해당한다)에는 별지 제30호서식의 지리적표시 등록(변경) 신청서에 해당 사항을 표시하고 제3호부터 제6호까지의 서류를 제출하지 아니할 수 있다.

1. 정관(법인인 경우만 해당한다)
2. 생산계획서(법인의 경우 각 구성원별 생산계획을 포함한다)
3. 대상품목·명칭 및 품질의 특성에 관한 설명서
4. 해당 특산품의 유명성과 역사성을 증명할 수 있는 자료
5. 품질의 특성과 지리적 요인과 관계에 관한 설명서
6. 지리적표시 대상지역의 범위
7. 자체품질기준
8. 품질관리계획서

014 농수산물 품질관리법령상 농산물 지정검사기관이 1회 위반행위를 하였을 때 가장 가벼운 행정처분을 받는 것은?

① 업무정지 기간 중에 검사 업무를 한 경우
② 정당한 사유 없이 지정된 검사를 하지 않은 경우
③ 검사를 거짓으로 한 경우
④ 시설·장비·인력, 조직이나 검사업무에 관한 규정 중 어느 하나가 지정기준에 맞지 않는 경우

해설

① 지정 취소 ② 경고 ③ 업무정지 3개월 ④ 업무정지 1개월

시행규칙 [별표 20] 농산물 지정검사기관의 지정 취소 및 사업정지에 관한 처분기준

위반행위	위반횟수별 처분기준			
	1회	2회	3회	4회
가. 거짓이나 그 밖의 부정한 방법으로 지정을 받은 경우	지정 취소			
나. 업무정지 기간 중에 검사 업무를 한 경우	지정 취소			

다. 법 제80조 제3항에 따른 지정기준에 맞지 않게 된 경우				
1) 시설·장비·인력, 조직이나 검사업무에 관한 규정 중 어느 하나가 지정기준에 맞지 않는 경우	업무정지 1개월	업무정지 3개월	업무정지 6개월	지정 취소
2) 시설·장비·인력, 조직이나 검사업무에 관한 규정 중 둘 이상이 지정기준에 맞지 않는 경우	업무정지 6개월	지정 취소		
라. 검사를 거짓으로 한 경우	업무정지 3개월	업무정지 6개월	지정 취소	
마. 검사를 성실하게 하지 않은 경우				
1) 검사품의 재조제가 필요한 경우	경고	업무정지 3개월	업무정지 6개월	지정 취소
2) 검사품의 재조제가 필요하지 않은 경우	경고	업무정지 1개월	업무정지 3개월	지정 취소
바. 정당한 사유 없이 지정된 검사를 하지 않은 경우	경고	업무정지 1개월	업무정지 3개월	지정 취소

015 농수산물 품질관리법상 유전자변형농산물의 표시 위반에 대한 처분에 해당하지 않는 것은?

① 표시의 변경 시정명령
② 표시의 삭제 시정명령
③ 표시 위반 농산물의 판매 금지
④ 표시 위반 농산물의 몰수

해설

법 제59조(유전자변형농수산물의 표시 위반에 대한 처분) ① 식품의약품안전처장은 제56조 또는 제57조를 위반한 자에 대하여 다음 각 호의 어느 하나에 해당하는 처분을 할 수 있다.

1. 유전자변형농수산물 표시의 이행·변경·삭제 등 시정명령
2. 유전자변형 표시를 위반한 농수산물의 판매 등 거래행위의 금지

② 식품의약품안전처장은 제57조를 위반한 자에게 제1항에 따른 처분을 한 경우에는 처분을 받은 자에게 해당 처분을 받았다는 사실을 공표할 것을 명할 수 있다.

③ 식품의약품안전처장은 유전자변형농수산물 표시의무자가 제57조를 위반하여 제1항에 따른 처분이 확정된 경우 처분내용, 해당 영업소와 농수산물의 명칭 등 처분과 관련된 사항을 대통령령으로 정하는 바에 따라 인터넷 홈페이지에 공표하여야 한다.

④ 제1항에 따른 처분과 제2항에 따른 공표명령 및 제3항에 따른 인터넷 홈페이지 공표의 기준·방법 등에 필요한 사항은 대통령령으로 정한다.

정답 **014** ② **015** ④

016 **농수산물 품질관리법상 농산물의 안전성조사에 관한 설명으로 옳은 것은?**

① 농림축산식품부장관은 농산물의 안전관리계획을 5년마다 수립 · 시행하여야 한다.

② 식품의약품안전처장은 농산물의 안전성을 확보하기 위한 세부추진계획을 5년마다 수립 · 시행하여야 한다.

③ 식품의약품안전처장은 시료 수거를 무상으로 하게 할 수 있다.

④ 안전성조사의 대상품목 선정, 대상지역 및 절차 등에 필요한 세부적인 사항은 농촌진흥청장이 정한다.

해설

법 제62조(출입 · 수거 · 조사 등) ① 식품의약품안전처장이나 시 · 도지사는 안전성조사, 제68조 제1항에 따른 위험평가 또는 같은 조 제3항에 따른 잔류조사를 위하여 필요하면 관계 공무원에게 농수산물 생산시설(생산 · 저장소, 생산에 이용 · 사용되는 자재창고, 사무소, 판매소, 그 밖에 이와 유사한 장소를 말한다)에 출입하여 다음 각 호의 시료 수거 및 조사 등을 하게 할 수 있다. 이 경우 무상으로 시료 수거를 하게 할 수 있다. 〈개정 2022.2.3.〉

법 제60조(안전관리계획) ① 식품의약품안전처장은 농수산물(축산물은 제외한다. 이하 이 장에서 같다)의 품질 향상과 안전한 농수산물의 생산 · 공급을 위한 안전관리계획을 매년 수립 · 시행하여야 한다.

② 시 · 도지사 및 시장 · 군수 · 구청장은 관할 지역에서 생산 · 유통되는 농수산물의 안전성을 확보하기 위한 세부추진계획을 수립 · 시행하여야 한다.

유전자변형농산물의 표시 및 농수산물의 안전성조사 등에 관한 규칙 제7조(안전성조사의 대상품목) ② 제1항에 따른 대상품목의 구체적인 사항은 식품의약품안전처장이 정한다.

017 **농수산물 유통 및 가격안정에 관한 법률상 매매방법에 대한 규정이다. ( )에 들어갈 내용으로 옳은 것은?**

> 도매시장법인은 도매시장에서 농산물을 경매 · 입찰 · ( )매매 또는 수의매매의 방법으로 매매하여야 한다.

① 선취   ② 선도

③ 창고   ④ 정가

해설

법 제32조(매매방법) 도매시장법인은 도매시장에서 농수산물을 경매 · 입찰 · 정가매매 또는 수의매매(隨意賣買)의 방법으로 매매하여야 한다. 다만, 출하자가 매매방법을 지정하여 요청하는 경우 등 농림축산식품부령 또는 해양수산부령으로 매매방법을 정한 경우에는 그에 따라 매매할 수 있다.

018 농수산물 유통 및 가격안정에 관한 법령상 도매시장 개설자가 거래관계자의 편익과 소비자 보호를 위하여 이행하여야 하는 사항으로 옳지 않은 것은?

① 도매시장 시설의 정비·개선
② 농산물 상품성 향상을 위한 규격화
③ 농산물 품위 검사
④ 농산물 포장 개선 및 선도 유지의 촉진

해설

법 제20조(도매시장 개설자의 의무) ① 도매시장 개설자는 거래 관계자의 편익과 소비자 보호를 위하여 다음 각 호의 사항을 이행하여야 한다.
  1. 도매시장 시설의 정비·개선과 합리적인 관리
  2. 경쟁 촉진과 공정한 거래질서의 확립 및 환경 개선
  3. 상품성 향상을 위한 규격화, 포장 개선 및 선도(鮮度) 유지의 촉진
② 도매시장 개설자는 제1항 각 호의 사항을 효과적으로 이행하기 위하여 이에 대한 투자계획 및 거래제도 개선방안 등을 포함한 대책을 수립·시행하여야 한다

019 농수산물 유통 및 가격안정에 관한 법령상 경매사의 임면과 업무에 관한 설명으로 옳지 않은 것은?

① 도매시장법인이 확보하여야 하는 경매사의 수는 2명 이상으로 한다.
② 도매시장법인은 경매사를 임면한 경우 임면한 날부터 10일 이내에 도매시장 개설자에게 신고하여야 한다.
③ 도매시장법인은 해당 도매시장의 시장도매인, 중도매인을 경매사로 임명할 수 없다.
④ 경매사는 상장 농산물에 대한 가격평가 업무를 수행한다.

해설

법 제27조(경매사의 임면) ① 도매시장법인은 도매시장에서의 공정하고 신속한 거래를 위하여 농림축산식품부령 또는 해양수산부령으로 정하는 바에 따라 일정 수 이상의 경매사를 두어야 한다.

시행규칙 제20조(경매사의 임면) ① 법 제27조 제1항에 따라 도매시장법인이 확보하여야 하는 경매사의 수는 2명 이상으로 하되, 도매시장법인별 연간 거래물량 등을 고려하여 업무규정으로 그 수를 정한다.
② 법 제27조 제4항에 따라 도매시장법인이 경매사를 임면(任免)한 경우에는 별지 제3호서식에 따라 임면한 날부터 30일 이내에 도매시장 개설자에게 신고하여야 한다.

법 제28조(경매사의 업무 등) ① 경매사는 다음 각 호의 업무를 수행한다.
  1. 도매시장법인이 상장한 농수산물에 대한 경매 우선순위의 결정
  2. 도매시장법인이 상장한 농수산물에 대한 가격평가
  3. 도매시장법인이 상장한 농수산물에 대한 경락자의 결정

PART 05

020 농수산물 유통 및 가격안정에 관한 법령상 농산물 과잉생산 시 농림축산식품부장관이 생산자 보호를 위해 하는 업무에 관한 설명으로 옳지 않은 것은?

① 수매 및 처분에 관한 업무를 한국식품연구원에 위탁할 수 있다.

② 수매한 농산물에 대해서는 해당 농산물의 생산지에서 폐기하는 등 필요한 처분을 할 수 있다.

③ 채소류 등 저장성이 없는 농산물의 가격안정을 위하여 필요하다고 인정할 때에는 그 생산자 또는 생산자단체로부터 해당 농산물을 수매할 수 있다.

④ 수매한 농산물은 판매 또는 수출하거나 사회복지단체에 기증할 수 있다.

해설

법 제9조(과잉생산 시의 생산자 보호) ① 농림축산식품부장관은 채소류 등 저장성이 없는 농산물의 가격안정을 위하여 필요하다고 인정할 때에는 그 생산자 또는 생산자단체로부터 제54조에 따른 농산물가격안정기금으로 해당 농산물을 수매할 수 있다. 다만, 가격안정을 위하여 특히 필요하다고 인정할 때에는 도매시장 또는 공판장에서 해당 농산물을 수매할 수 있다.

② 제1항에 따라 수매한 농산물은 판매 또는 수출하거나 사회복지단체에 기증하거나 그 밖에 필요한 처분을 할 수 있다.

③ 농림축산식품부장관은 제1항과 제2항에 따른 수매 및 처분에 관한 업무를 농업협동조합중앙회·산림조합중앙회(이하 "농림협중앙회"라 한다) 또는 「한국농수산식품유통공사법」에 따른 한국농수산식품유통공사(이하 "한국농수산식품유통공사"라 한다)에 위탁할 수 있다.

④ 농림축산식품부장관은 채소류 등의 수급 안정을 위하여 생산·출하 안정 등 필요한 사업을 추진할 수 있다.

⑤ 제1항부터 제3항까지의 규정에 따른 수매·처분 등에 필요한 사항은 대통령령으로 정한다.

시행령 제10조(과잉생산된 농산물의 수매 및 처분) ① 농림축산식품부장관은 법 제9조에 따라 저장성이 없는 농산물을 수매할 때에 다음 각 호의 어느 하나의 경우에는 수확 이전에 생산자 또는 생산자단체로부터 이를 수매할 수 있으며, 수매한 농산물에 대해서는 해당 농산물의 생산지에서 폐기하는 등 필요한 처분을 할 수 있다.

1. 생산조정 또는 출하조절에도 불구하고 과잉생산이 우려되는 경우
2. 생산자보호를 위하여 필요하다고 인정되는 경우

② 법 제9조에 따라 저장성이 없는 농산물을 수매하는 경우에는 법 제6조에 따라 생산계약 또는 출하계약을 체결한 생산자가 생산한 농산물과 법 제13조 제1항에 따라 출하를 약정한 생산자가 생산한 농산물을 우선적으로 수매하여야 한다.

③ 법 제9조 제3항에 따른 저장성이 없는 농산물의 수매·처분의 위탁 및 비용처리에 관하여는 제12조부터 제14조까지의 규정을 준용한다.

021 농수산물 유통 및 가격안정에 관한 법령상 도매시장 개설자가 도매시장법인으로 하여금 우선적으로 판매하게 할 수 있는 대상을 모두 고른 것은?

ㄱ. 대량입하품	ㄴ. 도매시장 개설자가 선정하는 우수출하주의 출하품
ㄷ. 예약출하품	ㄹ. 「농수산물 품질관리법」에 따른 우수관리인증농산물

① ㄱ, ㄴ　　　　　　　　　　　　② ㄱ, ㄷ
③ ㄴ, ㄷ, ㄹ　　　　　　　　　　④ ㄱ, ㄴ, ㄷ, ㄹ

> **해설**

시행규칙 제30조(대량 입하품 등의 우대) 도매시장 개설자는 법 제33조 제2항에 따라 다음 각 호의 품목에 대하여 도매시장법인 또는 시장도매인으로 하여금 우선적으로 판매하게 할 수 있다.
1. 대량 입하품
2. 도매시장 개설자가 선정하는 우수출하주의 출하품
3. 예약 출하품
4. 「농수산물 품질관리법」 제5조에 따른 표준규격품 및 같은 법 제6조에 따른 우수관리인증농산물
5. 그 밖에 도매시장 개설자가 도매시장의 효율적인 운영을 위하여 특히 필요하다고 업무규정으로 정하는 품목

022 농수산물 유통 및 가격안정에 관한 법률상 공판장에 관한 설명으로 옳지 않은 것은?

① 농협은 공판장을 개설할 수 있다.
② 공판장의 시장도매인은 공판장의 개설자가 지정한다.
③ 공판장에는 중도매인을 둘 수 있다.
④ 공판장에는 경매사를 둘 수 있다.

> **해설**

법 제43조(공판장의 개설) ① 농림수협 등, 생산자단체 또는 공익법인이 공판장을 개설하려면 시·도지사의 승인을 받아야 한다.

법 제44조(공판장의 거래 관계자) ① 공판장에는 중도매인, 매매참가인, 산지유통인 및 경매사를 둘 수 있다.

023 농수산물 유통 및 가격안정에 관한 법령상 유통조절명령에 포함되어야 하는 사항이 아닌 것은?

① 유통조절명령의 이유
② 대상 품목
③ 시·도지사가 유통조절에 관하여 필요하다고 인정하는 사항
④ 생산조정 또는 출하조절의 방안

> **해설**

시행령 제11조(유통조절명령) 법 제10조 제2항에 따른 유통조절명령에는 다음 각 호의 사항이 포함되어야 한다.
1. 유통조절명령의 이유(수급·가격·소득의 분석 자료를 포함한다)
2. 대상 품목 3. 기간 4. 지역 5. 대상자 6. 생산조정 또는 출하조절의 방안
7. 명령이행 확인의 방법 및 명령 위반자에 대한 제재조치
8. 사후관리와 그 밖에 농림축산식품부장관 또는 해양수산부장관이 유통조절에 관하여 필요하다고 인정하는 사항

024 농수산물 유통 및 가격안정에 관한 법률상 민영도매시장의 개설 및 운영 등에 관한 내용으로 옳지 않은 것은?

① 민영도매시장을 개설하려면 시·도지사의 허가를 받아야 한다.
② 농산물을 수집하여 민영도매시장에 출하하려는 자는 민영도매시장의 개설자에게 산지 유통인으로 등록하여야 한다.
③ 민간인등이 민영도매시장의 개설허가를 받으려면 시·도지사가 정하는 바에 따라 민영도매시장 개설허가 신청서를 시·도지사에게 제출하여야 한다.
④ 민영도매시장의 경매사는 민영도매시장의 개설자가 임면한다.

> **해설**

법 제47조(민영도매시장의 개설) ① 민간인 등이 특별시·광역시·특별자치시·특별자치도 또는 시 지역에 민영도매시장을 개설하려면 시·도지사의 허가를 받아야 한다.
② 민간인 등이 제1항에 따라 민영도매시장의 개설허가를 받으려면 농림축산식품부령 또는 해양수산부령으로 정하는 바에 따라 민영도매시장 개설허가 신청서에 업무규정과 운영관리계획서를 첨부하여 시·도지사에게 제출하여야 한다.

025 농수산물 유통 및 가격안정에 관한 법령상 중도매인이 도매시장 개설자의 허가를 받아 도매시장법인이 상장하지 아니한 농산물을 거래할 수 있는 품목에 관한 내용으로 옳지 않은 것은?

① 온라인거래소를 통하여 공매하는 비축품목
② 부류를 기준으로 연간 반입물량 누적비율이 하위 3퍼센트 미만에 해당하는 소량 품목
③ 품목의 특성으로 인하여 해당 품목을 취급하는 중도매인이 소수인 품목
④ 그 밖에 상장거래에 의하여 중도매인이 해당 농산물을 매입하는 것이 현저히 곤란하다고 개설자가 인정하는 품목

해설

시행규칙 제27조(상장되지 아니한 농수산물의 거래허가) 법 제31조 제2항 단서에 따라 중도매인이 도매시장의 개설자의 허가를 받아 도매시장법인이 상장하지 아니한 농수산물을 거래할 수 있는 품목은 다음 각 호와 같다. 이 경우 도매시장개설자는 법 제78조 제3항에 따른 시장관리운영위원회의 심의를 거쳐 허가하여야 한다.

1. 영 제2조 각 호의 부류를 기준으로 연간 반입물량 누적비율이 하위 3퍼센트 미만에 해당하는 소량 품목
2. 품목의 특성으로 인하여 해당 품목을 취급하는 중도매인이 소수인 품목
3. 그 밖에 상장거래에 의하여 중도매인이 해당 농수산물을 매입하는 것이 현저히 곤란하다고 도매시장개설자가 인정하는 품목

원예작물학

026 원예작물의 주요 기능성 물질의 연결이 옳은 것은?

① 상추 - 엘라그산(ellagic acid)
② 마늘 - 알리인(alliin)
③ 토마토 - 시니그린(sinigrin)
④ 포도 - 아미그달린(amygdalin)

해설

원예작물의 주요 기능성 독성 물질

품목	독성물질	품목	독성물질
오이	쿠쿠르비타신	고구마	이포메아마론
상추	락투세린	옥수수	아플라톡신
배추, 양배추	글루코시놀레이트	청매실	아미그달린
감자	솔라닌	마늘	알리인

정답 023 ③ 024 ③ 025 ① 026 ②

027 밭에서 재배하는 원예작물이 과습조건에 놓였을 때 뿌리조직에서 일어나는 현상으로 옳지 않은 것은?

① 무기호흡이 증가한다.
② 에탄올 축적으로 생육장해를 받는다.
③ 세포벽의 목질화가 촉진된다.
④ 철과 망간의 흡수가 억제된다.

 해설

원예작물의 습해
① 토양 산소의 부족으로 무기호흡의 증가
② 메탄, 에탄올, 질소, 이산화탄소, 황화수소의 축적으로 호흡장해
③ 세포벽의 목질화 촉진
④ 무기성분 중 인산 흡수가 억제됨

028 마늘의 무병주 생산에 적합한 조직배양법은?

① 줄기배양
② 화분배양
③ 엽병배양
④ 생장점배양

해설

생장점배양
식물의 생장점을 잘라서 배지에서 키워 전체 식물체를 분화시키는 조직배양 방법으로 무병(주로 바이러스) 식물체를 얻는 데 이용된다. 고등식물의 줄기나 뿌리의 생장점 또는 생장점을 함유하는 주변조직을 분리하여 기내에서 무균적으로 배양하는 방법이다.

029 결핍 시 잎에서 황화 현상을 일으키는 원소가 아닌 것은?

① 질소
② 인
③ 철
④ 마그네슘

해설

황화현상
• 작물체가 황색으로 변하는 현상으로 무기원소의 결핍에 의해 발생한다.
• 원인 : 탄소, 수소, 산소, 질소, 마그네슘, 철 등의 결핍

030 원예작물에 피해를 주는 흡즙성 곤충이 아닌 것은?

① 진딧물
② 온실가루이
③ 점박이응애
④ 콩풍뎅이

해설

원예작물의 흡즙성 해충
진딧물류, 응애류, 노린재류, 깍지벌레류, 온실가루이 등

031 원예작물의 증산속도를 높이는 환경조건은?

① 미세 풍속의 증가
② 낮은 광량
③ 높은 상대습도
④ 낮은 지상부 온도

해설

증산작용을 높이는 요인
높은 광량, 낮은 상대습도, 높은 지상부 온도, 풍속의 증가 등

032 딸기의 고설재배에 관한 설명으로 옳지 않은 것은?

① 토경재배에 비해 관리작업의 편리성이 높다.
② 토경재배에 비해 설치비가 저렴하다.
③ 점적 또는 NFT 방식의 관수법을 적용한다.
④ 재배 베드를 허리높이까지 높여 재배하는 방식을 사용한다.

해설

고설재배(高設栽培)
토경재배의 경우보다 높은 (사람 허리높이 정도) 베드를 설치하여 작업의 편리성을 높인 재배방법

033 배추과에 속하지 않는 원예작물은?

① 케일
② 배추
③ 무
④ 비트

해설

배추과(십자화과)
쌍떡잎식물의 한 과. 네 개의 꽃받침 조각과 네 개의 꽃잎이 십자 모양을 이루는 식물의 과. 무, 배추, 양배추, 갓, 청경채, 브로콜리, 냉이, 케일 따위가 있다.
비트 : 명아주과

정답 **027** ④ **028** ④ **029** ② **030** ④ **031** ① **032** ② **033** ④

034 일년초 화훼류는?

① 칼랑코에, 매발톱꽃　　　　　　② 제라늄, 맨드라미
③ 맨드라미, 봉선화　　　　　　　④ 포인세티아, 칼랑코에

1년초(한해살이 화초)

춘파 1년초	봉선화, 맨드라미, 코스모스, 해바라기, 나팔꽃, 채송화, 백일홍 등
추파 1년초	과꽃, 물망초, 안개꽃, 금어초 등

칼랑코에 : 다육식물(숙근초), 제라늄 : 온실숙근초(여러해살이), 포인세티아 : 열대성 관목류,
매발톱꽃 : 여러해살이 풀

035 A농산물품질관리사의 출하 시기 조절에 관한 조언으로 옳은 것을 모두 고른 것은?

ㄱ. 거베라는 4/5 정도 대부분 개화된 상태일 때 수확한다.
ㄴ. 스탠다드형 장미는 봉오리가 1/5 정도 개화 시 수확한다.
ㄷ. 안개꽃은 전체 소화 중 1/10 정도 개화 시 수확한다.

① ㄱ　　　　　　　　　　　　　　② ㄱ, ㄴ
③ ㄴ, ㄷ　　　　　　　　　　　　④ ㄱ, ㄴ, ㄷ

안개꽃은 전체 소화 중 70~80% 정도 개화 시 수확한다.

036 화훼류를 시설 내에서 장기간 재배한 토양에 관한 설명으로 옳지 않은 것은?

① 공극량이 적어진다.　　　　　　② 특정성분의 양분이 결핍된다.
③ 염류집적 발생이 어렵다.　　　　④ 병원성 미생물의 밀도가 높아진다.

해설

염류집적(鹽類集積)은 강우가 적고 증발량이 많은 건조 · 반건조 토양에서는 토양 상층에서 하층으로의
세탈작용이 적고, 증발에 의한 염류의 상승량이 많아 표층에 염류가 집적하는 현상이다.

037 절화류 보존제는?

① 에틸렌　　　　　　　　　　　　② AVG
③ ACC　　　　　　　　　　　　　④ 에테폰

AVG(아미노에톡시비닐글라이신, aminoethoxy - vinylglycine)
1-아미노사이클로프로페인-1-카복실산 합성 효소를 억제하여 에틸렌 합성을 막는 식물 성장 조절 물질

038 줄기신장을 억제하여 콤팩트한 고품질 분화 생산을 위한 생장조절제는?

① B-9   ② NAA
③ IAA   ④ GA

해설

① B-9 : 신장 억제 및 왜화(矮化)작용
② NAA : 옥신류. 개화촉진, 낙화방지, 적화 및 적과제
③ IAA : 천연옥신류. 식물의 생장점에서 생성, 신장촉진, 엽면생장, 과일의 부피생장 등
④ GA(지베렐린) : 신장생장, 과실의 생장, 발아촉진, 개화촉진 등

039 원예작물의 저온 춘화에 관한 설명으로 옳지 않은 것은?

① 저온에 의해 개화가 촉진되는 현상을 말한다.
② 녹색 식물체 춘화형은 일정기간 동안 생육한 후부터 저온에 감응한다.
③ 춘화에 필요한 온도는 -15 ~ -10℃ 사이이다.
④ 생육 중인 식물의 저온에 감응하는 부위는 생장점이다.

해설

춘화에 필요한 온도는 0~10℃ 사이이다.

040 양액재배에서 고형배지 없이 양액을 일정 수위에 맞춰 흘려보내는 재배법은?

① 매트재배   ② 박막수경
③ 분무경   ④ 저면관수

해설

• 박막수경(nutrient film technique) : 영양액을 펌프로 식물뿌리쪽에 얇은 막처럼 흘려 재배한다.
• 담액수경(deep flow technique) : 식물을 영양액에 담가 재배한다. 산소를 공급하는 장치가 필요하다.
• 분무경(Aeroponic) : 영양액을 뿌리에 분사하여 재배한다. 산소공급이 원활하여 성장이 가장 빠르다.
• 배지재배-저면관수방식 : 식물을 흙을 대신하는 배지에 식재한 후 배지에 영양액을 공급한다.

정답   **034** ③   **035** ②   **036** ③   **037** ②   **038** ①   **039** ③   **040** ②

041 다음 농산물품질관리사(A~C)의 조언으로 옳은 것만을 모두 고른 것은?

> A : '디펜바키아'는 음지식물이니 광이 많지 않은 곳에 재배하는 것이 좋아요.
> B : 그렇군요. 그럼 '고무나무'도 음지식물이니 동일 조건에서 관리되어야겠군요.
> C : 양지식물인 '드라세나'는 광이 많이 들어오는 곳이 적정 재배지가 되겠네요.

① B   ② A, B
③ A, C   ④ A, B, C

드라세나
반양지, 반그늘 식물로 실내 재배에 알맞다.

042 과수의 꽃눈분화 촉진을 위한 재배방법으로 옳지 않은 것은?

① 질소시비량을 늘린다.   ② 환상박피를 실시한다.
③ 가지를 수평으로 유인한다.   ④ 열매솎기로 착과량을 줄인다.

해설

질소시비는 영양생장기에는 시비량을 늘리고, 생식생장기에는 시비량을 줄여 C/N율을 높여 준다.

043 수확기 후지 사과의 착색 증진에 효과적인 방법만을 모두 고른 것은?

> ㄱ. 과실 주변의 잎을 따준다.
> ㄴ. 수관 하부에 반사필름을 깔아 준다.
> ㄷ. 주야간 온도차를 줄인다.
> ㄹ. 지베렐린을 처리해 준다.

① ㄱ, ㄴ   ② ㄱ, ㄹ
③ ㄴ, ㄷ   ④ ㄷ, ㄹ

해설

착색증진 방법
과실 주변의 잎 솎아주기, 수관하부에 반사필름 깔아주기, 주야간 온도차가 큰 변온조건, 에틸렌 처리 등

044 ( )에 들어갈 내용으로 옳은 것은?

> 사과나무에서 접목 시 주간의 목질부에 홈이 생기는 증상이 나타나는 (ㄱ)의 원인은 (ㄴ) 이다.

① ㄱ : 고무병, ㄴ : 바이러스   ② ㄱ : 고무병, ㄴ : 박테리아
③ ㄱ : 고접병, ㄴ : 바이러스   ④ ㄱ : 고접병, ㄴ : 박테리아

해설

사과나무 고접병
접붙이기할 때 접수(接穗)가 바이러스에 감염되어 있으면 발병하며, 고접(高接) 후 그해 가을부터 병징이 나타나기 시작한다. 1~2년 내에 나무가 쇠약해지며 갈변현상 및 목질천공(木質穿孔)현상이 나타난다. 병이 진전됨에 따라 잎은 담녹색 또는 황록색으로 되어 일찍 낙엽되어 가지의 생장도 쇠약해진다.

045 ( )에 들어갈 내용으로 옳은 것은?

> 배는 씨방 하위로 씨방과 더불어 (ㄱ)이/가 유합하여 과실로 발달하는데 이러한 과실을 (ㄴ)라고 한다.

① ㄱ : 꽃받침, ㄴ : 진과   ② ㄱ : 꽃받기, ㄴ : 진과
③ ㄱ : 꽃받기, ㄴ : 위과   ④ ㄱ : 꽃받침, ㄴ : 위과

해설

위과(헛열매)
위과(僞果)·부과(副果)·가과(假果)라고도 한다. 꽃받기가 발육한 것으로는 양딸기·석류 등이 있고, 꽃자루가 발육한 것으로는 파인애플·무화과 등이 있으며, 꽃받기와 꽃받침이 함께 발육한 것으로는 배·사과 등이 있다.

046 과수에서 삽목 시 삽수에 처리하면 발근 촉진 효과가 있는 생장조절물질은?

① IBA   ② GA
③ ABA   ④ AOA

해설

IBA(indole-butyric acid)
옥신으로서 인돌화합물의 일종이며, 식물의 생장 및 발달 단계 전반을 조절하는 중요한 생장 조절 인자로서 삽목 시 삽수에 처리하면 발근 촉진 효과가 있다.

정답 041 ②   042 ①   043 ①   044 ③   045 ③   046 ①

047 월동하는 동안 저온요구도가 700시간인 지역에서 배와 참다래를 재배할 경우 봄에 꽃눈의 맹아 상태는? (단, 저온요구도는 저온요구를 충족시키는 데 필요한 7℃ 이하의 시간을 기준으로 함)

① 배 – 양호, 참다래 – 양호
② 배 – 양호, 참다래 – 불량
③ 배 – 불량, 참다래 – 양호
④ 배 – 불량, 참다래 – 불량

> **해설**
>
> 눈의 휴면타파를 위한 저온요구도
> 배 : 7.2℃ 이하에서 1,300~1,500시간
> 참다래 : 7℃ 이하에서 300~600시간

048 사과 고두병과 코르크스폿(cork spot)의 원인은?

① 칼륨 과다
② 망간 과다
③ 칼슘 부족
④ 마그네슘 부족

> **해설**
>
> 칼슘 부족 장해
> 사과(고두병), 토마토(배꼽썩음병), 양배추(흑심병), 배(코르크스폿)

049 식물학적 분류에서 같은 과(科)의 원예작물로 짝지어지지 않은 것은?

① 상추 – 국화
② 고추 – 감자
③ 자두 – 딸기
④ 마늘 – 생강

> **해설**
>
> • 국화과 : 상추, 국화, 코스모스, 해바라기
> • 가지과 : 고추, 감자, 토마토
> • 장미과 : 사과, 자두, 딸기, 복숭아, 배, 매실, 해당화
> • 백합과 : 마늘, 양파, 파, 아스파라거스, 튤립
> • 생강과 : 생강

050 유충이 과실을 파고들어가 피해를 주는 해충은?

① 복숭아명나방
② 깍지벌레
③ 귤응애
④ 뿌리혹선충

> **해설**
>
> ② 깍지벌레 : 주로 가지에 붙어 식물의 즙액을 빨아먹는다.
> ③ 귤응애 : 잎 양면에서 수액을 흡입하여 엽록소 파괴, 황화현상을 일으킨다.
> ④ 뿌리혹선충 : 지하부 뿌리에서 혹을 형성한다.

수확 후 품질관리론

051 수확후품질관리에 관한 내용이다. (   )에 들어갈 내용으로 옳은 것은?

> 원예산물의 품온을 단시간 내 낮추는 (ㄱ)처리는 생산물과 냉매와의 접촉면적이 넓을수록 효율이 (ㄴ), 냉매는 액체보다 기체에서 효율이 (ㄷ).

① ㄱ : 예냉, ㄴ : 낮고, ㄷ : 높다   ② ㄱ : 예냉, ㄴ : 높고, ㄷ : 낮다
③ ㄱ : 예건, ㄴ : 낮고, ㄷ : 높다   ④ ㄱ : 예건, ㄴ : 높고, ㄷ : 낮다

해설

예냉
- 청과물을 수확 직후에 신속히 온도를 낮추는 과정으로 청과물의 저장성과 운송기간의 품질을 유지하는 효과를 증대시키고 증산과 부패를 억제하며 신선도를 유지해 준다.
- 냉매와 접촉면이 넓을수록 효율이 높고, 액체가 기체보다 효율이 높다.

052 복숭아 수확 시 고려사항이 아닌 것은?

① 경도   ② 만개 후 일수
③ 적산온도   ④ 전분지수

해설

복숭아 수확시기 결정인자
경도, 만개 후 일수, 당함량, 적산온도 등

053 A농가에서 다음 품목을 수확한 후 동일 조건의 저장고에 저장 중 품목별 5% 수분손실이 발생하였다. 이때 시들음이 상품성 저하에 가장 큰 영향을 미치는 품목은?

① 감   ② 양파
③ 당근   ④ 시금치

해설

수분손실로 시들음 장해가 오는 것은 주로 엽채류이다.

정답 047 ③   048 ③   049 ④   050 ①   051 ②   052 ④   053 ④

054 원예산물별 수확시기를 결정하는 지표로 옳지 않은 것은?

① 배추 - 만개 후 일수
② 신고배 - 만개 후 일수
③ 멜론 - 네트 발달 정도
④ 온주밀감 - 과피의 착색 정도

배추 수확기 판정지표 : 결구 상태

055 수확 전 칼슘결핍으로 발생 가능한 저장 생리장해는?

① 양배추의 흑심병
② 토마토의 꼭지썩음병
③ 배의 화상병
④ 복숭아의 균핵병

해설

칼슘부족 장해 : 사과(고두병), 토마토(배꼽썩음병), 양배추(흑심병), 배(코르크스폿)

056 필름으로 원예산물을 외부공기와 차단하여 인위적 공기조성 효과를 내는 저장기술은?

① 저온저장
② CA저장
③ MA저장
④ 저산소저장

해설

MA저장

MA저장의 기본적 원리는 필름이나 피막제를 이용하여 산물을 낱개 또는 소량포장하여 외부와 차단한 후 포장 내 호흡에 의한 산소 농도 저하와 이산화탄소의 농도 증가로 생성된 대기조성을 통해 품질변화를 억제하는 방법이다.

057 호흡양상이 다른 원예산물은?

① 토마토
② 바나나
③ 살구
④ 포도

해설

호흡상승과 (클라이맥터릭)	호흡상승과는 성숙에서 노화로 진행되는 단계상 호흡률이 낮아졌다가 갑자기 상승하는 기간이 있다. 사과, 바나나, 배, 토마토, 복숭아, 감, 키위, 망고, 참다래, 살구, 멜론, 자두, 수박
비호흡상승과	고추, 가지, 오이, 딸기, 호박, 감귤, 포도, 오렌지, 파인애플, 레몬, 양앵두 및 대부분의 채소류

058 토마토의 성숙 중 색소변화로 옳은 것은?

① 클로로필 합성　　　　　　② 리코핀 합성
③ 안토시아닌 분해　　　　　④ 카로티노이드 분해

토마토
미숙과정에서 클로로필(엽록소)이 많고, 성숙과정에서 리코핀 발현으로 붉은색을 띠게 된다.

059 산지유통센터에서 사용되는 과실류 선별기가 아닌 것은?

① 중량식 선별기　　　　　　② 형상식 선별기
③ 비파괴 선별기　　　　　　④ 풍력식 선별기

• 중량 선별기 : 스프링식, 전자식
• 형상 선별기 : 원판분리기
• 비파괴 선별기 : 근적외선 당도 측정기

060 신선편이 농산물 세척용 소독물질이 아닌 것은?

① 중탄산나트륨　　　　　　② 과산화수소
③ 메틸브로마이드　　　　　④ 차아염소산나트륨

메틸브로마이드
저장고 내 곰팡이나 세균을 훈증상태에서 소독하는 약제

061 원예산물의 조직감을 측정할 수 있는 품질인자는?

① 색도　　　　　　　　　　② 산도
③ 수분함량　　　　　　　　④ 당도

조직감
수분함량에 따라 조직감이 달라진다. 경도를 측정하여 수치로 표시한다.

062 원예산물의 풍미 결정요인을 모두 고른 것은?

ㄱ. 향기	ㄴ. 산도	ㄷ. 당도

① ㄱ   ② ㄱ, ㄴ
③ ㄴ, ㄷ   ④ ㄱ, ㄴ, ㄷ

> **해설**
>
> 풍미 결정요인
> 맛(단맛, 신맛)과 향기

063 굴절당도계에 관한 설명으로 옳지 않은 것은?

① 증류수로 영점을 보정한다.
② 과즙의 온도는 측정값에 영향을 준다.
③ 당도는 °Brix로 표시한다.
④ 과즙에 함유된 포도당 성분만을 측정한다.

> **해설**
>
> 과즙에는 당분, 유기산, 아미노산, 가용성 펙틴 등이 녹아 있다.

064 원예산물 저장 중 저온장해에 관한 내용이다. ( )에 들어갈 내용으로 옳은 것은?

(ㄱ)가 원산지인 품목에서 많이 발생하며 어는점 이상의 저온에 노출 시 나타나는 (ㄴ) 생리장해이다.

① ㄱ : 온대, ㄴ : 영구적인   ② ㄱ : 아열대, ㄴ : 영구적인
③ ㄱ : 온대, ㄴ : 일시적인   ④ ㄱ : 아열대, ㄴ : 일시적인

> **해설**
>
> 저온장해에 취약한 아열대 원산지 품목
> 고추, 오이, 토마토, 바나나, 메론, 파인애플, 가지, 고구마

065 5℃에서 측정 시 호흡속도가 가장 높은 원예산물은?

① 아스파라거스   ② 상추
③ 콜리플라워   ④ 브로콜리

해설

호흡속도	매우 낮음	각과류
	낮음	사과, 감귤, 포도, 감자, 양파, 키위, 녹채소류(상추, 배추, 애호박, 가지)
	중간	서양배, 바나나, 살구, 복숭아, 자두
	높음	딸기, 콜리플라워, 아욱, 콩
	매우 높음	강낭콩, 아스파라거스, 브로콜리

066 CA저장에 필요한 장치를 모두 고른 것은?

> ㄱ. 가스 분석기　　　　　　　ㄴ. 질소 공급기
> ㄷ. 압력 조절기　　　　　　　ㄹ. 산소 공급기

① ㄱ, ㄴ
② ㄷ, ㄹ
③ ㄱ, ㄴ, ㄷ
④ ㄴ, ㄷ, ㄹ

해설
산소는 자연상태에서 공급된다.

067 딸기의 수확 후 손실을 줄이기 위한 방법이 아닌 것은?

① 착색촉진을 위해 에틸렌을 처리한다.
② 수확 직후 품온을 낮춘다.
③ 이산화염소로 전처리한다.
④ 수확 직후 선별·포장을 한다.

해설
딸기에 에틸렌 처리를 하면 착색효과는 있지만 호흡열 증가로 신선도를 감쇄시키게 된다.

068 원예산물 저장 시 에틸렌 합성에 필요한 물질은?

① CO_2
② O_2
③ AVG
④ STS

해설
• 에틸렌 억제제 : 1-MCP, STS, NBA, 에탄올 등
• CA저장이나 MA포장 시 CO_2를 높이고 O_2를 낮추면 에틸렌 생성이 억제된다.

정답　062 ④　063 ④　064 ②　065 ①　066 ③　067 ①　068 ②

069 저온저장 중 다음 현상을 일으키는 원인은?

> • 떫은 감의 탈삽 　　　　• 브로콜리의 황화 　　　　• 토마토의 착색 및 연화

① 높은 상대습도　　　　　　　② 고농도 에틸렌
③ 저농도 산소　　　　　　　　④ 저농도 이산화탄소

해설

에틸렌 처리 : 착색촉진, 떫은 감 탈삽, 연화촉진, 노화촉진, 황화현상 유발, 경도저하, 쓴맛 증가(당근, 고구마), 갈색반점(양상추), 아스파라거스 조직경화

070 수확 후 예건이 필요한 품목을 모두 고른 것은?

> ㄱ. 마늘 　　　　　　　　　ㄴ. 신고배
> ㄷ. 복숭아 　　　　　　　　ㄹ. 양배추

① ㄱ, ㄴ　　　　　　　　　　② ㄷ, ㄹ
③ ㄱ, ㄴ, ㄹ　　　　　　　　④ ㄱ, ㄷ, ㄹ

해설

수확 후 예건이 필요한 작물
결구류(배추, 양배추), 인경류(마늘, 양파), 과실류(단감, 서양배)

071 원예산물의 저온저장고 관리에 관한 내용이다. ( )에 들어갈 내용은?

> 저장고 입고 시 송풍량을 (ㄱ), 저장 초기 품온이 적정 저장온도에 도달하도록 조치하면 호흡량이 (ㄴ), 숙성이 지연되는 장점이 있다.

① ㄱ : 높여, ㄴ : 늘고　　　　② ㄱ : 높여, ㄴ : 줄고
③ ㄱ : 낮춰, ㄴ : 늘고　　　　④ ㄱ : 낮춰, ㄴ : 줄고

해설

저장 초기 송풍량을 높이면 온도를 낮춰주는 효과가 있으며, 저온저장 시 호흡량은 줄어든다.

072 저온저장 중인 원예산물의 상온 선별 시 A농산물품질관리사의 결로 방지책으로 옳은 것은?

① 선별장 내 공기유동을 최소화한다.
② 선별장과 저장고의 온도차를 높여 관리한다.
③ 수분흡수율이 높은 포장상자를 사용한다.
④ MA필름으로 포장하여 외부 공기가 산물에 접촉되지 않게 한다.

해설

결로방지
작물의 품온과 외부 기온의 온도차에 의해 결로가 발생하므로 외부공기가 작물에 직접적으로 접촉하는 것을 막아야 한다.

073 다음이 예방할 수 있는 원예산물의 손상이 아닌 것은?

> 팔레타이징으로 단위적재하는 저온유통시스템에서 적재장소 출구와 운송트럭냉장 적재함 사이에 틈이 없도록 설비하는 것은 외부공기의 유입을 차단하여 작업장이나 컨테이너 내부의 온도 균일화 효과를 얻기 위함이다.

① 생물학적 손상　　　　　　② 기계적 손상
③ 화학적 손상　　　　　　　④ 생리적 손상

해설

저온유통의 장점
생물학적(미생물 증식 억제), 생리적(호흡, 연화), 기계적(상처 발생) 손상방지 효과를 얻을 수 있다.

074 원예산물의 생물학적 위해 요인이 아닌 것은?

① 곰팡이 독소　　　　　　　② 병원성 대장균
③ 기생충　　　　　　　　　④ 바이러스

해설

곰팡이 독소
화학적 위해요인

정답　069 ②　070 ③　071 ②　072 ④　073 ③　074 ①

075 HACCP 실시과정에 관한 내용이다. ( )에 들어갈 내용으로 옳은 것은?

> • (ㄱ) : 위해요소와 이를 유발할 수 있는 조건이 존재하는지 여부를 파악하기 위하여 필요한 정보를 수집하고 평가하는 과정
> • (ㄴ) : 위해요소를 예방, 저해하거나 허용수준 이하로 감소시켜 안전성을 확보하는 중요한 단계, 과정 또는 공정

① ㄱ : 위해요소분석, ㄴ : 한계기준　　② ㄱ : 위해요소분석, ㄴ : 중요관리점
③ ㄱ : 한계기준, ㄴ : 중요관리점　　　④ ㄱ : 중요관리점, ㄴ : 위해요소분석

해설

HACCP 구성

위해분석(HA ; Hazard Analysis), 중요관리점(CCP ; Critical Control Point)
• HA는 위해 가능성이 있는 요소를 전공정의 흐름에 따라 분석·평가하는 것
• CCP는 확인된 위해 중에서 중점적으로 다루어야 할 위해요소를 의미

농산물유통론

076 농산물 유통이 부가가치를 창출하는 일련의 생산적 활동임을 의미하는 것은?

① 가치사슬(value chain)　　　　　② 푸드시스템(food system)
③ 공급망(supply chain)　　　　　④ 마케팅빌(marketing bill)

해설

가치사슬(value chain)

기업활동에서 부가가치가 생성되는 과정을 의미한다. 부가가치 창출에 직접 또는 간접적으로 관련된 일련의 활동·기능·프로세스의 연계를 의미한다. 주활동(primary activities)과 지원활동(support activities)으로 나눠볼 수 있다.

여기서 주활동은 제품의 생산·운송·마케팅·판매·물류·서비스 등과 같은 현장업무 활동을 의미하며, 지원활동은 구매·기술개발·인사·재무·기획 등 현장활동을 지원하는 제반업무를 의미한다. 주활동은 부가가치를 직접 창출하는 부문을, 지원활동은 부가가치가 창출되도록 간접적인 역할을 하는 부문을 말한다. 이 두 활동부문의 비용과 가치창출 요인을 분석하는 데에 사용된다.

077 농식품 소비구조 변화에 관한 내용으로 옳지 않은 것은?

① 신선편이농산물 소비 증가
② PB상품 소비 감소
③ 가정간편식(HMR) 소비 증가
④ 쌀 소비 감소

해설

유통업체의 규모화로 인해 PB상품 소비가 증가할 것이다.

PB상품(private brand goods)

백화점·슈퍼마켓 등 대형소매상이 독자적으로 개발한 브랜드 상품. 유통업체가 제조업체에 제품생산을 위탁하면 제품이 생산된 뒤에 유통업체 브랜드로 내놓는 것

078 농산물 공동선별·공동계산제에 관한 설명으로 옳지 않은 것은?

① 여러 농가의 농산물을 혼합하여 등급별로 판매한다.
② 농가가 산지유통조직에 출하권을 위임하는 경우가 많다.
③ 출하시기에 따라 농가의 가격변동 위험이 커진다.
④ 물량의 규모화로 시장교섭력이 향상된다.

해설

공동계산제의 전제가 되는 조건 중 하나가 자금의 규모화(조합원의 기금조성)이다. 자금의 규모화는 저온저장창고 등 시설의 설치를 가능케 하고, 농산물의 홍수출하를 억제할 수 있게 하여 연중 평균적인 가격의 유지를 실현하게 된다.

공동판매의 3원칙

1. 무조건 위탁 : 개별 농가의 조건별 위탁을 금지
2. 평균판매 : 생산자의 개별적 품질특성을 무시하고 일괄 등급별 판매 후 수취가격을 평준화하는 방식
3. 공동계산 : 평균판매 가격을 기준으로 일정 시점에서 공동계산

079 농산물 유통마진에 관한 설명으로 옳지 않은 것은?

① 유통경로, 시기별, 연도별로 다르다.
② 유통비용 중 직접비는 고정비 성격을 갖는다.
③ 유통효율성을 평가하는 핵심지표로 사용된다.
④ 최종소비재에 포함된 유통서비스의 크기에 따라 달라진다.

해설

유통마진이 높다는 것은 생산지가격과 소비지가격의 차이가 크다는 것을 의미하는데, 유통마진이 크다고 해서 반드시 유통효율성이 낮다고 할 수 없으며, 유통마진이 낮다고 해서 유통효율성이 높다고 할 수도 없다. 예를 들어 생산자의 직접판매는 유통마진을 낮출 수 있지만, 이는 생산자의 활동영역이 포괄적이고, 판매에 대한 책임 또한 생산자가 전적으로 부담함에 따라 손실 위험성도 증가한다.

유통비용의 구성

1. 직접비용
  수송비, 포장비, 하역비, 저장비, 가공비 등과 같이 직접적으로 유통하는 데 지불되는 비용

정답 075 ② 076 ① 077 ② 078 ③ 079 ③

2. 간접비용

점포임대료, 자본이자, 통신비, 제세공과금, 감가상각비 등과 같이 농산물을 유통하는 데 간접적으로 투입되는 비용

080 농산물의 단위가격을 1,000원보다 990원으로 책정하는 심리적 가격전략은?

① 준거가격전략
② 개수가격전략
③ 단수가격전략
④ 단계가격전략

> **해설**

단수가격전략

소비자의 심리를 고려한 가격 결정법 중 하나로, 제품 가격의 끝자리를 홀수(단수)로 표시하여 소비자로 하여금 제품이 저렴하다는 인식을 심어주어 구매욕을 부추기는 가격전략

① 준거가격전략 : 소비자가 제품의 구매를 결정할 때 기준이 되는 가격으로 생산자가 소비자의 준거가격을 기준으로 가격을 결정하는 전략

② 개수가격전략 : 상품의 단위당 가격이 상대적으로 높을 때 우수리 없는 가격으로 판매하는 전략

081 대형유통업체의 농산물 산지 직거래에 관한 설명으로 옳지 않은 것은?

① 경쟁업체와 차별화된 상품을 발굴하기 위한 노력의 일환이다.
② 산지 수집을 대행하는 업체(vendor)를 가급적 배제한다.
③ 매출규모가 큰 업체일수록 산지 직구입 비중이 높은 경향을 보인다.
④ 본사에서 일괄 구매한 후 물류센터를 통해 개별 점포로 배송하는 것이 일반적이다.

> **해설**

벤더(vender)

전산화된 물류체계를 갖추고 편의점이나 슈퍼마켓 등에 특화된 상품들을 공급하는 다품종 소량 도매업을 일컫는 용어. 벤더는 산지직거래를 통한 저가의 대량구매로 유통비용의 절감(가격 경쟁력 강화)을 추구한다. 취급 품목에 따라 다양한 형태로 세분화되면서 이미 한국의 유통시장에 뿌리를 내렸고, 앞으로도 그 추세가 계속 확산될 것으로 보인다.

082 우리나라 농산물 종합유통센터의 대표적인 도매거래방식은?

① 경매
② 예약상대거래
③ 매취상장
④ 선도거래

> **해설**

상대거래와 예약상대거래란 산지가 사전에 농산물 출하가격을 제시하고 이를 도매시장법인이 중간에서 중도매인과 가격을 조정해 경매가 아닌 방식으로 농산물을 사고 파는 것을 말한다.

선도거래

현재 정해진 가격으로 특정한 미래날짜에 상품을 사거나 파는 거래. 선물거래와 다른 점은 특정거래소가 별도로 존재하지 않는다는 점이다.

083 농산물도매시장 경매제에 관한 내용으로 옳지 않은 것은?

① 거래의 투명성 및 공정성 확보
② 중도매인간 경쟁을 통한 최고가격 유도
③ 상품 진열을 위한 넓은 공간 필요
④ 수급상황의 급변에도 불구하고 낮은 가격변동성

 해설

농산물은 수급상황이 급변하게 되면 가격예측이 어렵고, 가격변동성이 커진다.

084 생산자가 지역의 제철 농산물을 소비자에게 정기적으로 배송하는 직거래 방식은?

① 로컬푸드 직매장
② 직거래 장터
③ 꾸러미사업
④ 농민시장(farmers market)

 해설

꾸러미사업

학교 또는 가정에 정기적으로 농산물 등 식자재를 공급하는 사업

085 산지의 밭떼기(포전매매)에 관한 설명으로 옳지 않은 것은?

① 선물거래의 한 종류이다.
② 계약가격에 판매가격을 고정시킨다.
③ 농가가 계약금을 수취한다.
④ 계약불이행 위험이 존재한다.

해설

포전매매(圃田賣買)

수확 전에 밭에 심겨 있는 상태로 작물 전체를 사고파는 일로 선도거래의 한 형태이다.

농수산물 유통 및 가격안정에 관한 법률 제53조(포전매매의 계약) ① 농림축산식품부장관이 정하는 채소류 등 저장성이 없는 농산물의 포전매매(생산자가 수확하기 이전의 경작상태에서 면적단위 또는 수량단위로 매매하는 것을 말한다. 이하 이 조에서 같다)의 계약은 서면에 의한 방식으로 하여야 한다.

정답 080 ③ 081 ② 082 ② 083 ④ 084 ③ 085 ①

선물거래와 선도거래 비교

구분	선물거래	선도거래
거래조건	표준화	비표준화
거래장소	선물거래소	없음
위험	보증제도 있음	보증제도 없음
가격	경쟁호가방식	협상
증거금	있음	없음(개별적 보증설정)
중도청산	가능	제한적
실물인도	중도청산 혹은 만기인도	실제 인수도가 이루어지는 것이 일반적
가격변동	변동폭 제한	변동폭 없음

086 농산물 산지유통의 거래유형에 해당하는 것을 모두 고른 것은?

> ㄱ. 계약재배 ㄴ. 포전거래
> ㄷ. 정전거래 ㄹ. 산지공판

① ㄱ, ㄴ ② ㄱ, ㄷ
③ ㄴ, ㄷ, ㄹ ④ ㄱ, ㄴ, ㄷ, ㄹ

해설

• 산지유통 : 농산물의 거래가 소비지가 아닌 생산지에서 이뤄지는 유통
• 계약재배 : 생산물을 일정한 조건으로 인수하는 계약을 맺고 행하는 농산물 재배

087 농산물 유통의 기능과 창출 효용을 옳게 연결한 것은?

① 거래-장소효용 ② 가공-형태효용
③ 저장-소유효용 ④ 수송-시간효용

해설

① 거래-소유효용
③ 저장-시간효용
④ 수송-장소효용

088 농산물 유통의 조성기능에 해당하는 것을 모두 고른 것은?

| ㄱ. 포장 | ㄴ. 표준화·등급화 |
| ㄷ. 손해보험 | ㄹ. 상·하역 |

① ㄱ
② ㄴ, ㄷ
③ ㄷ, ㄹ
④ ㄱ, ㄷ, ㄹ

 해설

• 포장이나 상·하역은 직접적 물류기능에 해당한다.
• 유통조성기능 : 유통의 간접적인 지원으로 표준화, 등급화, 유통금융(금융지원), 위험부담(보험) 등

089 A영농조합법인이 초등학교 간식용 조각과일을 공급하고자 수행한 SWOT분석에서 'T'요인이 아닌 것은?

① 코로나19 재확산
② 사내 생산설비 노후화
③ 과일 작황 부진
④ 학생 수 감소

해설

사내 생산설비 노후화는 약점(weakness)이다.
SWOT분석
기업의 내부환경과 외부환경을 분석하여 강점(strength), 약점(weakness), 기회(opportunity), 위협(threat) 요인을 규정하고 이를 토대로 경영전략을 수립하는 기법이다.
• 강점(strength) : 내부환경(자사 경영자원)의 강점
• 약점(weakness) : 내부환경(자사 경영자원)의 약점
• 기회(opportunity) : 외부환경(경쟁, 고객, 거시적 환경)에서 비롯된 기회
• 위협(threat) : 외부환경(경쟁, 고객, 거시적 환경)에서 비롯된 위협
SWOT전략
• SO전략(강점-기회전략) : 강점을 살려 기회를 포착
• ST전략(강점-위협전략) : 강점을 살려 위협을 회피
• WO전략(약점-기회전략) : 약점을 보완하여 기회를 포착
• WT전략(약점-위협전략) : 약점을 보완하여 위협을 회피

정답 086 ④ 087 ② 088 ② 089 ②

090 시장세분화에 관한 설명으로 옳지 않은 것은?

① 유사한 욕구와 선호를 가진 소비자 집단으로 세분화가 가능하다.

② 시장규모, 구매력의 크기 등을 측정할 수 있어야 한다.

③ 국적, 소득, 종교 등 지리적 특성에 따라 세분화가 가능하다.

④ 세분시장의 반응에 따라 차별화된 마케팅이 가능하다.

> **해설**
>
> 시장세분화(segmentation)
> 제한된 자원으로 전체 시장에 진출하기보다는 욕구와 선호가 비슷한 소비자 집단으로 나누어 진출하는 전략이다.
> ③ 소득계층의 지역적 밀집도에 따라 지리적 세분화가 가능하지만, 국적이나 종교 등을 기준으로 시장세분화를 하는 것은 일반적이지 않다.

091 고가 가격전략을 실행할 수 있는 경우는?

① 높은 제품기술력을 가지고 있을 경우

② 시장점유율을 극대화하고자 할 경우

③ 원가우위로 시장을 지배하려고 할 경우

④ 경쟁사의 모방 가능성이 높을 경우

> **해설**
>
> 고가 가격전략
> 비교적 고수준(高水準)으로 가격(價格)을 결정하는 방법이며, 고소득층을 표적으로 한다. 높은 제품기술력을 가지고 신상품을 출시할 때 이용한다. 고객층이 한정되고 시장에서 수용 속도가 늦고 경쟁기업이 급속히 진출할 가능성이 있기 때문에, 회사의 이미지가 높을 때 이용할 수 있고, 또 상품의 차별화가 효과적으로 나타날 때 이용할 수 있다.

092 6~8명 정도의 소그룹을 대상으로 2시간 내외의 집중면접을 실시하는 마케팅조사 방법은?

① FGI   ② 전수조사

③ 관찰조사   ④ 서베이조사

> **해설**
>
> 집단 심층면접(Focus Group Interview)
> 집단 심층면접(Focus Group Interview)은 통상 FGI로 불리며 집단토의(Group Discussion), 집단면접(Group Interview)으로 표현되기도 한다. 보통 6~10명의 소규모 참석자들이 모여 사회자의 진행에 따라 정해진 주제에 대해 이야기를 나누게 하고, 이를 통해 정보나 아이디어를 수집한다. 집단 심층면접은 구조화된 설문지를 사용하지 않는다는 점에서 양적 조사인 서베이와 구별되고, 면접원과 응답자

간에 일대일로 질의와 응답이 이루어지는 것이 아니고, 여러 명의 조사 대상자가 집단으로 참여해 함께 자유로이 의견을 나눈다는 점에서 개별 심층면접과 구별된다.

관찰조사

관찰조사는 조사원이 직접 또는 기계장치를 이용해 조사 대상자의 행동이나 현상을 관찰하고 기록하는 조사 방법이다. 응답자가 기억하기 어렵거나 대답하기 어려운 무의식적인 행동을 측정할 수 있고 한편으로 본심을 숨기거나 실제 행동과 다른 의견을 제시할 수 있는 가능성을 배제함으로써 객관적 사실의 파악이 가능하다.

093 광고에 관한 설명으로 옳지 않은 것은?

① 비용을 지불해야 한다.
② 불특성 다수를 대상으로 한다.
③ 표적시장별로 광고매체를 선택할 수 있다.
④ 상표광고가 기업광고보다 기업이미지 개선에 효과적이다.

해설

상표광고는 개별상품 또는 기업의 브랜드 인지도 향상에 초점을 맞춘 광고기법인 데 반해 기업광고는 기업의 역사·정책·규모·기술·업적·인재 등을 선전함으로써 기업에 대한 신뢰와 호의를 널리 획득하고, 경영활동을 원활히 수행하기 위한 광고로서 상품광고와 대응되는 개념이다.

094 소비자 구매심리과정(AIDMA)을 순서대로 옳게 나열한 것은?

① 욕구 → 주의 → 흥미 → 기억 → 행동
② 흥미 → 주의 → 기억 → 욕구 → 행동
③ 주의 → 흥미 → 욕구 → 기억 → 행동
④ 기억 → 흥미 → 주의 → 욕구 → 행동

해설

AIDMA

소비자의 구매과정을 나타내는 광고원칙으로, 주의(Attention), 흥미(Interest), 욕구(Desire), 기억(Memory), 행동(Action)의 각 단어의 두문자로 표시한다. M(기억) 대신에 확신(Confidence 또는 Conviction)의 C를 덧붙인 AIDCA(아이드카)도 같은 의미로 이용된다.

095 농산물 물류비에 포함되지 않는 것은?

① 포장비   ② 수송비
③ 재선별비   ④ 점포임대료

정답 090 ③   091 ①   092 ①   093 ④   094 ③   095 ④

> **해설**

유통비용의 구성
1. 직접비용
   수송비, 포장비, 하역비, 저장비, 가공비 등과 같이 직접적으로 유통하는 데 지불되는 비용
2. 간접비용
   점포임대료, 자본이자, 통신비, 제세공과금, 감가상각비 등과 같이 농산물을 유통하는 데 간접적으로 투입되는 비용

096 국내산 감귤 가격 상승에 따라 수입산 오렌지 수요가 늘어났을 경우 감귤과 오렌지 간의 관계는?

① 대체재　　　　　　　　　　② 보완재
③ 정상재　　　　　　　　　　④ 기펜재

> **해설**

① 대체재 : A와 B 두 재화 간에 어떤 한 재화(A)의 가격이 상승함에 따라 다른 재화(B)에 대한 수요가 증가하는 경우로서 국내산 감귤 가격의 상승으로 인해 동일한 효용을 제공하지만 가격이 상대적으로 낮은 수입산 오렌지로 소비자가 이동(대체)한 결과이다.
② 보완재 : 어떤 한 재화의 가격이 상승함에 따라 다른 재화에 대한 수요가 감소하는 경우
③ 정상재 : 소득이 증가(감소)함에 따라 수요가 증가(감소)하는 재화로, 수요의 소득탄력성이 0보다 크다. 그 반대의 재화를 열등재라고 한다.
④ 기펜재 : 소득효과가 대체효과를 압도하여 가격이 낮아질 때(올라갈 때) 수요도 함께 감소(증가)하는 재화

097 생산자단체가 자율적으로 농산물 소비촉진, 수급조절 등을 시행하는 사업은?

① 유통조절명령　　　　　　　② 유통협약
③ 농업관측사업　　　　　　　④ 자조금사업

> **해설**

①, ②, ③은 정부 주도 사업인 반면 농산자조금은 1차적으로 농업인이 스스로 기금을 조성하여 농산물의 소비촉진, 자율적 수급조절, 품질향상 등을 목적으로 조성한다. 농산자조금을 운영하는 단체에게는 정부에서 일정 금액이 2차적으로 지원된다.

098 농산물 유통정보의 직접적인 기능이 아닌 것은?

① 시장참여자 간 공정경쟁 촉진

② 정보 독과점 완화

③ 출하시기, 판매량 등의 의사결정에 기여

④ 생산기술 개선 및 생산량 증대

 해설

농산물 유통정보의 역할

• 농산물의 적정가격을 제시해 준다.

• 유통비용을 감소시켜 준다.

• 시장 내에서 효율적인 유통기구를 발견해 준다.

• 생산계획과 관련된 의사결정을 지원해 준다.

• 유통업자의 의사결정을 지원해 준다.

• 소비자의 합리적 소비를 지원해 준다.

• 농산물 유통정책을 입안하는 데 도움을 준다.

099 농산물 포장의 본원적 기능이 아닌 것은?

① 제품의 보호   ② 취급의 편의

③ 판매의 촉진   ④ 재질의 차별

해설

포장은 물류기능과 광고기능을 포함한다.

100 소비자의 농산물 구매의사 결정과정 중 구매 후 행동을 모두 고른 것은?

ㄱ. 상표 대체	ㄴ. 재구매
ㄷ. 정보 탐색	ㄹ. 대안 평가

① ㄱ, ㄴ   ② ㄴ, ㄷ

③ ㄱ, ㄷ, ㄹ   ④ ㄱ, ㄴ, ㄷ, ㄹ

해설

소비자 상품구매 결정 과정과 구매 후 과정

문제인식 – 정보탐색 – 선택대안의 평가 – 구매 – 평가 – 재구매 또는 상표 대체

정답   096 ①   097 ④   098 ④   099 ④   100 ①

2022년 제19회 농산물품질관리사 제1차 시험 기출문제

각 문제에서 요구하는 가장 적합하거나 가까운 답 1개만을 고르시오.

관계 법령

001 농수산물 품질관리법령상 동음이의어 지리적표시에 관한 정의이다. ( )에 들어갈 내용으로 옳은 것은?

> "동음이의어 지리적표시"란 동일한 품목에 대하여 지리적표시를 할 때 타인의 지리적표시와 ( )은(는) 같지만 해당 지역이 다른 지리적표시를 말한다.

① 발음
② 유래
③ 명성
④ 품질

해설

법 제2조 "동음이의어 지리적표시"란 동일한 품목에 대하여 지리적표시를 할 때 타인의 지리적표시와 발음은 같지만 해당 지역이 다른 지리적표시를 말한다.

002 농수산물 품질관리법령상 농수산물품질관리심의회에서 심의하는 사항이 아닌 것은?

① 농산물 품질인증에 관한 사항
② 농산물 이력추적관리에 관한 사항
③ 유전자변형농산물의 표시에 관한 사항
④ 농산물 표준규격 및 물류표준화에 관한 사항

해설

품질인증제도는 수산물에 대한 제도이다.
법 제4조(심의회의 직무) 심의회는 다음 각 호의 사항을 심의한다.
1. 표준규격 및 물류표준화에 관한 사항
2. 농산물우수관리·수산물품질인증 및 이력추적관리에 관한 사항
3. 지리적표시에 관한 사항
4. 유전자변형농수산물의 표시에 관한 사항
5. 농수산물(축산물은 제외한다)의 안전성조사 및 그 결과에 대한 조치에 관한 사항
6. 농수산물(축산물은 제외한다) 및 수산가공품의 검사에 관한 사항

7. 농수산물의 안전 및 품질관리에 관한 정보의 제공에 관하여 총리령, 농림축산식품부령 또는 해양수산부령으로 정하는 사항

8. 제69조에 따른 수산물의 생산·가공시설 및 해역(海域)의 위생관리기준에 관한 사항

9. 수산물 및 수산가공품의 제70조에 따른 위해요소중점관리기준에 관한 사항

10. 지정해역의 지정에 관한 사항

11. 다른 법령에서 심의회의 심의사항으로 정하고 있는 사항

12. 그 밖에 농수산물 및 수산가공품의 품질관리 등에 관하여 위원장이 심의에 부치는 사항

003 농수산물 품질관리법령상 2022년 4월 1일 검사한 보리쌀의 농산물검사의 유효기간은?

① 40일   ② 60일

③ 90일   ④ 120일

해설

시행규칙 [별표 23] 농산물검사의 유효기간

종류	품목	검사시행시기	유효기간 (일)
곡류	벼·콩	5.1. ~ 9.30.	90
		10.1. ~ 4.30.	120
	겉보리·쌀보리·팥·녹두·현미·보리쌀	5.1. ~ 9.30.	60
		10.1. ~ 4.30.	90
	쌀	5.1. ~ 9.30.	40
		10.1. ~ 4.30.	60
특용작물류	참깨·땅콩	1.1. ~ 12.31.	90
과실류	사과·배	5.1. ~ 9.30.	15
		10.1. ~ 4.30.	30
	단감	1.1. ~ 12.31.	20
	감귤	1.1. ~ 12.31.	30
채소류	고추·마늘·양파	1.1. ~ 12.31.	30
잠사류 (蠶絲類)	누에씨	1.1. ~ 12.31.	365
	누에고치	1.1. ~ 12.31.	7
기타	농림축산식품부장관이 검사대상 농산물로 정하여 고시하는 품목의 검사유효기간은 농림축산식품부장관이 정하여 고시한다.		

정답   001 ①   002 ①   003 ③

004 농수산물 품질관리법령상 다른 사람에게 농산물품질관리사 자격증을 빌려 주어 자격이 취소된 사람이 그 처분이 있은 날부터 농산물품질관리사 자격시험에 응시할 수 없는 기간은?

① 1년 　　　　　　　　　　　　　② 2년
③ 3년 　　　　　　　　　　　　　④ 5년

해설

법 제107조(농산물품질관리사 또는 수산물품질관리사의 시험·자격부여 등) ③ 다음 각 호의 어느 하나에 해당하는 사람은 그 처분이 있은 날부터 2년 동안 농산물품질관리사 또는 수산물품질관리사 자격시험에 응시하지 못한다.
1. 제2항에 따라 시험의 정지·무효 또는 합격취소 처분을 받은 사람
2. 제109조에 따라 농산물품질관리사 또는 수산물품질관리사의 자격이 취소된 사람

법 제109조(농산물품질관리사 또는 수산물품질관리사의 자격 취소) 농림축산식품부장관 또는 해양수산부장관은 다음 각 호의 어느 하나에 해당하는 사람에 대하여 농산물품질관리사 또는 수산물품질관리사 자격을 취소하여야 한다.
1. 농산물품질관리사 또는 수산물품질관리사의 자격을 거짓 또는 부정한 방법으로 취득한 사람
2. 제108조 제2항을 위반하여 다른 사람에게 농산물품질관리사 또는 수산물품질관리사의 명의를 사용하게 하거나 자격증을 빌려준 사람
3. 제108조 제3항을 위반하여 명의의 사용이나 자격증의 대여를 알선한 사람

005 농수산물 품질관리법령상 우수관리시설의 지위를 승계한 경우 종전의 우수관리시설에 행한 행정제재처분의 효과는 그 지위를 승계한 자에게 승계된다. 처분사실을 인지한 승계자에게 그 처분이 있은 날부터 행정제재처분의 효과가 승계되는 기간은?

① 6개월 　　　　　　　　　　　　② 1년
③ 2년 　　　　　　　　　　　　　④ 3년

해설

법 제28조의2(행정제재처분 효과의 승계) 제28조에 따라 지위를 승계한 경우 종전의 우수관리인증기관, 우수관리시설 또는 품질인증기관에 행한 행정제재처분의 효과는 그 처분이 있은 날부터 1년간 그 지위를 승계한 자에게 승계되며, 행정제재처분의 절차가 진행 중인 때에는 그 지위를 승계한 자에 대하여 그 절차를 계속 진행할 수 있다. 다만, 지위를 승계한 자가 그 지위의 승계 시에 그 처분 또는 위반사실을 알지 못하였음을 증명하는 때에는 그러하지 아니하다.

006 농수산물 품질관리법령상 우수관리인증농산물 표시의 제도법에 관한 설명으로 옳지 않은 것은?

① 인증번호는 표지도형 밑에 표시한다.
② 표지도형의 영문 글자는 고딕체로 한다.
③ 표지도형 상단의 "농림축산식품부"와 "MAFRA KOREA"의 글자는 흰색으로 한다.
④ 표지도형의 색상은 녹색을 기본색상으로 하고, 포장재의 색깔 등을 고려하여 빨간색으로 할 수 있다.

해설

표지도형 내부의 "GAP" 및 "(우수관리인증)"의 글자 색상은 표지도형 색상과 동일하게 하고, 하단의 "농림축산식품부"와 "MAFRA KOREA"의 글자는 흰색으로 한다.

007 농수산물 품질관리법령상 농산물의 이력추적관리 등록에 관한 설명으로 옳지 않은 것은?

① 농림축산식품부장관은 이력추적관리의 등록을 한 자에 대하여 이력추적관리에 필요한 비용의 일부를 지원할 수 있다.
② 농림축산식품부장관은 이력추적관리의 등록자로부터 등록사항의 변경신고를 받은 날부터 1개월 이내에 신고수리 여부를 신고인에게 통지하여야 한다.
③ 대통령령으로 정하는 농산물을 생산하거나 유통 또는 판매하는 자는 농림축산식품부장관에게 이력추적관리의 등록을 하여야 한다.
④ 이력추적관리의 등록을 한 자는 등록사항이 변경된 경우 변경 사유가 발생한 날부터 1개월 이내에 농림축산식품부장관에게 신고하여야 한다.

해설

법 제24조(이력추적관리) ④ 농림축산식품부장관은 제3항에 따른 변경신고를 받은 날부터 10일 이내에 신고수리 여부를 신고인에게 통지하여야 한다.

008 농수산물 품질관리법령상 지리적표시 농산물의 특허법 준용에 관한 설명으로 옳지 않은 것은?

① 출원은 등록신청으로 본다.
② 특허권은 지리적표시권으로 본다.
③ 심판장은 농림축산식품부장관으로 본다.
④ 산업통상자원부령은 농림축산식품부령으로 본다.

정답 **004** ② **005** ② **006** ③ **007** ② **008** ③

> 해설

법 제41조(「특허법」의 준용) ③ "특허"는 "지리적표시"로, "출원"은 "등록신청"으로, "특허권"은 "지리적표시권"으로, "특허청"·"특허청장" 및 "심사관"은 "농림축산식품부장관 또는 해양수산부장관"으로, "특허심판원"은 "지리적표시심판위원회"로, "심판장"은 "지리적표시심판위원회 위원장"으로, "심판관"은 "심판위원"으로, "산업통상자원부령"은 "농림축산식품부령 또는 해양수산부령"으로 본다.

009 농수산물 품질관리법령상 지리적표시품의 1차 위반행위에 따른 행정처분 기준이 가장 경미한 것은?

① 지리적표시품이 등록기준에 미치지 못하게 된 경우
② 등록된 지리적표시품이 아닌 제품에 지리적표시를 한 경우
③ 지리적표시품 생산계획의 이행이 곤란하다고 인정되는 경우
④ 지리적표시품에 정하는 바에 따른 지리적표시를 위반하여 내용물과 다르게 거짓표시를 한 경우

> 해설

시행령 [별표 1] 시정명령 등의 처분기준
바. 지리적표시품

위반행위	근거 법조문	행정처분 기준		
		1차 위반	2차 위반	3차 위반
1) 법 제32조 제3항 및 제7항에 따른 지리적표시품 생산계획의 이행이 곤란하다고 인정되는 경우	법 제40조 제3호	등록 취소		
2) 법 제32조 제7항에 따라 등록된 지리적표시품이 아닌 제품에 지리적표시를 한 경우	법 제40조 제1호	등록 취소		
3) 법 제32조 제9항의 지리적표시품이 등록기준에 미치지 못하게 된 경우	법 제40조 제1호	표시정지 3개월	등록 취소	
4) 법 제34조 제3항을 위반하여 의무표시사항이 누락된 경우	법 제40조 제2호	시정명령	표시정지 1개월	표시정지 3개월
5) 법 제34조 제3항을 위반하여 내용물과 다르게 거짓표시나 과장된 표시를 한 경우	법 제40조 제2호	표시정지 1개월	표시정지 3개월	등록 취소

010 농수산물 품질관리법령상 안전성조사 업무의 일부와 시험분석 업무를 수행하기 위하여 안전성검사기관을 지정하고 안전성조사와 시험분석 업무를 대행하게 할 수 있는 권한을 가진 자는?

① 식품의약품안전처장
② 국립농산물품질관리원장
③ 농림축산식품부장관
④ 농촌진흥청장

해설

법 제64조(안전성검사기관의 지정 등) ① 식품의약품안전처장은 안전성조사 업무의 일부와 시험분석 업무를 전문적·효율적으로 수행하기 위하여 안전성검사기관을 지정하고 안전성조사와 시험분석 업무를 대행하게 할 수 있다.

011 농수산물 품질관리법령상 안전성검사기관에 대해 6개월 이내의 기간을 정하여 업무의 정지를 명할 수 있는 경우는? (단, 경감사유는 고려하지 않음)

① 검사성적서를 거짓으로 내준 경우
② 거짓된 방법으로 안전성검사기관 지정을 받은 경우
③ 부정한 방법으로 안전성검사기관 지정을 받은 경우
④ 업무의 정지명령을 위반하여 계속 안전성조사 및 시험분석 업무를 한 경우

해설

법 제65조(안전성검사기관의 지정 취소 등) ① 식품의약품안전처장은 제64조 제1항에 따른 안전성검사기관이 다음 각 호의 어느 하나에 해당하면 지정을 취소하거나 6개월 이내의 기간을 정하여 업무의 정지를 명할 수 있다. 다만, 제1호 또는 제2호에 해당하면 지정을 취소하여야 한다.
  1. 거짓이나 그 밖의 부정한 방법으로 지정을 받은 경우
  2. 업무의 정지명령을 위반하여 계속 안전성조사 및 시험분석 업무를 한 경우
  3. 검사성적서를 거짓으로 내준 경우
  4. 그 밖에 총리령으로 정하는 안전성검사에 관한 규정을 위반한 경우
② 제1항에 따른 지정 취소 등의 세부 기준은 총리령으로 정한다.

012 농수산물 품질관리법령상 유전자변형농산물의 표시기준 및 표시방법이 아닌 것은?

① '유전자변형농산물임'을 표시
② '유전자변형농산물이 포함되어 있음'을 표시
③ '유전자변형농산물이 포함되어 있지 않음'을 표시
④ '유전자변형농산물이 포함되어 있을 가능성이 있음'을 표시

시행령 제20조(유전자변형농수산물의 표시기준 등) ① 법 제56조 제1항에 따라 유전자변형농수산물에는 해당 농수산물이 유전자변형농수산물임을 표시하거나, 유전자변형농수산물이 포함되어 있음을 표시하거나, 유전자변형농수산물이 포함되어 있을 가능성이 있음을 표시하여야 한다.

013 농수산물 품질관리법령상 위반에 따른 벌칙의 기준이 다른 것은?

① 우수관리인증농산물이 우수관리기준에 미치지 못하여 우수관리인증농산물의 유통업자에게 판매금지 조치를 명하였으나 판매금지 조치에 따르지 아니한 자

② 유전자변형농산물의 표시를 거짓으로 한 자에게 해당 처분을 받았다는 사실을 공표할 것을 명하였으나 공표명령을 이행하지 아니한 자

③ 안전성조사를 한 결과 농산물의 생산단계 안전기준을 위반하여 출하 연기 조치를 명하였으나 조치를 이행하지 아니한 자

④ 지리적표시품의 표시방법을 위반하여 표시방법에 대한 시정명령을 받았으나 시정명령에 따르지 아니한 자

①, ②, ③ 1년 이하의 징역, 1천만원 이하의 벌금
④ 1천만원 이하의 과태료
법 제123조(과태료) ① 다음 각 호의 어느 하나에 해당하는 자에게는 1천만원 이하의 과태료를 부과한다.
5. 제31조 제1항 제3호(우수표시품) 또는 제40조 제2호(지리적표시품)에 따른 표시방법에 대한 시정명령에 따르지 아니한 자

014 농수산물의 원산지 표시 등에 관한 법령상 프랑스에서 수입하여 국내에서 35일간 사육한 닭을 국내 일반음식점에서 삼계탕으로 조리하여 판매할 경우 원산지표시방법으로 옳은 것은?

① 삼계탕(닭고기 : 국내산)
② 삼계탕(닭고기 : 프랑스산)
③ 삼계탕(닭고기 : 국내산(출생국 : 프랑스))
④ 삼계탕(닭고기 : 국내산과 프랑스산 혼합)

소, 돼지, 양(염소 등 산양 포함) 이외 가축의 경우 사육국(국내)에서 1개월 이상 사육된 경우에는 사육국을 원산지로 하되, ( ) 내에 그 출생국을 함께 표시한다. 1개월 미만 사육된 경우에는 출생국을 원산지로 한다.
시행규칙 [별표 3] 농수산물의 원산지표시 요령
이식ㆍ이동 등으로 인한 세부 원산지 표시기준(제5조 관련)

1. 농산물

구분	세부 원산지 표시기준
가. 원산지 변경	• 종자로 수입하여 작물체를 생산한 경우에는 작물체의 원산지는 작물체가 생산된 "국가명" 또는 "시·도명", "시·군·구명"으로 한다. 이 경우 종자란 「종자산업법」 제2조에 따른 종자를 말한다. ex1] 국내에서 중국산 누에나 번데기에 동충하초균을 접종하여 "동충하초"를 생산한 경우 ex2] 버섯 종균을 접종·배양한 배지를 수입하여 국내에서 버섯을 생산·수확한 경우. 다만, ( ) 내에 '접종·배양 : ○○국'을 함께 표시한다. ※ 표고버섯은 적용하지 아니한다. ex3] 종강(생강종자) 등을 이용하여 국내 재배하여 새로운 생강을 생산한 경우. 다만 남아있는 종강은 원산지가 변경되었다고 볼 수 없음 ex4] 수입 마늘·마 등 영양체를 재배하여 그 영양으로 새롭게 생산된 생산물의 경우
나. 원산지 미변경	• 작물체를 수입하여 국내 토양 및 기후환경에서 단순히 그 순 또는 꽃을 생산하거나, 이식 또는 가식 등으로 작물체를 비대 생장시킨 경우에는 원산지가 변경된 것으로 보지 않고 해당 작물체의 "수입 국가명"을 표시한다. ※ 단순히 물 또는 온·습도 등의 관리로 싹 또는 꽃을 피우거나 비대 생장시킨 것은 원산지가 변경되는 재배로 보지 않음 ex1] 수입 두릅 대목을 재배하여 두릅순 또는 두릅순에 대목을 일부 달려있게 생산한 경우 ex2] 호접란 등 난초를 꽃이 피지 않은 상태(뿌리 포함)로 수입하여 국내에서 화아를 형성, 꽃을 피게 하였을 경우 ex3] 인삼(산양삼 포함), 도라지 등 작물체를 수입하여 국내에 이식하였다가 생산한 경우 ex4] 김치를 수입 후 국내에서 대파 등을 첨가하는 등 단순 가공활동을 하여 다시 김치를 생산한 경우 ex5] 농산물을 수입하여 건조·가열, 이물질 제거 등 단순가공 활동을 하여 육안으로 그 원형을 알아볼 수 있거나, 실질적 변형(HS 6단위기준)이 일어나지 않은 경우 ※ "실질적 변형"이란 본질적 특성 변경으로 HS 6단위가 변경된 것을 말함
다. 원산지 전환	• 가축을 출생국으로부터 수입하여 국내에서 사육하다가 도축한 경우 일정사육기한이 경과하여야만 원산지변경으로 본다. ex1] 소의 경우 사육국(국내)에서 6개월 이상 사육된 경우에는 사육국을 원산지로 하되, ( ) 내에 그 출생국을 함께 표시한다. 6개월 미만 사육된 경우에는 출생국을 원산지로 한다.

정답 013 ④ 014 ③

	ex2] 돼지와 양(염소 등 산양 포함)의 경우 사육국(국내)에서 2개월 이상 사육된 경우에는 사육국을 원산지로 하되, ( ) 내에 그 출생국을 함께 표시한다. 2개월 미만 사육된 경우에는 출생국을 원산지로 한다.
	ex3] 소, 돼지, 양(염소 등 산양 포함) 이외 가축의 경우 사육국(국내)에서 1개월 이상 사육된 경우에는 사육국을 원산지로 하되, ( ) 내에 그 출생국을 함께 표시한다. 1개월 미만 사육된 경우에는 출생국을 원산지로 한다.
	• 표고버섯 종균을 접종·배양한 배지를 수입하여 국내에서 버섯을 생산·수확한 경우에는 종균 접종부터 수확까지의 기간을 기준으로 재배기간이 가장 긴 국가를 원산지로 본다.
라. 소의 국내 이동에 따른 원산지	• 국내에서 출생·사육·도축한 쇠고기의 원산지를 시·도명 또는 시·군·구명으로 표시하고자 하는 경우 해당 시·도 또는 시·군·구에서 도축일을 기준으로 12개월 이상 사육되어야 한다.

015 농수산물의 원산지 표시 등에 관한 법령상 위반행위에 관한 내용이다. ( )에 해당하는 과태료 부과기준은?

> • (ㄱ) : 원산지 표시대상 농산물을 판매 중인 자가 원산지 거짓표시 행위로 적발되어 처분이 확정된 경우 농산물 원산지 표시제도 교육을 이수하도록 명령을 받았으나 교육 이수명령을 이행하지 아니한 자
> • (ㄴ) : 원산지 표시대상 농산물을 판매 중인 자는 원산지의 표시 여부·표시사항과 표시방법 등의 적정성을 확인하기 위하여 수거·조사·열람을 하는 때에는 정당한 사유 없이 이를 거부·방해하거나 기피하여서는 아니되나 수거·조사·열람을 거부·방해하거나 기피한 자

① ㄱ : 500만원 이하,   ㄴ : 500만원 이하
② ㄱ : 500만원 이하,   ㄴ : 1,000만원 이하
③ ㄱ : 1,000만원 이하, ㄴ : 500만원 이하
④ ㄱ : 1,000만원 이하, ㄴ : 1,000만원 이하

해설

법 제18조(과태료)
• 500만원 : 제9조의2 제1항(원산지 표시 위반에 대한 교육)에 따른 교육 이수명령을 이행하지 아니한 자
• 1,000만원 : 제7조 제3항(원산지 표시 등의 조사)을 위반하여 수거·조사·열람을 거부·방해하거나 기피한 자
• 법 제7조 제3항 제1항이나 제2항에 따른 수거·조사·열람을 하는 때에는 원산지의 표시대상 농수산물이나 그 가공품을 판매하거나 가공하는 자 또는 조리하여 판매·제공하는 자는 정당한 사유 없이 이를 거부·방해하거나 기피하여서는 아니 된다.

016 농수산물의 원산지 표시 등에 관한 법령상 A씨가 판매가 35,000원 상당의 고사리에 원산지를 표시하지 않아 원산지 표시의무를 위반한 경우 부과되는 과태료는? (단, 감경사유는 고려하지 않음)

① 30,000원

② 35,000원

③ 40,000원

④ 50,000원

해설

시행령 [별표 2] 과태료의 부과기준 − 개별기준

위반행위	근거 법조문	과태료			
		1차 위반	2차 위반	3차 위반	4차 이상 위반
가. 법 제5조 제1항을 위반하여 원산지 표시를 하지 않은 경우	법 제18조 제1항 제1호	5만원 이상 1,000만원 이하			
나. 법 제5조 제3항을 위반하여 원산지 표시를 하지 않은 경우	법 제18조 제1항 제1호				
1) 쇠고기의 원산지를 표시하지 않은 경우		100만원	200만원	300만원	300만원
2) 쇠고기 식육의 종류만 표시하지 않은 경우		30만원	60만원	100만원	100만원
3) 돼지고기의 원산지를 표시하지 않은 경우		30만원	60만원	100만원	100만원
4) 닭고기의 원산지를 표시하지 않은 경우		30만원	60만원	100만원	100만원
5) 오리고기의 원산지를 표시하지 않은 경우		30만원	60만원	100만원	100만원
6) 양고기 또는 염소고기의 원산지를 표시하지 않은 경우		품목별 30만원	품목별 60만원	품목별 100만원	품목별 100만원
7) 쌀의 원산지를 표시하지 않은 경우		30만원	60만원	100만원	100만원
8) 배추 또는 고춧가루의 원산지를 표시하지 않은 경우		30만원	60만원	100만원	100만원
9) 콩의 원산지를 표시하지 않은 경우		30만원	60만원	100만원	100만원

정답 015 ② 016 ④

		품목별 30만원	품목별 60만원	품목별 100만원	품목별 100만원
10) 넙치, 조피볼락, 참돔, 미꾸라지, 뱀장어, 낙지, 명태, 고등어, 갈치, 오징어, 꽃게, 참조기, 다랑어, 아귀 및 주꾸미의 원산지를 표시하지 않은 경우		품목별 30만원	품목별 60만원	품목별 100만원	품목별 100만원
11) 살아있는 수산물의 원산지를 표시하지 않은 경우		5만원 이상 1,000만원 이하			
다. 법 제5조 제4항에 따른 원산지의 표시 방법을 위반한 경우	법 제18조 제1항 제2호	5만원 이상 1,000만원 이하			
라. 법 제6조 제4항을 위반하여 임대점포의 임차인 등 운영자가 같은 조 제1항 각 호 또는 제2항 각 호의 어느 하나에 해당하는 행위를 하는 것을 알았거나 알 수 있었음에도 방치한 경우	법 제18조 제1항 제3호	100만원	200만원	400만원	400만원
마. 법 제6조 제5항을 위반하여 해당 방송채널 등에 물건 판매중개를 의뢰한 자가 같은 조 제1항 각 호 또는 제2항 각 호의 어느 하나에 해당하는 행위를 하는 것을 알았거나 알 수 있었음에도 방치한 경우	법 제18조 제1항 제3호의2	100만원	200만원	400만원	400만원
바. 법 제7조 제3항을 위반하여 수거·조사·열람을 거부·방해하거나 기피한 경우	법 제18조 제1항 제4호	100만원	300만원	500만원	500만원
사. 법 제8조를 위반하여 영수증이나 거래명세서 등을 비치·보관하지 않은 경우	법 제18조 제1항 제5호	20만원	40만원	80만원	80만원
아. 법 제9조의2 제1항에 따른 교육이수명령을 이행하지 않은 경우	법 제18조 제2항 제1호	30만원	60만원	100만원	100만원
자. 법 제10조의2 제1항을 위반하여 유통이력을 신고하지 않거나 거짓으로 신고한 경우	법 제18조 제2항 제2호				
1) 유통이력을 신고하지 않은 경우		50만원	100만원	300만원	500만원
2) 유통이력을 거짓으로 신고한 경우		100만원	200만원	400만원	500만원

차. 법 제10조의2 제2항을 위반하여 유통이력을 장부에 기록하지 않거나 보관하지 않은 경우	법 제18조 제2항 제3호	50만원	100만원	300만원	500만원
카. 법 제10조의2 제3항을 위반하여 유통이력 신고의무가 있음을 알리지 않은 경우	법 제18조 제2항 제4호	50만원	100만원	300만원	500만원
타. 법 제10조의3 제2항을 위반하여 수거·조사 또는 열람을 거부·방해 또는 기피한 경우	법 제18조 제2항 제5호	100만원	200만원	400만원	500만원

017 농수산물 유통 및 가격안정에 관한 법령상 중앙도매시장은?

① 서울특별시 강서 농산물도매시장
② 부산광역시 반여 농산물도매시장
③ 광주광역시 서부 농수산물도매시장
④ 인천광역시 삼산 농산물도매시장

해설

①, ②, ③ 지방도매시장

시행규칙 제3조(중앙도매시장)

1. 서울특별시 가락동 농수산물도매시장
2. 서울특별시 노량진 수산물도매시장
3. 부산광역시 엄궁동 농산물도매시장
4. 부산광역시 국제 수산물도매시장
5. 대구광역시 북부 농수산물도매시장
6. 인천광역시 구월동 농산물도매시장
7. 인천광역시 삼산 농산물도매시장
8. 광주광역시 각화동 농산물도매시장
9. 대전광역시 오정 농수산물도매시장
10. 대전광역시 노은 농산물도매시장
11. 울산광역시 농수산물도매시장

정답 **017** ④

018 **농수산물 유통 및 가격안정에 관한 법령상 가격 예시에 관한 설명으로 옳지 않은 것은?**

① 농림축산식품부장관이 예시가격을 결정할 때에는 미리 기획재정부장관과 협의하여야 한다.

② 농림축산식품부장관은 해당 농산물의 파종기 이후에 하한가격을 예시하여야 한다.

③ 가격예시 대상 품목은 계약생산 또는 계약출하를 하는 농산물로서 농림축산식품부장관이 지정하는 품목으로 한다.

④ 농림축산식품부장관은 농림업관측 등 예시가격을 지지하기 위한 시책을 추진하여야 한다.

해설

법 제8조(가격 예시) ① 농림축산식품부장관 또는 해양수산부장관은 농림축산식품부령 또는 해양수산부령으로 정하는 주요 농수산물의 수급조절과 가격안정을 위하여 필요하다고 인정할 때에는 해당 농산물의 파종기 또는 수산물의 종자입식 시기 이전에 생산자를 보호하기 위한 하한가격[이하 "예시가격"(豫示價格)이라 한다]을 예시할 수 있다.

② 농림축산식품부장관 또는 해양수산부장관은 제1항에 따라 예시가격을 결정할 때에는 해당 농산물의 농림업관측, 주요 곡물의 국제곡물관측 또는 「수산물 유통의 관리 및 지원에 관한 법률」 제38조에 따른 수산업관측(이하 이 조에서 "수산업관측"이라 한다) 결과, 예상 경영비, 지역별 예상 생산량 및 예상 수급상황 등을 고려하여야 한다.

③ 농림축산식품부장관 또는 해양수산부장관은 제1항에 따라 예시가격을 결정할 때에는 미리 기획재정부장관과 협의하여야 한다.

④ 농림축산식품부장관 또는 해양수산부장관은 제1항에 따라 가격을 예시한 경우에는 예시가격을 지지(支持)하기 위하여 다음 각 호의 사항 등을 연계하여 적절한 시책을 추진하여야 한다(이하 생략).

019 **농수산물 유통 및 가격안정에 관한 법령상 농림축산식품부장관이 필요하다고 인정할 때에 생산자단체를 지정하여 수입·판매하게 할 수 있는 품목은?**

① 오렌지 ② 고추

③ 마늘 ④ 생강

해설

시행규칙 제13조(농산물의 수입 추천 등) ① 법 제15조 제3항에서 "농림축산식품부령으로 정하는 사항"이란 다음 각 호의 사항을 말한다.

1. 「관세법 시행령」 제98조에 따른 관세·통계통합품목분류표상의 품목번호

2. 품명

3. 수량

4. 총금액

② 농림축산식품부장관이 법 제15조 제4항에 따라 비축용 농산물로 수입하거나 생산자단체를 지정하여 수입·판매하게 할 수 있는 품목은 다음 각 호와 같다.

1. 비축용 농산물로 수입·판매하게 할 수 있는 품목 : 고추·마늘·양파·생강·참깨

2. 생산자단체를 지정하여 수입·판매하게 할 수 있는 품목 : 오렌지·감귤류

020 농수산물 유통 및 가격안정에 관한 법령상 산지유통인의 등록에 관한 설명으로 옳지 않은 것은?

① 농수산물을 수집하여 도매시장에 출하하려는 자는 부류별로 도매시장 개설자에게 등록하여야 한다.

② 중도매인의 임직원은 해당 도매시장에서 산지유통인의 업무를 하여서는 아니 된다.

③ 거래의 특례에 따라 시장도매인이 도매시장법인으로부터 매수하여 판매하는 경우 산지유통인 등록을 하여야 한다.

④ 생산자단체가 구성원의 생산물을 출하하는 경우 산지유통인 등록을 하지 않아도 된다.

> **해설**
>
> 법 제29조(산지유통인의 등록) ① 농수산물을 수집하여 도매시장에 출하하려는 자는 농림축산식품부령 또는 해양수산부령으로 정하는 바에 따라 부류별로 도매시장 개설자에게 등록하여야 한다. 다만, 다음 각 호의 어느 하나에 해당하는 경우에는 그러하지 아니하다.
> 1. 생산자단체가 구성원의 생산물을 출하하는 경우
> 2. 도매시장법인이 제31조 제1항 단서에 따라 매수한 농수산물을 상장하는 경우
> 3. 중도매인이 제31조 제2항 단서에 따라 비상장 농수산물을 매매하는 경우
> 4. 시장도매인이 제37조(시장도매인의 영업)에 따라 매매하는 경우
> 5. 그 밖에 농림축산식품부령 또는 해양수산부령으로 정하는 경우
> ② 도매시장법인, 중도매인 및 이들의 주주 또는 임직원은 해당 도매시장에서 산지유통인의 업무를 하여서는 아니 된다.
> ③ 도매시장 개설자는 이 법 또는 다른 법령에 따른 제한에 위반되는 경우를 제외하고는 제1항에 따라 등록을 하여주어야 한다.
> ④ 산지유통인은 등록된 도매시장에서 농수산물의 출하업무 외의 판매·매수 또는 중개업무를 하여서는 아니 된다.
> ⑤ 도매시장 개설자는 제1항에 따라 등록을 하여야 하는 자가 등록을 하지 아니하고 산지유통인의 업무를 하는 경우에는 도매시장에의 출입을 금지·제한하거나 그 밖에 필요한 조치를 할 수 있다.
> ⑥ 국가나 지방자치단체는 산지유통인의 공정한 거래를 촉진하기 위하여 필요한 지원을 할 수 있다.

021 농수산물 유통 및 가격안정에 관한 법령상 농산물가격안정기금에 관한 설명으로 옳지 않은 것은?

① 기금은 정부 출연금 등의 재원으로 조성한다.

② 기금은 농산물의 수출 촉진 사업에 융자 또는 대출할 수 있다.

③ 기금은 도매시장 시설현대화 사업 지원 등을 위하여 지출한다.

④ 기금은 국가회계원칙에 따라 기획재정부장관이 운용·관리한다.

정답 018 ② 019 ① 020 ③ 021 ④

해설

법 제56조(기금의 운용·관리) ① 기금은 국가회계원칙에 따라 농림축산식품부장관이 운용·관리한다.

022 농수산물 유통 및 가격안정에 관한 법령상 농수산물 전자거래에 관한 설명으로 옳지 않은 것은?

① 농림축산식품부장관은 한국농수산식품유통공사에 농수산물 전자거래소의 설치 및 운영·관리업무를 수행하게 할 수 있다.

② 농수산물전자거래의 거래수수료는 거래액의 1천분의 30을 초과할 수 없다.

③ 농수산물전자거래의 거래품목은 농림축산식품부령 또는 해양수산부령으로 정하는 농수산물이다.

④ 농수산물전자거래분쟁조정위원회 위원의 임기는 2년으로 하며, 최대 연임가능 임기는 6년이다.

해설

시행령 제35조(분쟁조정위원회의 구성 등) ② 분쟁조정위원회 위원의 임기는 2년으로 하며, 한 차례만 연임할 수 있다.

023 농수산물 유통 및 가격안정에 관한 법령상 전년도 연간 거래액이 8억원인 시장도매인이 해당 도매시장의 중도매인에게 농산물을 판매하여 시장도매인 영업규정위반으로 2차 행정처분을 받은 경우 도매시장 개설자가 부과기준에 따라 시장도매인에게 부과하는 과징금은? (단, 과징금의 가감은 없음)

① 120,000원 ② 180,000원

③ 360,000원 ④ 540,000원

해설

연간거래액 8억원이므로 1일 과징금 6,000원 × 1개월(30일) = 180,000원

법 제37조(시장도매인의 영업) ② 시장도매인은 해당 도매시장의 도매시장법인·중도매인에게 농수산물을 판매하지 못한다.

위반사항	근거 법조문	처분기준		
		1차	2차	3차
22) 법 제37조 제2항을 위반하여 해당 도매시장의 도매시장법인·중도매인에게 판매를 한 경우	법 제82조 제2항 제16호	업무정지 15일	업무정지 1개월	업무정지 3개월

연간 거래액	1일당 과징금 금액
5억원 미만	4,000원
5억원 이상 10억원 미만	6,000원

024 농수산물 유통 및 가격안정에 관한 법령상 도매시장법인의 겸영에 관한 설명으로 옳지 않은 것은?

① 도매시장법인이 해당 도매시장 외의 군소재지에서 겸영사업을 하려는 경우에는 겸영사업 개시 전에 겸영사업의 내용 및 계획을 겸영하려는 사업장 소재지의 군수에게도 알려야 한다.

② 도매시장 개설자는 도매시장법인의 과도한 겸영사업이 우려되는 경우에는 농림축산식품부령이 정하는 바에 따라 겸영사업을 2년 이내의 범위에서 제한할 수 있다.

③ 겸영사업을 하려는 도매시장법인의 유동비율은 100퍼센트 이상이어야 한다.

④ 도매시장법인이 겸영사업으로 수출을 하는 경우 중도매인·매매참가인 외의 자에게 판매할 수 있다.

해설

시행규칙 제34조(도매시장법인의 겸영) ① 법 제35조 제4항 단서에 따른 농수산물의 선별·포장·가공·제빙(製氷)·보관·후숙(後熟)·저장·수출입·배송(도매시장법인이나 해당 도매시장 중도매인의 농수산물 판매를 위한 배송으로 한정한다) 등의 사업(이하 이 조에서 "겸영사업"이라 한다)을 겸영하려는 도매시장법인은 다음 각 호의 요건을 충족하여야 한다. 이 경우 제1호부터 제3호까지의 기준은 직전 회계연도의 대차대조표를 통하여 산정한다.

1. 부채비율(부채/자기자본×100)이 300퍼센트 이하일 것
2. 유동부채비율(유동부채/부채총액×100)이 100퍼센트 이하일 것
3. 유동비율(유동자산/유동부채×100)이 100퍼센트 이상일 것
4. 당기순손실이 2개 회계연도 이상 계속하여 발생하지 아니할 것

② 도매시장법인은 겸영사업을 하려는 경우에는 그 겸영사업 개시 전에 겸영사업의 내용 및 계획을 해당 도매시장 개설자에게 알려야 한다. 이 경우 도매시장법인이 해당 도매시장 외의 장소에서 겸영사업을 하려는 경우에는 겸영하려는 사업장 소재지의 시장(도매시장 개설자와 다른 경우에만 해당한다)·군수 또는 자치구의 구청장에게도 이를 알려야 한다.

③ 도매시장법인은 겸영사업을 하는 경우 전년도 겸영사업 실적을 매년 3월 31일까지 해당 도매시장 개설자에게 제출하여야 한다.

법 제35조(도매시장법인의 영업제한) ⑤ 도매시장 개설자는 산지(産地) 출하자와의 업무 경합 또는 과도한 겸영사업으로 인하여 도매시장법인의 도매업무가 약화될 우려가 있는 경우에는 대통령령으로 정하는 바에 따라 제4항 단서에 따른 겸영사업을 1년 이내의 범위에서 제한할 수 있다.

025 농수산물 유통 및 가격안정에 관한 법령상 농수산물 공판장에 관한 설명으로 옳지 않은 것은?

① 공판장의 중도매인은 공판장의 개설자가 허가한다.
② 공판장 개설자가 업무규정을 변경한 경우에는 시·도지사에게 보고하여야 한다.
③ 농림수협등이 공판장을 개설하려면 시·도지사의 승인을 받아야 한다.
④ 도매시장공판장은 농림수협등의 유통자회사로 하여금 운영하게 할 수 있다.

> **해설**

공판장개설자는 민간법인(농림수협 또는 공익법인)이 개설하므로 허가라는 행정처분은 할 수가 없고, 지정할 뿐이다.

법 제2조(정의) "중도매인"(仲都賣人)이란 제25조, 제44조, 제46조 또는 제48조에 따라 농수산물도매시장·농수산물공판장 또는 민영농수산물도매시장의 개설자의 허가 또는 지정을 받아 다음 각 목의 영업을 하는 자를 말한다.

법 제44조(공판장의 거래 관계자) ① 공판장에는 중도매인, 매매참가인, 산지유통인 및 경매사를 둘 수 있다.
② 공판장의 중도매인은 공판장의 개설자가 지정한다.

원예작물학

026 원예작물별 주요 기능성 물질의 연결이 옳지 않은 것은?

① 상추 - 시니그린(sinigrin)
② 고추 - 캡사이신(capsaicin)
③ 마늘 - 알리인(alliin)
④ 포도 - 레스베라트롤(resveratrol)

> **해설**

• 상추 : 락투세린
• 시니그린(sinigrin) : 갓이나 고추냉이에 함유되어 있는 매운맛 성분

027 국내 육성 품종을 모두 고른 것은?

ㄱ. 백마(국화)	ㄴ. 샤인머스캣(포도)
ㄷ. 부유(단감)	ㄹ. 매향(딸기)

① ㄱ, ㄴ
② ㄱ, ㄹ
③ ㄴ, ㄷ
④ ㄷ, ㄹ

- 샤인머스캣 : 일본에서 만든 청포도 종으로 과육은 단단하고 식감이 아삭하며, 머스캣 향이 강하여 씹을수록 망고와 같은 향이 난다.
- 부유 : 일본 기후현이 원산지인 단감이다.
- 매향 : 1997년 논산딸기시험장에서 도치노미네 품종과 아키히메 품종을 교배하여 얻은 품종

028 과(科, family)명과 원예작물의 연결이 옳은 것은?

① 가지과 - 고추, 감자
② 국화과 - 당근, 미나리
③ 생강과 - 양파, 마늘
④ 장미과 - 석류, 무화과

 해설

- 미나리과 : 당근, 미나리
- 백합과 : 양파, 마늘
- 석류나무과 : 석류
- 뽕나무과 : 무화과
- 가지과 : 감자, 토마토, 고추, 담배

029 채소 수경재배에 관한 설명으로 옳지 않은 것은?

① 청정재배가 가능하다.
② 재배관리의 자동화와 생력화가 쉽다.
③ 연작장해가 발생하기 쉽다.
④ 생육이 빠르고 균일하다.

해설

수경재배

흙을 사용하지 않고 물과 수용성 영양분으로 만든 배양액 속에서 식물을 키우는 방법을 일컫는 말로, 물재배 또는 물가꾸기라고 한다. 연작장해가 없다.

030 채소의 육묘재배에 관한 설명으로 옳지 않은 것은?

① 조기 수확이 가능하다.
② 본밭의 토지이용률을 증가시킬 수 있다.
③ 직파에 비해 발아율이 향상된다.
④ 유묘기의 병해충 관리가 어렵다.

해설

육묘재배

종자를 직파하지 않고 육묘해서 본 포에 정식하는 재배형태로서 유묘기 관리를 효율적으로 할 수 있다.

정답 025 ① 026 ① 027 ② 028 ① 029 ③ 030 ④

031 양파의 인경비대를 촉진하는 재배환경 조건은?

① 저온, 다습
② 저온, 건조
③ 고온, 장일
④ 고온, 단일

해설

여름의 고온과 장일에서 엽초 밑부분이 비대해진다.

032 토양의 염류집적에 관한 대책으로 옳지 않은 것은?

① 유기물을 시용한다.
② 객토를 한다.
③ 시설로 강우를 차단한다.
④ 흡비작물을 재배한다.

해설

염류집적(鹽類集積)은 강우가 적고 증발량이 많은 건조·반건조 지대에서는 토양 상층에서 하층으로의 세탈작용이 적고, 증발에 의한 염류의 상승량이 많아 표층에 염류가 집적하는 현상이다. 적절한 수분이 토양을 통해 흐르도록 할 경우 염류집적을 막을 수 있다.

033 우리나라에서 이용되는 해충별 천적의 연결이 옳은 것은?

① 총채벌레 - 굴파리좀벌
② 온실가루이 - 칠레이리응애
③ 점박이응애 - 애꽃노린재류
④ 진딧물 - 콜레마니진디벌

해설

① 총채벌레 - 마일즈응애, 애꽃노린재
② 온실가루이 - 온실가루이좀벌
③ 점박이응애 - 칠레이리응애
• 굴파리의 천적 : 굴파리좀벌

034 장미 블라인드의 원인을 모두 고른 것은?

| ㄱ. 일조량 부족 | ㄴ. 일조량 과다 |
| ㄷ. 낮은 야간온도 | ㄹ. 높은 야간온도 |

① ㄱ, ㄷ
② ㄱ, ㄹ
③ ㄴ, ㄷ
④ ㄴ, ㄹ

해설

꽃눈 분화는 모든 가지에서 일어나지만, 발육이 불량하면 분화된 꽃눈이 꽃으로 발육하지 못하고 퇴화해버린다. 이 같은 현상을 블라인드(Blind)라 부른다. 블라인드 가지의 많고 적음은 품종 본래의 특성에 크게 기인하기는 하지만, 환경적 요인으로는 빛 에너지의 부족과 저온조건이 블라인드의 발생에 깊이 관여한다.

장미를 실내에서 재배하고자 한다면, 광부족이 발생하지 않도록 그늘지지 않고 남동향의 탁 트인 곳에 화분을 두는 것이 좋고, 야간은 14도 이하로 내려가지 않도록 해야 한다. 그밖에 환경불량으로 인한 병충해와 영양부실에 의해서도 블라인드현상이 나타나므로, 항상 통풍과 물주기에 신경을 쓰고, 병충해와 관련된 농약을 적절하게 사용하도록 한다.

035 해충의 피해에 관한 설명으로 옳지 않은 것은?

① 총채벌레는 즙액을 빨아먹는다.
② 진딧물은 바이러스를 옮긴다.
③ 온실가루이는 배설물로 그을음병을 유발한다.
④ 가루깍지벌레는 뿌리를 가해한다.

 해설

가루깍지벌레는 거친 껍질 밑에서 알덩어리로 월동하며 4월 하순경 발생하기 시작하여 7월 상순, 8월 하순에 걸쳐 연 3회 발생한다. 포도의 잎, 가지 과실을 흡즙해 큰 피해를 주며 일반 깍지벌레와는 달리 깍지가 없고 자유롭게 이동한다.
피해양상은 배설물에 의해 그을음병이 심하게 나타나며 포도송이 속에 발생하게 되면 분비물에 의해 상품가치가 현저히 떨어지는 등 피해가 크므로 적기에 방제해야 한다.

036 화훼작물의 양액재배 시 양액조성을 위해 고려해야 할 사항이 아닌 것은?

① 전기전도도(EC) ② 이산화탄소 농도
③ 산도(pH) ④ 용존산소 농도

해설

양액재배 시 양액조성 고려사항은 EC, pH, 용존산소 농도 외에 각종 무기물질이 있지만, 이산화탄소 농도는 고려사항이 아니다.

037 화훼작물의 저온 춘화에 관한 설명으로 옳지 않은 것은?

① 저온에 의해 화아분화와 개화가 촉진되는 현상이다.
② 종자 춘화형은 일정기간 동안 생육한 후부터 저온에 감응한다.
③ 녹색 식물체 춘화형에는 꽃양배추, 구근류 등이 있다.
④ 탈춘화는 춘화처리의 자극이 고온으로 인해 소멸되는 현상을 말한다.

해설
- 저온춘화 : 식물체가 일정 기간 동안 저온을 거쳐야만 꽃눈이 분화되거나 개화가 일어나는 현상. 가을 파종 품종인 맥류를 봄에 뿌리면 저온의 자극을 받지 못하여 이삭 패기가 늦어지거나 아예 일어나지 않는다.
- 종자춘화형 : 최아 종자의 시기에 저온에 감응해 개화하는 식물 예 추파맥류, 완두, 잠두, 무, 배추
- 녹식물춘화형 : 어느 정도 자란 유묘의 시기에 저온에 감응해 개화 예 양배추, 양파, 파, 당근 등
- 탈춘화 : 식물이 춘화처리를 받고 난 후 고온(高溫) 처리를 겪으면 춘화 현상이 소멸하는 현상

038 분화류의 신장을 억제하여 콤팩트한 모양으로 상품성을 향상시킬 수 있는 생장조절제는?

① 2,4-D ② IBA
③ IAA ④ B-9

해설
- B-9 : 신장억제 및 왜화작용
- 2,4-D : 제초제 기능을 하는 합성옥신
- IAA, IBA : 세포의 신장촉진제인 천연옥신

039 다음이 설명하는 재배법은?

> - 주요 재배품목은 딸기이다.
> - 점적 또는 NFT 방식의 관수법을 적용한다.
> - 재배 베드를 허리높이까지 높여 토경재배에 비해 작업의 편리성이 높다.

① 매트재배 ② 네트재배
③ 아칭재배 ④ 고설재배

해설
고설재배
재배시설을 높이 하는 재배방식

040 부(−)의 DIF에서 초장 생장의 억제효과가 가장 큰 원예작물은?

① 튤립 ② 국화
③ 수선화 ④ 히아신스

해설
짧은 초장유도 → 부(−)의 DIF처리 필요
DIF차에 둔감 : 히아신스

041 조직배양을 통한 무병주 생산이 산업화된 원예작물을 모두 고른 것은?

ㄱ. 감자	ㄴ. 참외
ㄷ. 딸기	ㄹ. 상추

① ㄱ, ㄴ   ② ㄱ, ㄷ
③ ㄴ, ㄷ   ④ ㄷ, ㄹ

해설

무병주 생산

병에 걸리지 않은 건전한 식물체. 생장점 배양으로 얻을 수 있는 영양 번식체로서, 조직 특히 도관 내에 있던 바이러스 따위의 병원체가 제거된 것이다. 감자, 고구마, 씨마늘, 딸기 등에 이용된다.

042 다음이 설명하는 병은?

- 주로 5~7월경에 발생한다.
- 사과나 배에 많은 피해를 준다.
- 피해 조직이 검게 변하고 서서히 말라 죽는다.
- 세균(Erwinia amylovora)에 의해 발생한다.

① 궤양병   ② 흑성병
③ 화상병   ④ 축과병

해설

화상병

세균에 의해 사과나 배나무의 잎·줄기·꽃·열매 등이 마치 불에 타 화상을 입은 듯한 증세를 보이다가 고사하는 병을 말한다.

043 그 해 자란 새가지에 과실이 달리는 과수는?

① 사과   ② 배
③ 포도   ④ 복숭아

해설

- 감, 포도는 2년생 가지에서 발생하는 1년생 가지에서 결실한다. 1년생 가지에서 결실하는 것은 맞지만, 지난해에 자라난 2년생 가지에서 발생하는 1년생 가지이다.
- 복숭아, 자두, 매실, 살구, 앵두 : 2년생 가지
- 모과, 사과, 배 : 3년생 가지

정답 038 ④ 039 ④ 040 ② 041 ② 042 ③ 043 ③

044 과수별 실생대목의 연결이 옳지 않은 것은?

① 사과 – 야광나무
② 배 – 아그배나무
③ 감 – 고욤나무
④ 감귤 – 탱자나무

해설

배 : 일본배 또는 돌배

045 꽃받기가 발달하여 과육이 되고 씨방은 과심이 되는 과실은?

① 사과
② 복숭아
③ 포도
④ 단감

해설

위과(僞果)・부과(副果)・가과(假果)라고도 한다. 꽃받기가 발육한 것으로는 양딸기・석류 등이 있고, 꽃자루가 발육한 것으로는 파인애플・무화과 등이 있으며, 꽃받기와 꽃받침이 함께 발육한 것으로는 배・사과 등이 있다.

046 과수에서 꽃눈분화나 과실발육을 촉진시킬 목적으로 실시하는 작업이 아닌 것은?

① 하기전정
② 환상박피
③ 순지르기
④ 강전정

해설

강전정 : 줄기를 많이 잘라내어 새눈이나 새가지의 발생을 촉진시키는 전정법

047 과수원 토양의 입단화 촉진 효과가 있는 재배방법이 아닌 것은?

① 석회 시비
② 유기물 시비
③ 반사필름 피복
④ 녹비작물 재배

해설

토양 입단화

여러 개의 토양입자들이 모여서 큰 덩어리로 이루는 작용을 말하며 입단하에는 적토, 유기물, 칼슘, 철 등이 입자들을 강하게 연결시키고 있다. 반사필름 피복은 과수결실과 관련된 것으로 입단화와는 관련이 없고, 더더욱 입단화를 방해한다.

048 과수 재배 시 늦서리 피해 경감 대책에 관한 설명으로 옳지 않은 것은?

① 상로(霜路)가 되는 경사면 재배를 피한다.
② 산으로 둘러싸인 분지에서 재배한다.
③ 스프링클러를 이용하여 수상 살수를 실시한다.
④ 송풍법으로 과수원 공기를 순환시켜 준다.

 해설

산으로 둘러싸인 분지는 늦서리 피해에 취약하다.

049 엽록소의 구성성분으로 부족할 경우 잎의 황백화 원인이 되는 필수원소는?

① 철
② 칼슘
③ 붕소
④ 마그네슘

해설

마그네슘은 엽록소의 구성원소이며 결핍 시 황백화현상이 일어나고 줄기나 뿌리의 생장점 발육이 저해된다.

050 경사지 과수원과 비교하였을 때 평탄지 과수원의 장점이 아닌 것은?

① 배수가 양호하다.
② 토양 침식이 적다.
③ 기계작업이 편리하다.
④ 토지 이용률이 높다.

해설

경사지의 과수원은 높이의 고저차를 따라 배수가 자연스럽게 이루어지지만 평탄지 과수원은 배수길을 만들어 주어야 한다.

수확 후 품질관리론

051 원예산물의 수확적기를 판정하는 방법으로 옳은 것은?

① 후지 사과 – 요오드반응으로 과육의 착색면적이 최대일 때 수확한다.

② 저장용 마늘 – 추대가 되기 전에 수확한다.

③ 신고 배 – 만개 후 90일 정도에 과피가 녹황색이 되면 수확한다.

④ 가지 – 종자가 급속히 발달하기 직전인 열매의 비대최성기에 수확한다.

해설

① 후지 사과 – 요오드반응으로 과육의 착색면적이 최소일 때 수확한다.

② 저장용 마늘 – 추대 직후에 수확한다.

③ 신고 배 – 만개 후 165~170일 정도에 과피가 녹황색이 되면 수확한다.

052 사과(후지)의 성숙 시 관련하는 주요 색소를 선택하고 그 변화로 옳은 것은?

ㄱ. 안토시아닌	ㄴ. 엽록소	ㄷ. 리코펜

① ㄱ : 증가, ㄴ : 감소 　　　　② ㄱ : 감소, ㄴ : 증가

③ ㄱ : 감소, ㄴ : 감소, ㄷ : 증가 　　④ ㄱ : 증가, ㄴ : 증가, ㄷ : 감소

해설

사과의 안토시아닌 색소는 증가하여 붉은색을 띠게 되고, 엽록소가 감소하므로 녹색이 줄어들게 된다.

053 호흡급등형 원예산물을 모두 고른 것은?

ㄱ. 살구	ㄴ. 가지
ㄷ. 체리	ㄹ. 사과

① ㄱ, ㄴ 　　　　　　② ㄱ, ㄹ

③ ㄴ, ㄷ 　　　　　　④ ㄷ, ㄹ

해설

• 호흡급등형 : 사과, 배, 복숭아, 참다래, 바나나, 토마토, 수박, 살구, 멜론, 감, 키위, 망고 등
• 비호흡급등형 : 포도, 감귤, 오렌지, 레몬, 고추, 가지, 오이, 딸기, 호박, 파인애플 등

054 포도의 성숙 과정에서 일어나는 현상으로 옳지 않은 것은?

① 전분이 당으로 전환된다. 　　② 엽록소의 함량이 감소한다.

③ 펙틴질이 분해된다. 　　　　④ 유기산이 증가한다.

유기산이 감소해서 신맛이 줄어든다.

055 오이에서 생성되는 쓴맛을 내는 수용성 알칼로이드 물질은?

① 아플라톡신
② 솔라닌
③ 쿠쿠르비타신
④ 아미그달린

해설

천연독성물질
• 아플라톡신 : 보리
• 솔라닌 : 감자
• 아미그달린 : 청매실

056 원예산물에서 에틸렌의 생합성 과정에 필요한 물질이 아닌 것은?

① ACC합성효소
② SAM합성효소
③ ACC산화효소
④ PLD분해효소

해설

에틸렌 생합성을 제어하는 과정. 에틸렌 전구체인 메티오닌으로 시작해 최종 에틸렌이 생성되는 과정에서 ATP의 결합으로 S-adenosyl methionine(SAM)을 형성하면서 ACC생성효소, ACC산화효소가 작용한다. 크리스퍼를 이용해 CNR, RIN, NOR 등 에틸렌 생합성 조절 인자의 결실이나 치환을 유도해 에틸렌 합성을 조절할 수 있다.

057 원예작물의 수확 후 증산작용에 관한 설명으로 옳은 것은?

① 증산율이 낮은 작물일수록 저장성이 약하다.
② 공기 중의 상대습도가 높아질수록 증산이 활발해져 생체중량이 감소된다.
③ 증산은 대기압에 정비례하므로 압력이 높을수록 증가한다.
④ 원예산물로부터 수분이 수증기 형태로 대기중으로 이동하는 현상이다.

해설

① 증산율이 낮은 작물일수록 저장성이 강하다.
② 공기 중의 상대습도가 낮아질수록 증산이 활발해져 생체중량이 감소된다.
③ 증산은 대기압에 반비례하므로 압력이 높을수록 감소한다.

정답 051 ④ 052 ① 053 ② 054 ④ 055 ③ 056 ④ 057 ④

058 과실별 주요 유기산의 연결로 옳지 않은 것은?

① 포도 – 주석산
② 감귤 – 구연산
③ 사과 – 말산
④ 자두 – 옥살산

해설

- 자두 : 사과산
- 말산 : 말산은 유기화합물로 TCA 회로의 중간산물이다. 사과에 많이 함유되었다고 해서 사과산이라고 부르기도 한다. 사과, 포도 등의 과일에 많이 포함되어 있다.

059 원예산물의 조직감과 관련성이 높은 품질구성 요소는?

① 산도
② 색도
③ 수분함량
④ 향기

해설

수분함량이 많을수록 경도가 약해지고 조직감이 떨어진다.

060 굴절당도계에 관한 설명으로 옳은 것은?

① 당도는 측정 시 과실의 온도에 영향을 받지 않는다.
② 영점을 보정할 때 증류수를 사용한다.
③ 당도는 과실 내의 불용성 펙틴의 함량을 기준으로 한다.
④ 표준당도는 설탕물 10% 용액의 당도를 1%(°Brix)로 한다.

해설

굴절당도계

빛의 굴절 현상을 이용하여 과즙의 당 함량을 측정하는 기계. 굴절 당도는 100g의 용액에 녹아 있는 자당의 그램 수를 기준으로 하지만 과실은 과즙에 녹아 있는 가용성 고형물 함량을 측정하여 당도로 표시한다.

1브릭스 용액은 100그램의 용액에 1그램의 설탕이 포함된 용액을 의미한다.

061 원예산물에서 카로티노이드 계통의 색소가 아닌 것은?

① α-카로틴
② 루테인
③ 케라시아닌
④ β-카로틴

해설

- 카로틴계 : 베타카로틴, 리코펜
- 잔토필계 : 루테인, 아스타잔틴
- 아포카로티노이드계 : 아브시스산

- 비타민A리티노이드계 : 레티놀
- 케라시아닌은 안토시아닌계통이다.

062 수확 후 감자의 슈베린 축적을 유도하여 수분손실을 줄이고 미생물 침입을 예방하는 전처리는?

① 예냉　　　　　　　　　　② 예건
③ 치유　　　　　　　　　　④ 예조

해설
- 감자 큐어링(치유) : 감자 수확 후 온도 15~20도, 습도 85~90%인 조건에서 2주일 정도 큐어링하면 코르크층이 잘 형성되어 수분 손실과 부패균의 침입을 감소시킬 수 있다.
- 슈베린 : 식물세포막에 다량으로 함유되어 있는 wax 물질. 코르크질. 목전질

063 원예산물의 세척 방법으로 옳은 것을 모두 고른 것은?

| ㄱ. 과산화수소수 처리 | ㄴ. 부유세척 |
| ㄷ. 오존수 처리 | ㄹ. 자외선 처리 |

① ㄱ, ㄹ　　　　　　　　　② ㄱ, ㄴ, ㄷ
③ ㄴ, ㄷ, ㄹ　　　　　　　④ ㄱ, ㄴ, ㄷ, ㄹ

해설
자외선 처리는 건식으로 세척 방법이 아니다.

064 장미의 절화수명 연장을 위해 보존액의 pH를 산성으로 유도하는 물질은?

① 제1인산칼륨, 시트르산　　② 카프릴산, 제2인산칼륨
③ 시트르산, 수산화나트륨　　④ 탄산칼륨, 카프릴산

065 다음 (　)에 알맞은 용어는?

예냉은 수확한 작물에 축적된 (ㄱ)을 제거하여 품온을 낮추는 처리로, 품온과 원예산물의 (ㄴ)을 이용하면 (ㄱ)량을 구할 수 있다.

① ㄱ : 호흡열, ㄴ : 대류열　② ㄱ : 포장열, ㄴ : 비열
③ ㄱ : 냉장열, ㄴ : 복사열　④ ㄱ : 포장열, ㄴ : 장비열

정답　058 ④　059 ③　060 ②　061 ③　062 ③　063 ②　064 ①　065 ②

예냉이란 수확 후 전처리한 농산물을 냉장보관하여 포장열(재배포장에서 수확한 산물의 열)을 제거하고 급속히 품온을 낮추는 것이다.

066 수확 후 후숙처리에 의해 상품성이 향상되는 원예산물은?

① 체리
② 포도
③ 사과
④ 바나나

최초 수확 시 상품 본연의 색상을 가지지 못한 산물을 후숙함으로써 상품성을 향상시킬 수 있다. 바나나, 파인애플, 감귤, 토마토 등에 후숙의 효과가 있다.

067 원예산물의 저장 효율을 높이기 위한 방법으로 옳지 않은 것은?

① 저장고 내부를 차아염소산나트륨 수용액을 이용하여 소독한다.
② CA저장고에는 냉각장치, 압력조절장치, 질소발생기를 설치한다.
③ 저장고 내의 고습을 유지하기 위해 활성탄을 사용한다.
④ 저장고 내의 온도는 저장 중인 원예산물의 품온을 기준으로 조절한다.

활성탄은 저장고 내의 수분을 흡수하여 저습상태를 유지하기 위하여 사용된다.

068 원예산물의 MA필름저장에 관한 설명으로 옳지 않은 것은?

① 인위적 공기조성 효과를 낼 수 있다.
② 방담필름은 포장 내부의 응결현상을 억제한다.
③ 필름의 이산화탄소 투과도는 산소 투과도보다 낮아야 한다.
④ 필름은 인장강도가 높은 것이 좋다.

이산화탄소의 투과도가 산소 투과도보다 3~5배 높게 유지한다.

069 원예산물의 숙성을 억제하기 위한 방법을 모두 고른 것은?

ㄱ. CA저장	ㄴ. 과망간산칼륨처리
ㄷ. 칼슘처리	ㄹ. 에세폰처리

① ㄱ, ㄴ, ㄷ
② ㄱ, ㄴ, ㄹ
③ ㄱ, ㄷ, ㄹ
④ ㄴ, ㄷ, ㄹ

해설

에세폰

숙성을 촉진하는 물질로 감의 떫은 맛을 없애 주기도 한다.

---

070 농민 H씨가 다음과 같은 배를 동일 조건에서 상온저장할 경우 저장성이 가장 낮은 것은?

① 신고   ② 신수

③ 추황배   ④ 영산배

해설

신수는 조생종으로 중생종(신고, 영산배)이나 만생종(추황)보다 저장성이 약하다.

• 조생종 : 미니배, 감로, 신천, 조생황금, 선황, 원황, 신일, 한아름, 신수, 장수, 행수
• 중생종 : 황금배, 수황배, 화산, 만풍배, 영산배, 수정배, 감천배, 단배, 풍수, 장십랑, 신고
• 만생종 : 미황, 추황배, 만수, 만황, 금촌추, 만삼길

---

071 원예산물을 저온저장 시 발생하는 냉해(chilling injury)의 증상이 아닌 것은?

① 표피의 함몰   ② 수침현상

③ 세포의 결빙   ④ 섬유질화

해설

저온장해로 세포의 결빙까지 이르지는 않는다.

---

072 다음 중 3~7℃에서 저장할 경우 저온장해가 일어날 수 있는 원예산물은?

① 토마토   ② 단감

③ 사과   ④ 배

해설

적정저장온도

• 단감 : 5℃ 이상으로 저온처리하는 것은 피해야 한다.
• 배 : 0~1℃
• 사과 : -1℃
• 토마토 : 온난 기후 산물로서 5℃ 이하로 저장하면 맛과 향이 없어진다.

정답   066 ④   067 ③   068 ③   069 ①   070 ②   071 ③   072 ①

073 원예산물의 적재 및 유통에 관한 설명으로 옳지 않은 것은?

① 신선채소류에는 수분흡수율이 높은 포장상자를 사용한다.
② 압상을 방지할 수 있는 강도의 골판지상자로 포장해야 한다.
③ 기계적 장해를 회피하기 위해 포장박스 내 적재물량을 조절한다.
④ 골판지 상자의 적재방법에 따라 상자에 가해지는 압축강도는 달라진다.

> **해설**
>
> 신선채소류는 수분함량이 높으므로 이에 대항성이 강한 수분흡수율이 낮은 포장상자를 사용하여야
> 한다. 수분흡수율이 높은 포장상자 사용 시 포장상자가 파손되거나 훼손되기 쉽다.

074 동일조건에서 이산화탄소 투과도가 가장 낮은 포장재는?

① 폴리프로필렌(PP)　　　　　　　② 저밀도 폴리에틸렌(LDPE)
③ 폴리스티렌(PS)　　　　　　　　④ 폴리에스테르(PET)

> **해설**
>
> 이산화탄소 투과도 : PS > LDPE > PP > PVC > PET

075 다음이 설명하는 원예산물관리제도는?

- 농약 허용물질목록 관리제도
- 품목별로 등록된 농약을 잔류허용기준농도 이하로 검출되도록 관리

① HACCP　　　　　　　　　　　② PLS
③ GAP　　　　　　　　　　　　　④ APC

> **해설**
>
> PLS : 농약허용기준강화제도

농산물유통론

076 농산물의 특성으로 옳지 않은 것은?

① 계절성·부패성

② 탄력적 수요와 공급

③ 공산품 대비 표준화·등급화 어려움

④ 가격 대비 큰 부피와 중량으로 보관·운반 시 고비용

해설

농산물은 비탄력적 상품으로 수요, 공급의 조절이 어렵다.

077 농산물의 생산과 소비 간의 간격해소를 위한 유통의 기능으로 옳지 않은 것은?

① 시간 간격해소 - 수집　　　　② 수량 간격해소 - 소분

③ 장소 간격해소 - 수송·분산　　④ 품질 간격해소 - 선별·등급화

해설

시간효용 - 저장

078 최근 식품 소비트렌드로 옳지 않은 것은?

① 소비품목 다변화　　　　② 친환경식품 증가

③ 간편가정식(HMR) 증가　　④ 편의점 도시락 판매량 감소

해설

편의점 간편식의 소비가 증가하고 있다.

079 농산물 유통정보의 종류에 관한 설명으로 옳은 것은?

① 관측정보 - 농업의 경제적 측면 예측자료

② 정보종류 - 거래정보, 관측정보, 전망정보

③ 거래정보 - 산지 단계를 제외한 조사실행

④ 전망정보 - 개별재배면적, 생산량, 수출입통계

해설

거래정보는 산지단계를 포함하며, 전망정보는 개별재배면적이 아닌 전국적 재배면적정보이다.

정답　**073** ①　**074** ④　**075** ②　**076** ②　**077** ①　**078** ④　**079** ①

080 농산물 유통기구의 종류와 역할에 관한 설명으로 옳지 않은 것은?

① 크게 수집기구, 중개기구, 조성기구로 구성된다.

② 중개기구는 주로 도매시장이 역할을 담당한다.

③ 수집기구는 산지의 생산물 구매역할을 담당한다.

④ 생산물이 생산자부터 소비자까지 도달하는 과정에 있는 모든 조직을 의미한다.

 해설

조성기구가 아니라 분산기구이다.

081 농산물 도매시장에 관한 설명으로 옳지 않은 것은?

① 경매를 통해 가격을 결정한다.

② 농산물 가격에 관한 정보는 제공하지 않는다.

③ 최근 직거래 등으로 거래비중이 감소되고 있다.

④ 도매시장법인, 중도매인, 매매참가인 등이 활동한다.

해설

농산물 가격정보를 포함한다. 경매를 통하여 형성된 가격은 공개된다.

082 생산자는 산지 수집상에게 배추 1천 포기를 100만원에 판매하고 수집상은 포기당 유통비용 200원, 유통이윤 800원을 더해 도매상에게 판매했다. 수집상의 유통마진율(%)은?

① 30

② 40

③ 50

④ 60

해설

생산자 수취가격 포기당 1,000원, 수집상 수취가격 포기당 2,000원

(2,000 - 1,000)/2,000 = 50%

083 협동조합 유통에 관한 설명으로 옳은 것을 모두 고른 것은?

ㄱ. 시장교섭력 제고	ㄴ. 불균형적인 시장력 견제
ㄷ. 무임승차 문제발생 우려	ㄹ. 시장 내 경쟁척도 역할수행

① ㄱ, ㄷ

② ㄴ, ㄹ

③ ㄱ, ㄴ, ㄹ

④ ㄱ, ㄴ, ㄷ, ㄹ

> **해설**
>
> 협동조합의 유통은 규모의 경제 실현과 거대 기업유통 중심의 유통시장을 견제하고, 시장 내에서 경쟁 척도를 제공하는 역할을 수행한다. 그러나 조합원이 아닌 농업인에게도 시장형성된 가격의 이익을 제공하므로 무임승차 문제가 발생할 수 있다.

084 공동판매의 장점이 아닌 것은?

① 신속한 개별정산
② 유통비용의 절감
③ 효율적인 수급조절
④ 생산자의 소득안정

> **해설**
>
> 공동판매에서는 공동판매, 공동정산이 이루어지므로 일정 기간 동안 자본의 유동성이 약화된다.

085 소매상의 기능으로 옳은 것을 모두 고른 것은?

ㄱ. 시장정보 제공	ㄴ. 농산물 수집
ㄷ. 산지가격 조정	ㄹ. 상품구색 제공

① ㄱ, ㄷ
② ㄱ, ㄹ
③ ㄱ, ㄴ, ㄹ
④ ㄴ, ㄷ, ㄹ

> **해설**
>
> 산지수집상 또는 산지유통인이 농산물 수집의 역할과 산지가격 조정의 기능을 담당한다.
> 소매상은 소비지에서 직접 소비자를 만나는 자로서 시장정보(소비와 공급 및 가격)를 제공하고 판매점에 상품을 진열함으로써 상품구색을 제공한다.

086 농산물 산지유통의 기능으로 옳은 것을 모두 고른 것은?

ㄱ. 농산물의 1차 교환	ㄴ. 소비자의 수요정보 전달
ㄷ. 산지유통센터(APC)가 선별	ㄹ. 저장 후 분산출하로 시간효용 창출

① ㄱ, ㄷ
② ㄴ, ㄹ
③ ㄱ, ㄷ, ㄹ
④ ㄴ, ㄷ, ㄹ

> **해설**
>
> 소비자의 수요정보가 전달되는 것은 소비지 유통이다.

| 정답 | 080 ① | 081 ② | 082 ③ | 083 ④ | 084 ① | 085 ② | 086 ③ |

087 농산물의 물적유통기능으로 옳지 않은 것은?

① 자동차 운송은 접근성에 유리
② 상품의 물리적 변화 및 이동 관련 기능
③ 수송기능은 생산과 소비의 시간격차 해결
④ 가공, 포장, 저장, 수송, 상하역 등이 해당

물적 유통기능
1. 수송 2. 가공 3. 저장
수송기능은 시간격차가 아니라 거리의 격차를 해소한다.

088 농산물 무점포 전자상거래의 장점이 아닌 것은?

① 고객정보 획득 용이   ② 오프라인 대비 저비용
③ 낮은 시간·공간의 제약   ④ 해킹 등 보안사고에 안전

해설

보안사고에 노출되어 소비자 정보의 안전성에 문제를 나타낸다.

089 농산물의 등급화에 관한 설명으로 옳은 것은?

① 상·중·하로 등급 구분   ② 품위 및 운반·저장성 향상
③ 등급에 따른 가격차이 결정   ④ 규모의 경제에 따른 가격 저렴화

해설

① 상, 중, 하 등급은 존재하지 않으며, 특, 상, 보통 또는 1급, 2급, 3급 등으로 등급화된다.
② 운반, 저장성 향상은 포장화, 규격화의 특징이다.
④ 등급화에는 추가적 비용이 발생하므로 가격상승의 원인이 된다.

090 농산물 수요의 가격탄력성에 관한 설명으로 옳은 것은?

① 고급품은 일반품 수요의 가격탄력성보다 작다.
② 수요가 탄력적인 경우 가격인하 시 총수익은 증가한다.
③ 수요의 가격탄력적 또는 비탄력적 여부는 출하량 조정과는 무관하다.
④ 수요의 가격탄력성은 품목마다 다르며, 가격하락 시 수요량은 감소한다.

해설

② 가격의 인하는 그 이상의 수익증가를 가져다 준다.
① 일반농산품은 가격에 비탄력적이지만 고급농산품은 가격에 탄력적이다.

③ 출하량은 공급량으로 출하량 조절이 가능하면 탄력적, 조절이 어려운 경우 비탄력적이라고 한다.
④ 수요의 가격탄력성은 품목마다 다르며, 가격하락 시 수요의 법칙에 따라 수요량은 증가한다.

091 소비자의 특성으로 옳지 않은 것은?

① 단일 차원적
② 목적의식 보유
③ 선택대안의 비교구매
④ 주권보유 및 행복추구

 해설

소비자마다 개별성이 강하여 다차원적이라고 할 수 있다.

092 시장세분화 전략에서의 행위적 특성은?

① 소득
② 인구밀도
③ 개성(personality)
④ 브랜드충성도(loyalty)

 해설

소비자의 행동에 영향을 미치는 요인으로 브랜드충성도를 들 수 있다.
• 브랜드충성도 : 특정 브랜드에 소비자가 맹목적인 소비 선택을 하는 경향성

093 농산물 브랜드의 기능이 아닌 것은?

① 광고
② 수급조절
③ 재산보호
④ 품질보증

 해설

브랜드의 기능
브랜드는 상표권으로 보호되며, 재산적 가치를 가진다. 브랜드 자체가 상품의 광고효과를 제공한다.

094 계란, 배추 등 필수 먹거리들을 미끼상품으로 제공하여 구매를 유도하는 가격전략은?

① 리더가격
② 단수가격
③ 관습가격
④ 개수가격

해설

리더가격
특정상품에 대한 소비자의 구매를 일으킬 수 있는 가격을 제시하고, 매장에 입장하도록 리드하는 기능

정답 087 ③ 088 ④ 089 ③ 090 ② 091 ① 092 ④ 093 ② 094 ①

095 경품, 사은품, 쿠폰 등을 제공하는 판매촉진의 효과가 아닌 것은?

① 상품홍보 ② 잠재고객 확보
③ 단기적 매출증가 ④ 타 업체의 모방 곤란

> **해설**
>
> 경품, 사은품, 쿠폰 제공과 같은 판매촉진 활동은 기업체의 특화된 판촉활동은 아니며 얼마든지 타 업체들이 모방해서 따를 수 있는 수단이다.

096 농산물의 유통조성기능이 아닌 것은?

① 정보제공 ② 소유권 이전
③ 표준화 · 등급화 ④ 유통금융 · 위험부담

> **해설**
>
> 소유권 이전 : 거래교환기능

097 생산부터 판매까지 유통경로의 모든 프로세스를 통합하여 소비자의 가치를 창출하고 기업의 경쟁력을 판단하는 시스템은?

① POS(Point Of Sales) ② CS(Customer Satisfaction)
③ SCM(Supply Chain Management) ④ ERP(Enterprise Resource Planning)

> **해설**
>
> 생산부터 판매까지의 유통경로에는 공급자가 위치한다. 이를 주도하는 통합 프로세스 과정을 공급망관리(SCM)라고 한다.

098 농산물 가격변동의 위험회피 대책이 아닌 것은?

① 계약생산 ② 분산판매
③ 재해대비 ④ 선도거래

> **해설**
>
> • 계약생산 : 가격하락 방어
> • 분산판매 : 판매처 내지 소비처를 다변화함으로써 특정 구매자 또는 지역의 소비자 구매패턴에 방어
> • 선도거래 : 계약생산과 같이 생산자 공급물량을 미리 확보함으로써 생산자는 가격하락 위험을 회피할 수 있고, 공급자는 수확기 생산자 공급가격의 폭등을 회피할 수 있다.

099 단위화물적재시스템의 설명으로 옳지 않은 것은?

① 운송수단 이용 효율성 제고

② 시스템화로 하역·수송의 일관화

③ 파렛트, 컨테이너 등을 이용한 단위화

④ 국내표준 파렛트 T11형 규격은 1,000mm × 1,000mm

 해설

T11형 규격 : 1,100mm × 1,100mm

100 농산물 유통시장의 거시환경으로 옳은 것을 모두 고른 것은?

ㄱ. 기업환경	ㄴ. 기술적 환경
ㄷ. 정치·경제적 환경	ㄹ. 사회·문화적 환경

① ㄱ, ㄴ ② ㄷ, ㄹ

③ ㄱ, ㄷ, ㄹ ④ ㄴ, ㄷ, ㄹ

해설

유통경로상의 기관을 미시적 환경이라고 하며, 이 기관을 감싸고 있는 환경을 거시적 환경이라고 한다. 기업은 유통기관(기구)이다.

2023년 제20회 농산물품질관리사 제1차 시험 기출문제

각 문제에서 요구하는 가장 적합하거나 가까운 답 1개만을 고르시오.

관계 법령

001 농수산물 품질관리법상 용어의 정의이다. (   )에 들어갈 내용으로 옳은 것은?

(ㄱ)란 농산물(축산물은 제외한다. 이하 이 호에서 같다)의 안전성을 확보하고 농업환경을 보전하기 위하여 농산물의 생산, 수확 후 관리(농산물의 저장·세척·건조·선별·박피·절단·조제·포장 등을 포함한다) 및 유통의 각 단계에서 작물이 재배되는 농경지 및 농업용수 등의 농업환경과 농산물에 잔류할 수 있는 농약, 중금속, 잔류성 유기오염물질 또는 유해생물 등의 (ㄴ)을/를 적절하게 관리하는 것을 말한다.

① ㄱ : 우수농산물관리   ㄴ : 위해요소   ② ㄱ : 우수농산물관리   ㄴ : 잔류물질
③ ㄱ : 농산물우수관리   ㄴ : 위해요소   ④ ㄱ : 농산물우수관리   ㄴ : 잔류물질

해설

법 제2조(정의)
"농산물우수관리"란 농산물(축산물은 제외한다. 이하 이 호에서 같다)의 안전성을 확보하고 농업환경을 보전하기 위하여 농산물의 생산, 수확 후 관리(농산물의 저장·세척·건조·선별·박피·절단·조제·포장 등을 포함한다) 및 유통의 각 단계에서 작물이 재배되는 농경지 및 농업용수 등의 농업환경과 농산물에 잔류할 수 있는 농약, 중금속, 잔류성 유기오염물질 또는 유해생물 등의 위해요소를 적절하게 관리하는 것을 말한다.

002 농수산물의 원산지 표시에 관한 법령상 미국에서 태어난 소를 국내로 수입하여 7개월 사육한 후 도축한 쇠고기의 소갈비 원산지 표시 방법으로 옳은 것은?

① 소갈비(쇠고기 : 미국산 육우)
② 소갈비(쇠고기 : 국내산 육우)
③ 소갈비(쇠고기 : 미국산 육우(도축지 : 한국))
④ 소갈비(쇠고기 : 국내산 육우(출생국 : 미국))

해설

시행규칙 [별표4]

쇠고기

국내산(국산)의 경우 "국산"이나 "국내산"으로 표시하고, 식육의 종류를 한우, 젖소, 육우로 구분하여 표시한다. 다만, 수입한 소를 국내에서 6개월 이상 사육한 후 국내산(국산)으로 유통하는 경우에는 "국산"이나 "국내산"으로 표시하되, 괄호 안에 식육의 종류 및 출생국가명을 함께 표시한다.

예 소갈비(쇠고기 : 국내산 한우), 등심(쇠고기 : 국내산 육우), 소갈비(쇠고기 : 국내산 육우(출생국 : 호주))

003 농수산물의 원산지 표시에 관한 법령상 원산지 표시 위반행위를 주무관청에 신고한 자에게 예산의 범위에서 지급할 수 있는 포상금의 범위는?

① 최고 500만원
② 최고 1,000만원
③ 최고 3,000만원
④ 최고 1억원

해설

시행령 제8조(포상금) ① 법 제12조 제1항에 따른 포상금은 1천만원의 범위에서 지급할 수 있다.
② 법 제12조 제1항에 따른 신고 또는 고발이 있은 후에 같은 위반행위에 대하여 같은 내용의 신고 또는 고발을 한 사람에게는 포상금을 지급하지 아니한다.
③ 제1항 및 제2항에서 규정한 사항 외에 포상금의 지급 대상자, 기준, 방법 및 절차 등에 관하여 필요한 사항은 농림축산식품부장관과 해양수산부장관이 공동으로 정하여 고시한다.

004 농수산물 품질관리법령상 정부가 수매하거나 생산자단체 등이 정부를 대행하여 수매하는 농산물 중 검사를 받아야 하는 품목을 모두 고른 것은?

ㄱ. 콩	ㄴ. 사과
ㄷ. 양파	ㄹ. 배추

① ㄱ, ㄴ, ㄷ
② ㄱ, ㄴ, ㄹ
③ ㄱ, ㄷ, ㄹ
④ ㄴ, ㄷ, ㄹ

해설

검사대상 농산물의 종류별 품목(제30조 제2항 관련)
1. 정부가 수매하거나 생산자단체 등이 정부를 대행하여 수매하는 농산물
  가. 곡류 : 벼·겉보리·쌀보리·콩
  나. 특용작물류 : 참깨·땅콩
  다. 과실류 : 사과·배·단감·감귤

정답 001 ③ 002 ④ 003 ② 004 ①

　　라. 채소류 : 마늘・고추・양파

　　마. 잠사류 : 누에씨・누에고치

2. 정부가 수출・수입하거나 생산자단체 등이 정부를 대행하여 수출・수입하는 농산물

　　가. 곡류

　　　　1) 조곡(粗穀) : 콩・팥・녹두

　　　　2) 정곡(精穀) : 현미・쌀

　　나. 특용작물류 : 참깨・땅콩

　　다. 채소류 : 마늘・고추・양파

3. 정부가 수매 또는 수입하여 가공한 농산물

　　곡류 : 현미・쌀・보리쌀

005 농수산물 품질관리법령상 농산물의 검사에 관한 내용으로 옳지 않은 것은?

① 검사기준은 농림축산식품부장관이 검사대상 품목별로 정하여 고시한다.

② 누에씨 및 누에고치의 경우에는 시・도지사의 검사를 받아야 한다.

③ 검사항목은 포장단위당 무게, 포장자재, 포장방법 및 품위 등으로 한다.

④ 시료의 추출, 계측, 감정, 등급판정 등 검사방법에 관한 세부 사항은 농림축산식품부장관이 정하여 고시한다.

해설

법 제79조(농산물의 검사) ① 정부가 수매하거나 수출 또는 수입하는 농산물 등 대통령령으로 정하는 농산물(축산물은 제외한다. 이하 이 절에서 같다)은 공정한 유통질서를 확립하고 소비자를 보호하기 위하여 농림축산식품부장관이 정하는 기준에 맞는지 등에 관하여 농림축산식품부장관의 검사를 받아야 한다. 다만, 누에씨 및 누에고치의 경우에는 시・도지사의 검사를 받아야 한다.

② 제1항에 따라 검사를 받은 농산물의 포장・용기나 내용물을 바꾸려면 다시 농림축산식품부장관의 검사를 받아야 한다.

③ 제1항 및 제2항에 따른 농산물 검사의 항목・기준・방법 및 신청절차 등에 필요한 사항은 농림축산식품부령으로 정한다.

시행규칙 제94조(농산물의 검사 항목 및 기준 등)

법 제79조 제3항에 따른 농산물(축산물은 제외한다. 이하 이 절에서 같다)의 검사항목은 포장단위당 무게, 포장자재, 포장방법 및 품위 등으로 하며, 검사기준은 농림축산식품부장관이 검사대상 품목별로 정하여 고시한다.

시행규칙 제95조(농산물의 검사방법)

법 제79조 제3항에 따른 농산물의 검사방법은 전수(全數) 또는 표본추출의 방법으로 하며, 시료의 추출, 계측, 감정, 등급판정 등 검사방법에 관한 세부 사항은 국립농산물품질관리원장 또는 시・도지사(시・도지사는 누에씨 및 누에고치에 대한 검사만 해당한다. 이하 제96조, 제101조, 제103조부터 제105조까지 및 제107조에서 같다)가 정하여 고시한다.

006 농수산물 품질관리법령상 농산물품질관리사의 업무로 옳지 않은 것은?

① 농산물의 규격출하 지도
② 포장농산물의 표시사항 개선 명령
③ 농산물의 생산 및 수확 후의 품질관리기술 지도
④ 농산물의 선별·저장 및 포장 시설 등의 운용·관리

해설

법 제106조(농산물품질관리사 또는 수산물품질관리사의 직무) ① 농산물품질관리사는 다음 각 호의 직무를 수행한다.

1. 농산물의 등급 판정
2. 농산물의 생산 및 수확 후 품질관리기술 지도
3. 농산물의 출하 시기 조절, 품질관리기술에 관한 조언
4. 그 밖에 농산물의 품질 향상과 유통 효율화에 필요한 업무로서 농림축산식품부령으로 정하는 업무

시행규칙 제134조(농산물품질관리사의 업무) 법 제106조 제1항 제4호에서 "농림축산식품부령으로 정하는 업무"란 다음 각 호의 업무를 말한다.

1. 농산물의 생산 및 수확 후의 품질관리기술 지도
2. 농산물의 선별·저장 및 포장 시설 등의 운용·관리
3. 농산물의 선별·포장 및 브랜드 개발 등 상품성 향상 지도
4. 포장농산물의 표시사항 준수에 관한 지도
5. 농산물의 규격출하 지도

007 농수산물 품질관리법령상 농산물의 생산자가 이력추적관리 등록을 할 때 등록사항이 아닌 것은?

① 주요 판매처명 및 주소
② 생산자의 성명, 주소 및 전화번호
③ 생산계획량
④ 이력추적관리 대상품목명

해설

법 제46조(이력추적관리의 대상품목 및 등록사항) ① 법 제24조 제1항에 따른 이력추적관리 등록 대상품목은 법 제2조 제1항 제1호 가목의 농산물(축산물은 제외한다. 이하 이 절에서 같다.) 중 식용을 목적으로 생산하는 농산물로 한다.
② 법 제24조 제1항에 따른 이력추적관리의 등록사항은 다음 각 호와 같다.

1. 생산자(단순가공을 하는 자를 포함한다)
   가. 생산자의 성명, 주소 및 전화번호
   나. 이력추적관리 대상품목명
   다. 재배면적
   라. 생산계획량

정답 005 ④ 006 ② 007 ①

　　마. 재배지의 주소
　2. 유통자
　　가. 유통업체의 명칭 또는 유통자의 성명, 주소 및 전화번호
　　나. 삭제 〈2016.4.6.〉
　　다. 수확 후 관리시설이 있는 경우 관리시설의 소재지
　3. 판매자 : 판매업체의 명칭 또는 판매자의 성명, 주소 및 전화번호

008 농수산물 품질관리법령상 이력추적관리 등록에 관한 내용이다. (　)에 들어갈 내용으로 옳은 것은?

> 약용작물류의 등록 유효기간은 (　) 이내의 범위에서 등록기관의 장이 정하여 고시한다.

① 1년　　　　　　　　　　② 3년
③ 5년　　　　　　　　　　④ 6년

해설

법 제50조(이력추적관리 등록의 유효기간 등) 법 제25조 제1항 단서에 따라 유효기간을 달리 적용할 유효기간은 다음 각 호의 구분에 따른 범위 내에서 등록기관의 장이 정하여 고시한다.
　1. 인삼류 : 5년 이내
　2. 약용작물류 : 6년 이내

009 농수산물 품질관리법령상 우수관리인증에 관한 내용으로 옳은 것은?

① 인증의 세부 기준은 농촌진흥청장이 정하여 고시한다.
② 인증이 취소된 후 1년이 지나지 아니한 자는 인증을 신청할 수 없다.
③ 인증의 유효기간은 인증을 받은 날부터 3년으로 한다.
④ 인증을 받으려는 자는 신청서를 국립농산물품질관리원장에게 제출하여야 한다.

해설

① 인증의 세부기준은 국립농산물품질관리원장이 정하여 고시한다.
③ 인증의 유효기간은 인증을 받은 날부터 2년으로 한다.
④ 인증을 받으려는 자는 신청서를 우수관리인증기관장에게 제출하여야 한다.
제6조(농산물우수관리의 인증) ③ 우수관리인증을 받으려는 자는 우수관리인증기관에 우수관리인증의 신청을 하여야 한다. 다만, 다음 각 호의 어느 하나에 해당하는 자는 우수관리인증을 신청할 수 없다.
　1. 제8조 제1항에 따라 우수관리인증이 취소된 후 1년이 지나지 아니한 자
　2. 제119조 또는 제120조를 위반하여 벌금 이상의 형이 확정된 후 1년이 지나지 아니한 자

010 농수산물 품질관리법령상 우수관리인증의 표시에 관한 내용으로 옳은 것은?

① 표지도형 위에 인증번호 또는 우수관리시설지정번호를 표시한다.
② 표지도형의 크기는 포장재의 크기에 관계없이 조정할 수 없다.
③ 표지도형의 색상은 검정색을 기본색상으로 한다.
④ 수출용의 경우에는 해당 국가의 요구에 따라 표시할 수 있다.

> **해설**

수출용의 경우에는 해당 국가의 요구에 따라 표시할 수 있다.
시행규칙 [별표 1] ① 표지도형 밑에 인증번호 또는 우수관리시설지정번호를 표시한다.
② 크기 : 포장재의 크기에 따라 표지의 크기를 키우거나 줄일 수 있다.
③ 표지도형의 색상은 녹색을 기본색상으로 하고, 포장재의 색깔 등을 고려하여 파란색, 빨간색 또는 검은색으로 할 수 있다.

011 농수산물 품질관리법령상 농산물의 등급규격을 정할 때 고려해야 하는 사항을 모두 고른 것은?

ㄱ. 크기	ㄴ. 숙도
ㄷ. 성분	ㄹ. 색깔

① ㄱ, ㄴ   ② ㄷ, ㄹ   ③ ㄱ, ㄴ, ㄹ   ④ ㄴ, ㄷ, ㄹ

> **해설**

법 제2조(정의) "등급규격"이란 농산물의 품목 또는 품종별 특성에 따라 고르기, 형태, 색깔, 신선도, 건조도, 결점, 숙도(熟度) 및 선별상태 등 품질구분에 필요한 항목을 설정하여 특, 상, 보통으로 정한 것을 말한다.

012 농수산물 품질관리법령상 국립농산물품질관리원장이 농산물의 지리적표시 등록을 결정한 경우 공고하여야 하는 사항이 아닌 것은?

① 지리적표시 대상지역의 범위
② 품질의 특성과 지리적 요인의 관계
③ 지리적표시 등록 농산물의 이력추적관리번호
④ 등록자의 자체품질기준 및 품질관리계획서

> **해설**

시행규칙 제58조(지리적표시의 등록공고 등) ① 국립농산물품질관리원장, 국립수산물품질관리원장 또는 산림청장은 법 제32조 제7항에 따라 지리적표시의 등록을 결정한 경우에는 다음 각 호의 사항을 공고하여야 한다.

정답 008 ④ 009 ② 010 ④ 011 ③ 012 ③

1. 등록일 및 등록번호
2. 지리적표시 등록자의 성명, 주소(법인의 경우에는 그 명칭 및 영업소의 소재지를 말한다) 및 전화번호
3. 지리적표시 등록 대상품목 및 등록명칭
4. 지리적표시 대상지역의 범위
5. 품질의 특성과 지리적 요인의 관계
6. 등록자의 자체품질기준 및 품질관리계획서

013 농수산물 품질관리법상 지리적표시심판위원회에 관한 내용으로 옳지 않은 것은?

① 농림축산식품부장관 소속으로 지리적표시심판위원회를 둔다.

② 지리적표시심판위원회는 위원장 1명을 포함한 10명 이내의 심판위원으로 구성한다.

③ 지리적표시심판위원회의 위원장은 심판위원 중에서 호선(互選)한다.

④ 심판위원의 임기는 3년으로 하며, 한 차례만 연임할 수 있다.

해설

법 제42조(지리적표시심판위원회) ① 농림축산식품부장관 또는 해양수산부장관은 다음 각 호의 사항을 심판하기 위하여 농림축산식품부장관 또는 해양수산부장관 소속으로 지리적표시심판위원회(이하 "심판위원회"라 한다)를 둔다.

  1. 지리적표시에 관한 심판 및 재심
  2. 제32조 제9항에 따른 지리적표시 등록거절 또는 제40조에 따른 등록 취소에 대한 심판 및 재심
  3. 그 밖에 지리적표시에 관한 사항 중 대통령령으로 정하는 사항

② 심판위원회는 위원장 1명을 포함한 10명 이내의 심판위원(이하 "심판위원"이라 한다)으로 구성한다.

③ 심판위원회의 위원장은 심판위원 중에서 농림축산식품부장관 또는 해양수산부장관이 정한다.

④ 심판위원은 관계 공무원과 지식재산권 분야나 지리적표시 분야의 학식과 경험이 풍부한 사람 중에서 농림축산식품부장관 또는 해양수산부장관이 위촉한다.

⑤ 심판위원의 임기는 3년으로 하며, 한 차례만 연임할 수 있다.

⑥ 심판위원회의 구성·운영에 관한 사항과 그 밖에 필요한 사항은 대통령령으로 정한다.

014 농수산물 품질관리법상 농산물 안전성조사에 관한 내용으로 옳은 것은?

① 시·도지사는 안전성조사 결과 생산단계 안전기준을 위반한 해당 농산물을 생산한 자에게 해당 농산물의 폐기, 용도전환, 출하연기 등의 처리를 하게 할 수 있다.

② 농림축산식품부장관은 생산단계 안전기준을 정할 때에는 관계 중앙행정기관의 장과 협의하여야 한다.

③ 안전성조사의 대상품목 선정, 대상지역 및 절차 등에 필요한 세부적인 사항은 농림축산식품부령으로 정한다.

④ 농림축산식품부장관은 농산물의 품질 향상과 안전한 농산물의 생산·공급을 위한 안전관리계획을 매년 수립·시행하여야 한다.

법 제63조(안전성조사 결과에 따른 조치) ① 식품의약품안전처장이나 시·도지사는 생산과정에 있는 농수산물 또는 농수산물의 생산을 위하여 이용·사용하는 농지·어장·용수·자재 등에 대하여 안전성조사를 한 결과 생산단계 안전기준을 위반하였거나 유해물질에 오염되어 인체의 건강을 해칠 우려가 있는 경우에는 해당 농수산물을 생산한 자 또는 소유한 자에게 다음 각 호의 조치를 하게 할 수 있다.

1. 해당 농수산물의 폐기, 용도 전환, 출하 연기 등의 처리
2. 해당 농수산물의 생산에 이용·사용한 농지·어장·용수·자재 등의 개량 또는 이용·사용의 금지
2의2. 해당 양식장의 수산물에 대한 일시적 출하 정지 등의 처리
3. 그 밖에 총리령으로 정하는 조치

② 식품의약품안전처장은 제1항 제1호 가목 및 제2호 가목에 따른 생산단계 안전기준을 정할 때에는 관계 중앙행정기관의 장과 협의하여야 한다.
③ 안전성조사의 대상품목 선정, 대상지역 및 절차 등에 필요한 세부적인 사항은 총리령으로 정한다.
④ 식품의약품안전처장은 농수산물(축산물은 제외한다. 이하 이 장에서 같다)의 품질 향상과 안전한 농수산물의 생산·공급을 위한 안전관리계획을 매년 수립·시행하여야 한다.

015 농수산물 품질관리법상 유전자변형농산물의 표시 위반에 대한 처분 내용으로 옳지 않은 것은?

① 표시의 변경 등 시정명령
② 표시의 삭제 등 시정명령
③ 표시 위반 농산물의 즉시 폐기
④ 표시 위반 농산물의 판매 등 거래행위의 금지

법 제59조(유전자변형농수산물의 표시 위반에 대한 처분) ① 식품의약품안전처장은 제56조 또는 제57조를 위반한 자에 대하여 다음 각 호의 어느 하나에 해당하는 처분을 할 수 있다.

1. 유전자변형농수산물 표시의 이행·변경·삭제 등 시정명령
2. 유전자변형 표시를 위반한 농수산물의 판매 등 거래행위의 금지

016 농수산물 품질관리법상 유전자변형농산물의 표시를 혼동하게 할 목적으로 그 표시를 손상·변경한 유전자변형농산물 표시의무자에 대한 벌칙기준으로 옳은 것은?

① 1년 이하의 징역 또는 1천만원 이하의 벌금
② 3년 이하의 징역 또는 3천만원 이하의 벌금
③ 5년 이하의 징역 또는 1억원 이하의 벌금
④ 7년 이하의 징역 또는 1억원 이하의 벌금

정답 **013** ③ **014** ① **015** ③ **016** ④

해설

법 제117조(벌칙) 다음 각 호의 어느 하나에 해당하는 자는 7년 이하의 징역 또는 1억원 이하의 벌금에 처한다. 이 경우 징역과 벌금은 병과(倂科)할 수 있다.

1. 제57조 제1호를 위반하여 유전자변형농수산물의 표시를 거짓으로 하거나 이를 혼동하게 할 우려가 있는 표시를 한 유전자변형농수산물 표시의무자
2. 제57조 제2호를 위반하여 유전자변형농수산물의 표시를 혼동하게 할 목적으로 그 표시를 손상·변경한 유전자변형농수산물 표시의무자
3. 제57조 제3호를 위반하여 유전자변형농수산물의 표시를 한 농수산물에 다른 농수산물을 혼합하여 판매하거나 혼합하여 판매할 목적으로 보관 또는 진열한 유전자변형농수산물 표시의무자

017 농수산물 유통 및 가격안정에 관한 법령상 용어의 정의이다. ( )에 들어갈 내용으로 옳은 것은?

> ( )이란 농수산물도매시장·농수산물공판장 또는 민영농수산물도매시장의 개설자에게 등록하고, 농수산물을 수집하여 농수산물도매시장·농수산물공판장 또는 민영농수산물도매시장에 출하(出荷)하는 영업을 하는 자(법인을 포함한다. 이하 같다)를 말한다.

① 산지유통인   ② 중도매인
③ 조합공동사업법인   ④ 시장도매인

해설

법 제2조(정의) "산지유통인"(産地流通人)이란 제29조, 제44조, 제46조 또는 제48조에 따라 농수산물도매시장·농수산물공판장 또는 민영농수산물도매시장의 개설자에게 등록하고, 농수산물을 수집하여 농수산물도매시장·농수산물공판장 또는 민영농수산물도매시장에 출하(出荷)하는 영업을 하는 자(법인을 포함한다. 이하 같다)를 말한다.

018 농수산물 유통 및 가격안정에 관한 법령상 주산지 지정 등에 관한 내용으로 옳지 않은 것은?

① 주산지의 지정, 변경 및 해제는 한국농수산식품유통공사 사장이 한다.
② 주산지의 지정은 읍·면·동 또는 시·군·구 단위로 한다.
③ 시·도지사는 주산지의 지정목적 달성 및 주요 농산물 경영체 육성을 위하여 생산자 등으로 구성된 주산지협의체를 설치할 수 있다.
④ 주요 농산물은 국내 농산물의 생산에서 차지하는 비중이 크거나 생산·출하의 조절이 필요한 것으로서 농림축산식품부장관이 지정하는 품목으로 한다.

해설

법 제4조(주산지의 지정 및 해제 등) ① 시·도지사는 농수산물의 경쟁력 제고 또는 수급(需給)을 조절하기 위하여 생산 및 출하를 촉진 또는 조절할 필요가 있다고 인정할 때에는 주요 농수산물의 생산지역이나 생산수면(이하 "주산지"라 한다)을 지정하고 그 주산지에서 주요 농수산물을 생산하는 자에 대하여 생산자금의 융자 및 기술지도 등 필요한 지원을 할 수 있다.

② 제1항에 따른 주요 농수산물은 국내 농수산물의 생산에서 차지하는 비중이 크거나 생산·출하의 조절이 필요한 것으로서 농림축산식품부장관 또는 해양수산부장관이 지정하는 품목으로 한다.

③ 주산지는 다음 각 호의 요건을 갖춘 지역 또는 수면(水面) 중에서 구역을 정하여 지정한다.

　1. 주요 농수산물의 재배면적 또는 양식면적이 농림축산식품부장관 또는 해양수산부장관이 고시하는 면적 이상일 것

　2. 주요 농수산물의 출하량이 농림축산식품부장관 또는 해양수산부장관이 고시하는 수량 이상일 것

법 제4조의2(주산지협의체의 구성 등) ① 제4조 제1항에 따라 지정된 주산지의 시·도지사는 주산지의 지정목적 달성 및 주요 농수산물 경영체 육성을 위하여 생산자 등으로 구성된 주산지협의체(이하 "협의체"라 한다)를 설치할 수 있다.

시행령 제4조(주산지의 지정·변경 및 해제) ① 법 제4조 제1항에 따른 주요 농수산물의 생산지역이나 생산수면(이하 "주산지"라 한다)의 지정은 읍·면·동 또는 시·군·구 단위로 한다.

019 농수산물 유통 및 가격안정에 관한 법령상 농림축산식품부장관이 하는 가격예시에 관한 내용으로 옳지 않은 것은?

① 해당 농산물의 파종기 이전에 생산자를 보호하기 위한 하한가격을 예시할 수 있다.

② 예시가격을 결정할 때에는 해당 농산물의 농림업관측 결과, 예상 경영비, 품목별 최저거래가격 등을 고려하여야 한다.

③ 예시가격을 결정할 때에는 미리 기획재정부장관과 협의하여야 한다.

④ 예시가격을 지지(支持)하기 위하여 유통협약 및 유통조절명령 등을 연계한 적절한 시책을 추진하여야 한다.

해설

법 제8조(가격 예시) ① 농림축산식품부장관 또는 해양수산부장관은 농림축산식품부령 또는 해양수산부령으로 정하는 주요 농수산물의 수급조절과 가격안정을 위하여 필요하다고 인정할 때에는 해당 농산물의 파종기 또는 수산물의 종자입식 시기 이전에 생산자를 보호하기 위한 하한가격[이하 "예시가격"(豫示價格)이라 한다]을 예시할 수 있다.

② 농림축산식품부장관 또는 해양수산부장관은 제1항에 따라 예시가격을 결정할 때에는 해당 농산물의 농림업관측, 주요 곡물의 국제곡물관측 또는 「수산물 유통의 관리 및 지원에 관한 법률」제38조에 따른 수산업관측(이하 이 조에서 "수산업관측"이라 한다) 결과, 예상 경영비, 지역별 예상 생산량 및 예상 수급상황 등을 고려하여야 한다.

③ 농림축산식품부장관 또는 해양수산부장관은 제1항에 따라 예시가격을 결정할 때에는 미리 기획재정부장관과 협의하여야 한다.

④ 농림축산식품부장관 또는 해양수산부장관은 제1항에 따라 가격을 예시한 경우에는 예시가격을 지지(支持)하기 위하여 다음 각 호의 사항 등을 연계하여 적절한 시책을 추진하여야 한다.

　1. 제5조에 따른 농림업관측·국제곡물관측 또는 수산업관측의 지속적 실시

　2. 제6조 또는 「수산물 유통의 관리 및 지원에 관한 법률」제39조에 따른 계약생산 또는 계약출하의 장려

3. 제9조 또는 「수산물 유통의 관리 및 지원에 관한 법률」 제40조에 따른 수매 및 처분
4. 제10조에 따른 유통협약 및 유통조절명령
5. 제13조 또는 「수산물 유통의 관리 및 지원에 관한 법률」 제41조에 따른 비축사업

020 농수산물 유통 및 가격안정에 관한 법령상 농산물의 유통조절명령에 관한 내용으로 옳지 않은 것은?

① 농림축산식품부장관은 기획재정부장관과 협의를 거쳐 유통조절명령을 할 수 있다.

② 생산자단체가 유통조절명령을 요청하는 경우에는 유통조절명령 요청서를 이해관계자 대표 등에게 발송하여 10일 이상 의견조회를 하여야 한다.

③ 농림축산식품부장관은 유통조절명령 집행업무의 일부를 수행하는 생산자단체에 필요한 지원을 할 수 있다.

④ 유통조절명령을 발하기 위한 기준은 품목별 특성, 농림업관측 결과 등을 반영하여 산정한 예상 가격과 예상 공급량을 고려하여 농림축산식품부장관이 정하여 고시한다.

> **해설**
>
> **법 제10조(유통협약 및 유통조절명령)** ② 농림축산식품부장관 또는 해양수산부장관은 부패하거나 변질되기 쉬운 농수산물로서 농림축산식품부령 또는 해양수산부령으로 정하는 농수산물에 대하여 현저한 수급 불안정을 해소하기 위하여 특히 필요하다고 인정되고 농림축산식품부령 또는 해양수산부령으로 정하는 생산자 등 또는 생산자단체가 요청할 때에는 공정거래위원회와 협의를 거쳐 일정 기간 동안 일정 지역의 해당 농수산물의 생산자 등에게 생산조정 또는 출하조절을 하도록 하는 유통조절명령(이하 "유통명령"이라 한다)을 할 수 있다.
>
> **시행규칙 제11조(유통명령의 요청자 등)** ② 제1항 각 호에 따른 요청자가 유통명령을 요청하는 경우에는 유통명령 요청서를 해당 지역에서 발행되는 일간지에 공고하거나 이해관계자 대표 등에게 발송하여 10일 이상 의견조회를 하여야 한다.
>
> **시행규칙 제12조(유통명령 이행자에 대한 지원 등)** ② 농림축산식품부장관 또는 해양수산부장관은 제11조 제2항에 따라 유통명령 집행업무의 일부를 수행하는 생산자 등의 조직이나 생산자단체에 필요한 지원을 할 수 있다.
>
> **시행규칙 제11조의2(유통명령의 발령기준 등)** 법 제10조 제5항에 따른 유통명령을 발하기 위한 기준은 다음 각 호의 사항을 고려하여 농림축산식품부장관 또는 해양수산부장관이 정하여 고시한다.
> 1. 품목별 특성
> 2. 법 제5조에 따른 관측 결과 등을 반영하여 산정한 예상 가격과 예상 공급량

021 농수산물 유통 및 가격안정에 관한 법령상 출하자 신고에 관한 내용으로 옳지 않은 것은?

① 출하자 신고서를 제출할 때에는 주거래 도매시장법인의 확인서를 첨부하여 지역농협조합장에게 제출하여야 한다.

② 도매시장법인은 신고한 출하자가 출하 예약을 하고 농산물을 출하하는 경우에는 위탁수수료의 인하 및 경매의 우선 실시 등 우대조치를 할 수 있다.

③ 출하자가 법인의 경우 출하자 신고서에 법인 등기사항증명서를 첨부하여야 한다.

④ 출하자 신고서는 전자적 방법으로 접수할 수 있다.

해설

법 제30조(출하자 신고) ② 도매시장 개설자, 도매시장법인 또는 시장도매인은 제1항에 따라 신고한 출하자가 출하 예약을 하고 농수산물을 출하하는 경우에는 위탁수수료의 인하 및 경매의 우선 실시 등 우대조치를 할 수 있다.

시행규칙 제25조의2(출하자 신고) ① 법 제30조 제1항에 따라 도매시장에 농수산물을 출하하려는 자는 별지 제6호 서식에 따른 출하자 신고서에 다음 각 호의 구분에 따른 서류를 첨부하여 도매시장 개설자에게 제출하여야 한다.

 1. 개인의 경우 : 신분증 사본 또는 사업자등록증 1부

 2. 법인의 경우 : 법인 등기사항증명서 1부

② 도매시장 개설자는 전자적 방법으로 출하자 신고서를 접수할 수 있다.

022 농수산물 유통 및 가격안정에 관한 법령상 도매시장 개설자가 출하농산물 안전성 검사를 실시할 때 채소류 및 과실류 자연산물의 시료 수거량 기준으로 옳은 것은? (단, 묶음단위 농산물은 고려하지 않음)

① 1kg 이상 2kg 이하

② 1kg 이상 3kg 이하

③ 2kg 이상 5kg 이하

④ 5kg 이상 10kg 이하

해설

시행규칙 [별표1]

1. 안전성 검사 실시기준

 가. 안전성 검사계획 수립

  도매시장 개설자는 검사체계, 검사시기와 주기, 검사품목, 수거시료 및 기준미달품의 관리방법 등을 포함한 안전성 검사계획을 수립하여 시행한다.

 나. 안정성 검사 실시를 위한 농수산물 종류별 시료 수거량

  1) 곡류·두류 및 그 밖의 자연산물 : 1kg 이상 2kg 이하

  2) 채소류 및 과실류 자연산물 : 2kg 이상 5kg 이하

  3) 묶음단위 농산물의 한 묶음 중량이 수거량 이하인 경우 한 묶음씩 수거하고, 한 묶음이 수거량 이상인 시료는 묶음의 일부를 시료수거 단위로 할 수 있다. 다만, 묶음단위의 일부를 수거하면 상품성이 떨어져 거래가 곤란한 경우에는 묶음단위 전체를 수거할 수 있다.

023 농수산물 유통 및 가격안정에 관한 법령상 도매시장법인이 출하자로부터 거래액의 일정 비율로 징수하는 위탁수수료의 부류별 최고한도로 옳지 않은 것은?

① 양곡부류 : 1천분의 20

② 청과부류 : 1천분의 60

③ 화훼부류 : 1천분의 70

④ 약용작물부류 : 1천분의 50

정답 020 ① 021 ① 022 ③ 023 ②

법 제39조(사용료 및 수수료) 위탁수수료의 최고한도는 다음 각 호와 같다. 이 경우 도매시장의 개설자는 그 한도에서 업무규정으로 위탁수수료를 정할 수 있다.

1. 양곡부류 : 거래금액의 1천분의 20
2. 청과부류 : 거래금액의 1천분의 70
3. 수산부류 : 거래금액의 1천분의 60
4. 축산부류 : 거래금액의 1천분의 20(도매시장 또는 공판장 안에 도축장이 설치된 경우 「축산물위생관리법」에 따라 징수할 수 있는 도살·해체수수료는 이에 포함되지 아니한다.)
5. 화훼부류 : 거래금액의 1천분의 70
6. 약용작물부류 : 거래금액의 1천분의 50

024 농수산물 유통 및 가격안정에 관한 법령상 농수산물종합유통센터의 시설기준 중 필수시설에 해당하는 것을 모두 고른 것은?

| ㄱ. 포장·가공시설 | ㄴ. 수출지원실 |
| ㄷ. 농산물품질관리실 | ㄹ. 저온저장고 |

① ㄱ, ㄴ   ② ㄷ, ㄹ
③ ㄱ, ㄷ, ㄹ   ④ ㄴ, ㄷ, ㄹ

시행규칙 [별표1] 농수산물종합유통센터의 시설기준

1. 필수시설
    가. 농수산물 처리를 위한 집하·배송시설
    나. <u>포장·가공시설</u>
    다. <u>저온저장고</u>
    라. 사무실·전산실
    마. <u>농산물품질관리실</u>
    바. 거래처주재원실 및 출하주대기실
    사. 오수·폐수시설
    아. 주차시설
2. 편의시설
    가. 직판장
    나. 수출지원실
    다. 휴게실
    라. 식당
    마. 금융회사 등의 점포
    바. 그 밖에 이용자의 편의를 위하여 필요한 시설

025 농수산물 유통 및 가격안정에 관한 법령상 경매사가 도매시장법인이 상장한 농산물의 가격평가를 문란하게 하여 1차 행정처분을 받은 후 1년 이내에 다시 같은 위반행위로 적발되어 2차 행정처분을 받게 되었을 때 처분기준으로 옳은 것은? (단, 가중 및 감경사유는 고려하지 않음)

① 업무정지 10일　　　　　　　　② 업무정지 15일
③ 업무정지 1개월　　　　　　　　④ 업무정지 6개월

해설

시행규칙 [별표4] 경매사 위반행위별 처분기준

위반사항	처분기준		
	1차	2차	3차
법 제28조 제1항에 따른 업무를 부당하게 수행하여 도매시장의 거래질서를 문란하게 한 경우			
1) 도매시장법인이 상장한 농수산물에 대한 경매우선순위의 결정을 문란하게 한 경우	업무정지 10일	업무정지 15일	업무정지 1개월
2) 도매시장법인이 상장한 농수산물의 가격평가를 문란하게 한 경우	업무정지 10일	업무정지 15일	업무정지 1개월
3) 도매시장법인이 상장한 농수산물의 경락자의 결정을 문란하게 한 경우	업무정지 15일	업무정지 3개월	업무정지 6개월

원예작물학

026 식물학적 분류로 같은 과(科, family)가 아닌 것은?

① 시금치　　　　　② 비트　　　　　③ 당근　　　　　④ 근대

해설

명아주과 : 시금치, 비트, 근대, 사탕무
〈쌍자엽(쌍떡잎) 식물〉

명아주과	근대, 시금치, 비트	가지과	고추, 토마토
십자화과	양배추, 배추, 무	박과	수박, 오이, 참외
콩과	콩, 녹두, 팥	국화과	상추, 우엉, 쑥갓, 민들레
아욱과	아욱, 오크라	도라지과	도라지
산형화과	샐러리, 당근	장미과	사과, 나무딸기, 자두, 매실, 앵두, 배, 아몬드
메꽃과	고구마		

정답 024 ③ 025 ② 026 ③

027 원예작물과 주요 기능성 물질의 연결이 옳지 않은 것은?

> ㄱ. 포도 – 레스베라트롤　　　　　ㄴ. 토마토 – 락투신
> ㄷ. 양배추 – 엘라그산　　　　　　ㄹ. 양파 – 퀘르세틴

① ㄱ, ㄷ　　　　　　　　　　② ㄱ, ㄹ
③ ㄴ, ㄷ　　　　　　　　　　④ ㄴ, ㄹ

 해설

- 토마토 : 안토시아닌
- 양배추 : 카로티노이드
- 포도, 딸기 : 엘라그산
- 상추 : 락투신
- 생강 : 진저롤
- 마늘 : 알리인

028 채소작물에서 화아형성 이후에 추대(bolting)를 촉진시키는 요인은?

① 저온 – 단일 – 약광　　　　　② 저온 – 장일 – 강광
③ 고온 – 단일 – 약광　　　　　④ 고온 – 장일 – 강광

해설

추대의 촉진 요건

장일(長日)	저온감응성 작물(무, 배추)은 장일상태에서 화아분화와 발육이 촉진된다.
온도, 빛	추대가 잘되는 온도는 25~30℃이고 고온일수록 추대가 빨라진다. 빛은 강광에서 추대가 촉진된다.
토양조건	점질토양이나 비옥토보다 사질토양이나 척박한 토양에서 추대가 빠르다.

029 장명종자가 아닌 것은?

① 양파　　　　　　　　　　② 오이
③ 호박　　　　　　　　　　④ 가지

해설

장명종자(長命種子)
종자의 수명이 길어 4~6년 또는 그 이상 저장하여도 발아핵을 유지하는 것.
예를 들면, 녹두, 오이, 가지, 배추, 호박 등

030 호광성 종자의 발아촉진 관련 물질은?

① 플로리진　　　　　　　　　② 피토크롬
③ 옥신　　　　　　　　　　　④ 쿠마린

 해설

- 플로리진 : 사과·배 따위의 과수뿌리에서 채취하는 배당체
- 피토크롬 : 빛을 흡수하여 흡수스펙트럼의 형태가 가역적으로 변하는 식물체 내의 색소단백질로서 균류 이외의 모든 식물에 들어 있다. 빛 조건에 따라 식물의 여러 생리학적 기능을 조절하는 데 관여한다.
- 옥신 : 생장호르몬으로서 식물 줄기와 잎, 뿌리의 성장을 촉진하고, 낙과를 방지하며, 착과를 촉진한다.
- 쿠마린 : 무색의 결정체이고 방향성 유기 화학 물질이다. 달콤한 향기를 내는 물질이지만, 곤충과 곰팡이, 박테리아에 대한 방어 활성을 가지는 것으로 보고되고 있다.

031 농산물품질관리사가 딸기 재배 농가에게 우량묘 확보 방법으로 조언할 수 있는 것은?

① 종자 번식　　　　　　　　② 포복경 번식
③ 분구　　　　　　　　　　④ 접목

 해설

포복경 번식 : 딸기의 줄기처럼 토양표면을 따라 수평으로 자라는 가는 줄기를 포복경 또는 기는 줄기라 한다.

032 딸기의 '기형과' 발생 억제를 위한 재배농가의 관리방법은?

① 복토　　　　　　　　　　② 도복 방지
③ 순지르기　　　　　　　　④ 꿀벌 방사

해설

딸기 기형과 발생 원인 : 냉해, 수정불량, 개화시기의 엽면시비 등

033 광환경 개선을 통해 광합성 효율을 높이는 절화장미 재배법은?

① 아칭재배　　　　　　　　② 홈통재배
③ 네트재배　　　　　　　　④ 지주재배

해설

- 장미 아칭재배 : 양액재배의 기본수형인 아칭(Arching)법은 영양생산 부분과 절화생산부분의 역할 구분이 가장 큰 특징이다. 50~70㎝ 높이의 벤치 위에 정식한 후 줄기가 자라면 통로측에 밑으로 경사지게 신초를 꺾어 휘어두는 방법으로, 이 부분에서 영양분을 생산을 하고 뿌리 윗부분으로부터

정답　027 ③　028 ④　029 ①　030 ②　031 ②　032 ④　033 ①

새로 자란 신초를 절화적기에 기부 채화하는 방법이다.

아칭 수형방식은 이와 같이 주원부(knuckle)에서 줄기를 수평면 이하로 굽힘으로서 주원부에 정아우세 현상이 작용되어 맹아를 촉진하고, 맹아된 새싹이 왕성하게 자라기 때문에 절화품질이 좋아지는 수형이다. 또한 줄기발생 위치 즉 채화할 꽃대 기부에서 자르기 때문에 채화 작업이 용이하다.

• 네트재배 : 키가 큰 화훼류를 절화 재배할 때, 화훼가 쓰러지는 것을 방지하기 위하여 망을 씌워 기르는 방법

034 영양번식에 관한 설명으로 옳은 것을 모두 고른 것은?

> ㄱ. 금잔화는 취목으로 번식한다.   ㄴ. 산세베리아는 삽목으로 번식한다.
> ㄷ. 백합은 자구나 주아로 번식한다.   ㄹ. 작약은 접목으로 번식한다.

① ㄱ, ㄷ   ② ㄱ, ㄹ
③ ㄴ, ㄷ   ④ ㄴ, ㄹ

해설

• 산세베리아 : 자구번식
• 튤립, 백합 : 구근번식(알뿌리 나누기)

035 식물공장에 관한 설명으로 옳지 않은 것은?

① 재배 품목의 선택폭이 넓다.   ② 연작장해 발생이 적다.
③ 생력화가 가능하다.   ④ 생산시기를 조절할 수 있다.

해설

식물공장(NFT)

외부환경과 단절된 공간에서 빛, 공기, 온도, 습도, 양분 등 식물의 환경을 인공적으로 조정하여 농산물을 계획적으로 생산하는 시설

식물공장의 특징

① 시설비가 저렴하다. (설치가 간단하다.)
② 연작장해 발생이 적다.
③ 산소부족이 없다.
④ 자동화, 생력화가 가능하다.
⑤ 생산시기를 조절할 수 있다.

036 화훼류의 잎, 줄기 등의 즙액을 빨아 먹는 해충이 아닌 것은?

① 파밤나방   ② 진딧물
③ 응애   ④ 깍지벌레

- 파밤나방 : 나방류는 잎을 갉아먹는다.
- 진딧물 : 진딧물은 직접 식물의 즙액을 빨아 해를 끼칠 뿐 아니라, 복숭아혹진딧물·목화진딧물 등과 같이 각종 작물의 식물바이러스병을 매개하여 이중으로 해를 끼치는 것도 많다. 진딧물의 천적으로는 꽃등에류·진디벌류·무당벌레류·풀잠자리류 등이 있다.
- 응애 : 대다수의 응애들이 식물 줄기나 잎에 침을 꽂아 세포액을 빨아먹어 식물의 생육을 방해하기 때문에 익충인 거미와는 다르게 명백한 농업해충에 속한다. 이리응애나 마일즈응애가 천적이다.
- 깍지벌레 : 잎이나 가지에 기생하고, 즙액을 흡수하기 때문에 나무가 고사하기 쉽다.

037 절화류 취급방법에 관한 설명으로 옳지 않은 것은?

① 금어초는 세워서 수송하여 화서 선단부가 휘어지는 현상을 예방한다.
② 안스리움은 2℃ 이하의 저온저장을 통해 수명을 연장시킨다.
③ 카네이션은 줄기 끝을 비스듬히 잘라 물의 흡수를 증가시킨다.
④ 장미는 저온 습식수송으로 꽃목굽음을 방지할 수 있다.

해설

안스리움은 아메리카 열대지역 원산으로 4℃ 이하의 저온에서 저온장해가 발생한다.

038 가을에 전조처리(night break)를 할 경우 나타나는 현상으로 옳은 것을 모두 고른 것은?

| ㄱ. 포인세티아는 개화가 억제된다. | ㄴ. 칼랑코에는 개화가 촉진된다. |
| ㄷ. 국화는 개화가 촉진된다. | ㄹ. 게발선인장은 개화가 억제된다. |

① ㄱ, ㄷ
③ ㄴ, ㄷ
② ㄱ, ㄹ
④ ㄴ, ㄹ

해설

전조처리 : 전등과 같은 인공 광원을 이용하여 식물에 빛을 주는 일. 화성(花成)의 유기, 휴면 타파 따위의 효과를 얻는다. 포인세티아, 베고니아, 칼랑코에, 국화는 장일처리 또는 전조처리하여 개화를 억제시킨다.

039 화훼류에 관한 설명으로 옳지 않은 것은?

① 장미의 블라인드 현상은 일조량이 부족하면 발생한다.
② 국화의 로제트는 가을에 15℃ 이하의 저온에서 발생한다.
③ 백합의 초장은 주야간 온도차인 DIF의 영향을 받는다.
④ 프리지아의 잎은 암흑 상태로 저장하여야 황화가 억제된다.

정답 034 ③ 035 ① 036 ① 037 ② 038 ② 039 ④

> **해설**
>
> - 블라인드 현상 : 꽃봉이 생겨나야 할 자리에서 꽃봉이 생기지 않는 현상. 빛 에너지의 부족과 저온조건이 블라인드의 발생에 깊이 관여한다.
> - 국화 로제트 현상 : 여름 고온을 경과한 후 가을의 저온을 접하게 되면 절간이 신장하지 못하고 짧게 되는 현상
> - 프리지아 : 생육적온은 13~16℃이고, 25℃ 이상에서는 휴면에 들어가며, -3℃ 이하 온도에서 얼어 죽는다. 꽃눈분화는 10℃ 전후에서 이루어지며 개화 후 구근이 계속 비대하다가 2개월 후면 정지하고 휴면한다. 절화의 저장이 필요할 때는 건조저장으로 하며 0~0.5℃에서 7일 또는 9~10℃에서 5일 동안 저장할 수 있다.

040 화분 밑면의 배수공을 통해 물이 스며들어 화분 위로 올라가게 하는 관수방법은?

① 점적관수
② 저면관수
③ 미스트관수
④ 다공튜브관수

> **해설**
>
> 저면관수 : 분재배, 온실재배에 있어서 매일 관수를 반복하면 토양이 단단해져서 작물의 생육을 저해하게 되므로 모세관수에 의하여 작물이 밑으로부터 물을 흡수하도록 하는 것

041 일장에 관계없이 적정온도에서 생장하면 개화하는 특성을 가진 작물은?

① 장미
② 메리골드
③ 맨드라미
④ 포인세티아

042 화훼 분류에서 구근류가 아닌 것을 모두 고른 것은?

ㄱ. 몬스테라	ㄴ. 디펜바키아	ㄷ. 글라디올러스
ㄹ. 히아신스	ㅁ. 쉐플레라	ㅂ. 시클라멘

① ㄱ, ㄴ, ㅁ
② ㄱ, ㄷ, ㅂ
③ ㄴ, ㄹ, ㅁ
④ ㄷ, ㄹ, ㅂ

> **해설**
>
> 구근류 : 튤립, 수선화, 글라디올러스, 히아신스, 아네모네, 시클라멘, 아이리스, 구근베고니아, 글록시니아, 다알리아, 아마릴리스, 칸나, 칼라, 자란 등

043 세균에 의한 과수의 병은?

① 탄저병 ② 부란병
③ 화상병 ④ 갈색무늬병

해설

과수화상병 : 세균에 의해 사과나 배나무의 잎·줄기·꽃·열매 등이 마치 불에 타 화상을 입은 듯한 증세를 보이다가 고사하는 병을 말한다.

진균 (곰팡이)	탄저병, 배추뿌리잘록병, 역병, 노균병, 흰가루병, 벼깨씨무늬병, 부란병, 갈색무늬병 등 • 오이의 노균병 : 기온이 20~25℃, 다습상태에서 발병 • 고추 역병 : 유묘기에 감염되면 그루 전체가 심하게 시들고 죽는다. 생육중기나 후기의 병든 그루는 처음에 시들다가 후에 적황색으로 변해 말라죽는다.
세균	궤양병, 근두암종병, 무름병, 풋마름병, 과수화상병 등
바이러스	잎마름병, 모자이크병, 위축병, 사과나무고접병, 과수화상병 등
마이코 플라즈마	바이러스와 세균의 중간 영역에 위치하는 미생물 오갈병, 감자빗자루병 등 • 오갈병 : 바이러스의 침입을 받아 잎이나 줄기가 불규칙하게 오그라들어 기형이 되고 생육이 현저히 감소되어 키가 작아지는 식물병으로 벼, 보리, 무 등에 주로 발생한다.

044 1년생 가지에 착과되는 과수가 아닌 것은?

① 포도 ② 감
③ 사과 ④ 참다래

해설

과수의 결과습성

1년생 가지에 결실	포도, 감, 감귤, 무화과, 참다래
2년생 가지에 결실	복숭아, 자두, 매실
3년생 가지에 결실	사과, 배

045 채소작물 재배 시 해충별 천적의 연결이 옳지 않은 것은?

① 총채벌레류 - 애꽃노린재 ② 진딧물류 - 콜레마니진디벌
③ 잎응애류 - 칠레이리응애 ④ 가루이류 - 어리줄풀잠자리

해설

천적곤충
• 어리줄풀잠자리, 무당벌레 : 진딧물
• 온실가루이좀벌, 칠레이리응애(점박이응애), 마일스응애, 굴파리좀벌, 콜레마니진디벌, 애꽃노린재 : 각종 응애류, 진딧물류, 매미충류, 총채벌레

정답 040 ② 041 ① 042 ① 043 ③ 044 ③ 045 ④

046 과수의 분류에서 씨방상위과이면서 교목성인 과수는?

① 사과　　　　　　　　　　　　② 포도
③ 감귤　　　　　　　　　　　　④ 블루베리

> **해설**

씨방상위과	씨방이 수술, 꽃잎, 꽃받침보다 위쪽에 위치하여 발달한 과실 **예** 포도, 감귤, 참다래
씨방하위과	씨방이 수술, 꽃잎, 꽃받침의 아래쪽에 붙어 발달한 과실 **예** 사과, 배, 블루베리, 바나나
씨방중위과	수술, 꽃잎, 꽃받침이 씨방 옆에 붙어 있는 과실 **예** 복숭아, 양앵두
교목성 과수	한 개의 굵은 원줄기가 자라고 여기에 가지가 자라 지상부를 구성하는 과수 **예** 사과, 배, 복숭아, 감, 자두, 감귤, 살구, 양앵두, 매실, 대추, 밤, 호두, 무화과 등
관목성 과수	여러 개의 원줄기가 자라 지상부를 구성하는 과수 **예** 나무딸기, 블루베리, 블랙베리, 구즈베리, 커런트, 엘더베리, 크랜베리, 듀베리 등
덩굴성 과수	가지가 곧게 서지 못하고 길게 뻗어나가면서 바닥을 기거나 지주에 붙어서 자라는 과수 **예** 포도, 머루, 참다래, 으름 등

047 과수 재배 시 C/N율을 높이기 위한 방법을 모두 고른 것은?

ㄱ. 뿌리전정	ㄴ. 열매솎기
ㄷ. 가지의 수평 유인	ㄹ. 환상박피

① ㄱ　　　　　　　　　　　　② ㄱ, ㄴ
③ ㄴ, ㄷ, ㄹ　　　　　　　　　④ ㄱ, ㄴ, ㄷ, ㄹ

> **해설**

C/N율 : 식물체 내의 탄수화물과 질소의 비율. C/N율에 따라 생육과 개화 결실이 지배된다고도 보는데, C/N율이 높으면 개화를 유도하고 C/N율이 낮으면 영양생장이 계속된다.

048 국내 육성 품종이 아닌 것은 몇 개인가?

거봉	황금배	부유	홍로	감홍	샤인머스켓	청수	신고

① 2개　　　　　　　　　　　　② 3개
③ 4개　　　　　　　　　　　　④ 5개

거봉(일본산), 부유(일본산), 샤인머스켓(일본산), 신고(일본산)
황금배(국산, 신고배에 이십세기배를 교합), 홍로(국산), 감홍(국산) 포도청수(국산)

049 과원의 시비 관리에 관한 설명으로 옳은 것은?

① 질소가 과다하면 잎이 작아지고 담황색으로 된다.
② 인산은 산성 토양에서 철, 알루미늄과 결합하여 불용성이 되므로 결핍증상이 나타난다.
③ 칼륨은 산성 토양을 중화시키는 토양개량제로 이용된다.
④ 붕소는 엽록소의 필수 구성 성분으로 결핍되면 엽맥 사이에 황화 현상이 나타난다.

① 질소과다 : 잎이 지나치게 무성해지고 개화가 지연
③ 산성토양의 중화 : 석회질 비료 시비
④ 엽록소의 필수 구성분 : Mg, 결핍 시 엽맥 사이의 황백화현상 유발

050 과수의 번식에 관한 설명으로 옳은 것은?

① 분주는 교목성 과수에서 흔히 사용하는 번식법이다.
② 삽목에 의해 쉽게 번식되는 대표적인 과수는 포도이다.
③ 분주는 바이러스 무병묘 생산을 위한 일반적인 방법이다.
④ 삽목은 대목과 접수를 접합시키는 번식법이다.

① 분주 : 뿌리가 여러 개 모여 덩어리로 뭉쳐 있는 것을 작은 포기로 나누어 번식시키는 방법. 나무딸기, 앵두나무, 대추나무, 거베라, 국화, 작약, 붓꽃 등
② 삽목(꺾꽂이) : 포도나무는 타과종에 비하여 뿌리가 잘 내리므로 삽목으로 주로 번식한다. 겨울철 포도가 휴면기에 들어갔을 때 충실히 자란 1년생 가지를 채취하여 마르지 않도록 밀봉하여 5℃ 정도 되는 저장고에 보관한다. 봄에 이 가지를 3마디로 잘라 가운데 눈을 제거 후 땅에 삽목한다.
③ '바이러스 무병묘(virus free)'는 바이러스나 바이로이드에 감염되지 않았거나 인위적으로 이들을 제거한 묘를 말한다. 바이러스가 없는 어미 식물체의 생장점을 채취하고 배양·생산한다.
④ 접목(접붙이기) : 대목에 원하는 품종의 접순을 붙여 번식시키는 방법. 삽목은 뿌리나 잎, 줄기를 잘라 땅에 꽂아 뿌리를 내리게 하여 번식시키는 방법이다.

정답 **046** ③ **047** ④ **048** ③ **049** ② **050** ②

수확 후 품질관리론

051 생리적 성숙 완료기에 수확하여 이용하는 원예산물이 아닌 것은?

① 가지 ② 참외
③ 단감 ④ 수박

해설

작물의 수확적기 판단 기준 : 원예적 성숙도
생리적 성숙도 이전에 수확하는 작물 : 애호박, 오이, 가지 등
생리적 성숙단계에서 수확하는 작물 : 사과, 단감, 수박, 참외, 양파, 감자 등

052 원예산물의 수확기 결정지표의 연결이 옳은 것을 모두 고른 것은?

┌───┐
│ ㄱ. 당근 – 파종 후 생육일수   ㄴ. 사과 – 전분지수 │
│ ㄷ. 배 – 만개 후 일수   ㄹ. 감귤 – 착색 정도 │
└───┘

① ㄱ, ㄴ ② ㄱ, ㄷ, ㄹ
③ ㄴ, ㄷ, ㄹ ④ ㄱ, ㄴ, ㄷ, ㄹ

해설

당근 수확적기 : 조생종은 70~80일, 중생종은 90~100일, 만생종은 120일 정도에 수확하며 외관상으로 바깥잎이 지면에 닿을 정도로 늘어지는 시기가 수확적기이다.

과실별 수확적기 판정지표

과실종류	판정지표	과실종류	판정지표
사과	전분함량	복숭아, 참다래	당도
밀감류	주스함량, 착색정도	사과, 배	개화 후 경과일수
감	떫은 맛	사과, 멜론류, 감	이층발달
배추, 양배추	결구상태	사과, 배	내부 에틸렌 농도
밀감, 멜론, 키위	산함량	사과, 배, 옥수수	누적온도(적산온도)

과실성숙도 판정기준

① 품종고유의 색택이 나타날 때 성숙 판단
② 수확이 쉬워질 때(꼭지가 잘 떨어질 때)
③ 성숙기가 된 과실 : 과실 연화, 단맛 증가, 신맛 감소
④ 펙틴의 변화 : 과실이 성숙될수록 불용성 펙틴이 가용성 펙틴으로 변화한다.
⑤ 개화 후 경과일수 : 꽃핀 다음 성숙기까지 거의 일정한 기간이 걸린다.

053 원예산물의 수확 방법에 관한 설명으로 옳지 않은 것은?

① 멜론은 꼭지째 수확한다.
② 단감은 꼭지를 짧게 잘라준다.
③ 파프리카는 과경을 아래로 당겨 딴다.
④ 딸기는 과실에 압력을 가하지 않도록 딴다.

 해설

파프리카 손수확 : 상처가 나지 않도록 치켜 올려 따거나 가위나 칼을 이용해 수확

054 사과(후지)의 수확 전 성숙 과정에서 감소하는 성분을 모두 고른 것은?

ㄱ. 환원당	ㄴ. 유기산
ㄷ. 엽록소	ㄹ. 안토시아닌

① ㄱ, ㄴ
② ㄴ, ㄷ
③ ㄱ, ㄷ, ㄹ
④ ㄴ, ㄷ, ㄹ

해설

사과 성숙과정에서 유기산과 엽록소가 감소한다.
환원당 : 포도당(glucose), 과당(fructose), 맥아당(maltose), 유당(lactose), 갈락토스(galactose) 등이
포함되며, 설탕으로의 환원력은 없다.

055 성숙 시 토마토와 호흡 양상이 다른 원예산물은?

① 복숭아
② 바나나
③ 참다래
④ 양앵두

해설

호흡상승과 (클라이맥터릭)	호흡상승과는 성숙에서 노화로 진행되는 단계상 호흡률이 낮아졌다가 갑자기 상승하는 기간이 있다. 사과, 바나나, 배, 토마토, 복숭아, 감, 키위, 망고, 참다래, 살구, 멜론, 자두, 수박
비호흡상승과	고추, 가지, 오이, 딸기, 호박, 감귤, 포도, 오렌지, 파인애플, 레몬, 양앵두 및 대부분의 채소류

정답 **051** ① **052** ④ **053** ③ **054** ② **055** ④

056 에틸렌 제어물질의 작용 기작에 관한 설명으로 옳은 것은?

① $KMnO_4$는 에틸렌을 산화시킨다.
② AVG는 에틸렌 수용체와 결합한다.
③ AOA는 ACC oxidiase의 활성을 억제한다.
④ 1-MCP는 ACC synthase의 활성을 억제한다.

해설
- 과망간산칼륨($KMnO_4$) : 에틸렌의 이중결합을 깨트려 산화시켜서 에틸렌을 흡착·제거
- 에틸렌 합성 저해제로는 아미노에톡시-비닐-글리신(aminoethoxy-vinyl-glycine, AVG)과 아미노옥시아세트산(aminoxyacetic acid, AOA) 등이 있다. 이들은 AdoMet가 ACC로 전환되는 것을 차단한다.
- 1-MCP : 식물체의 에틸렌 결합 부위를 차단하는 작용

057 카로티노이드계 색소가 아닌 것은?

① 루테인
② 플라본
③ 리코펜
④ 베타카로틴

해설
- 카로티노이드계 : 베타카로틴(당근, 키위, 살구), 리코펜(토마토, 수박, 고추)
- 플라보노이드계 : 플라본, 안토시아닌. 레몬, 블루베리 등
- 루테인 : 카로티노이드 중에서도 잔토필(xanthophyll)의 한 종류

058 다음 (   )에 들어갈 내용으로 옳은 것은?

> Y생산자는 적정 범위 내에서 CA저장고의 (ㄱ)을/를 높게, (ㄴ)을/를 낮게 유지해 저장 원예산물의 증산에 의한 손실을 최소화하였다.

① ㄱ : 기압　　ㄴ : 온도
② ㄱ : 온도　　ㄴ : 상대습도
③ ㄱ : 상대습도　ㄴ : CO_2 농도
④ ㄱ : CO_2 농도　ㄴ : 기압

해설
CA 저장 : 대기의 가스조성(산소 : 21%, 이산화탄소 : 0.03%)을 인공적으로 조절한 저장환경에서 청과물을 저장하여 품질 보전 효과를 높이는 저장법으로 상대습도와 기압을 높여 증산작용을 억제하고 CO_2 농도는 낮춰 준다.

059 원예산물별 맛과 관련된 성분의 연결이 옳지 않은 것은?

① 감 떫은맛 - 탄닌
② 고추 매운맛 - 캡사이신
③ 포도 신맛 - 주석산
④ 오이 쓴맛 - 아미그달린

해설

오이 쓴맛 : 쿠쿠르비타신

060 원예산물의 선별 시 드럼식 형상선별기의 이용 목적은?

① 크기 선별
② 색택 선별
③ 경도 선별
④ 손상 선별

해설

드럼식 형상선별기 : 수확된 과실의 크기 차이를 구멍의 크기가 다른 회전통을 이용하여 선별하는 것으로 감귤, 방울토마토, 매실 등과 같은 크기가 작은 과실에 이용된다.

061 원예산물의 품질 구성요소와 결정요인의 연결이 옳은 것은?

① 조직감 – 당도, 산도
② 풍미 – 크기, 경도
③ 외관 – 모양, 색도
④ 안전성 – 이취, 비타민 함량

해설

① 조직감 관여요소 : 세포벽의 구조 및 조성, 세포의 팽압, 전분, 프락탄(과당) 등
② 풍미 : 당도, 산도, 이취
④ 안전성 : 유해물질(농약, 방사능, 곰팡이 등)

062 신선편이 농산물의 세척 시 소독제로 사용하는 물질은?

① 클로로피크린
② 차아염소산나트륨
③ 메틸브로마이드
④ 수산화나트륨

해설

차아염소산나트륨 : 식품의 부패균이나 병원균을 사멸하기 위하여 살균제로서 사용된다. 음료수, 채소 및 과일, 용기・기구・식기 등에 사용된다. 무색 혹은 엷은 녹황색의 액체로서 염소 냄새가 있다.

063 다음 (   )에 들어갈 내용으로 옳은 것은?

Y생산자는 농산물품질관리사의 지도하에 올해 수확한 감자를 저장 전에 온도 15℃, 상대 습도 (ㄱ) 조건의 큐어링으로 (ㄴ)의 축적을 유도하여 저장 중 수분손실과 부패균에 의한 피해를 크게 줄일 수 있었다.

① ㄱ : 45%   ㄴ : 리그닌
② ㄱ : 90%   ㄴ : 리그닌
③ ㄱ : 45%   ㄴ : 슈베린
④ ㄱ : 90%   ㄴ : 슈베린

해설

큐어링 : 90%의 습도와 18℃에서 6일간, 15℃에서 10일간, 13℃에서 12일간의 큐어링 기간이 소요된다. 큐어링 과정에서 축적되는 슈베린은 식물 세포막에 다량 함유 wax물질, 코르크질, 목전질이다.

064 저장 및 유통 중 부패균을 살균하는 물질이 아닌 것은?

① 오존
② 아황산나트륨
③ 염화칼륨
④ 이산화염소

해설

• 아황산나트륨 : 표백제, 방부제로 사용
• 이산화염소 : 유독성 무기물 제거, 중금속 제거, 살균 및 소독, 의류표백, 악취제거 등

065 ( ) 안에 들어갈 내용으로 옳은 것은?

원예산물 저장 시 저장고의 냉장용량은 온도 상승을 유발하는 모든 열량을 합산하여 계산하는데, ( )과 ( )이 대부분의 열량을 차지한다.

① 포장열, 호흡열
② 포장열, 전도열
③ 전도열, 대류열
④ 호흡열, 장비열

해설

• 포장열 : 포장에서 수확한 생산물의 온도. 포장열이 높으면 저온으로 저장할 때 설정 온도와 차이가 커지기 때문에 필요한 열량이 많아진다.
• 호흡열 : 식물체가 호흡하는 동안 발생하는 열

066 밀폐순환식 CA 저장에 관한 설명으로 옳지 않은 것은?

① O_2 농도는 질소발생기로 낮춘다.
② CO_2 농도는 이산화탄소 제거기로 조절한다.
③ 작업 시 외부 대기자를 두어 내부 작업자를 주시한다.
④ 장거리 선박 수송 시 CA 저장이 불가능하다.

해설

CA저장 원리

대기의 가스조성(산소 : 21%, 이산화탄소 : 0.03%)을 인공적으로 조절한 저장환경에서 청과물을 저장하여 품질 보전 효과를 높이는 저장법으로, 조절하는 가스에는 이산화탄소, 일산화탄소, 산소 및 질소가스 등이 있으나, 통상 대기가스에 비해 이산화탄소를 증가시키고 산소의 감소 및 질소를 증대시킨다. 이것에 의해 청과물의 호흡 작용을 억제하여 저장력을 연장할 수 있다.

067 저온 저장고 관리에 관한 설명으로 옳지 않은 것은?

① 공기순환통로를 확보한다.

② 과일의 적정 적재 용적률은 90% ~ 95%이다.

③ 저장고 온도는 품온을 측정하여 조절한다.

④ 환기는 기체장해가 나타나지 않는 수준에서 최소화하여 온도차를 줄여야 한다.

> 해설
>
> 과일의 적정 적재 용적률은 70% ~ 80%이다.

068 원예산물 동해 증상으로 옳은 것을 모두 고른 것은?

ㄱ. 배의 탈피과	ㄴ. 고추의 함몰현상
ㄷ. 사과의 과육 변색	ㄹ. 상추의 수침현상

① ㄱ, ㄴ   ② ㄱ, ㄷ

③ ㄴ, ㄷ, ㄹ   ④ ㄱ, ㄴ, ㄷ, ㄹ

> 해설
>
> • 동해장해 : 수침현상이 대표적이며, 사과 등의 과피 함몰, 갈변 등과 배의 과육동공이 발생한다.
> • 배의 탈피과 : 신고배는 저온저장 중에 껍질이 벗겨지는 탈피현상이 발생할 수 있다.

069 저장기간 연장을 위해 이산화탄소 전처리를 하는 품목은?

① 사과   ② 배

③ 양파   ④ 딸기

> 해설
>
> 이산화탄소 저장 전처리
> • 딸기 : 저장기간 연장을 위해 이산화탄소 전처리를 한다.
> • 복숭아 : 이산화탄소를 6시간 동안 전처리함으로써 상온 유통되는 과실의 변색, 연화, 부패, 식미감 감소를 효과적으로 억제한다.

070 원예산물의 수확 후 손실 경감 방법이 아닌 것은?

① 당근은 냉수세척 후 물기를 없앤다.

② 마늘은 40℃를 넘지 않는 온도에서 예건한다.

③ 풋고추는 0℃에 저장한다.

④ 감귤은 예건으로 중량의 3% ~ 5%를 줄인다.

정답   064 ③   065 ①   066 ④   067 ②   068 ③   069 ④   070 ③

> **해설**

저온장해 : 과육변색, 토마토·고추의 함몰, 세포조직의 수침현상, 사과의 과육변색, 복숭아 과육의 섬유질화 또는 스폰지화

저장적온	원예산물
동결점~0℃	브로콜리, 당근, 시금치, 상추, 마늘, 양파, 셀러리 등
0~2℃	아스파라거스, 사과, 배, 복숭아, 포도, 매실, 단감 등
3~6℃	감귤
7~13℃	바나나, 오이, 가지, 수박, 애호박, 감자, 완숙 토마토 등
13℃ 이상	고구마, 생강, 미숙 토마토 등

071 다음 중 에틸렌에 대한 민감성이 가장 큰 것은?

① 자두   ② 앵두
③ 오렌지   ④ 고추

> **해설**

• 에틸렌 발생이 많은 작물 : 사과, 살구, 바나나(완숙과), 멜론, 참외, 복숭아, 감, 자두, 토마토, 모과 등
• 에틸렌 피해가 쉽게 발생하는 작물 : 당근, 고구마, 마늘, 양파, 강낭콩, 완두, 오이, 고추, 풋호박, 가지, 시금치, 상추, 바나나(미숙과), 참대(숙과) 등

072 MA포장 필름에 관한 설명으로 옳지 않은 것은?

① 필름 종류는 포장 물량 및 유통온도를 고려하여 결정한다.
② 필름 재료로 PE와 PET가 주로 사용된다.
③ 원예산물의 호흡률을 반영하여 기체투과율을 조절한다.
④ 투과도는 CO_2가 O_2보다 높아야 한다.

> **해설**

PET는 가스투과성이 약해서 사용하지 않는다.
1) MA저장용 필름에는 polyethylene이 사용되지만 필름의 두께나 종류에 따라 가스투과성에 차이가 있어 저장하는 청과물의 호흡량, 저장온도, 필름의 종류, 두께, 면적 등으로 어느 정도 자루 내 가스조성을 제어할 수 있다.
2) MA저장의 기본적 원리는 필름이나 피막제를 이용하여 산물을 낱개 또는 소량포장하여 외부와 차단한 후 포장 내 호흡에 의한 산소 농도 저하와 이산화탄소의 농도 증가로 생성된 대기조성을 통해 품질변화를 억제하는 방법이다.

073 사과 선별 시 선별장과 저온 저장고와의 온도 차이를 최소화할 때 얻을 수 있는 효과는?

① 동해 억제   ② 기체 장해 억제
③ 저온장해 회피   ④ 결로 방지

해설

선별장의 온도는 저장고의 온도보다 높아서 작물의 품온이 저장고 온도보다 높아 결로가 발생하므로 선별장과 저온 저장고와의 온도 차이를 최소화하면 결로를 방지할 수 있다.
결로 : 수분을 포함한 대기의 온도가 이슬점 이하로 떨어져 대기가 함유하고 있던 수분이 물체 표면에서 물방울로 맺히는 현상

074 품온이 28℃인 과실을 0℃로 설정된 차압예냉실에서 냉각 시 품온 반감기가 1시간이라면, 이론상 품온을 7℃까지 떨어뜨리는 데 필요한 예냉 시간은?

① 1.5시간　　　　　　　　　　② 2시간
③ 2.5시간　　　　　　　　　　④ 3시간

해설

반감기(t1/2)는 어떠한 물질의 양이 초기값의 절반이 되는 데 걸리는 시간이다.
28℃ → 14℃ : 1시간 소요
14℃ → 7℃ : 1시간 소요

075 원예산물의 GAP관리 시 화학적 위해요인이 아닌 것은?

① 농약　　　　　　　　　　　　② 호르몬제
③ 바이러스　　　　　　　　　　④ 곰팡이 독소

해설

바이러스 : 생물학적 위해요인
곰팡이 자체는 생물학적 요인이지만 그 독소는 화학적 요인이다.

농산물유통론

076 농산물 유통비용 중 물류비에 포함되지 않는 것은?

① 재선별비　　　　　　　　　　② 감모비
③ 상품개발비　　　　　　　　　④ 쓰레기 처리비

해설

물류비용 : 선별, 포장, 운송, 저장, 보관, 적재(상하역), 쓰레기처리비용 등 물적유통에 소요되는 비용을 말한다.

정답 071 ① 072 ② 073 ④ 074 ② 075 ③ 076 ③

077 소비촉진을 위한 홍보 및 광고, 연구개발 등을 목적으로 하는 농산물 수급안정 제도는?

① 유통협약   ② 유통명령

③ 농업관측   ④ 자조금

> **해설**
>
> "농수산자조금"이란 자조금단체가 농수산물의 소비촉진, 품질향상, 자율적인 수급조절 등을 도모하기 위하여 농수산업자가 납부하는 금액을 주요 재원으로 하여 조성·운용하는 자금을 말한다.
>
> **자조금의 용도**
> 1. 농수산물의 소비촉진 홍보
> 2. 농수산업자, 소비자, 제19조 제3항에 따른 대납기관 및 제20조 제1항에 따른 수납기관 등에 대한 교육 및 정보제공
> 3. 농수산물의 자율적 수급 안정, 유통구조 개선 및 수출활성화 사업
> 4. 농수산물의 소비촉진, 품질 및 생산성 향상, 안전성 제고 등을 위한 사업 및 이와 관련된 조사·연구
> 5. 자조금사업의 성과에 대한 평가
> 6. 자조금단체 가입율 제고를 위한 교육 및 홍보

078 다음에서 설명하는 가격변동의 형태는?

> 양파 가격은 봄철에 하락하였다가 반등하는 경향을 보인다.

① 계절적 변동   ② 주기적 변동

③ 추세적 변동   ④ 랜덤 워크(random walk)

> **해설**
>
> ① 계절적 변동 : 특정 계절에 따라 가격의 변동이 나타나는 것
> ② 주기적 변동 : 특정 기간 동안 변동의 주기성(사이클)이 나타나는 것으로 순환변동
> ③ 추세적 변동 : 시계열이 장기간에 걸쳐 점진적으로 상향하거나 하향하는 변화상태를 나타내는 변동으로 국민 총 생산량, 인구, 자동차 보유대수 등
> ④ 랜덤 워크(random walk) : 특별한 규칙성을 가지지 않은 변동

079 농산물 유통마진에 관한 내용으로 옳은 것은?

① 유통경로나 출하시기에 관계없이 일정하다.

② 가격변동에 따른 단기적 조정이 용이하다.

③ 유통효율성을 평가하는 핵심지표로 사용된다.

④ 소비자 지불가격에서 농가 수취가격을 뺀 것이다.

> **해설**
>
> 유통마진은 유통비용과 유통업자의 상업마진을 포함하는 개념이다. 출하작업비·포장비·운송비·하역비 등 직접경비, 점포관리비·임대료·감가상각비 등 간접비용, 유통업자의 상업이윤 등이 모두

유통마진에 포함된다.
- 유통마진은 유통단계별 상품단위 당 가격차액으로 표시된다.
- 농산물의 유통단계를 수집·도매·소매단계로 구분하면 각 단계별로 유통마진이 구성되고, 각 단계별 마진은 유통업자의 구입가격과 판매가격과의 차액을 말한다.
- 대부분의 농산물은 소매단계에서 유통마진이 가장 높은 것으로 나타나고 있다.

080 협동조합의 공동출하 원칙에 해당되지 않는 것은?

① 무조건 위탁
② 즉시 정산
③ 공동계산
④ 평균판매

해설

- 공동판매의 단점
  ㉠ 판매가격 결정의 합의제 → 신속성의 결여
  ㉡ 대금결제의 지연(자금유동성 약화)
  ㉢ 풀 계산과 특종품 경시(特種品輕視), 개별생산자의 개성 무시
  ㉣ 사무절차의 복잡 등
- 공동출하(판매)의 3원칙
  ㉠ 무조건 위탁 : 개별 농가의 조건별 위탁을 금지
  ㉡ 평균판매 : 생산자의 개별적 품질특성을 무시하고 일괄 등급별 판매 후 수취가격을 평준화하는 방식
  ㉢ 공동계산 : 평균판매 가격을 기준으로 일정 시점에서 공동계산

081 농산물 선물거래에 관한 내용으로 옳은 것은?

① 대부분 실물인수도를 통해 최종결제된다.
② 헤저(hedger)는 투기 목적으로 참여한다.
③ 가격하락에 대응하여 매도 헤징(hedging)한다.
④ 가격변동성이 낮을수록 거래가 활성화된다.

해설

① • 실물인수도방식 : 선물포지션에 대해 최종결제일(만기일)에 거래소가 지정한 창고를 통해 매도자와 매수자가 실물을 인수하는 방식(최종결제가격을 기준으로 산출한 최종결제대금과 기초자산을 수수하는 것)
  • 현금결제방식 : 대다수 선물은 거래의 유동성과 최종결제 편의성 제고를 위해 최종거래일의 현물(기초자산) 가격과 전일 정산가격과의 차액만을 결제하는 방식
② 헤저(hedger)는 가격변동성을 회피하려는 목적으로 참여한다.
③ 가격하락에 대응하여 매도 헤징(hedging)을 함으로써 추가적인 가격하락 리스크를 방어한다.
④ 가격변동성이 클수록 거래가 활성화된다.

정답 077 ④ 078 ① 079 ④ 080 ② 081 ③

082 농산물 전자상거래에 관한 내용으로 옳은 것은?

① 상품 진열이 제한적이다.

② 다양한 거래방법의 활용이 가능하다.

③ 소비자의 의견 반영이 어렵다.

④ 영업시간 변경이 어렵다.

> **해설**
>
> **농산물 전자상거래의 특성**
> ㉠ 사이버공간을 활용함으로써 시간적, 공간적 제약을 극복할 수 있다.
> ㉡ 전자 네트워크를 통해 생산자와 소비자가 직접 만나기 때문에 유통비용이 절감된다.
> ㉢ 소규모 자본으로도 가능하다.
> ㉣ 생산자와 소비자간 쌍방향 통신을 통해 1 대 1 마케팅이 가능하고 실시간 고객서비스가 가능해진다.

083 소매상에 해당되지 않는 것은?

① 대형마트　　　　　　　　　② 중개인

③ TV홈쇼핑　　　　　　　　　④ 카테고리 킬러

> **해설**
>
> 중개인은 생산자와 소매상을 연결해 주는 중간상이다.
> 소매상 : 소비자와 직접적 거래가 가능한 상인

084 농산물도매시장에서 수집, 가격발견 및 분산 기능을 모두 수행하는 유통주체는?

① 도매시장법인　　　　　　　② 경매사

③ 매매참가인　　　　　　　　④ 시장도매인

> **해설**
>
> 시장도매인제도는 도매시장의 개설자로부터 지정을 받은 시장도매인이 판매직원을 고용하여 출하자
> 로부터 매수하거나 위탁받은 농산물을 도매・중개하는 운영방식이다.

085 농산물도매시장의 경매제도에 관한 내용으로 옳지 않은 것은?

① 경락가격의 변동이 매우 작다.

② 경매방법은 전자식을 원칙으로 한다.

③ 상품 진열을 위한 넓은 공간이 필요하다.

④ 상향식 호가로 진행되는 영국식 경매이다.

> **해설**
>
> 농산물은 계절적 편재성, 부패성, 비규격성, 중량성, 표준화의 어려움 등으로 인해 가격변동이 심하다.

086 농산물 종합유통센터에 관한 내용으로 옳지 않은 것은?

① 소포장, 단순가공 등으로 부가가치 창출

② 유통경로 다원화 및 유통 효율성 제고

③ 상장경매로 거래의 공정성 및 투명성 확보

④ 유통단계 축소 및 물류비용 절감

해설

농산물종합유통센터에서는 상장경매를 하지 않는다.

087 농산물 산지유통전문조직의 통합마케팅에 관한 내용으로 옳은 것을 모두 고른 것은?

ㄱ. 생산자 조직화·규모화	ㄴ. 계약재배 확대
ㄷ. 공동선별·공동계산 확대	ㄹ. 공동브랜드 육성

① ㄱ, ㄴ

② ㄷ, ㄹ

③ ㄱ, ㄷ, ㄹ

④ ㄱ, ㄴ, ㄷ, ㄹ

해설

산지유통조직의 통합마케팅

영세 농가들이 조합 또는 생산자조직을 창설하고 공동자금을 조성함으로써 공동판매, 공동브랜드 육성, 규모의 경제를 실현할 수 있고 유통시장에서 협상력(가격 결정자)을 높일 수 있게 된다.

088 농산물 포전거래에 관한 내용으로 옳지 않은 것은?

① 밭떼기라고도 한다.

② 선도거래에 해당한다.

③ 계약 불이행 위험이 없다.

④ 농가가 계약금을 수취한다.

해설

포전거래는 매수인이 계약당시 계약금을 지불하고 약속된 일자에 농산물을 인수해야 하지만 시장가격이 여의치 않은 경우 인수를 포기하는 경우도 있다.

089 식품업체가 원료를 안정적으로 조달하고 식품의 안전성을 확보하는 데 적합한 산지 거래 방식은?

① 공동출하

② 계약재배

③ 정전거래

④ 산지공판

해설

계약재배 : 생산물을 일정한 조건으로 인수하는 계약을 맺고 파종기 이전에 행하는 농산물 재배

정답 082 ② 083 ② 084 ④ 085 ① 086 ③ 087 ④ 088 ③ 089 ②

090 농산물의 파렛트(pallet) 단위 거래에 관한 내용으로 옳지 않은 것은?

① 농산물 상·하역시간 단축　　　　② 도매시장 내 물류 흐름 개선
③ 출하 농산물의 상품성 유지　　　④ 표준 파렛트 T10(1,000×1,000mm) 사용

> **해설**

표준 파렛트 포장치수(농산물 표준규격)
T-11형 파렛트(1,100×1,100mm) 또는 T-12형 파렛트(1,200×1,000mm)의 평면 적재효율이 90% 이상 인 것

091 농산물 표준규격화에 관한 내용으로 옳은 것을 모두 고른 것은?

> ㄱ. 등급 및 포장 규격화　　　　　　ㄴ. 상류 및 물류의 효율성 증대
> ㄷ. 견본거래, 전자상거래 활성화　　ㄹ. 도매시장의 완전규격출하품 우대

① ㄱ, ㄴ　　　　　　　　　　　② ㄷ, ㄹ
③ ㄱ, ㄷ, ㄹ　　　　　　　　　④ ㄱ, ㄴ, ㄷ, ㄹ

> **해설**

농산물 표준규격화(등급 및 포장 규격화)
㉠ 품질에 따른 가격차별화로 공정거래 촉진
㉡ 수송, 상하역 등 유통효율을 통한 유통비용의 절감
㉢ 신용도 및 상품성 향상으로 농가소득 증대
㉣ 농산물의 상품성 제고, 유통능률의 향상 및 공정한 거래실현에 기여
㉤ 견본거래, 전자상거래 활성화
㉥ 도매시장의 개설자는 표준규격품 등 우수표시품에 대하여 우선상장 등 우대

092 다음 유통기능에 의해 창출되는 효용을 순서대로 올바르게 나열한 것은?

> K-미곡종합처리장(RPC)은 지난해 수확기부터 저장해 온 산물벼를 올해 단경기에 도정 하여 학교급식업체에 판매하였다.

① 시간효용 - 형태효용 - 소유효용　　② 장소효용 - 시간효용 - 형태효용
③ 시간효용 - 소유효용 - 장소효용　　④ 장소효용 - 형태효용 - 소유효용

> **해설**

저장 : 시간효용(출하시기 조절)
도정 : 형태효용(가공)
판매 : 소유효용(매매를 통해 소유권의 이전)

093 단위화물적재시스템(ULS)에 관한 내용으로 옳지 않은 것은?

① 일정한 중량과 부피로 화물 단위화 ② 공영도매시장 출하의 필수조건
③ 수송의 효율성 향상 ④ 상·하역 작업의 기계화

> **해설**

도매시장에 생산물을 출하할 때 반드시 단위화물적재시스템을 적용할 필요는 없다.
단위화물적재시스템(ULS, Unit Load System)
단위 적재란 수송, 보관, 하역 등의 물류 활동을 합리적으로 하기 위하여 여러 개의 물품 또는 포장화물 기계, 기구에 의한 취급에 적합하도록 하나의 단위로 정리한 화물을 말한다. 단위적재를 함으로써 하역을 기계화하고 수송, 보관 등을 일괄해서 합리화하는 체계를 단위적재시스템이라 하며, 단위적재시스템에는 파렛트(pallet)을 이용하는 방법 및 컨테이너를 이용하는 방법이 있다.

094 농산물 유통의 조성기능에 해당하지 않는 것은?

① 전자경매 ② 원산지 표시
③ 가격 알림 서비스 ④ 안전성 검사

> **해설**

전자경매는 소유권이전기능이다.
유통조성기능
소유권 이전 기능과 물적 유통 기능이 합리적으로 수행되도록 보조하는 기능
㉠ 표준화기능은 견본판매나 통명판매를 가능하게 한다.
㉡ 금융기능은 유통기능 수행에 필요한 자금을 공급한다.
㉢ 위험부담기능은 유통과정에서 발생하는 위험을 유통당사자들에게 분담시킨다.
㉣ 시장정보기능은 원활한 유통 수행에 필요한 정보를 수집하고 분산한다.

095 농산물의 수요와 공급의 특성에 관한 내용으로 옳은 것은?

① 수요와 공급의 가격탄력성이 크다.
② 수요의 소득탄력성이 크다.
③ 공급의 가격신축성이 크다.
④ 킹(G.King)의 법칙이 적용되지 않는다.

> **해설**

① 수요와 공급의 가격탄력성이 작다.
② 수요의 소득탄력성이 작다.
  소득이 1% 증가하였을 때 수요는 몇 % 증가하는가를 나타내는 수치를 소득탄력성이라 한다.

정답 090 ④ 091 ④ 092 ① 093 ② 094 ① 095 ③

③ 수요가 공급보다 증가하면 가격은 오르고 그 반대가 되면 가격이 떨어진다. 이처럼 수급관계 변동이 가격의 변동을 초래하는 정도를 가격 신축성이라 한다.

④ 킹(G.King)의 법칙 : 곡물의 수확량이 정상 수준 이하로 감소할 때에 그 가격은 정상 수준 이상으로 오른다는 법칙

096 쌀의 공공비축제도에 관한 내용으로 옳지 않은 것은?

① 식량안보를 목적으로 한다.
② 전체소비량 대비 일정량을 재고로 보유한다.
③ 시가로 매입하고, 시가로 방출한다.
④ 추곡수매제도와 동일하게 운영된다.

해설

추곡수매제도
가을에 거두어들인 쌀의 수급을 조절하여 농가 소득을 보장하고 가격을 안정시키기 위하여, 정부가 농민에게 직접 일정량의 벼를 사들이는 이중 곡가제

097 고객관계관리(CRM)에 관한 내용으로 옳은 것은?

① 맞춤형 DM쿠폰을 제공할 수 있다.
② 매스 마케팅(mass marketing)에 적합하다.
③ 개별고객의 불만 처리가 어렵다.
④ 이탈고객에 대한 관리가 어렵다.

해설

고객관계관리란 개별 고객에 대한 맞춤형 관리방식을 말한다.
② 매스 마케팅(mass marketing)은 개별고객 대응방식이 아닌 무차별적 마케팅이다.
③ 개별 고객의 불만 처리가 용이하다.
④ 이탈고객에 대한 관리가 쉽다.

098 구매에 영향을 미치는 인구통계적 요인은?

① 연령
② 라이프 스타일
③ 준거집단
④ 사회계층

해설

②, ③, ④는 사회적 요인이다.

099 초기 고가전략이 효과적인 경우는?

① 수요의 가격탄력성이 높을 때
② 경쟁기업의 시장진입이 어려울 때
③ 원가우위로 시장을 지배하려고 할 때
④ 규모의 경제를 극대화하려고 할 때

 해설

초기 고가전략
① 수요의 가격탄력성이 높으면 고가제품에 대한 수요가 축소된다.
② 고가격을 책정하더라도 수요자의 선택 경쟁업체가 없거나 경쟁기업의 시장진출이 어려울 때 선택할 수 있는 가격 전략이다.
③ 효율적 제조기술, 저가의 원자재 구입 등에 우위를 통해 제조원가를 낮춤으로서 시장을 지배하는 경우에는 원가에 더하여 최소이윤만을 얻는 가격정책을 선택하므로 고가가격을 취하지는 않는다.
④ 규모의 경제를 극대화하려고 할 때에는 제조원가를 낮출 수 있으므로 저가정책을 선택한다.

100 고객과 직접 대응하여 구매를 유도하는 마케팅 믹스의 구성요소는?

① 상품
② 가격
③ 촉진
④ 유통경로

 해설

소비자의 구매욕구를 촉진하기 위한 직접적 소통방법으로 광고나 홍보 등의 방법을 사용하는 것을 촉진(Promotion)이라고 한다.

정답 **096** ④ **097** ① **098** ① **099** ② **100** ③

PART 05

농산물품질관리사
1차 한권으로 합격하기

부록

- 🍴 **원예작물학** 한 눈에 정리하기
- 🍴 **수확 후 품질관리론** 한 눈에 정리하기
- 🍴 **농산물유통론** 한 눈에 정리하기

원예작물학
한 눈에 정리하기

1. 총론

원예작물	① 원예작물 : 채소원예, 과수원예, 화훼원예 ② 원예작물의 기능 : 비타민, 섬유소 공급/무기질 제공/항산화(알칼리성)작용/보건·기호·약리기능 ③ 원예작물의 특징				
	원예작물의 특성		재배적 특성	종류·품종의 다양성/재배방식의 다양성 병충해 방제의 어려움/집약적 재배	
			상품적 특성	신선도 유지, 저장시설(부패·변질 방지)	
	원예작물의 3요소		① 유전성 ② 환경조건 ③ 재배기술		

채소 분류	식용부위별 분류	잎줄기(엽채류) (葉菜類)	잎채소	배추, 양배추, 시금치, 상추	
			꽃채소	꽃양배추, 브로콜리	
			줄기채소	아스파라거스, 죽순, 토당귀	
			비늘줄기채소	(鱗莖菜類) 양파, 마늘, 파, 부추	
		뿌리(근채류) (根菜類)	직근류(直根)	〈뿌리가 곧은〉 무, 당근, 우엉	
			괴근류(塊根)	〈뿌리가 덩이〉 고구마, 마, 카사바	
			괴경류(塊莖)	〈줄기가 덩이〉 감자, 토란 • 감자는 지하경의 선단이 비대발육	
			근경류(根莖)	〈뿌리줄기가 덩이〉 생강, 연근	
		열매(과채류) (果菜類)	두과	박과	가지과	기타
			완두, 잠두 강낭콩	오이, 호박 참외, 수박	토마토 가지, 고추	옥수수 딸기
	온도적응성에 따른 분류	호온성(好溫性)	25℃의 상온에서 생육 ㉾ 열매채소 : 토마토, 고추, 오이, 가지, 수박, 참외 등 (단, 딸기, 완두, 잠두는 제외)		
		호냉성(好冷性)	18~20℃의 서늘한 온도에서 생육 ㉾ • 엽근채류 : 배추, 무, 파, 마늘, 시금치, 상추 등 (단, 고구마, 토란, 마는 제외) • 사과 : 호냉성, 쌍떡잎식물 장미목 장미과 낙엽교목 식물인 사과나무의 열매		
	식물학적 분류	담자균류	송이과 : 양송이, 표고		
		단자엽(외떡잎)	화본과(옥수수, 죽순), 백합과(양파, 마늘) 생강과(생강), 토란과(토란, 구약), 마과(마)		
		쌍자엽(쌍떡잎)	명아주과	근대, 시금치	가지과	고추, 토마토
			장미과	사과, 딸기	박과	수박, 오이, 참외

			아욱과	아욱, 오크라	도라지과	도라지
			산형화과	셀러리, 당근	십자화과	양배추, 배추, 무, 결구배추, 갓
			메꽃과	고구마		

	광선적응성	양성(陽性)채소	박과, 콩과, 가지과, 무, 배추, 결구상추, 당근
		음성(陰性)채소	토란, 아스파라거스, 부추, 마늘, 비결구성 잎채소
과수 분류	꽃의 발육부분에 따른 분류	진과(眞果)	씨방(자방)이 발육 → 열매 예 감귤, 포도, 복숭아, 감
		위과(僞果)	꽃받기가 발육 → 열매 예 사과, 배, 무화과, 딸기
	과실의 구조에 따른 분류	인과류	꽃턱이 발달하여 과육부를 형성한 것 예 사과, 배, 비파
		준인과류	씨방이 발달하여 과육이 된 것 예 감, 감귤, 오렌지
		핵과류	내과피가 단단한 핵, 그 속에 씨 예 복숭아, 자두, 살구, 양앵두, 매실
		견과류	외피가 단단, 식용부위는 떡잎으로 된 것 예 밤, 호두, 개암, 아몬드
		장과류	꽃턱이 두꺼운 주머니 모양 예 포도, 무화과, 나무딸기, 석류, 블루베리
화훼 분류	원예학적 분류	초화류	초본성 식물로 씨를 뿌려 싹이 틈 * 초본성 : 초본 줄기가 비교적 연하여 목질(木質)을 이루지 않아 꽃이 피고 열매가 맺은 뒤에 지상부가 말라 죽는 식물 채송화, 나팔꽃, 봉선화, 해바라기, 맨드라미, 접시꽃
		숙근초화류	* 숙근성 : 해마다 묵은 뿌리에서 움이 다시 돋는 식물 국화, 옥잠화, 작약, 구절초, 카네이션, 군자란
		구근초화류	백합, 글라디올러스, 칸나, 다알리아, 튤립, 히아신스, 수선화
		관엽나무	고무나무, 야자류, 사철나무, 주목
		화목류	이팝나무, 목련, 개나리, 진달래, 무궁화, 장미, 동백
		특수나무	난, 선인장류, 식충식물, 고산식물
		다육식물	돌나물, 알로에, 칼랑코에, 선인장
	용도별 분류	분식용	제라니움, 국화, 열대산 관엽식물
		절화용	장미, 국화, 백합, 카네이션
		화단용	봉선화, 사루비아, 백일홍, 과꽃, 페튜니아

부록편

🍴 2. 원예식물의 구조

식물의 기본체계	**세포벽의 구성**	① 세포와 원형질(세포의 본체 – 핵, 세포질, 세포막) 및 후형질(세포생명활동 결과물) ② **세포벽** : 중층(펙틴질), 1차벽(셀룰로오스), 2차벽 – 펙틴의 특징 • 중층을 구성(세포를 단단하게 유지시키는 다당류) • 과실의 경도, 촉감에 영향 • 칼슘 : 펙틴의 결합 촉진, 과육의 연화 억제, 노화 지연, 경도 증진(저장력) ③ **분열조직** : 생장점(정단분열조직), 형성층(비대생장 – 측생분열조직), 절간분열조직 ④ **영구조직** : 유조직(식물의 기본조직 대부분을 차지하고 있는, 유세포로 된 조직), 기계조직, 통도조직
	식물의 기관	영양기관(뿌리, 줄기, 잎), 생식기관(꽃, 종자, 과실)

식물의 기관 – 뿌리

			뿌리의 기능
뿌리	근관(根冠)	뿌리끝을 싸고 있는 세포조직	• 식물체 지지 • 수분, 영양의 흡수 기능 • 땅속 영양분 용해 기능 • 땅속 공기를 호흡하는 기능
	생장점	뿌리의 선단에 위치(분열활동)	
	신장대	뿌리의 신장	
	근모대	뿌리털(수분, 영양분 흡수)	
	분화대	근모대 위 부분	

줄기

표피/피층(유조직–엽록소)/내피(전분 포함)/중심주
• 줄기의 변형 : 포도(덩굴손), 고구마, 딸기(포복경), 감자(괴경)
• 쌍자엽식물의 형성층이 비대생장을 함

잎

표피(큐티클층)/잎살(동화작용)/잎맥(도관, 체관)
• 잎의 변형 : 콩과, 박과(덩굴손), 양파(인경), 선인장(가시), 마늘(인편)
• 호르몬 생성 : 플로리겐, 옥신 등

꽃

• 꽃잎, 꽃받침, 수술과 암술
• 양성화(자웅동화 – 암술, 수술 한 꽃에), 단성화(자웅이화 – 한 꽃에 암술, 수술 하나)

꽃	자웅동주 (암수 동일 개체)	무, 배추, 양배추, 양파, 수박, 오이, 밤
	자웅이주 (암수 다른 개체)	시금치, 아스파라거스, 은행나무

3. 원예식물의 생장과 발육

생장 발육	영양생장(종자의 발아 → 줄기, 잎의 증가 → 꽃눈) → 생식생장(꽃눈 → 개화 → 결실)		
	※ 생장속도(S자곡선) : 발아 후(생장속도 느림) → 분열된 세포의 급속 신장 → 성숙단계		
	※ 이중S자 생장곡선 : 포도, 복숭아		

종자	종자의 구조		종피, 배유(씨젖 – 양분저장기관), 배(胚 – 유아, 유근, 자엽으로 발달)
			※ 有배유종자 : 벼, 보리, 옥수수, 감 등
			※ 無배유종자 : 콩, 호박, 무 등
	수정과 종자	수분과 수정	수분(암술머리 + 수술의 화분), 수정(화분의 정핵→배낭 속)
		종자의 생성	수정 후 배주가 발육하여 종자가 됨
	수정분류	자가수정작물	자기 꽃가루받이로 자가수정을 하는 식물 예 완두, 강낭콩, 상추, 가지, 토마토, 잠두, 우엉
		타가수정작물	남의 꽃가루를 받아 수정하는 식물 예 배추류, 무, 박과 채소, 옥수수, 시금치, 아스파라거스
		자가 + 타가	고추, 딸기, 양파, 당근 등
		불임성 (不姙性)	자가 불화합성 : 자가수분에 의한 정자형성 불가
			웅성불임 (雄性) : 암술정상 + 수술 불완전(화분에 문제)
	종자의 저장		① 종자수명의 영향 요소 : 수분함량, 저장습도, 저장온도, 통기상태
			② 종자수명의 연장 : 건조(수분 13% 이하), 저온, 저습, 밀폐상태로 저장
			③ 발아력 상실 원인 : 단백질 응고, 저장양분 소모, 효소의 활력 저하
	종자의 우량조건	외적조건	수분함량↓, 불순물×, 크고 무거운 것, 고유색택, 오염/손상×
		내적조건	유전성↑, 발아력↑
	종자의 발아		① 발아 : 종자의 휴면완료 → 배(胚)의 생장활동 → 유아, 유근의 종피 돌파
			② 종자의 수분흡수 : 지베렐린, 가수분해효소 활성화, 저장양분 분해
	발아요건		수분/온도(20~30℃)/산소
			※ 저온성(시금치, 상추, 부추), 중온성(파, 양파), 고온성(토마토, 가지, 고추)
			※ 벼종자의 경우 산소공급과 무관
	광선과 발아	호광성 종자	담배, 상추, 우엉, 셀러리, 당근, 딸기, 양배추, 쑥갓
		혐광성 종자	토마토, 호박, 고추, 가지, 참외, 무, 오이, 파 등
		광선과 무관	시금치, 완두콩 등

부록편

	발아력 검정	① 발아시험 ② 세포의 반투성(胚의 염색 – 인디코카민액, 침출액 성상 – 과망간산칼륨) ③ 효소의 활력 : 카탈라아제 ④ 조직의 환원력 : 리니트로벤젠용액, 나트륨테레이트용액, 테트라졸리움용액
화아분화 추대	화아분화	① 화아분화 : 꽃눈분화로서 발육 중인 정아 또는 액아가 꽃이 되는 것 ② 화아분화의 개시 : 영양기관의 분화가 정지되고 정아 또는 액아가 생식기관으로의 조직형태의 변화를 보이는 것 ③ 화아분화의 특징 : 잎줄기채소의 생장 둔화, 뿌리채소의 뿌리비대 불량 ※ 과수의 꽃눈분화 조치 – 가지를 수평으로 유지
	추대(錐臺)	① 추대 : 화아를 갖는 줄기(꽃대)가 급속히 생장 ② 추대의 문제 : 조기추대 또는 불시추대(저온)로 인한 수량의 감소 ③ 화아분화와 추대의 촉진요건 : 일장(무, 배추–장일에서 분화), 온도(25~30℃), 사질토양, 척박토양
춘화처리	춘화처리	① 춘화처리 : 저온기를 거쳐야 화아분화가 되는 식물의 개화유도를 위하여 인위적인 저온처리를 하는 것 ② 대상 식물 : 맥류, 무, 배추 등 채소류 ③ 추파식물의 추파성을 춘파성으로 변화시켜 개화 촉진 ④ 춘화와 추대가 동시에 일어나는 식물 : 인경류(파, 마늘), 구근류(무)
	추파형 춘파형	추파형 : 가을 파종 → 봄 생장 후 출수 ※ 추파형 품종의 봄파종 : 줄기, 잎은 무성하나 이삭×(좌지현상)
		춘파형 : 봄 파종 → 생장 후 결실
	이춘화	춘화 도중 급격한 고온 노출로 인하여 춘화의 효과를 잃게 되는 현상 ※ 재춘화 – 이춘화된 것을 다시 저온처리하여 춘화가 진행되는 것
	춘화식물 구분	저온춘화형 : 일정기간 저온을 거쳐 화아분화 유도
		고온춘화형 : 일정기간 고온을 거치면 화아분화가 유도
		종자춘화형 : 종자가 저온에 감응(맥류, 무, 배추)
		녹식물춘화형 : 식물체가 일정한 크기에 도달해야 감응(양배추, 당근)
	춘화처리 영향조건	종자의 수분흡수/온도(0~10℃)/산소/탄수화물/화학약제(칼리+) ※ 에틸렌과 지베렐린 처리 – 춘화처리기간을 단축할 수 있음
과실	착과	착과의 의의 : 수정 → 종자형성 → 자방(세포벽+태좌부)의 성장
		과실의 생성 : 착과 → 과실(탄수화물, 무기물, 수분) ※ 과실성장으로 영양기관의 기능 쇠퇴

		과실의 비대	① 과실 간의 양분경합 발생 → 비대불량 ② 과실비대의 촉진 → 옥신 호르몬의 영향 ※ 옥신처리 – 수정되지 않은 식물의 착과 촉진
	성숙	성숙의 의의	과실의 중량과 크기가 최고조에 달해 수확단계에 이른 것
		생리적 성숙	① 의의 : 형태상 고유의 모양과 최대 크기에 다다른 것 ② 생리적 성숙에서 식물의 질적인 변화 – 탄수화물 → 당 – 유기산 감소 – 엽록소의 감소 → 카로티노이드, 안토시아닌 증가 – 펙틴질 가수분해, 조직의 연화 – 에틸렌 상승　　　 – 고유의 향기 – 호흡상승　　　 – 감의 탄닌 증가
		성숙과 호흡	클라이맥터릭형 : 호흡상승형(사바토복감멜수배자) 非클라이맥터릭형 : 호흡완만, 무변화(오딸감귤포)
	단위결과	단위결과	수분의 수정× → 종자형성× → 과실의 비대발육 ※ 위(僞)단위결과 : 수정 → 종자형성× ※ 과실 내 종자의 유무와 과실의 비대는 관련이 없음
		자연적	자방에 옥신이 많아 자연적으로 단위결과 발생 예 (오토바인고귤)오렌지, 토마토, 바나나, 파인애플, 고추, 감귤
		환경적	저온, 고온, 일장, 곤충작용 등
		화학적	지베렐린, PCA, NAA 등 화학물질에 의한 단위결과
일장	일장(日長)	일장과 일장반응	① 일장 : 하루 24시간 중 낮의 길이 ② 일장반응 : 낮의 길이의 길고 짧음에 따라 나타나는 식물체의 반응
		일장효과 (광주성)	일장이 식물의 화아분화, 개화 등 발육에 미치는 효과
		일장의 생육반응	화아분화, 개화, 인경·괴경형성, 줄기의 생장변화, 색소형성
	한계일장	한계일장	식물의 화성을 유도할 수 있는 유도일장과 유도할 수 없는 비유도일장의 경계가 되는 일장
		장일성식물	하루의 낮 길이가 일정 한계시간보다 길게 되었을 때 개화 예 시금치, 무, 양파, 감자, 당근, 양배추, 보리

		단일성식물	• 가을국화 일장처리 : 장일(전조)로 개화억제-12월~1월 개화 • 단일처리(암막처리) : 7~8월 개화 예 콩, 옥수수, 딸기, 가을국화, 나팔꽃
		중성식물	일장에 관계없이 일정 크기에 도달하면 개화 예 토마토, 고추, 가지, 오이, 호박
휴면	휴면		① 식물이 생육에 부적당한 환경이 되면 생육이 일시정지되는 현상 ② 호흡의 감소, 효소활성화 감소, ABA의 증가, 지베렐린·옥신의 감소 ③ **휴면타파** : 휴면의 요인이 제거되면서 생육활동이 다시 시작되는 현상
		자발적 휴면	외적 조건이 생육조건에 맞지만 내적 원인으로 유보 ※ 내재휴면 : 눈의 생리적 요건이 충족되지 않아 발생
		타발적 휴면	발아력을 가진 종자라도 외적조건이 부적당해서 휴면
		1차 휴면	자발적 휴면 + 타발적 휴면
		2차 휴면	불리한 환경조건에 장기간 보존되어 휴면이 새로 생기는 것
	휴면의 기능		저온성 작물 : 휴면으로 고온 극복, 저장성 향상 예 감자, 양파, 마늘 : 일정 기간 자발휴면으로 맹아발생이 없음 예 딸기, 낙엽과수 : 가을에 단일과 저온에서 휴면
	휴면의 원인	배(胚)의 미숙	종자가 미숙상태에서 발아× → 시간 경과로 발아(후숙)
		배의 휴면	종자가 형태상 발달되어 있지만 배자체의 생리적 원인으로 일어나는 휴면 → 저온처리, 지베렐린처리 (휴면타파)
		경실(硬實)	종피가 두꺼워서 수분통과가 안 되어 발아×
		종피 불투기성	밀, 보리 등에서 산소흡수가 저해되어 발아×
		종피의 기계적 저항	종피가 딱딱하여 배의 팽배를 기계적으로 억제하여 발아×
		발아 억제물질	ABA(아브시스산)의 증가 > 지베렐린, 옥신의 함량 감소
	경실(硬實)의 휴면타파		종피부상법(種皮負傷法), 황산처리 침식법, 건열·습열처리, 질산염처리 ※ 층적법 : 층상으로 모래, 이끼, 종자를 엇바꾸어 쌓고 5℃저온 + 1~3개월
	휴면의 예		① 온대지방 과수 : 가을에 기온이 낮아지고 단일이 되면서 휴면 돌입 ② 감자의 괴경 : 수확 후 수주간 휴면 ③ **마늘, 양파, 수선화** : 한여름에 휴면 후 겨울에 저온기를 거쳐 휴면타파

	토양구조	토층	토양반응	무기성분
좋은 토양의 조건	입단(粒團)구조	깊은 작토 심토 – 투수, 통기	중성 및 약산성	균형 있고 풍부함
	유기물	수분, 공기	미생물	유해물질
	함량이 풍부	최적용수, 용기	유익한 미생물 번식이 양호	오염되지 않을 것

토양조건

① **토성** : 토성은 양토를 중심으로 하여 사양토~식양토의 범위가 좋음
② **사양토(砂壤土)** : 입자가 세밀한 점토, 중간입자인 실트, 그리고 이들보다 약간 많은 모래로 이루어져 있음. 즉, 사토(모래흙)와 양토(참흙)의 중간 정도의 토양
③ **식양토(埴壤土)** : 모래가 28%, 미사가 37%, 점토가 35% 내외로 분포된 토양
④ **작토(경토, 耕土)** : 경작하기에 적당한 땅, 갈이흙. 땅의 위층의 토질(土質)이 부드러워 갈고 맬 수 있는 부분의 흙
⑤ **입단구조(粒團構造)** : 토양의 입단구조는 단일입자가 집합해서 2차입자로 되고, 다시 3차, 4차 등으로 집합해서 입단(粒團)을 구성하고 있는 구조 → 단립구조

입단구조	단립구조
토양수의 이동, 보수, 공기유통에 적합	보수력·보비력이 작음 대공극이 많음(모래, 사 등)

입단파괴	입단형성
경운, 입단의 팽창과 수축, 비바람, Na+첨가	유기물과 석회(알카리)의 사용 콩과작물 재배, 토양피복/개량

⑥ **토양 종류별 진흙 함량** : 사토(12.5% 이하), 양토(25.0~37.5%), 식토(50.0% 이상)
⑦ **토양별 표면적(g당), 흡착력, 팽창성, 응집성, 침윤열** : 모래 < 미사 < 점토
※ 모래는 자갈을 제외한 입자 지름이 2~0.02mm인 것

사질토

① **사질토** : 모래함유비율이 50% 이상, 점토가 15~50% 이하인 토양
② 사질토는 파종·관수·복토 등의 작업이 쉬움
③ **장점** : 지온의 상승이 빠르고 봄채소의 생육이 촉진되고 수확이 빨라짐. 보수·보비력은 작으나 통기나 통수성은 양호함
④ **단점** : 작물의 육질이 무르고, 저장성이 나쁨
⑤ **사질토에 재배된 과수** : 곁뿌리 발생 小/ 착색·성숙 촉진/ 초기 결실(but 경제수령 짧음)/ 무(바람들이 촉진)

토양 3상	① 토양 3상 : 고상(固相-유기물, 무기물), 기상(氣相-CO_2 흡수), 액상(液相-수분) ② 토양 3상의 구성비 : 뿌리, 신장, 흡수, 산소공급 등 작물의 생장, 생식, 생리에 영향 ③ 최적 토양 3상 구성비 : 고상(50%), 기상(25%), 액상(25%)				

무기성분	필수원소 (16원소)	다량원소	C, O, H, N, P, K, Ca, S, Mg (자연공급 C, O, H)		
		미량원소	Fe, Mn, Cu, Zn, B, Mo, Cl		
	비료 3요소	질소, 인산, 칼륨 ※ 4요소(칼슘) 포함			
	필수원소의 생리작용	C, O, H	광합성에 의한 유기물 구성재료	칼슘	• 세포막의 주성분, 뿌리발육 • 세포벽(중층)에서 펙틴과 결합 • 결핍 : 고두병, 배꼽썩음병, 공협(땅콩) ※ 체내 유기산 중화, 알루미늄독성 경감
		질소	• 엽록소, 단백질, 효소의 구성 • 결핍-황백화 현상	마그네슘	• 엽록소 구성원소, 광합성 • 결핍-황백화, 줄기와 뿌리 생장 저하
		인산	• 세포핵, 효소, 분열조직의 구성, 광합성, 호흡, 전분과 당분의 합성분해, 질소동화 • 결핍 : 뿌리발육저하, 잎의 암록색, 황화 ※ 어린조직, 열매에 다량 함유		
		칼륨	• 광합성, 탄수화물, 단백질형성, 세포 내 수분공급, 증산제어, 효소반응의 활성체 ※ 잎 생장점과 뿌리의 선단에 다량 함유 • 결핍 : 생장점 고사, 줄기 연화, 잎의 선단 황화, 하엽 낙하, 결실의 저해		
	무기성분의 과잉해	구리	알루미늄	망간	
		• 뿌리신장↓ • 황화현상	• 뿌리신장↓ • 황화현상	• 뿌리, 잎, 줄기 → 갈색반점 • 잎 → 황백화, 만곡 예 사과 : 적진병(망간과다)	
		아연	2가철	카드뮴	
		• 잎 → 황백화, • 잎뒷면 → 갈변	잎단 → 흑변	• 뿌리신장↓, 황백화현상 • 오염식물, 오염사료	

토양유기물 기능	① 암석의 분해촉진 ② 양분의 공급 ③ 이산화탄소 공급 ④ 생장촉진물의 생성 ⑤ 토양 입단의 형성 ⑥ 보수·보비력의 증대 ⑦ 완충능 증대(토양반응의 완화) ⑧ 지온의 상승 ⑨ 미생물의 증식 촉진 ⑩ 토양보호	

산성토양	토양반응	pH(수소이온)의 농도에 따라 산성, 중성, 염기성으로 구분
	pH	산성 ← pH7(중성) → 알칼리성
	산성토양의 생성원인	① 토양 중의 염기의 용해 ② 산성비료(유안, 황산칼리, 인분뇨)

	산성토양의 해	① 수소이온이 높을수록(산성) 작물뿌리에 영향 ② 알루미늄이온이나 망간이온의 용출 ③ 인, 칼슘, 마그네슘, 몰리브덴, 붕소 등 필수원소의 결핍 ④ 석회부족, 미생물활동 저해 → 입단형성 불량 ⑤ 유용미생물(질소고정균 등)의 활동 저해
	산성토양의 개량	① 석회질비료 : 석회분말, 백운석분말, 탄산석회분말, 규회석분말 ② 유기물질 : 퇴비, 녹비 등
토양수분 표시	토양수분장력 (PF;Potential Force)	수분의 토양에 흡착된 정도. 수주(水柱) 높이의 절대치
	최대용수량	토양의 모든 공극에 물이 꽉 찬 상태(pF = 0)
	포장용수량	모세관에 의해서만 지니고 있는 용수량(작물 재배상 중요) (pF 1.7~2.7)
	위조점, 위조계수	토양이 수분을 상실하여 시들어 버리는 점(pF 4.2)
	흡습계수	(토양에 포화된 수분량 ÷ 건조토양의 수분중량)×100
	수분당량	물로 포화시킨 토양을 1,000배 상당 원심력을 가해 남아 있는 수분
토양수분 종류	결합수(이용 ×)	토양의 구성성분으로 존재(pF 7.0 이상)
	흡습수(이용 ×)	토양입자에 흡착되어 있는 수분(pF 4.5 이상)
	모관수(이용 OK)	토양의 모관력(毛管力)에 의하여 유지되는 수분(작물에 가장 유효)
	중력수(이용 弱)	토양공극을 모두 채우고 자체의 중력에 의하여 지하부에 유입된 수분
주요 pF		모관수(2.5~4.5), 포장용수량(1.7~2.7), 최대용수량(0), 초기위조점(3.9) 유효수분 (2.7~4.2)
내건성 (耐乾性)		① 내건성 : 작물이 건조에 견디는 능력 ② 내건성이 강한 작물 : 수수, 기장, 조, 밀, 메밀, 참깨, 고구마 ③ 내건성의 특징 　– 영양생장기 때 강함/생식세포의 감수분열기에 강함(벼, 맥류)/밀식한 작물에 강함 　– 건조환경에서 자란 작물이 강함/질소과용(경엽이 무성)은 내건성을 약화
습해 (濕害)		① 습해 : 수분이 과다하여 작물 생육에 악영향 ② 습해대책 : 배수/이랑 만들기/토양개량(세사 객토, 토양개량제) ③ 시비 : 표층시비(뿌리를 지표 가까이)/질소질비료 과용 회피/칼륨·인산질 비료 　시비/과산화석회의 사용
관수 (灌水)		① 관수의 시기 : 유효수분의 50~85%, pF 2.0~2.5 ② 관수의 방법 : 지표관수, 지하관수, 살수관수, 점적관수, 저면관수 * 점적관수 : 물을 천천히 조금씩 흘러 나오게 하여 필요 부위에 집중적으로 관수

원예작물학 한 눈에 정리하기

배수	배수법 : 객토, 명거배수, 암거배수
유효온도	유효온도 : 식물생육에 필요한 최저온도~최고온도
	최적온도 작물생육에 가장 알맞은 온도
	적산온도 작물의 발아~성숙에 이르기까지의 0℃ 이상의 일평균기온의 합산 ※ 작물이 일생을 마치는 데 필요한 총온량(보통의 작물 4,300~4,500℃)
	온도계수 온도계수(Q10 상수) : 온도가 10℃ 상승함에 따른 호흡량의 증가치 ※ 높은 온도에서 호흡률(R2)/낮은 온도에서의 호흡률(R1) = R2/R1 ※ 일반적 작물의 온도계수 : 2~4
온도와 생리작용	**광합성** 온도의 상승 → 광합성 속도의 증가 → 식물 생육적온보다 높으면 → 광합성 둔화
	호흡작용 온도의 상승 → 호흡량 증가(30℃까지) ※ 50℃에서 호흡정지
	증산작용 온도의 상승 → 증산작용 증가
	전류 ① 전류 : 동화물질(탄수화물)이 잎으로부터 생장점 등으로 전류되는 현상 ② 온도의 상승 : 전류속도 증가(온도가 너무 높거나 낮으면 감소)
	이동 수분 및 양분의 흡수와 이동 : 온도의 상승 → 이동의 증가
온도와 생육	① 광합성과 호흡량 : 광합성 관여요소(온도, 광도, CO_2), 호흡량 관여요소(온도) ② 변온과 생육 : 변온의 역할(발아촉진/괴경·괴근의 발달/개화/결실) 　- 낮의 변온이 작은 경우 : 작물의 생장, 출수개화 촉진 　- 밤의 변온이 큰 경우 : 동화물질의 축적(과실의 성숙) ③ 채소의 생육과 온도

구분	발아온도	채소
저온성 채소	15~20℃	(상시부설) 상추, 시금치, 부추, 셀러리
중온성 채소	20~25℃	파, 완두, 양파
고온성 채소	25~30℃	오이, 호박, 토마토, 고추

④ 지온 : 저지온(토양수분 중 산소 풍부), 고지온(산소함량 낮음)
※ 지온의 최적온도 : 혹서기(기온보다 10℃ 높음)

열해, 냉해	① 열해로 인한 작물의 피해 　- 유기물의 과잉소모 　- 질소대사의 이상 : 단백질 합성↓ 암모니아 축적↑ 　- 철분의 침전 : 황화현상의 원인 　- 증산작용의 과다 → 위조(萎凋)현상 ② 저온장해 : 작물이 결빙이 되지 않을 정도의 기관 피해

광도, 광질	광도와 광합성	광도의 영향 : 광합성, 온도, 수분	
	광도와 식물생장	① 작물기관의 형태, 엽록체의 구조 등에 영향 ② 저광도일 때 잎이 얇아지면서 커지고, 엽육세포는 작아져 줄기가 가늘고 길어지며, 엽록체당 엽록소 함량이 증가함	
	광질	① 식물생육에 유효한 파장 : 400~700nm ② 광합성에 유효한 파장영역 : 450nm 부근의 청색광, 650nm 적색광 ③ 400nm 이하의 자외선 : 광합성 억제 ④ 700~760nm 원적외선 : 발아, 화아유도, 휴면, 형태형성 등에 관여	
	광보상점 광포화점	① **광보상점** : 광합성 시 CO_2의 흡수량과 방출량이 같을 때의 광도 ② **광포화점** : 광합성량의 증가가 한계에 다다르는 광도 ※ 광포화점에서 광합성량은 최대 ③ 광보상점과 광포화점은 CO_2농도, 온도, 수분상태에 따라 다름 ④ 저광도 생육 작물 : 광보상점과 광포화점이 낮음 ⑤ 호광성 종자/혐광성 종자 : 발아에 미치는 광반응에 따라 분류	
光과 생리작용	광합성	정의	엽록소를 가진 식물이 빛에너지를 이용하여 이산화탄소와 물로부터 녹말이나 포도당을 만드는 작용. 탄소 동화 작용이라고도 하며 엽록체에서 이루어짐
		광합성의 과정	① **명반응** : 엽록소+광에너지 → NADPH+ATP ② **암반응** : NADPH+ATP → 탄산가스 환원 → 포도당 * NADPH : 산소를 전자수용체로 하는 산화효소의 총칭 * ATP : 화학에너지(호흡작용 시 대사작용의 에너지원)
		광합성의 작용	① $6CO_2 + 6H_2O + 광에너지 → C_6H_{12}O_6 + 6O_2$ ② **광합성의 환경요인** : 햇빛, 온도, 바람
	굴광현상	① **정의** : 원예식물이 빛이 비추는 방향으로 구부러지는 현상 ② **굴광과 옥신** : 빛을 받는 곳(옥신농도 하락), 반대쪽(옥신농도 증가) ※ 옥신농도의 증가부분 : 세포의 신장 촉진	
	호흡작용	① **의의** : 광합성의 역반응(탄수화물 + 산소 → 물 + 이산화탄소) ② **호흡과정** : $C_6H_{12}O_6 + 6O_2 → 6CO_2 + 6H_2O + ATP(686\ Kcal)$ ※ 호흡작용의 결과 : 에너지의 생산, 양분의 소모, 맹아 등 생장현상 ③ **호흡량과 저장** : 호흡량이 많으면 저장이 어려움 ※ 아스파라거스, 브로콜리(호흡량 多), 감자, 고구마(호흡량 小) ④ **호흡계수(RQ)** : 발산되는 CO_2 / 소비되는 $O = CO_2/ O$ – 포도당 = 호흡계수 1 – 지방은 호흡계수가 1보다 작음 – 당보다 산소가 많은 물질이 호흡기질로 사용된 경우 → 호흡계수 > 1 **(예** 유기산이 기질로 사용되는 경우)	

	증산작용	광합성 → 동화물질의 축적 → 공변세포의 삼투압 증가 → 기공 개방
	착색 촉진	광합성에 유효한 광파장(자색광) → 안토시아닌의 생성 촉진
	개화 촉진	광의 흡수 → C/N(탄수화물/질소)율 증가 → 생육과 개화 촉진 ※ C/N율보다는 C와 N의 절대량이 함께 증가해야만 개화·결실이 유도
일장	의의	① 작물에 적합한 광주기에 따라 생육반응이 다름 ② 식물은 일장에 따라 개화, 인경/괴경 형성/줄기생장/낙엽/휴면유도, 제거/성 표현/색소형성 등 생명활동을 함
	일장반응	① 단일성(딸기, 국화, 코스모스) ← 일장 12h → 장일성(시금치) ② 한계일장 : 식물에 따라 일장시간이 다름
	장일성 식물 단일성 식물	① 중성식물 : 식물체의 성장정도에 따라 개화 예 가지, 채소, 오이, 호박, 장미 ② 벼만생종 : 단일성 식물 ③ 시금치 : 장일성 식물(월동 전에 추파)
	일장효과의 재배적 이용	① 가을국화 : (단일성 식물) 단일처리로 개화 촉진 예 8~9월에 개화하는 국화의 7~8월 개화유도는 단일처리 ② 양파 : 단일처리로 양파의 인경발육 촉진 ③ 오이, 호박의 암꽃수 증가 : 단일처리 ④ 고구마, 다알리아, 감자 : 괴경 발육촉진을 위해 단일처리

이산화탄소		① 이산화탄소 농도의 영향
		 - 호흡속도 : 이산화탄소 농도 ↑ → 호흡속도 ↓ (과일, 채소의 저장에 이용)
		 - 광합성 속도와 이산화탄소 포화점
		  • 이산화탄소의 농도 ↑ → 광합성 속도 ↑
		  • 이산화탄소 포화점 : 이산화탄소의 농도가 어느 정도에 도달하면 더 이상 광합성 속도가 증대되지 않는 상태
		 - 이산화탄소의 보상점 : 광합성작용 → 유기물의 생성속도 = 유기물의 소모속도
		 - 보상점 농도(0.003~0.01%), 포화점 농도(대기 중 농도의 7~10배, 0.21~0.3%)
		  ※ 대기 중의 가스성분 : 질소(79%), 산소(21%), 이산화탄소(0.03%)
		② 여름철의 이산화탄소 농도 : (광합성이 활발하여)낮음
		③ 바람 중 미풍은 공기 중의 이산화탄소 불균형을 완화시켜 줌

바람		연풍(軟風)의 효과 ① 탄산가스의 농도 조절 ② 광합성 촉진 ③ 증산작용 촉진 ④ 꽃가루 매개 도움 ⑤ 심하면 낙과, 낙화 유발 ⑥ 수확물의 건조 촉진

작부체계		① **의의** : 어떠한 작물을 시기별로 어떻게 재식할 것인가에 대한 체계 – 일정한 토양에 순차적으로 재배할 작물 종류의 변경 – 동시적인 작물 종류의 조합과 배열의 방식 ② **주요 작부체계** : 연작/윤작/간작/혼작/교호작/주위작/답전윤환재배/자유작 등
	연작	동일 토지에 동일 작물을 매년 계속해서 재배하는 방식
	기지 (忌地)	① **기지(연작장해현상)** 표 참조 ② **기지의 원인** : 특정 비료성분의 소모/병균 번성/유독물질 축적/염기의 과잉집적/잡초
	윤작	① **윤작** : 한 토지에 몇 가지 작물을 순차적으로 심는 방식 ② **윤작의 이득** : 지력 유지, 증진/토양보호/기지현상 경감/병충해, 잡초 감소/수량 증대

기지(忌地) 표:

연작의 해가 적은 작물	벼, 수수, 고구마, 무, 양파, 호박, 아스파라거스
1년 휴작	시금치, 콩, 파, 생강
2~3년간 휴작	감자, 오이, 참외, 토란
5~7년간 휴작	수박, 가지, 우엉, 고추, 토마토
10년 이상 휴작	인삼, 아마

파종	파종기	정식 예정일로부터 가지(7~80일 전), 토마토(60일 전), 오이, 호박(5~60일 전)
	파종량	① **파종량 결정 변수** : 정식할 묘수/발아율/육성률(보통 소요묘수의 2~3배) ② **파종량 증량 요인** : 추운 곳 파종/박토·시비량 소량/발아력 약세/파종기 지체/토양 건조/병해충의 발생우려 시
	종자처리	선종(選種-육안, 중량, 비중)/침종(浸種)/최아(催芽-파종 전 싹틔우기) * 침종 : 종자를 물에 담그기(종자의 수분흡수, 발아억제물질 제거, 발아 촉진)
	파종방법	**살파, 산파** ① 토양 전면에 흩어 뿌리는 방법 ② 장점 : 노력 절감, 파종량 증대 ③ 단점 : 제초 등 관리작업 어려움/통기, 투광 약화/도복 가능 **조파(條播)** ① 뿌림골을 만든 후 종자를 줄지어 뿌리는 방법 ② 개체가 차지하는 평면 공간이 넓지 않은 작물에 적용 ③ 장점 : 수분·양분 공급/통풍·통광 양호/관리의 편리/생육 양호 **점파(點播)** ① 일정한 간격으로 종자를 1~3립씩 띄엄띄엄 파종 ② 노동력이 증대/건실하고 균일한 생육/종자량 감소/통풍, 투광 ③ 대립종자 : 두류, 감자

부록편

	적파 (摘播)	① 한 곳에 여러 개의 종자를 파종하는 방법 ② 조파나 살파보다 노동력이 많이 듦 ③ 수분, 비료, 수광 등 환경조건이 양호 → 생육이 건실, 양호
복토, 진압		① **복토(覆土)** : 종자를 뿌린 후 그 위에 흙을 덮는 것 ② **종자별 복토방법** : 얇은 복토(호광성, 미세종자, 점질토, 적온), 깊은 복토(혐광성, 대립종자, 사질토, 저온/고온) ③ **진압(鎭壓)** : 파종 후 복토 전이나 후에 종자 위를 가압하는 것 ④ **진압의 효과** : 발아 촉진(토양의 긴밀, 종자와 토양의 밀착 → 수분의 종자흡수), 토양유실 방지
육묘	의의, 목적	① **의의** : 육묘란 이식용으로 못자리에 키운 어린 작물을 묘(苗)라 하고, 이런 묘를 일정기간 시설 등에서 집약적으로 생육, 관리하는 것 ② **종류** : 초본묘/목본묘/실생묘/삽목묘/접목묘/취목묘 ③ **육묘의 목적** 　－ 조기수확/출하기 축소/품질 향상/수량 증대 　－ 집약적인 관리, 보호/종자절약/토지이용도 증대(수량·수익 증가) 　－ 직파가 어려운 작물에 유리(딸기, 고구마) 　－ 화아분화 및 추대 방지/본 밭의 적응력 향상 　※ 유효묘 : 파종한 종자가 발아 후 이앙이 가능하도록 자란 묘 　※ 유효묘수 = 구 × 판 × 발아율 × 성묘율
	상토 (床土)	① **상토** : 육묘를 하기 위한 온상용 흙 ② **상토의 조건** : 유연성/다양한 양분/배수력/보수력/통기/유효 미생물/병균이 없음
	온상 육묘	저온기에 인위적인 온도를 높이는 시설과 유효한 태양열 이용
	육묘방식 　접목 　육묘	① **의의** : 한 식물의 일부(눈이나 접순)를 다른 식물의 줄기 또는 뿌리나 가지에 붙여 한 그루로 만들어 두 요소가 계속 함께 자라게 하는 것 ② **불량환경(저온, 고온)에 대한 내성 증가** : 토양전염성병에 대한 내성 강화 ③ 흡비력 증진 ④ 대목(호박, 박, 야생가지, 토마토, 공대) ⑤ **접목환경** : 기상과 토양환경이 불량한 시설재배에 이용 ⑥ **접목방법** : 삽접, 호접, 할접(짜개접) 등 　* 삽접 : 대목 떡잎 사이에 구멍을 뚫고 접수의 머리를 꽂아 접붙이는 방법
	양액 육묘	① **의의** : 상토 대신 배양액(영양소+무균)을 공급하거나 배양액만으로 육묘하는 방식

		② 장점 : 생육촉진/병충해 억제/생력(省力)육묘 가능/자재절감/대량육묘 ③ 단점 : 건물률(乾物率)이 낮음/활착이 더딤/도장(웃자람) * 건물률 : 생물체의 원상태에서 수분을 뺀 乾物이 차지하는 비율
	공정 육묘	① 의의 : 규격화된 자재 + 집약적 관리, 플러그육묘 ② 장점 : 모의 대량생산/인건비·생산비 절감/화물화가 용이/대규모화(기업화, 상업화)/육묘기간 단축/연중생산/생력화
	경화 (硬化)	① 경화 : 본포토양에 정식하기 전, 외부환경에 적응하기 위하여 정식지의 환경에 조금씩 노출시키는 것 ② 경화방법 : 관수량 체감/저온유지/직사광선 노출시간 증대 ③ 경화효과 : 엽육의 비대/큐티클층과 왁스층의 발달/건물량의 증가/내한성·내건성 증가/외부환경 대항력 증가/활착 촉진
이식 (移植)		① 이식, 정식 : 묘상에서 묘포에 작물을 옮겨 심는 것 - 장점 : 생육 촉진/수량 증대/숙기 단축/활착 증진 - 단점 : 뿌리손상(발육지장)/생육지체, 임실불량(벼) - 이식의 시기 : 토양수분이 넉넉하고, 바람이 없고 흐린 날, 지온이 충분한 날 - 모의 이동 : 정식 7~10일 전 모의 자리이동(정식 때 뿌리가 끊어지므로) - 이식 후 관리 : 충분한 진압과 관수 및 지주를 세워 쓰러짐 방지 ② 가식 : 정식하기 전까지 잠정적으로 이식해 두는 것 - 가식의 장점 : 불량묘 도태/이식성 향상/도장의 방지
중경 (中耕)		① 의의 : 파종 또는 이식 후 생육 중에 경작지의 표면을 긁어서 토양을 부드럽게 하는 것 ② 장점 : 발아조장/통기조장/토양수분 증발 억제/비효(肥效) 증진/잡초방제 ③ 단점 : 단근(斷根)피해/토양침식(표층의 건조)/동상해의 조장
잡초		① 주요 피해 : 경합(競合)/발아·생육의 억제/기생(새삼, 겨우살이)/병충해의 매개 ② 잡초의 유용성 : 유기물과 퇴비의 공급/토양침식 방지/야생동물의 먹이와 서식처 제공 ③ 잡초의 방제법 - 기계적, 물리적 방제(인력, 축력, 기계) : 중경, 배토, 피복, 멀칭 등 - 경종적, 생태적 방제법 : 잡초의 경합력은 약화, 재배작물의 경합력 강화 ※ 작부체계, 육묘이식, 재식밀도, 시비관리, 특정설비 이용 - 화학적 방제법 : 제초제 사용 - 생물적 방제법 : 곤충, 미생물 또는 병원성을 이용하여 잡초의 세력을 약화 - 종합적 방제법
배토, 멀칭	배토 (培土)	① 의의 : 작물이 생육하는 동안 이랑 사이의 흙을 그루 밑으로 모아주는 것 ② 배토의 효과 : 도복 경감/잡초 억제/분구 억제 및 비대 촉진(토란)/괴경의 발육조장(감자)/수부의 착색 방지(당근)/백색부분 증가(양파)

멀칭 (mulching)		① 의의 : 작물재배 토양의 표면을 여러 가지 재료로 피복하는 것 ② 멀칭재료 : 투명플라스틱, 흑색필름(지온상승효과는 낮지만 잡초억제) ③ 멀칭의 목적 : 지온 상승/토양수분 유지/토양·비료 유실방지/잡초, 병충해 발생 억제/공기습도 상승방지(시설재배)/곁뿌리 발달/신장촉진/조기수확 및 증수 촉진

비료

① 3요소 비료
- 질소질 비료 : 황산암모늄, 요소, 질산암모늄, 석회질소
- 인산질 비료 : 과석(과인산석회), 용성인비, 중과인산석회(중과석)
- 칼륨질 비료 : 황산칼륨, 염화칼륨, 초목회

② 기타 화학비료 : 규산질비료, 석회질비료, 미량원소비료(망간, 붕소)

③ 반응에 따른 비료의 분류
- 화학적 반응
  - 화학적 산성비료 : 과인산석회, 중과인산석회 등
  - 화학적 중성비료 : 황산암모늄, 염화암모늄, 황산칼륨, 염화칼륨, 요소, 질산칼륨
  - 화학적 염기성비료 : 석회질소, 용성인비, 암모니아수 비료
- 생리적 반응
  - 생리적 산성비료 : 황산암모늄, 염화암모늄, 황산칼륨, 염화칼륨 등
  - 생리적 중성비료 : 질산암모늄, 질산칼륨, 요소, 과인산석회
  - 생리적 염기성비료 : 석회질소, 용성인비, 질산나트륨, 질산칼슘, 초목회

④ 효과에 따른 분류 : 속효성(대부분 화학적 비료), 완효성(석회질소)

시비

① 의의 : 토양에 비료를 주는 것

② 시비시기 : 밑거름(파종 전, 이앙 전-퇴비, 깻묵, 인산, 칼륨, 석회질소), 덧거름(추비)

③ 작목별 시비시기

종자수확작물	과실수확작물	임수확작물	지하경 수확작물
영양생장기-질소 생식생장기-인산, 칼륨	결실기-인산, 칼륨	질소비료	초기-질소 양분 저장기-칼륨

④ 시비량 $= \dfrac{\text{비료요소 흡수량} - \text{천연공급량}}{\text{비료요소의 흡수율}} \times 100$(흡수량 − 작물 소요성분량)

⑤ 성분량 = 비료중량 $\times \dfrac{\text{보증성분량}(\%)}{100}$ (보증성분량 : 함유량)

⑥ 시비상 유의점
- 속효성 질소비료(요소)는 나누어 줌
- 생육기간이 길고 시비량이 많은 경우나 사질토, 누수답에는 추비 횟수 증대
- 엽채류 : 질소질 비료를 늦게까지 추비로 줌

엽면시비	의의	① **엽면시비** : 비료를 용액의 상태로 잎에 뿌려서 기공과 세포막을 통한 공급 ② **엽면시비용 무기염류** : 철, 아연, 칼슘, 마그네슘 등 미량원소와 요소
	시기	① 토양시비 곤란(멀칭 시) ② 뿌리 흡수력 저하 시 ③ 특정 무기양분의 결핍증상 예견 시 ④ 작물의 초세 급격한 회복 필요 시
	이점	① 미량원소의 공급 용이 ② 지효성 비료의 시비(토양시비로는 효과 지체) ③ 정확한 시비시기에 사용 ④ 농약과 혼용 가능
	흡수력	① 잎의 뒷면 시비가 효과적, 낮보다는 오후에 시비 ② 뿌리부터의 흡수가 가능한 경우 토양에 시비하는 것이 효과가 큼
비료의 흡수율		① **의의** : 시비한 비료성분량 중에서 실제로 재배작물이 해당 비료성분을 흡수이용한 양 ② 질소(30~50%), 칼륨(40~60%), 인산(10~20%) ③ **흡수율 요인** : 비료의 주성분, 화학적 형태/시비시기/작물 종류·품종/토양조건/ 사용방법
원예작물 생육조절	정지, 전정	① **정지** : 나무의 주간, 주지, 측지 등 나무의 골격을 계획적으로 구성하고 유지하기 위하여 덩굴 등을 유인, 절단하는 것 ② **전정** : 나무의 잔가지를 자르거나 솎아 주어 생육과 과실결실을 조절
		정지, 전정의 목적 ① 광·통풍 불량 방지　② 약제살포 용이 ③ 과실품질 저하 방지　④ 병충해 발생 방지 ⑤ 화아분화 용이　⑥ 해거리 방지 ⑦ 노쇠현상 속도의 지연
		강전정의 효과 ① 오히려 나무 전체의 생장량 감소 ② 생장억제작용 : 어릴 때 효과적, 노목(새 가지 발생) ③ 강전정의 계속 : 꽃눈형성 억제 또는 노쇠현상
		전정의 효과 ① 목적하는 수형형태 완성　② 해거리 방지 ③ 수광, 통풍 증가　④ 결과(結果) 촉진 ⑤ 결과부위 상승억제　⑥ 병해충 억제
	기타	① **적심** : 생육 중인 작물의 줄기나 가지의 선단부분을 제거하여 곁눈의 생장을 촉진하는 생육조절방법 　– 개화결실 촉진/측지 발생 조장/병점 제거(잔목 성장 촉진) 　– 정아제거 : 정아우세타파(측아 발생, 신장촉진) ② **적아** : 겨울을 지난 작물에게 새잎이나 새줄기 발생 시 필요치 않은 눈 제거 ③ **적엽** : 잎이 무성할 때 일부 잎 제거

	④ 절상(折傷) : 새눈 또는 새가지 위에 칼집을 내어 눈이나 가지의 발육 촉진 ⑤ 유인 : 지주를 세워서 덩굴을 유인하는 것 ⑥ 적화 : 꽃을 솎아 주는 것 ⑦ 적과 : 착과수가 많을 때, 어릴 때 과수를 솎아주는 것 ⑧ 환상박피 : 껍질을 3~6mm 정도 둥글게 도려내 주는 것 　※ 화아분화와 숙기단축		
단위결과	① 단위결과 : 수분이나 수정이 되지 않아 종자가 형성되지 않음에도 자방이 발육하여 과실을 형성하는 현상 ② 씨없는 수박, 포도 : 단위결과 유도, 포도(지베렐린 처리), 수박(콜히친 처리)		
봉지씌우기	병충해 방제, 과실의 착색 및 과실 상품가치 증진, 열과 방지, 숙기 조절		
결과습성	① 결과습성 : 과수는 종류에 따라서 열매를 맺는 기간이 다름 ② 과실에 따른 결과습성 : 1년생 가지(포도, 감, 감귤, 무화과)/2년생 가지(복숭아, 자두, 매실)/3년생 가지(사과, 배) ③ 결과모지(열매가지가 나오게 하는 가지), 열매가지(열매를 맺는 가지) 　※ 1년생 가지에 결실하는 과수 : 열매가지 = 결과모지		
낙과	① 생리적 낙과(이층형성) : 수정이 안 될 경우 생식기관, 배의 발육 불량/질소와 탄수화물이 과부족/수정 없이 과실이 형성/비대 ② 낙과방지 방법 : 수분매조 유도(인공수분, 곤충 매개)/건조, 과습 방지(관개, 멀칭)/정지/전정(수광태세 향상)/생장조절제 살포(NAA, 2.4-D) 　* 수분매조 : 매개곤충 또는 인공수분을 통해 수분이 잘 되도록 하는 것		
생장 조절물질	**식물호르몬**	① 식물호르몬 : 식물체 내에 생합성된 상태로 이동하면서 다른 조직이나 기관에 형태적·생리적으로 특수변화를 일으키는 화학물질 －광의 : 식물의 생육을 조절하는 모든 화학적 물질 －협의 : 극미량으로 식물의 생육을 조절하는 양분 이외의 유기·무기화학물질 ② 종류 －생장촉진물질 : 옥신, 지베렐린, 시토키닌 －생장억제물질 : 아브시스산(ABA), 에틸렌	
	옥신 (auxin)	의의	① 세포의 생장부위에서 생성되어 세포의 신장을 촉진 ② 작용 : 줄기·뿌리의 신장 촉진, 잎의 엽면 생장, 과일부피 생장 ※ 줄기 끝 분열조직에서 생성된 옥신 : 정아 제거 → 측아 발달
		천연옥신 합성옥신	① 천연옥신 : IAA, IAN, PAA ② 합성옥신 : PCPA, BNOA, NAA, 2,4-D, IBA, 2,4,5-T

	생리작용	생장 촉진, 굴광성 유도, 발근 촉진, 낙과 방지(이층형성 억제), 단위결실 촉진, 제초제 이용, 개화 촉진
지베렐린	의의	① GA라고 표기, 벼의 키다리병 묘로부터 추출, 합성 불가 ② 미숙종자에 다량 함유, 식물체 내에서 자유로이 이동 ※ 줄기신장, 과실생장의 생리작용 ③ 옥신함량 증가, 세포삼투압 증대, 세포의 활력 증진 (생장 촉진)
	이용	① 경엽의 신장 촉진 ② 개화 유도 ③ 휴면타파(배추) ④ 발아 촉진 ⑤ 단위결과의 촉진(포도의 무핵과) ⑥ 생육 촉진 ⑦ 식물의 저온처리나 장일조건의 환경을 대신할 때 이용
시토키닌	의의	① 세포분열 촉진 호르몬, 뿌리에서 합성(물관을 통해 지상부로) ② 반드시 옥신과 함께 작용하여야 세포분열을 촉진
	이용	① 잎의 생장 촉진 ② 종자발아 촉진 ③ 잎의 노화 지연 ④ 저장 중 신선도 유지 ⑤ 호흡 억제(단백질, 엽록소 분해 지연)
에틸렌	의의	① 성숙에 관여하는 기체상태의 호르몬(과실의 성숙 촉진) ② 식물체의 손상(마찰, 압력, 병해충) 시 에틸렌 증가 ③ 에세폰을 수용액으로 살포, 침지 → 에틸렌 발산
	이용	① 발아 촉진 ② 정아우세타파(곁눈 발달 조장) ③ 암꽃발현 수 증대 ④ 낙엽 촉진(조기수확)
ABA 아브시스산	의의	① 대표적인 생장억제 물질(건조, 무기양분부족 시 증가) * 일명 스트레스호르몬 ② IAA와 GA에 의해 일어나는 신장을 억제(길항작용) * 길항작용 : 두 요인이 서로 반대되는 효과를 내어 항상성 유지
	이용	① 잎의 노화 ② 낙엽 촉진 ③ 휴면유도 ④ 발아 억제 ⑤ 화성 촉진 ⑥ 내한성 증진 ⑦ 포도의 착색 증진

| 기타 생장억제 물질 | ① 의의 : 식물을 왜소화(矮小化)시켜 도복방지, 분재의 미적가치 증대
② 재배적 이용 | | | | |

Anti-GA			Amo-1618	MH (ANATI-옥신)
B-9	Phosfon-D	CCC		
신장억제 왜소화작용	줄기의 길이 단축	절간신장 억제 개화 촉진 (토마토)	국화의 왜화 개화 지연	감자, 양파의 발아 억제 당근, 무 추대×

🍴 6. 병충해 관리

병충해	**병해**	진균	탄저병, 노균병(오이), 흰가루병, 역병(고추), 배추 뿌리 잘록병
		세균	근두암종병, 궤양병, 무름병, 풋마름병, 검은썩음병 * 근두암종병은 사과, 배에 발생
		바이러스	오갈병(위축병), 잎마름병, 모자이크병, 사과나무 고접병, 바이러스병(감자, 고추, 오이, 토마토)
		마이코 플라즈마	오갈병, 감자빗자루병, 빗자루병(대추나무, 오동나무)
	충해	밭작물 해충	진딧물, 멸강나방, 콩나방, 점박이응애
		일반작물 해충	진딧물, 거세미나방, 땅강아지, 무잎벌레, 알톡토기
		원예작물 해충	복숭아 흑진딧물(감자바이러스 매개), 온실가루이, 뿌리혹선충, 민달팽이, 배추흰나비, 거세미나방, 점박이응애, 오이잎벌레, 파총채벌레, 잎말이나방

	식물병의 발생요인, 성립요건		① **病源** : 主因, 誘因, 소인(素因-기주식물로 침해)
			  ※ 배나무 적성병의 기주식물 : 향나무
			② **성립요건** : 병원체 + 환경 + 감수성 기주식물
			  * 감수성 : 식물이 어떤 병에 걸리기 쉬운 성질
			  ※ 지표식물 : 어떤 병에 고도의 감수성, 특이 병징을 표현하는 식물
			    🔲 감자바이러스(천일홍), 뿌리혹선충(토마토, 봉선화)

	병원균의 침입경로		① **기공 침입** : 노균병균, 갈색무늬병균, 녹병균(여름포자) ② **각피 침입** : 잎, 줄기, 뿌리 + 수분흡수 + 발아관으로 침입 균핵균병, 흰가루병균, 도열병균, 녹병균 ③ **상처 침입** : 주로 바이러스병균, 근두암종병균, 세균성무름병균

병충해 방제방법	**재배적 방제 (경종적 방제)**		① 재배환경 조절, 특정재배기술 도입
			② **방제방법**
			  - 윤작/중간기주식물 제거/적기파종(고온기 배추무름병 방제)
			  - 적당량 시비(질소 조절 : 오이만할병 억제)
			  - 산성토양의 개선(배추무사마귀병 감소)
			  - 생장점 배양(무병주 생산), 내병성 대목에 접목

	물리적 방제 (기계적 방제)		낙엽 소각/밭토양 담수/유충포살과 채취소각/봉지씌우기/건열처리

농약	생물학적 방제	① 천적을 이용한 방제방법 ② **천적곤충** : 칠레이리응애, 온실가루이좀벌, 굴파리좀벌, 꽃노린재, 마일스응애, 진디혹파리와 무당벌레(진딧물 방제) ③ **페로몬** : 성페로몬을 이용한 수컷의 대량방제(사과무늬잎말이나방, 복숭아심식나방)
	화학적 방제	제초제 사용 방법
	법적 방제	식물검역을 통한 병균이나 해충의 국내 전파 차단
	종합적 해충관리 (IPM)	① IPM(Integrated Pest Management) : 모든 적절한 기술을 상호 모순되지 않게 사용하여 경제적 피해를 일으키는 수준 이하로 해충 개체군을 감소시키고 유지하는 해충개체군 관리시스템 ② 피해 극소화 밀도로 억제하는 것이 목적 : 천적/농약 등의 일시적 살포/해충밀도 감소 종합적 방제수단 동원
	농약의 분류	① **살균제** : 보호살균제(보르도액), 직접살균제(디포라탄), 종자소독제(지오람수화제), 토양살균제(클로로피크린) ② **살충제** : 소화중독제, 접촉제, 훈증제, 침투성 살충제, 기피제, 불임제, 유인제, 보조제 등
	형태	유제, 액제, 수화제, 분제, 입제 등
	구비조건	① 살균, 살충력 强 ② 작물, 인축에 무해 ③ 사용법이 간편 ④ 저장 중 변질 × ⑤ 다량생산 가능
	사용 시 주의사항	① 수화제는 수화제끼리 혼합해서 사용 ② 혼합제의 경우 3가지 이상 혼합하지 않음 ③ 4종 복합비(요소, Mg, Ca, B)와 혼용 살포하지 않음
	살포시기	① 나무가 허약할 때나 관수직전에는 살포하지 않음 ② 차고 습기가 많은 날은 살포하지 않음 ③ 25℃를 넘는 기온에서는 살포하지 않음(서늘한 저녁에 살포)
	사용형태	살포법(농약+물), 살분법(가루상태), 연무법, 훈증법(약제→기체화) * 훈증법 : 저장곡물, 종자, 과실 등의 병충해 방제에 활용
	농약의 독성	맹독성(1급), 고독성(2급), 보통독성(3급), 저독성(4급)

🍴 7. 원예식물의 품종·번식·육종

품종	개념	① **품종** : 작물의 재배 또는 이용상 동일한 특성을 나타내며, 동일한 단위로 취급되는 개체군(재배적 관점 : 유전형질이 균일하고 영속적인 개체군) ② **특성** : 어떤 품종을 다른 품종과 구별하는 데 필요한 특성(키가 큰 것) ③ **형질** : 특성을 표현하기 위하여 측정대상이 되는 것(키, 숙기, 꽃 색)
	계통	유전형질이 균일한 개체군 중 유전형질이 다른 개체들을 분류한 것

		우량품종 조건	우수성/균일성/영속성/광지역성(넓은 지역에서 재배)
	우량품종	품종의 퇴화	① **퇴화** : 우량품종이라도 세대가 경과함에 따라 유전적 생리적, 병리적 요인으로 구조와 기능이 퇴보 ② **퇴화의 종류와 원인** 　－ 유전적 퇴화 : 돌연변이, 자연교잡 　－ 생리적 퇴화 : 재배조건의 불량 　－ 병리적 퇴화 : 병해, 바이러스병 등 ③ **퇴화억제방법** 　※ 씨감자(진딧물 방지) : 생장점 배양, 고랭지 재배
		특성유지 방법	① 신품종 · 우량품종의 종자 이용 ② 영양번식(잎, 줄기, 뿌리에서 새로운 개체 증식) ③ 격리재배　④ 종자의 저온저장　⑤ 종자갱신
번식	종자번식		① **종자번식** : 유성번식, 방법이 간단/저장 · 수송 편리/변이위험/1대 잡종 이용 ② **장점** : 번식 쉬움/일시에 다수의 묘 생산/우량종 개발 가능/수송 용이/ 영양번식에 비해 수명이 길고 발육의 왕성 ③ **단점** : 변이 위험이 큼/불임성 · 단위결과성 식물의 번식이 어려움/ 목본류는 개화까지의 기간이 오래 걸림
	영양번식	의의	① **영양번식** : 식물체의 일부(잎, 줄기, 뿌리)를 가지고 번식 ② **영양번식방법** : 접목, 삽목, 분주, 취목, 구근번식
		종류	① **자연영양번식법** : 모체에서 자연적으로 분리된 영양기관 이용 　예 감자(덩이줄기), 고구마(덩이뿌리) ② **인공영양번식법** : 인공적으로 영양체를 분할해서 번식 　예 포도, 사과 등의 접목, 삽목, 분주, 취목
		장단점	① **장점** : 모체와 유전성 동일/초기생장 양호/조기결과의 효과 　※ 종자번식이 불가능한 경우 이용 － 마늘, 무화과, 바나나, 감귤 ② **단점** : 바이러스감염 시 제거 불가/저장 · 운반 불편/증식률이 낮음 　※ 자가불화합성 : 대부분의 과수가 수분이 안 되는 것 　　예 사과/복숭아/백합/피튜니아/배추/양배추/무
접목	접목의 의의		식물의 한 부분을 다른 식물에 삽입하여 그 조직에 유착되어 생리적으로 새로운 개체를 만들어 내는 것
	접수와 대목의 친화성		① 대목과 접수의 형성층에서 형성된 유상층에 의하여 서로 밀착하고 유관속으로 연결 　* 대목 : 뿌리가 있는 바탕 부분 　* 접수 : 장차 자라서 줄기와 가지가 될 지상부 ② **친화성** : 동종간 → 동속이품종간 → 동과이속간 순

	접목의 적기	① **대목의 활력** : 대목이 왕성한 세포분열을 하는 시기로 생장속도가 빠른 1년생 가지가 좋음 ② **대목과 접수** : 대목(수액이동 시)/접수(휴면상태) ③ **계절별 적기** : 춘계수목종(15℃ + 대목새순 + 본엽2개) 　- 봄 : 눈이 싹트기 2~3주일 전(3월 중순~4월 상순) 　- 사과, 배(3월 중순), 감, 밤(4월 중하순)
	접목방법	지접/아접(芽椄)/호접
	접목의 효과	신품종 빠른 증식/결과 연령 단축/병해충 저항성 향상/수세 조절/노목의 품종 갱신(고접)/모수의 영양계 조직의 보존/수형 변화
삽목 **(꺾꽂이)**	**의의**	① **삽목** : 식물체로부터 뿌리, 잎, 줄기 등 식물체의 일부분을 분리한 다음 이를 땅에 꽂아 하나의 독립개체를 만드는 것 ② 쌍떡잎 식물이 발근이 잘됨
	장·단점	① **장점** : 모수특성 전달/결실불량 수목번식에 적합/묘목양성기간 단축/개화·결실이 빠름/병해충 저항력 강함 ② **단점** 　- 수명이 짧고 삽목이 가능한 종류가 적음 　- 바이러스 감염에 약함 　- 품종개량을 목적으로 하지 않음
	삽목시기	**공통적 시기** ① 모수의 나이가 어릴 때/영양이 충실할 때 ② C/N율이 큰 것이 발근 유리 　* C/N율 : 탄수화물/질소 　　(C/N율이 높으면 개화유도, 낮으면 영양생장 계속) ③ 기온보다 지온이 다소 높은 것이 유리 ④ 공중습도가 높은 것이 좋음
		품목별 시기 ① **상록침엽수** : 4월 중순 ② **상록활엽수** : 6월 하순~7월 상순(장마철) ③ **낙엽수(포도나무 등)** : 3월 중순 눈이 트기 전
기타 영양번식		① **분주** : 나무딸기, 앵두나무, 대추나무, 거베라, 꽃창포 ② **취목(휘묻이)** : 저취법(덩굴장미, 로즈베리) ③ **고취법** : 곧게 서 있는 나무의 가지에서 껍질을 둥글게 벗겨낸 후, 충분히 습기가 있는 물이끼로 싼 후에 물기가 새지 않도록 다시 비닐로 싸면 뿌리가 남(석류, 매화, 고무나무, 특히 관엽식물에서는 꺾꽂이에 비해서 효율이 좋음) 　※ 취목의 시기 : 온실용 원예작물(3~5월), 노지용 원예작물(6~7월) ④ **구근번식** : 지하부에 비대한 영양기관이 있는 작물에서 자구, 목자 등을 분리해서 번식 　* 자구(새끼구 : 백합, 글라디올러스, 튤립, 히아신스, 토란, 마늘 등) 　* 목자(지하부에 형성된 소구근 : 백합류, 글라디올러스, 프리지아 등)

조직배양	① 조직배양 : 식물의 일부조직을 무균적으로 배양하여 조직자체의 증식/조직·기관의 분화 발달에 의해 개체를 육성하는 방법(감자, 딸기 → 산업화) ② 장점 : 병균이나 바이러스가 없는 개체의 육성 및 단시간 내에 급속한 증식 가능		
생장점배양	① 생장점배양 : 생장점을 배양하여 무병주 개체 생산 ② 장점 : 영양번식은 바이러스 병에 취약하나 생장점배양은 무병주 생산에 효과적 ※ 전체형성능 : 조직배양을 통하여 단세포 혹은 식물조직 일부로부터 완전한 식물체 재생		
육종	육종의 개요	① 육종 : 현재 재배되는 작물의 유전적 소질을 개량하여 새로운 형 탄생 ② 육종의 목표 : 수량 증대/품질 향상/내병충/내재해성/수입 증대/약제 절감	
	육종방법	도입육종법	외국으로부터 품종, 육종소재 그대로 도입(식물방역 주의)
		분리육종법	재래종 집단에서 우수 개체들을 분리하여 품종개량(마늘) ① 순계분리법 : 기본집단에서 우수순계 선발 　예 벼, 보리, 콩 등 ② 계통분리법 : 기본집단에서 집단적 선발 계속 → 우수 계통 분리 ※ 주로 타가 수정작물에서 이용(완전한 순계획득 불리)
		교잡육종법	① 비교적 가까운 다른 종이나 속 중에서 유용한 종자를 교배 ② 가장 널리 쓰이는 육종법 : 계통육종법, 집단육종법, 여교잡법 등 * 여교잡법 : A품종×B품종 → 신품종×A 또는 B와 재교잡 　– 몇 개의 품종에 분산된 각종 형질을 모두 가진 신품종을 육성 하고자 할 때 적용 　– 육종의 시간과 경비 절약
		잡종강세 육종법	① 의의 : 잡종강세가 왕성한 1대 잡종 그 자체를 품종으로 이용(1대 잡종이용법) ② 장점 : 다수확성, 균일성, 강건성, 강내병성 ③ 단점 : 종자 구입비용 증가/매년 종자를 바꿔야 함 ※ 1대 잡종 종자를 다시 심으면 변이가 많이 발생한다. ④ 적용식물 　– 인공교배이용 : 토마토, 오이, 가지, 수박 등 　– 자가불화합성 이용 : 배추, 양배추, 무 　– 웅성불임성 이용 : 양파, 고추, 당근 등 　– 암수 다른 꽃 이용 : 오이, 수박, 옥수수 등 　– 암수 다른 포기 이용 : 시금치, 머위 등

		⑤ 종류
		– 단교잡법(2개품종) : 형질이 균일, 불량형질이 적지만 종자의 생산량이 적음
		– 복교잡법(다품종 교잡) : 품질균일×/채종 많음/종자大
		– 배수체육성법 : 염색체수를 늘이거나 줄여서 난변이
		※ 배수체 증가 : 콜히친 사용(씨 없는 수박)
		– 돌연변이육종법 : 교잡변이, 돌연변이, 아조변이
		*아조변이 : 생장 중의 가지 및 줄기의 생장점(生長點)의 유전자에 돌연변이가 일어나 두셋의 형질이 다른 가지나 줄기가 생기는 일
		– 조직배양 : 전체형성능 이용
종자증식 방법		① 종자증식 : 종자갱신에 충족할 만한 기본식물 생산 → 퇴화 방지 ② 종자갱신 : 감자, 옥수수(매년 갱신), 콩, 벼, 보리(4년 갱신) ③ 종자채종 : 채종종자(인산, 칼륨 중시), 성숙단계 채종

1. 총론

생리적 성숙도	식물의 생장과정 자체에 성숙의 기준을 둔 것
원예적 성숙도	식물의 이용측면에 기준을 둔 것(엽근채류 수확)
상업적 성숙도	(경제적 성숙도) 소비자에게 판매하는 것에 기준

<table>
<tr><td rowspan="1">성숙 및
수확적기</td><td>

① 원예산물 성숙의 모습
　－ 품종고유의 형태, 색, 향
　－ 비대성장
　－ 엽록소 감소(색소 발현)
　－ 전분 → 당(수크로스 sucrose) 환원
　－ 유기산 감소
　－ 수용성 펙틴의 증가 → 과실의 연화
　－ 세포벽 분해효소 활성 증가
② 사과의 성숙단계 변화
　－ 에틸렌 증가
　－ 비대생장의 종료
　－ 전분의 가수분해
　－ 호흡급등(클라이맥터릭라이스)
　※ 요오드 염색법 : 과실 + 요오드화칼륨용액 → 청색면적이 적으면 성숙
③ 수확적기 판정
　－ 과실의 호흡량 : 최저에서 약간 증가되는 초기단계
　－ 개화기 일자로부터 적정 일수 경과
　－ 색깔, 맛, 경도, 품질, 구성요소의 내외 요인 만족 시
　－ 저장용 과실은 수확적기보다 빠르게 수확함
　－ 원예작물별 수확적기 판정기준

</td></tr>
</table>

양파	배추	고추	사과	출하수박	호흡급등형
도복(倒伏)	결구정도	개화 후 일수	전분지수	완숙단계	완숙 전

밀감류	감	메론, 키위	복숭아	사과, 감	사과, 배
주스함량	탄닌함량	산함량	당도	이층 발달	에틸렌농도

④ 과실성숙의 주요 요인
　－ 기온과 일조량
　－ 토양(양분이 많으면 성숙・착색 지연)
　－ 비료(인산↑, 질소↓)
　－ 착과량이 적으면 성숙 지연
⑤ 수확 후 생리현상 : 호흡작용 증가/ 노화작용/증산작용

⑥ 과실의 숙성 중 색택변화 요인

구분	고추	딸기, 사과	토마토	당근
합성물질	캡산틴	안토시아닌	라이코핀	카로틴

에틸렌	역할	과실의 숙성 및 잎이나 꽃의 노화 촉진
	발생	① 수확 후 노화 진행 시 또는 과실 숙성 시 발생 ② 외부의 옥신 처리, 스트레스, 상처 등에 의해 발생 다량 발생 (사바토복배) 사과, 바나나, 토마토, 복숭아, 배 발생 미미 (오딸귤포채) 오이, 딸기, 귤, 포도, 채소류
	작용	엽록소(클로로필) 분해 및 색소의 합성 유도 ① 양배추 + 5ppm 에틸렌 → 황백화 현상 ② 오이, 수박 → 과피 물러짐 현상 ③ 당근 → 쓴맛(이소쿠마린 합성) ④ 감귤류, 고추, 토마토 → 착색증진 ⑤ 감자의 맹아 촉진 ※ 주의 : 휴면타파와 구별 ⑥ 조직의 연화와 노화 촉진 ⑦ 아스파라거스 등 줄기채소 → 조직의 경화
	발생 억제	① CA저장 ② 에틸렌 결합 억제 : STS(티오황산), NBA, I-MCP, 에탄올
	에틸렌 제거	① 흡착식, 자외선 파괴식, 촉매 분해식 ② 흡착제(제거) : 과망간산칼륨, 목탄, 활성탄, 오존, 자외선
	농업적 이용	① 과일의 성숙, 수화 및 착색 촉진 ② 파인애플 개화 유도 ③ 오이, 호박 등의 암꽃 발생 유도 ④ 종자의 발아 촉진 및 휴면타파(감자, 양파) ⑤ 신장생장억제와 비대생장 촉진 ⑥ 이층형성 촉진 → 낙엽, 낙과 발생 ⑦ 정아우세타파 → 곁눈의 발달 조장
호흡작용	호흡작용식	$C_6H_{12}O_6$(포도당) + $6O_2$ → $6CO_2$ + $6H_2O$ + ATP(에너지) ※ 유기호흡 : 호흡에서 산소를 사용하는 호흡
	호흡열	① 호흡열 : 식물이 호흡하는 동안 발생하는 열(부패원인) ② 호흡열의 작용 : 저장수명 단축

	호흡의
	변화요인
		① 호흡에 영향을 미치는 요소
		   – 온도
		   ※ Q10상수 : R2/R1(처음 호흡률/10℃ 낮을 때 호흡률)
		   – 저온 스트레스와 고온 스트레스
		   – 대기조성

		• 저산소 농도 : 혐기성 호흡으로 전환 • 이산화탄소 농도 증가 : 호흡감소 – 물리적 스트레스에 의한 호흡증가
	호흡상승과	(사바토복감망키) 사과, 바나나, 토마토, 복숭아, 감, 망고, 키위
	비호흡상승과	(오딸귤포채) 오이, 오렌지, 딸기, 감귤, 포도, 채소류(고추, 가지)
	호흡률	① 수확 후 호흡률은 일반적으로 낮아짐 ② 작물의 미성숙 상태에서 가장 높게 나타남 ③ 사과의 호흡률 : 만생종 < 조생종
	호흡속도	① 식물체에서 단위시간당 발생하는 CO_2의 무게, 부피 변화 ② 미성숙 식물, 표면적이 큰 엽채류 : 빠른 호흡속도 ③ 저장기관(감자, 양파), 성숙한 식물 : 느린 호흡속도 ④ 원예생산물별 호흡속도 　– (보배감사포기) 복숭아 > 배 > 감 > 사과 > 포도 > 키위 　– (딸아!완시당/오토/무스양) 　　딸기 > 아스파라거스 > 완두 > 시금치 > 당근 　　오이 > 토마토 > 무 > 수박 > 양파 ⑤ 호흡속도가 높으면 저장기간이 단축됨
	증산(蒸散)	식물체의 수분이 빠져 나가는 현상
증산작용	증산의 증감	① 주위의 습도가 낮고 온도가 높을수록 증가 ② 대기압과 식물체 수증기압의 차이가 클수록 증가 ③ 상대습도가 낮을수록 증가 ④ 온도가 높을수록 증가 ⑤ 원예산물의 표면적이 클수록 증가 ⑥ 큐티클층이 얇을수록 증가 ⑦ 공기유통이 활발할수록 증가

2. 품질구성과 평가

품질구성 요소	외적 요인	① 시각적 요인 : 색깔, 광택, 크기, 모양, 상처 ② 촉각적 요인 : 질감 ③ 후각, 미각적 요인 : 향기, 맛
	내적 요인	영양(비타민, 무기질), 독성, 안전성(농약)
색상	CIE색체계	① 빨강(X), 노랑(Y), 파랑(Z) 3원색의 혼합도 ② CIE색체계(Hunter색체계와 유사) 　– L*(명도) : 0~100(검은색~흰색) 　– a* : 녹색 안의 적색정도(−40~+40, 녹색~적색) 　– b* : 청색~황색(−40~+40)

조직감과 맛	식물색소	플라보노이드계	안토시아닌(赤), 플라본(黃)		
		카로티노이드계	카로티노이드(노랑~오렌지색), 리코펜(주황)		
		클로로필	엽록소(녹색)		

구분	토마토	딸기	바나나
색소	리코펜	안토시아닌	카로틴

조직감 요소	① 조직감(경도)의 관여 요소 : 세포벽의 구조 및 조성(펙틴, 섬유질)/ 세포의 팽압/전분/프룩탄(과당) ② 질감 관여요소 : 전분, 효소, 펙틴+다당류, 리그닌 ③ 경도의 단위 : N(뉴튼)

풍미 (맛, 향기)

① 5대 맛의 구성 : 단맛, 신맛, 짠맛, 쓴맛, 떫은맛

② 맛

단맛	당의 함량 측정(굴절당도계)
신맛	• 유기산 함량 • 사과(능금산), 포도(주석산), 딸기(구연산)
짠맛	
쓴맛	당근 + 에틸렌(이소쿠마린합성)
떫은맛	감(가용성탄닌)

③ 아스코르빈산(비타민C)

적정산도(TA)

① 적정산도 : 과즙에 녹아 있는 유기산의 상대적 함량

② 계산공식

$$TA = \frac{\text{사용된 NaOH양} \times \text{NaOH노르말농도} \times \text{산밀리당량} \times 100}{\text{측정할 과즙의 양}}$$

천연독성 물질

오이	쿠쿠르비타신, 알칼로이드	상추	락투세린
배추, 양배추	글루코시놀레이트	감자	솔라닌
고구마	이포메아마론	곰팡이	마이코톡신(진독균)
보리, 땅콩	아플라톡신	밀, 옥수수	오크라톡신, 제랄레논
목화씨	고시폴	청매실	아미그달린
피마자	리시닌	사과주스	파튤린

① 파라퀴트 : 제초제 그라목손의 원료

② 미생물 오염 : 살모넬라, 리스테리아, 장염비브리오

품질평가	평가기준	① 외적 요인 : 크기, 부피, 모양, 색깔 ② 내적 요인 : 당도, 조직감, 안전성 등

평가방법	① 평가항목		

① 평가항목

경도	경도계	내부충실도	X-Ray
당도	굴절당도계	생리장해	MRI
과피색	영상처리		

* 굴절당도계 : 온도에 따라 당도가 다름(단위 Brix)

② 품질평가의 방법

비파괴 평가	근적외선/X=Ray/MRI/경도측정/초음파
파괴적 평가	관능검사법(맛, 질감, 상품성 등) • 숙련된 검사원 불필요 • 시료의 반복사용 불가능

🍴 3. 각론

세척	건식세척법	체, 송풍, 자석, X선 등을 이용하여 이물질의 분리, 제거 ※ 자외선 파장 10~100nm에서 화학적 작용이 큼
	습식세척법	담금, 분무, 부유(浮游), 초음파 ※ 세척수 : 음용수 기준 이상, 오존수(세척 후 배출)
	농산물별 세척방법	근채류 (당근, 감자, 무 등) 세척시점과 소비시점 단축 엽채류 세척 시 곰팡이 억제제 : 클로린(염소 100ppm) 과채류 세척 시 상처 : 숙성 촉진, 에틸렌 발생 증가 ※ 차아염소산나트륨 용액 : pH 8~9 유지

농산물별 세척방법

근채류	(당근, 감자, 무 등) 세척시점과 소비시점 단축
엽채류	세척 시 곰팡이 억제제 : 클로린(염소 100ppm)
과채류	세척 시 상처 : 숙성 촉진, 에틸렌 발생 증가

※ 차아염소산나트륨 용액 : pH 8~9 유지

선별	기계적 선별	

기계적 선별

무게	크기	모양	색채
로드셀	다단식 회전원통 롤러	원판분리기	색채선별기 광학선별기

품목별선별기

스프링식(중량)	크기 大 (사배토)	광학적	숙도, 색깔, 크기
전자식(중량)		비파괴 과실 당도 측정기	당도 측정
드럼식(형상)	크기 小 (감귤, 매실)	절화류 선별기	CCD카메라 (크기, 개화)

예냉	예냉	수확 직후 원예생산물의 품온을 낮춰 생리작용 억제와 품질변화를 방지하는 것(호흡열, 호흡량 감소)
	예냉효과	수분손실 억제/호흡 억제/에틸렌생성 억제/병원균 번식 억제

예냉효과: 수분손실 억제/호흡 억제/에틸렌생성 억제/병원균 번식 억제

높은 품목	(오딸!사포) 오이, 딸기, 사과, 포도, 엽채류
낮은 품목	(고감자귤마양) 고구마, 감자, 귤, 마늘, 양파

	예냉적용품목	① 호흡작용이 극심한 품목 ② 주로 고온기에 수확되는 품목(한낮, 여름철) ③ 시설 채소류

		④ 절화 또는 선도 저하가 빠른 품목
		⑤ 에틸렌 발생이 많은 품목
		⑥ 수분 증산이 많은 품목
	반감기	원예산물의 온도가 처음온도에서 목표온도까지 반감(半減)되는 데 소요되는 시간 ※ 반감기 1시간인 32℃ 과일 : 16℃/8℃/4℃까지 각 1시간 소요
	예냉방식	**차압 통풍식** 2~6h ① 공기의 압력차/차압팬(흡기, 배기) ② 저경비/강제대류(냉각능력 증대) ③ 단점 : 냉각편차有, 통기구멍(압축강도 저하), 적재효율이 낮음
		진공 예냉식 2~40m ① 증발잠열 탈취방식 ② 장점 : 급속냉각, 온도편차小, 엽채류好 ③ 단점 : 高경비, 저온유통 필요, 시설大
		강제 통풍식 12~20h ① 장점 : 온도편차小, 저온저장고로 이용 ② 단점 : 예냉속도slow, 가습장치 필요
		냉수 냉각식 30분 ~1h ① 냉수샤워, 냉수침지(세척효과) ② 장점 : 세척효과, 근채류, 감모현상無 설비費 저렴, 시듦현상 방지 ③ 단점 : 물에 약한 포장재 사용불가 예냉 후 물기제거 필요
		빙냉식 원예산물 + 잔얼음 혼합
예건	예건	수확 직후 과습부패방지를 위하여 외층을 건조시키는 것
	품목별 예건	① 마늘, 양파(수분 65%까지) : 부패 방지, 응애·선충 밀도 감소 ② 단감 : 호흡작용 안정, 과피수분 제거(곰팡이발생 억제) ③ 배 : (그늘 + 통풍) → 아침에 저장고 이동
맹아억제	맹아	양파, 마늘, 감자 등의 휴면기간 경과 후 싹이 자라는 것
	맹아억제방법	MH 처리/방사선 처리/클로르프로팜 사용/NAA(옥신계) * MH : 추대 방지, 담배액아 억제, 양파발아 방지 ※ CM액제는 감자 맹아억제, 저온처리는 약 10℃
	맹아촉진제	**지베렐린** : 길이신장 촉진, 휴면타파, 개화 조절, 착과 증진, 꽃잎의 조기 개화 ※ 포도의 개화 2주 전 지베렐린 처리 : 씨 없는 포도
큐어링	큐어링	수확 시 상처치료/코르크층 형성 등으로 수분증발 및 미생물의 침입을 줄이는 방법
	농산물별 큐어링	**감자** 2주간 온도 16~20℃, 습도 85~90%

	고구마	• 수확 후 1주일 내 4~5일간 • 30~33℃, 습도 85~90%
	양파, 마늘	• 1차(밭), 2차(선별장 → 완전건조) • 장기저장습도 65~75%
	생강	부패억제를 위한 큐어링

포장	포장의 기능	물리적 충격 방지/해충·미생물·먼지 방지/온도·습도·광 조절
	분류	① 외포장 : 수공, 하역, 보관 → 외압 보호 ② 내포장 : 개개의 손상 방지 → 내부에 포장
	포장재 조건	지지력/방수성/방습성/비유동성/무공해성/투과성(호흡가스)/ 빛차단성/취급용이성/빠른 예냉성/내열성/처분, 재활용 용이

① 필름종류별 최대 가스투과성(ml/m²)

구분	LDPE	PVC	PP	PS	PET
CO_2	77,000	8,138	21,000	26,000	390
산소	13,000	2,248	6,400	2,700	130

② 포장재료

포장필름

골판지		상자의 통기공은 적재하중과 연관
PE, PP, PVC	PE	가스투과도高 → 채소류 포장
	PP	방습/내열/내한/투명성 → 채소류(투명포장/수축포장)
	PVC	채소류, 과일, 식품포장
기능성 포장재	방담필름	결로현상 방지
	항균필름	항균물질의 코팅
	고차단성F	수분/산소/질소/CO_2/유기질
	키토산F	유해균 성장 억제
	미세공F	공기구멍 : 수중기투과율↑

MA포장	MA포장	작물의 자연적 호흡이용 → 산소, CO_2 조절
	MA원리	이산화탄소의 투과율을 산소의 3~5배로 유지 ① **수동적 MA포장** : 자연적 호흡에 의존 ② **능동적 MA포장** : 인위적 가스 충전
	필름조건	투과도(CO_2 > 산소)/투습력/강도 유해물질 방출 억제력
	MA 포장 시 고려사항	① 필름 종류, 두께, 재질 ② 원예산물의 호흡속도 ③ 원예산물의 호흡량 ④ 에틸렌 발생량과 감응도

		MA 포장효과	① 숙성 및 노화 지연 ② 수분손실 억제 ③ 에틸렌 발생 감소 ④ 장해와 병충해 억제 ⑤ 품질 유지 ⑥ 장기저장 가능(단감 : 4~5개월 저장 가능)
		발생장해	과피갈변/조직수침/이취발생
저장	저장의 기능		신선도 유지/연중소비 가능/수급 조절/가공산업 발전/수요 확대
	수분활성도		수분활성도(Aw, water activity) : 미생물의 생육에 필요한 물의 활성 정도(0~1)
	저장력 주요요인		① 수확 후 온도, 습도(萎凋방지) 　- 저장 중 온도↑ → 호흡↑, 영양소모, 부패균활동 ② 재배 중 온도, 강우, 토양조건, 비료 　- 과일 : 건조하고 높은 온도조건에서 재배 시 저장력↑ 　- 재배 중 과다질소(고두병, 저장력↓) 　- 과다칼륨(과피반점) 　- 적정한 칼슘(경도증가, 저장력↑) ③ 품종과 수확시기 : 만생종 > 조생종, 장기저장(이른 수확)
	저장방법	상온저장	① 냉장시설이 없는 자연상태의 저장(15℃) ② 외기차단/강제송풍/보온/단열/밀폐 ③ 종류 : 움저장/지하저장/환기저장
		저온저장	① 냉장시설을 이용한 저장 ② 효과 　- 호흡, 대사작용 억제/저장양분소모감소 　- 미생물 증식, 부패균 활동 억제 　- 산화작용, 갈변현상 억제/증산감소 ③ 저장적온
		CA저장	① 저장고 공기조정 : 산소(8%↓), CO_2(1%↑) ② 호흡작용 억제(저장양분소모감소) 효과 ③ 에틸렌가스 제거 필요 ④ 효과 : 노화 방지/저온장해 개선/곰팡이 억제/저장 　기간 증대/발근 등 생리작용 억제

저장적온 표:

동결점~0℃	브로콜리, 당근, 양파, 상추, 시금치
0~2℃	사과, 배, 복숭아, 포도, 아스파라거스
3~6℃	감귤
7~13℃	(감바오애가수)감자, 바나나
13℃ 이상	(고생미토)고구마, 생강, 미숙토마토

			⑤ 문제점 : 감자(흑색심부), 상추(갈색반점), 이취 발생, 불균일한 숙성(토마토) ⑥ 단점 : 비용 과다/저장고 수시개방 不可/내부갈변(고농도이산화탄소)
수확 후 장애	생리적 장해	온도	동해 : 조직내부 결빙 → 과·엽채류 수침현상
			저온 : 생육적온보다 저온 → 과육변색, 함몰
			고온 : 사과, 배의 껍질덴병
		가스	① 고농도 탄산가스 → 갈색 함몰 ② 저산소, 에틸렌 가스 → 과육갈변
		영양	칼슘부족 → 사과(고두병), 토마토(배꼽썩음병), 양배추(흑심병), 배(코르크스폿)
	기계적 장해		마찰, 압축, 진동에 의한 장해
	병리적 장해		① 사과의 적성병 : 녹균에 의한 장해(저장 중 발생NO) ② 이산화탄소 훈증 : 미생물 제어
	장해의 종류		① 갈변 : 사과(탄산가스 축적), 배(고온노출, 장기저장) ② 배(과피흑변), 고두병(칼슘결핍), 밀병(솔비톨 축적), 단감(꼭경부 수침-초코과) ③ 포도의 저장장해 : 푸른곰팡이병, 잿빛곰팡이병, 무름병 → 확산방지(이산화황SO_2 훈증)
안전성	위험요소		위해독소 : 아플라톡신, 오크라톡신, 제랄레논, 파튤린 등
	HACCP		① HACCP(위해요소중점관리기준) : 식품의 원료, 제조, 가공, 조리 및 유통의 전과정에서 위해 물질이 식품에 혼입되거나 오염되는 것을 사전에 방지하기 위하여 각 과정을 중점적으로 관리하는 기준 － 자주적, 체계적, 효율적 관리 － 식품의 안전성 확보를 위한 과학적, 위생적 관리체계 ② HACCP의 구성 : HA(위해분석) ＋ CCP(중점적 관리점) ③ HACCP의 7원칙 － 원칙 1 : 위험요소분석(Hazzard Analysys) － 원칙 2 : 관리점(Critical Control Point) － 원칙 3 : 한계기준 설정 － 원칙 4 : 모니터링 체계 － 원칙 5 : (한계기준이탈) 개선조치 방법수립 및 원상복구 － 원칙 6 : 검증절차(관리의 적절한 실행 검증) － 원칙 7 : 문서화 및 기록유지

콜드체인 시스템	저온유통체계	① 산지출하 전 : 적정 저온저장 ② 냉장차 출하 ③ 판매대의 냉장진열 ④ 고려할 점 : 포장재 압축강도, 혼합적재 가능성	
	저온저장고	압축기(냉매가스 압축) → 응축기(액체화) → 팽창밸브(저압) → 증발기 순환(기체화)	
	저장고 습도유지	① 냉동기기 용량 설계 : 저장고 내 상대습도 유지 ② 저장고 벽면 : 단열처리, 방습처리 ③ 공기유통 통제 : 온도상승 방지 ④ 환기는 극소화 ⑤ 증발기 코일의 온도와 저장고 내 온도편차 최소화 ⑥ 냉각기 표면적 : 넓으며 충분한 송풍량 ⑦ 가습기 운영, 수분살포, PE포장, 용기(수분흡수 억제)	
수송	일관운송체계	일관운송체계	농산물이 산지에서 소비지까지 해체 또는 환승 없이 팰릿에 적재한 상태에서 수송
		종류	① 단위화물적재시스템(Unit Road System) ② 팰릿공용시스템 : 표준팰릿의 공동이용
		이점	인력 절감/파손 감소/신속한 상하차(경비 절감)/쓰레기 감소
신선편이 농산물 (fresh–cut)	신선편이농산물	수확한 농산물의 세척/세절/절단/박피/다듬기 등을 미리 처리하여 소비자가 별도의 처리 없이 식용가능한 식품	
	농산물의 특성	호흡열 증가/에틸렌 발생/미생물 침입/증산량 증가/펙틴량 감소(연화)/스트레스 가중	
	변색억제 방법	저온저장/항산화제 처리/효소의 불활성화	
	살균소독	① 염소소독 : 염소수(50~200ppm) 1~2분 처리 ② 필요염소량 : 희망 유효염소농도×수조용량/NaOCl농도×10,000	

1. 농산물유통이란?

① 농산물이 생산자인 농업인으로부터 소비자나 사용자에게 이르기까지의 모든 경제 활동
② 판매 전 관리(예측과 결정), 판매관리, 판매 후 관리

2. 농산물유통이란?

① 관측기능(수요·공급의 예측)
② 교환기능(구매와 판매)
③ 물리적기능(수송·저장·보관·가공 등)
④ 거래촉진기능(유통정보 : 광고, 금융, 등급화, 브랜드, 보험 등)
⑤ 판매 후 관리기능(A/S)

3. 농산물유통의 특성

계절적 편재성/부피와 중량성/부패성/양과 질의 불균일/용도의 다양성/비탄력성/영세성

4. 농산물의 한계소비성향

소비자의 소득증가분에 따라 농산물의 소비가 어느 수준까지는 증가하지만 일정수준에
다다르면 소비의 증가가 더 이상 일어나지 않는 현상
※ 농산물의 한계소비성향은 고소득사회보다는 저소득사회에서 더 큼
  ∵ 저소득층에서 가계소비량 중 농산물소비가 차지하는 비율이 높음

5. 농산물유통의 주요 기능

소유권 이전기능 (교환기능)	구매기능(수집), 판매기능(분배)
물적 유통기능	① **장소적 효용창조(수송기능)** : 수송거리와 비용관계 ② **시간적 효용창조(저장기능)** : 수요와 공급의 시간적 조절 ※ 저장의 종류-운영적 저장/계절적 저장/비축적 저장/투기적 저장 ③ **형태적 효용창조(가공기능)** : 생산의 계절성이나 저장 약점의 극복대안 ※ 농산물 가공은 수송 및 저장기능과 밀접하게 연결되어 있으며 계절성의 특수성 극복과 농산물의 부패방지, 부피성의 대안이 됨

유통조성기능	표준화 및 등급화 기능, 유통금융기능, 위험부담기능(물적·경제적 위험의 전가), 시장정보기능
판매 후 서비스 기능	

🍴 6. 농산물유통기구

유통기구의 의의	① 각종 유통기관(수집/중계/분산)이 상호 관련하여 활동하는 전체조직 ② 전체 유통경로상에 각 유통기관의 결합
수집기구	① 농산물 수집기구의 발생 이유 : 농산물의 자연적, 영세적(소규모) 생산 ② 수집시장의 분류 : 산지수집시장, 집산지시장, 조직출하(조합/작목반)
중계기구(도매기구)	① 도매시장, 공판장, 유사도매시장, 종점시장(Terminal Market) ② 중계기구의 기능 : 농산물의 수급조절, 가격형성, 분배, 위험전가기능
분산기구(소매기구)	도매상, 소매상

🍴 7. 농산물유통기구의 전문화와 다변화

① **전문화** : 유통기능의 특화

    → 상품특화/기능특화/기관특화

② **다변화** : 유통기능의 통합

    → 기능다변화/기관다변화

* 기능다변화 : 잡화점, 식품도매상, 슈퍼마켓 등과 같이 소비기구(소매상)의 역할뿐만 아니라 중간상 또는
  그 이상의 영역(택배업 등)까지 사업을 확장하는 것

🍴 8. 농산물유통기구의 집중화와 분산화

① **집중화 형태** : 중앙시장, 5일시장, 집하장 등에 집중된 후 도매상, 소매상 등에 분산
    (산지수집단계 → 집산지단계 → 중계단계(도매시장) → 도매단계 → 소매단계)

② **집중화초래요인**

    - 한정된 교통수단(초기 철도에 의존)

    - 통신시설의 미비(거래관계자간 정보공유가 직접적 접촉에 의존)

    - 농산물의 자연적 특성(부패성, 표준규격화의 어려움 등)

    - 규모의 영세성

    - 지역적 소비기호의 차이 및 수많은 소매상의 존재

③ **유통의 분산화 형태** : 생산자로부터 실수요자(도매상/소매상/가공업자 등)에게 직접 전달
④ **분산화의 촉진요인**
  - 교통수단의 발달
  - 유통정보 전달의 편리성(통신기술의 발달)
  - 물적 유통기능의 발달(저온유통/저장보관기술)
  - 견본거래 및 통명거래 가능(표준화 및 등급화)
  - 농업생산의 전문화 및 대규모
  - 대규모 소매기관의 발달(기관과 생산자의 직결)

9. 유통기구의 통합화

① **수직적 통합** : 전후방관계에 놓인 유통기구의 통합(가축집하장과 도축업자, 산지직거래)
② **수평적 통합** : 동일 유통기구 간의 통합(소매상의 연쇄적 결합)

10. 도매시장의 거래총수 최소화의 원리

① 생산자와 소매시장 직거래 시 거래총수(많음)
  → 생산자가 각각의 소매점에 모두 거래해야 하기 때문
② 생산자가 도매시장을 통해 대량거래 시 거래총수(적음)
  → 생산자는 시장에서 1회의 거래 또는 몇 회의 거래로 거래 완료

11. 농산물시장 외 거래

① 시장 외 거래 형태로 산지직거래와 계약생산거래를 들 수 있음
② 특징
  - 농협공판장이나 중간 위탁상을 거치지 않음
  - 가격결정과정에 생산자도 참여
  - 가격의 기준은 도매시장에서 형성된 가격이 됨
  - 생산자와 소비자 간 정신적 유대를 바탕을 한 관계론적 유통형태
  - 직거래는 생산자와 소비자 간의 수직적 통합의 형태
  - 주말농어민시장, 직판장, 우편주문판매 등이 이 유형에 속함

12. 선물거래(先物去來)

① 의의
- 일정한 거래소에서 미래의 일정 시점에 주고받을 상품의 가격을 현재 시점에서 미리 결정하고 미래의 해당 시점에 가서 쌍방이 계약을 이행하는 거래방법
- 미래의 가격에 대하여 구매자와 판매자 간에 위험을 회피하려는 수단

② 선물거래상품 : 현물시장에서 가격 변동이 극심한 농축임산물과 비철금속에너지, 귀금속 등

③ 선물거래의 기능
- 위험전가기능
- 가격예시기능
- 재고배분기능
- 자본형성기능

13. 농산물의 선물거래

① 선물거래가 가능한 농산물
- 시장규모가 커야 함(거래량이 많고 생산 및 수요의 잠재력이 큰 품목)
- 장기저장성이 큰 품목
- 계절·연도·지역별 가격의 진폭이 큰 품목
- 선도거래가 성립되지 않는 품목
- 표준규격화가 용이하고 등급이 단순한 품목
- 정부의 통제가 없는 품목

② 선물계약가격의 결정(미래의 가격 예시기능)
현재의 시점이 아닌 선물계약시점에서 공급량과 수요량에 의해 결정

③ 용어
- **베이시스** : 현물가격과 선물가격의 차이
- **연계거래(헤징)** : 현물을 다루는 유통업자 등은 미래 시점에서 일정 분량을 선물시장에 내놓아 미래의 위험을 줄이는 연계장치로 선물시장을 활용
- **마진콜** : 최초의 선물보증금인 마진(margin)이 최소부담금 수준 이하로 하락할 경우 선물거래소가 계약이행을 보장하기 위하여 위탁자에게 추가로 요구하는 부담금의 요청

🍴 14. 농산물 전자상거래의 특징

① 특징
- 유통경로가 짧음
- 시간과 공간의 제약이 없음
- 판매점포가 불필요함
- 고객정보의 획득이 용이함
- 효율적인 마케팅활동이 가능함
- 소자본에 의한 사업

② 주의
- 상품공급자의 판매비용이 반드시 실물거래보다 낮다고 할 수는 없음(소량주문)
- 상품수송 중 부패가능성이 있는 상품은 전자상거래를 할 수 없음(거래품목의 제한)
- 견본거래 또는 통명거래가 전제되는 상품이어야 함(표준화 및 등급화)
- 수요자가 판매자를 신뢰할 수 있는 장치가 마련되어야 함

🍴 15. 공동판매의 형식

① **무조건 위탁** : 생산자가 공동조직에 조건 없이 물건을 위임하는 형식
② **평균판매** : 농업인의 수취가격을 평준화시키는 방식(출하기의 조절, 물적유통방식의 개선, 계획적 판매)
③ **공동계산** : 각 농가의 상품을 혼합하여 등급별로 판매한 후 그 등급에 따라 평균정산

🍴 16. 수요와 공급

① **수요와 공급에서 기간** : 유량개념(flow개념). '일정 기간 동안'에 사람들이 농산물을 구매(수요)하려는 욕구와 판매(공급)하려는 욕구
② **유효수요와 유효공급** : 수요/공급이란 개념은 실제 구입하고, 실제 판매한 것이 아닌 구매력 있는 또는 판매력 있는 수요와 공급을 말함
③ **수요법칙**
- 다른 조건은 동일하고 오직 가격만이 변화한다고 가정할 때 수요량은 가격에 반비례
- 가격↑ → 수요량↓ / 가격↓ → 수요량↑ (이는 수요곡선을 우하향하게 만듦)
④ **공급법칙**
- 다른 조건이 동일하다고 가정한 상태에서 가격이 변할 때 공급량은 가격에 비례
- 공급곡선을 우상향하게 만듦(위 수요법칙과 반대방향)

⑤ 수요량의 변화(또는 공급량의 변화) : 가격이 변화할 때 동일 수요곡선(공급곡선)상
위에서 이동하는 현상(물론 다른 조건은 일정하다고 전제)
⑥ 수요의 변화(또는 공급의 변화) : 가격 이외의 요소(소득, 기술, 유가, 원자재가 등)가
변화할 때 수요곡선(공급곡선) 자체가 좌측 또는 우측으로 이동하는 현상

17. 가격효과

① 대체효과
  – 대체재관계의 농산물 예 키위와 참다래
  – 키위의 가격상승 → 상대적으로 참다래의 가격하락 → 참다래의 수요증가(수요법칙)
② 소득효과 : 키위의 가격하락 → 동일 수입으로 키위의 수요량 증가 → 소득증대효과

18. 농산물수요의 증가요인

※ 농산물의 수요곡선 자체를 우측으로 이동시키는 요인
① 소득의 증가(정상재인 경우)
  ※ 열등재인 경우엔 오히려 수요감소
② 대체농산물의 공급부족
  – 키위 생산자의 경우 : 대체농산물인 참다래의 공급부족 → 참다래 가격상승 →
    대체재인 참다래의 수요증가
  – 보완재인 농산물의 경우 오히려 수요감소(예 보완재 : 고추와 배추)
    • 배추생산농가의 입장에서 보완재인 고추가격이 오르면?
      고추가격의 상승 → 고추수요량 감소 → 배추김치 김장량 감소 → 배추수요량 감소
③ 인구의 증가 : 수요자 수의 증가
④ 소비자의 기호변화 : 해당 생산물이 기능성식품으로 인기를 얻게 될 때

19. 수요와 공급의 탄력성

①
$$\text{탄력성의 공식} = \frac{\text{종속변수의 변화율}}{\text{독립변수의 변화율}} = \frac{\text{수요(공급)량의 변화율}}{\text{가격의 변화율}}$$
$$= \frac{\dfrac{\text{수요(공급)량의 변동분}}{\text{원래의 수요(공급)량}}}{\dfrac{\text{가격 변동분}}{\text{원래의 가격}}}$$

② 농산물 가격이 10% 오를 때 수요량은 10% 이상 감소하지 않는다면 수요는 비탄력적
※ 탄력적 혹은 비탄력적 : 탄력성 공식에 의하여 계산한 결과 그 값이 1보다 크면 탄력적,
　1보다 작으면 비탄력적

🍴 20. 농산물 수요의 탄력성

① 농산물은 일반 재화에 비하여 상대적으로 비탄력적(필수재는 비탄력적)
② 특정 농산물의 경우 대체재가 많다면 그 농산물에 대한 수요의 가격탄력성은 보다 탄력적
③ 용도가 다양한 농산물은 보다 탄력적
④ 농산물은 단기보다는 장기에서 상대적으로 더 탄력적
⑤ 농산물과 공산물을 비교하면 농산물은 공산품에 대하여 더 비탄력적

🍴 21. 수요의 탄력성과 총수입과의 관계
(※ 기본적인 관계만 외워둘 것)

수요가 비탄력적인 경우에 가격인상 시 공급자의 수입	수요량은 작게 변화하지만 수입증가
수요가 탄력적인 경우에 가격인상 시 공급자의 수입	수요량은 크게 변화하지만 수입감소

🍴 22. 농산물가격의 특징

① 농산물의 수요와 공급은 비탄력적
② 위 ①은 거꾸로 농산물의 수요변화나 공급변화에 대하여 가격이 민감하게 작동한다는 것(가격의 신축성)
　※ 탄력성과 신축성은 반대(逆)의 관계
③ 농산물은 계절적인 영향으로 가격이 불안정
④ 농산물시장은 완전경쟁시장에 가까움
⑤ 일단 형성된 농산물의 가격은 장기적인 경향이 있음(생산기간이 긺)

23. 거미집이론

① 농산물은 생산에 일정기간이 소요되므로 현재 시장의 가격에 즉각 반응하지 못하는 경향

② 에치켈이 도입한 이론으로서 폐쇄시장(무역이 없다)에서 수요자는 즉각적으로 현재의 가격에 순응하여 수요를 결정하지만 공급자는 현재의 가격이 아닌 전기(前期), 즉 6개월 또는 1년 전의 가격에 따라 공급량을 결정한다는 이론

수렴형	수요탄력도 > 공급탄력도
발산형	수요탄력도 < 공급탄력도
순환형	수요탄력도 = 공급탄력도

※ 탄력도와 곡선의 기울기는 역의 관계 → 탄력도가 크다는 말은 기울기가 작다는 말과 같음

24. 유통마진

①
> 유통마진 = 최종소비자의 농산물지출금액 − 생산농가가 수취한 금액

② 시험출제가능한 지문 모음
- 유통마진은 각 단계에서 유통기관이 수행한 효용증대활동에 대한 기능의 대가
- 유통마진은 유통효율성을 판단하는 하나의 지표
- 부피가 크고 저장·수송이 어려운 농산물의 유통마진은 높음
- 유통마진은 유통단계별 상품단위당 가격차액으로 표시
- 농산물은 소매단계에서 유통마진이 가장 높음
- 유통마진은 수송비용, 저장비용, 가공비용, 판매비용 등으로 구성
- 경제가 발전할수록 유통마진이 증가하는 경향
- 유통마진이 작다고 해서 반드시 유통능률이 높다고 할 수는 없음

25. 농산물 유통비용

① 농산물이 생산자로부터 소비자에게 이르는 과정에서 발생한 모든 경제활동에 따르는 비용을 의미(선별, 포장, 수송, 하역, 저장, 가공, 매매관련비용) → 좁은 의미의 유통비용

②
> 넓은 의미의 유통비용 = 좁은 의미의 유통비용 + 상업이윤

③ **직접비용** : 수송비, 포장비, 저장비, 가공비 등

④ **간접비용** : 점포임대료, 자본이자(대출이자), 통신비, 제세공과금, 감가상각비

26. 시장의 개념

① 시장의 형태 : 완전경쟁시장, 독점적경쟁시장, 과점시장, 독점시장
② 농산물시장의 유형 : 완전경쟁시장에 가까운 불완전경쟁시장
　– 시장의 공급되는 상품에 따라 다양한 시장형태가 존재할 수 있음
　– 농산물 상품 중 '고급녹차'의 경우 독점적 경쟁 또는 과점시장이라 할 수 있음
③ 과점시장의 특징

기업수	가격지배력	상품동질성	시장진입자유
적다	꽤 크다	동질 or 이질	제한적

주요경쟁수단	기업행동	한국경제
비가격경쟁	담합가능성	설탕, 자동차

27. 가격차별정책

① 정의 : 동일상품에 대해 시장마다(고객에 따라) 상이한 가격을 매겨 극대이윤창출 목표
② 조건
　– 판매자가 시장에 대한 지배력(가격지배력)을 가져야 함
　– 시장의 구분이 가능해야 함
　– 다른 시장 간에는 상품의 이동이 없어서, 재판매가 불가능해야 함
　– 다른 시장 간에는 가격탄력도가 서로 달라야 함
　– 시장분리비용이 가격차별의 이익보다 작아야 함
③ 유형 : 1차(개인별), 2차(집단별), 3차(시장별) 가격차별정책

28. 농산물마케팅

① 마케팅 : 생산자가 상품 또는 서비스를 소비자에게 유통시키는 데 관련된 모든 체계적 경영활동
② 마케팅과정 : 문제의 정의 → 마케팅 조사설계 → 자료수집 → 분석 및 이해 → 보고서 작성

🍴 29. 마케팅전략

① 시장점유마케팅(공급자중심)
  – STP : 시장세분화(Segmentation), 표적시장(Target), 시장위치선정(Positioning)

시장세분화(Segmentation)	다양한 시장을 구매능력이나 욕구가 유사하고 동질적인 집단으로 세분하여 고객의 욕구에 맞춘 상품 및 가격을 차별화하려는 시장구분(세분화) ※ 세분된 시장 간에는 이질성(異質性)이 존재해야 하며 가격탄력도가 달라야 함
표적시장(Target)	시장영업범위 → 세분된 시장 내에서 자신의 상품과 일치되는 수요집단을 확인·선정하여 상품타겟을 정함
시장위치선정(Positioning)	자신의 제품이 소비자에게 지각되어 있는 모습 ※ 브랜드홍보 등을 통하여 타사보다 경쟁력을 갖춘(더 나은) 위치에 자사를 위치시키는 것

  – 4P MIX : 제품(Product), 가격(Price), 유통경로·시장위치(Place), 홍보(Promotion)
② 고객점유마케팅(수요자중심)
  – AIDA : 주의(Attention), 관심(Interest), 욕망(Desire), 행동(Action)
③ 관계마케팅(공급자와 수요자와의 상호작용)

🍴 30. 상표선정

① 상표선정 시 4가지 관심사 반영
  – 제품의 이점전달
  – 실제적이고, 분명하고, 기억하기 쉬워야 함
  – 상표와 기업(제품)이미지의 일치
  – 법적보호
② 상표의 기능
  – 상품식별기능
  – 출처표시기능
  – 품질보증기능
  – 광고선전기능

🍴 31. 가격전략

① **가격모색자**(시장가격을 통제할 수 있는 판매자)
② **가격순응자**(시장가격을 받아들여야 하는 생산자, 소비자, 수출업자 등)
③ **가격결정의 방법**

원가기준가격결정법	원가가산가격결정	원가 + 이윤가산
	목표가격결정	총원가 + 목표이윤
수요기준가격결정법	원가차별법	2개 혹은 여러 개의 가격을 제시(고객, 시기에 따라)
	명성가격결정	고급품목에 대한 가격결정
	단수가격결정	10,000원(×) → 9,900원
경쟁기준가격결정법	경쟁수준가격결정	우세한 관습적 가격에 따름(라면값, 우유값)
	경쟁수준이하결정	경쟁제품보다 약간 저렴한 가격제시, 가격에 민감한 고객 유치전략
	경쟁수준이상결정	고소득층 흡수전략

④ **탄력도에 따른 가격정책**
 - **저가격정책** : 수요의 탄력성이 크고, 대량생산에 의한 생산비용절감이 가능한 경우
 - **고가격정책** : 수요의 탄력성이 작고, 소량 다품종생산인 경우
⑤ **재판매가격유지정책**(희망소비자가격) : 유표품(Branded Goods)은 자사 제품의 명성 유지를 위하여 기업이 설정한 가격에 의한 판매를 유도

단끝

농산물
품질관리사

1차 | 한권으로 합격하기

제2판 인쇄 2024. 01. 10. | **제2판 발행** 2024. 01. 15. | **편저자** 김봉호

발행인 박 용 | **발행처** (주)박문각출판 | **등록** 2015년 4월 29일 제2015-000104호

주소 06654 서울시 서초구 효령로 283 서경 B/D 4층 | **팩스** (02)584-2927

전화 교재 문의 (02)6466-7202

저자와의
협의하에
인지생략

정가 25,000원
ISBN 979-11-6987-556-1